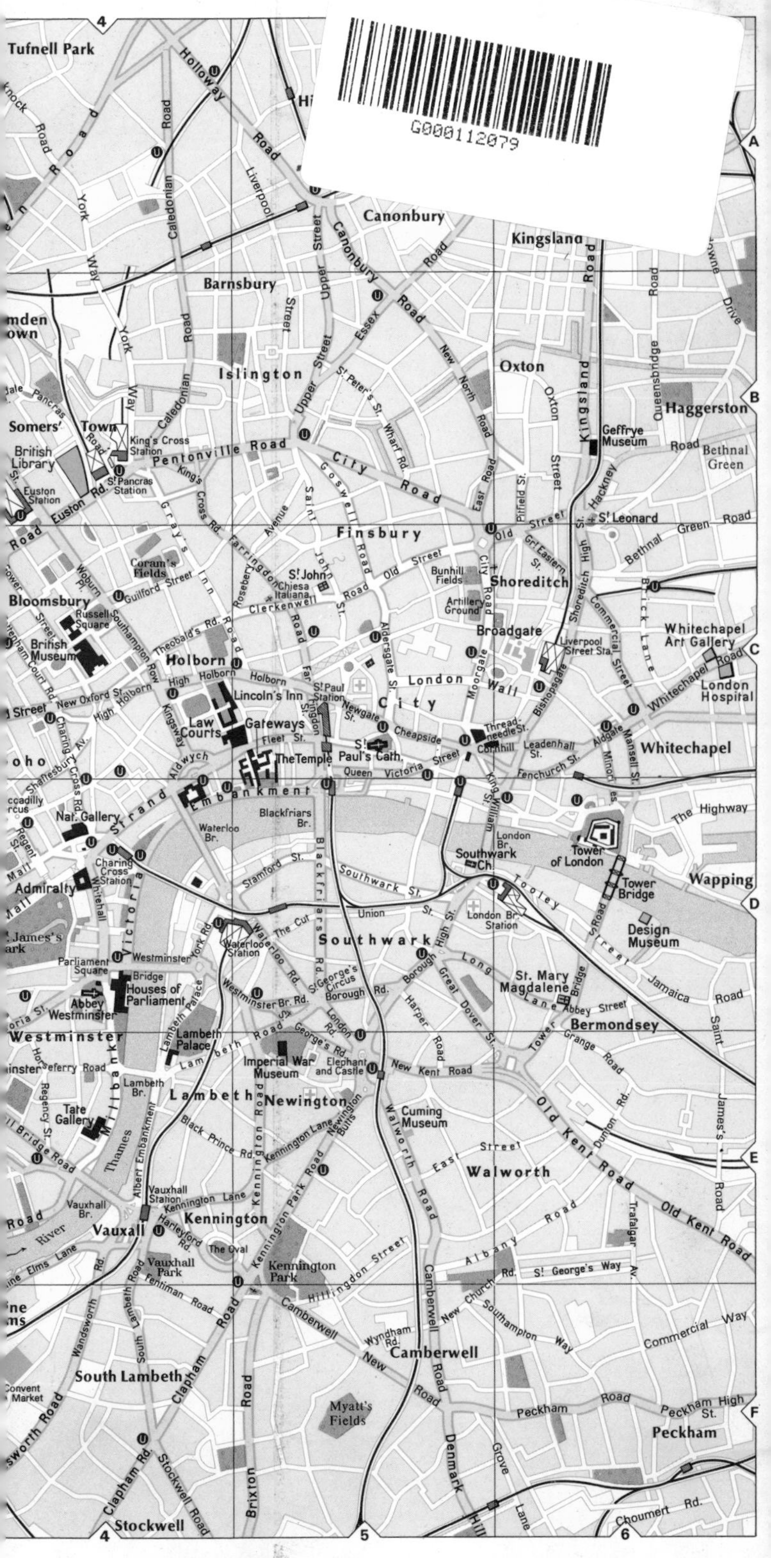
4
5
6
A
B
C
D
E
F
Tufnell Park
Holloway Road
Caledonian Road
York Way
Liverpool Road
Canonbury
Canonbury Road
Kingsland
Kingsland Road
Barnsbury
Upper Street
Essex Road
New North Road
Islington
Oxton
Haggerston
Queensbridge Road
St. Peter's St.
Wharf Rd.
Somers' Town
British Library
King's Cross Station
St. Pancras Station
Euston Station
Euston Rd.
Pentonville Road
City Road
Geffrye Museum
Bethnal Green
Goswell Road
Old Street
St. Leonard
Hackney Road
Finsbury
Coram's Fields
Guilford Street
Bloomsbury
Russell Square
British Museum
St. John
Chiesa Italiana
Clerkenwell
Farringdon Road
Rosebery Avenue
Bunhill Fields
Artillery Ground
Shoreditch
Shoreditch High St.
Brick Lane
Commercial Street
Whitechapel Art Gallery
Whitechapel Road
London Hospital
Theobald's Rd.
Holborn
Broadgate
Liverpool Street Sta.
Bishopsgate
London Wall
Moorgate
Aldersgate St.
St. Paul Station
Newgate St.
City
Lincoln's Inn
Law Courts
Gateways
Fleet St.
Cheapside
Threadneedle St.
Cornhill
Leadenhall St.
Aldgate
Mansell St.
Whitechapel
Fenchurch St.
Minories
New Oxford St.
High Holborn
Kingsway
Aldwych
The Temple
St. Paul's Cath.
Queen Victoria Street
Soho
Shaftesbury Av.
Charing Cross Rd.
Nat. Gallery
Strand
Embankment
Blackfriars Br.
Waterloo Br.
King William St.
London Br.
Southwark Ch.
Tower of London
Tower Bridge
The Highway
Wapping
Charing Cross Station
Admiralty
Whitehall
Victoria Embankment
Stamford St.
Southwark St.
Blackfriars Rd.
Tooley Street
London Br. Station
Union St.
The Cut
Waterloo Station
Waterloo Rd.
York Rd.
Southwark
Borough High St.
Long Lane
Design Museum
St. James's Park
Parliament Square
Westminster Bridge
Houses of Parliament
Abbey Westminster
Westminster Br. Rd.
St. George's Circus
Borough Rd.
Great Dover St.
St. Mary Magdalene
Abbey Street
Tower Bridge Road
Jamaica Road
Bermondsey
Grange Road
Westminster
Lambeth Palace
Lambeth Road
Imperial War Museum
George's Rd.
London Rd.
Elephant and Castle
New Kent Road
Harper Road
Horseferry Road
Millbank
Lambeth Br.
Tate Gallery
Lambeth
Newington
Newington Butts
Cuming Museum
Old Kent Road
Dunton Rd.
St. James's Road
Black Prince Rd.
Kennington Road
Kennington Lane
Walworth Road
East Street
Walworth
Thames
Albert Embankment
Vauxhall Station
Vauxhall Br.
River
Kennington Park Road
Kennington
Vauxhall
Harleyford Rd.
The Oval
Albany Road
Trafalgar Av.
St. George's Way
Nine Elms Lane
Vauxhall Park
Fentiman Road
Kennington Park
Hillingdon Street
Camberwell Road
New Church Rd.
Southampton Way
Commercial Way
South Lambeth Road
Wandsworth Rd.
Camberwell New Road
Wyndham Rd.
Camberwell
South Lambeth
Clapham Road
Brixton Road
Convent Market
Myatt's Fields
Peckham Road
Peckham High St.
Peckham
Clapham Rd.
Stockwell Road
Denmark Hill
Grove Lane
Choumert Rd.
Stockwell

“Il entendait le clapotement de l’eau sur les bancs de boue, le brouhaha de la cité dans son dos.[...] Ensuite il regarda les petits nuages de poussière que la brise venue de la Tamise charriait en même temps que les voix humaines.”

Peter Ackroyd

❝C'est qu'à l'habit s'attache, outre-Manche, un élément moral. [...]
Il faut, avant tout, *look right*, avoir l'air comme-il-faut.❞ Paul Morand

Barges de la Tamise passant au large de Greenwich, vues depuis le pont d'un bateau redescendant le fleuve.

Le 6 août 1939, 100 000 personnes assistent au passage du paquebot *Mauritania* dans le sas d'accès au bassin du Roi George V.

De nombreuses personnalités universitaires ou locales ont collaboré à ce guide. Toutes les informations contenues dans cet ouvrage ont été soumises à leur approbation.
Nous remercions plus particulièrement Catherine Cullen et Michel Rapoport.

Nous sommes reconnaissants à David Gentleman de nous avoir autorisé à reproduire plusieurs illustrations de son ouvrage *Londres* (Gallimard).

Des clefs pour comprendre :
Nature : Tony Hare
Histoire et langue : Catherine Cullen, Michel Rapoport
Art de vivre : Catherine Cullen
Architecture : Elain Harwood
Londres vue par les peintres : Suzanne Bosman
Informations pratiques : Sarah Gentleman, Clémence Jacquinet, Nathalie Phan

Itinéraires dans Londres :
Catherine Cullen, Michel Rapoport, avec la collaboration de Nathalie Bonnin, Hélène Borraz et Agnès Robin

Illustrations :
nature : Jean Chevallier, Richard Coombes, François Crozat, François Desbordes, William Donohoe, Claire Felloni, Catherine Lachaux, Ruth Lindsey, Guy Michel, Pascal Robin, John Wilkinson
architecture : Peter Bull, Hugh Dixon, William Donohoe, Chris Forsey, Trevor Hill, Roger Hutchins, Claudine Legastellois, Michael Shoebridge, Edward Stuart, Antony Townsand.
cartographie : Jean-Yves Duhoo, Françoise Genit, Stéphane Girel, Frédéric Liéval, Jean-Pierre Poncabare, Christine Adam et Jean-Claude Senée (coloristes)

Nous remercions également pour leur aide précieuse Siena Artworks (Londres), Peter Jackson, Antony Kersting, Emily Lane et Eileen Tweedy.

Guides Gallimard

Direction :
Pierre Marchand
Assisté de :
Hedwige Pasquet
Christian Moire
Rédaction en chef :
Marie-Noëlle Fustec
Assistée de :
Nicole Jusserand
Catherine Bourrabier
Coordination :
Graphisme : Elizabeth Cohat
Photographie : Éric Guillemot
Assisté de : Patrick Léger
Illustrations : Anne de Bouchony
Cartographie : Vincent Brunot
Architecture : Bruno Lenormand
Dominique Fernandes,
Jean-Philippe Chabot
Planches nature : Frédéric Bony
Londres :
Édition : Maylis de Kerangal, *assistée de* Patrick Jézéquel, Josyane Magniant (art de vivre), Odile Simon (Nature)
Maquette : Isabelle Roller, Fabienne Cassayré, Laurent Gourdon (Informations pratiques)
Iconographie : Suzanne Bosman

1er dépôt légal: mars 1993. Dépôt légal: mai 1994. Numéro d'édition: 66106.
ISBN 2-7424-0188-1
Imprimé en Italie par la Editoriale Libraria sur papier 100% biologique
Juillet 1994

GRANDE-BRETAGNE

LONDRES

GUIDES GALLIMARD

Sommaire
Des clefs pour comprendre

Nature, *15*

Histoire et langue, *33*

Art de vivre, *47*

Architecture, *65*

Londres vue par les peintres, *95*

Londres vue par les écrivains, *105*

Sommaire
Itinéraires dans Londres

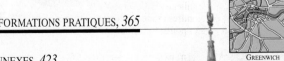

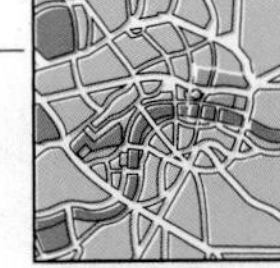

La City

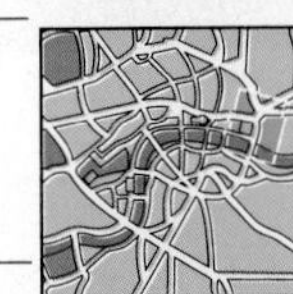

La Tour de Londres

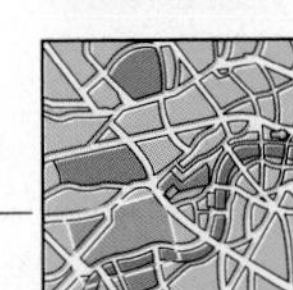

Chelsea

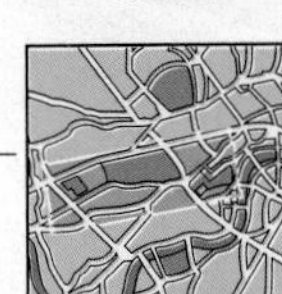

Les parcs

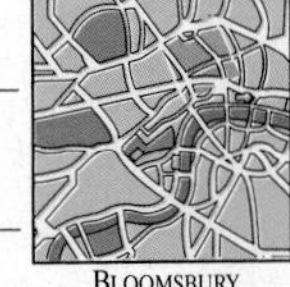

Bloomsbury

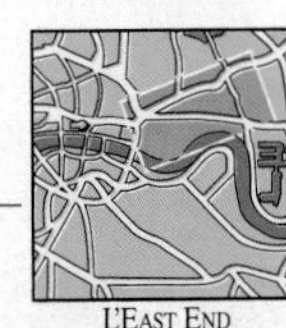

L'East End

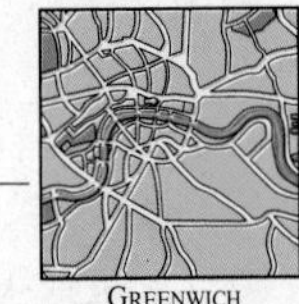

Greenwich

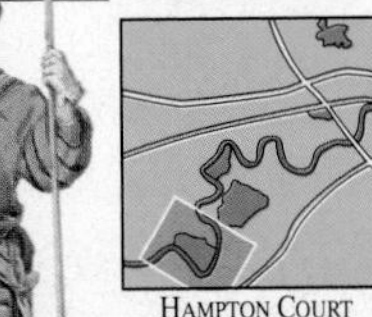

Hampton Court Palace

▲ Londres

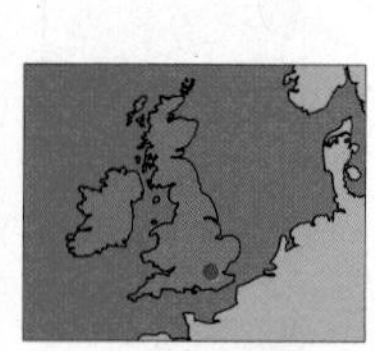

1. Holland Park
2. Kensington Palace
3. Hyde Park
4. Apsley House
5. Hampstead Heath
6. Regent's Park
7. Royal Hospital Chelsea
8. Piccadilly Circus
9. National Gallery
10. British Museum

11. Buckingham Palace
12. Westminster Cathedral
13. Battersea Power Station
14. Palais de Westminster
15. St Paul's Cathedral
16. Lambeth Palace
17. Barbican
18. Inner and Middle Temple
19. Bank of England
20. Tour de Londres
21. Tower Bridge
22. County Hall
23. Southwark Cathedral
24. Kenwood House

COMMENT UTILISER UN GUIDE GALLIMARD
(Page extraite du guide «Venise»)

En haut de page, les symboles annoncent les différentes parties du guide.

■ NATURE

● DES CLEFS POUR COMPRENDRE

▲ ITINÉRAIRES

◆ INFORMATIONS PRATIQUES

La carte itinéraire présente les principaux points d'intérêt du parcours et permet de se reporter à un plan.

La minicarte situe l'itinéraire à l'intérieur de la zone couverte par le guide.

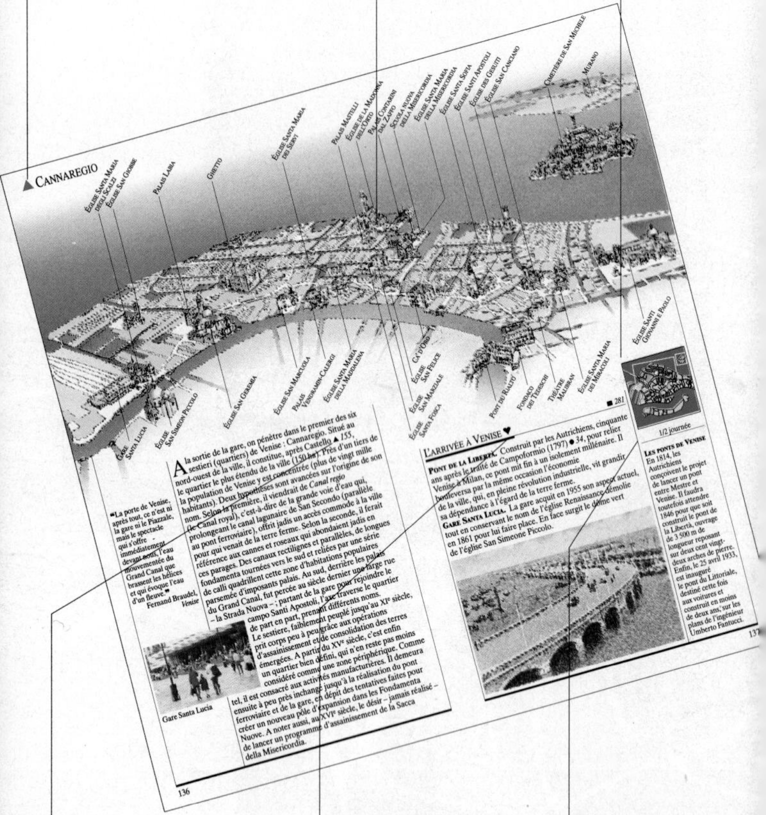

●▲■◆ Les symboles, en titre ou à l'intérieur du texte, renvoient à un lieu ou à un thème traité ailleurs dans le guide.

♥ Le coup de cœur de l'éditeur pour un site dont la beauté, l'atmosphère ou l'intérêt culturel séduiront particulièrement le visiteur.

Au début de chaque itinéraire, les modes de déplacement possible et la durée sont signalés sous les cartes :

- En voiture
- A pied
- En bateau
- A bicyclette
- Durée

L'ARRIVÉE À VENISE ♥ ■ *281*

PONT DE LA LIBERTÀ. Construit par les Autrichiens, cinquante ans après le traité de Campoformio (1797) ● *34*, pour relier Venise à Milan, ce pont mit fin à un isolement millénaire. Il bouleversa par la même occasion l'économie de la ville, qui, en pleine révolution industrielle, vit grandir

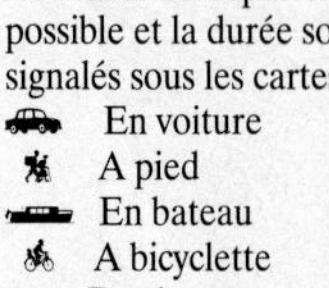

1/2 journée

LES PONTS DE VENISE

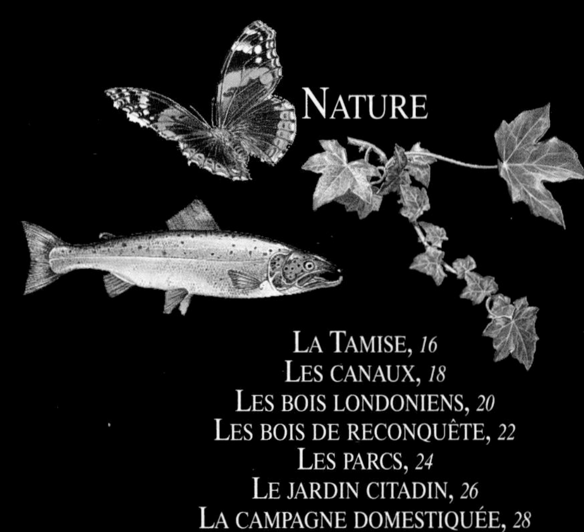

Nature

La Tamise

Le barrage *Thames barrier* a été construit pour prévenir les crues du fleuve, dont la largeur à cet endroit dépasse 500 m.

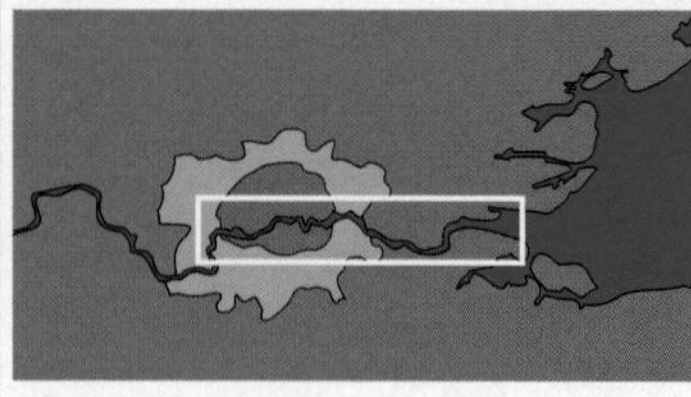

C'est au niveau de Londres que la Tamise, large fleuve d'eau douce, subit l'influence de la mer. L'eau y devient saumâtre, les effets de la marée s'y font sentir. Ainsi, après avoir laissé à l'ouest les grasses pâtures qui la bordent, elle traverse les docks et les quais de la capitale avant de s'élargir en marais et prés salés au voisinage de l'estuaire. Au cours des quelque 65 kilomètres où le fleuve serpente dans le grand Londres, la faune et la flore qui s'y trouvent sont très diversifiées : mouettes, cormorans, anguilles, sans oublier le saumon, de retour jusqu'aux portes de la ville

Sphinx de la vigne

Épilobe hirsute

En amont de Londres, la Tamise serpente dans un milieu bocager où l'influence marine n'existe guère.

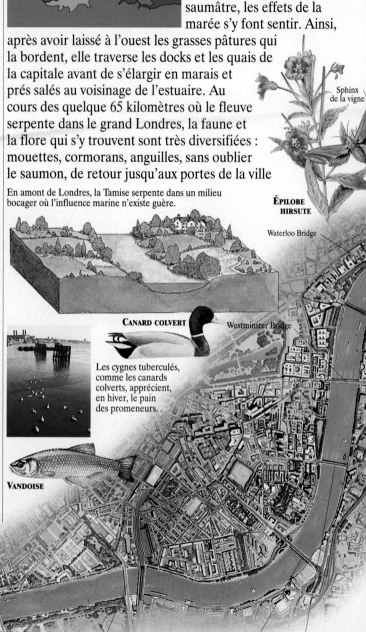

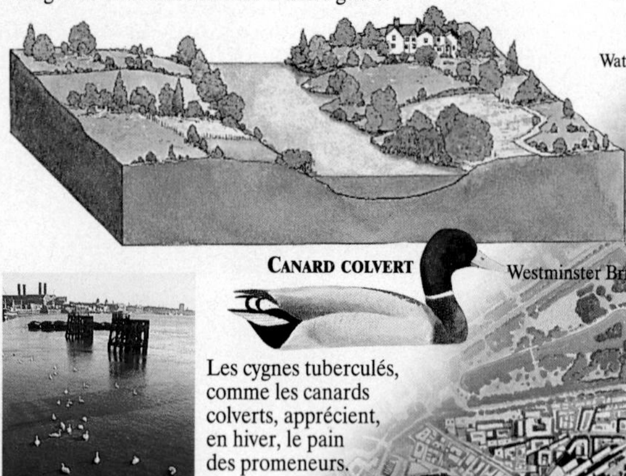

Canard colvert

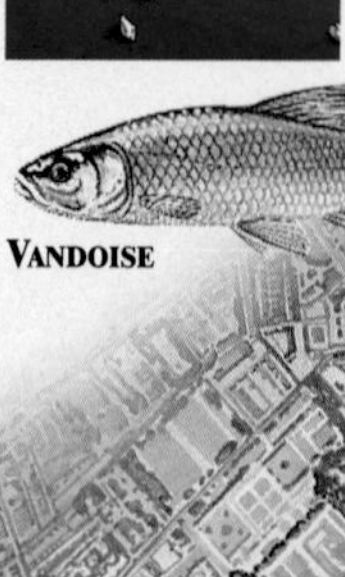

Les cygnes tuberculés, comme les canards colverts, apprécient, en hiver, le pain des promeneurs.

Vandoise

Waterloo Bridge

Westminster Bridge

Chelsea Bridge

Vauxhall Bridge

Lambeth Bridge

L'influence des marées se fait sentir à partir de Londres et en aval : l'eau est plus saumâtre, une flore et une faune inféodées à ce type de milieu apparaissent, le fleuve s'élargit jusqu'à son embouchure.

CREVETTE GRISE
Elle remonte le fleuve à la faveur des marées.

COQUE
On la trouve jusqu'aux portes de Londres.

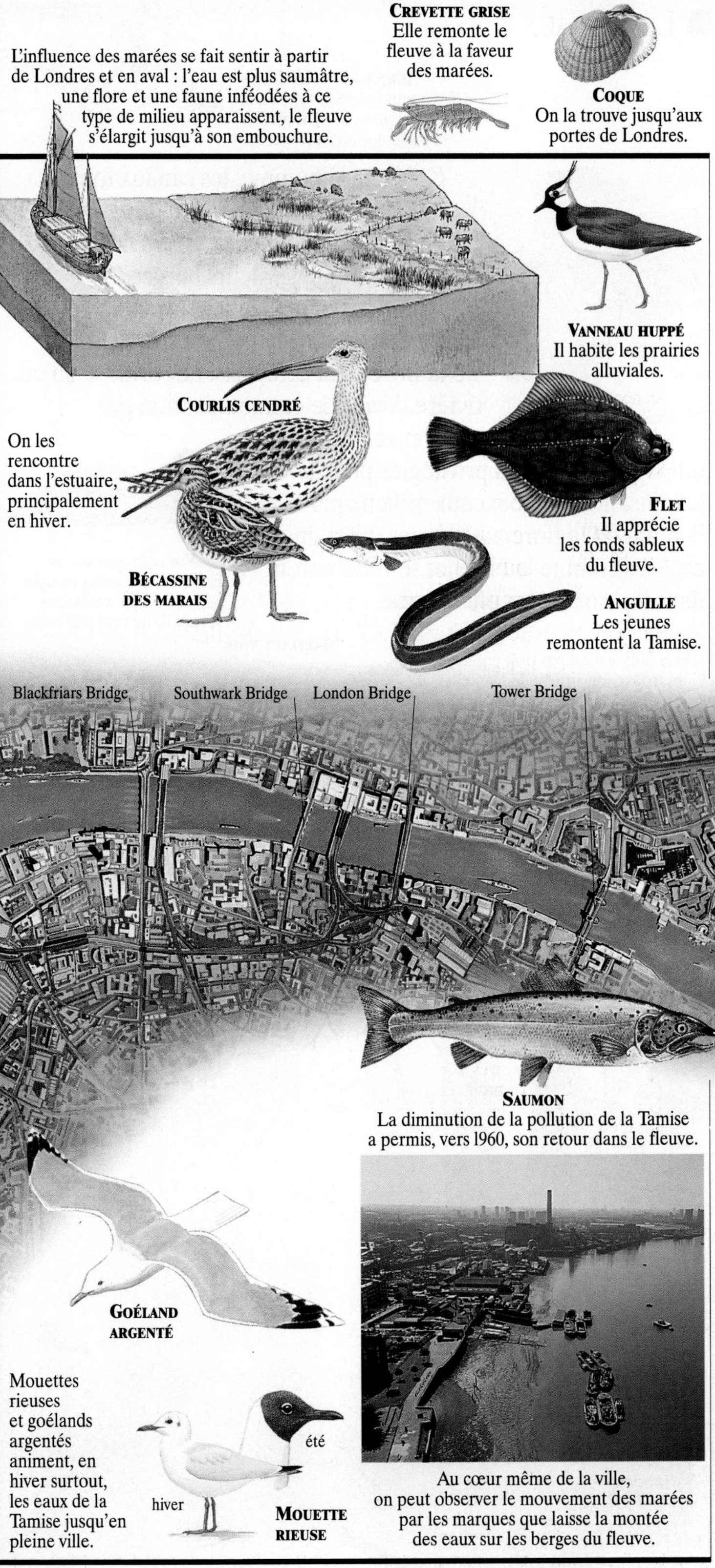

VANNEAU HUPPÉ
Il habite les prairies alluviales.

COURLIS CENDRÉ

On les rencontre dans l'estuaire, principalement en hiver.

BÉCASSINE DES MARAIS

FLET
Il apprécie les fonds sableux du fleuve.

ANGUILLE
Les jeunes remontent la Tamise.

SAUMON
La diminution de la pollution de la Tamise a permis, vers 1960, son retour dans le fleuve.

GOÉLAND ARGENTÉ

Mouettes rieuses et goélands argentés animent, en hiver surtout, les eaux de la Tamise jusqu'en pleine ville.

MOUETTE RIEUSE

Au cœur même de la ville, on peut observer le mouvement des marées par les marques que laisse la montée des eaux sur les berges du fleuve.

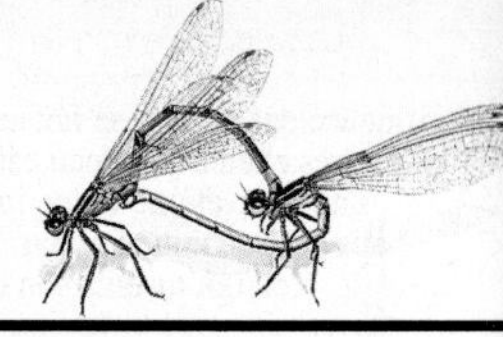

AGRIONS JOUVENCELLES
Communs au-dessus des eaux stagnantes, ils sont parfois la proie des martinets noirs.

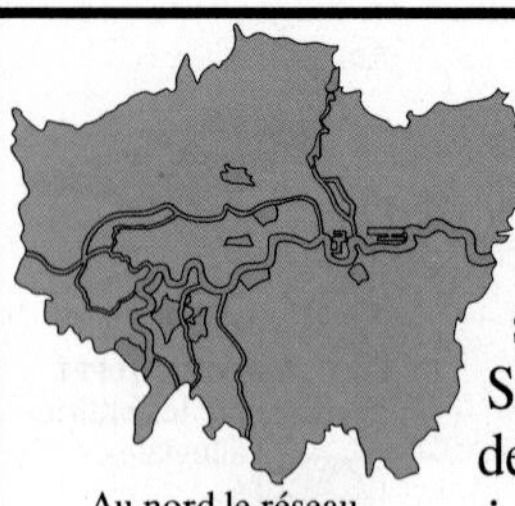

Au nord le réseau de canaux relie Birmingham au port de Londres.

Créés par l'homme, les canaux font comme une incursion de la campagne au sein même de la ville. Dans leurs eaux comme sur leurs berges, se développe une vie remarquable. Si les eaux sont peu polluées, la diversité de la flore peut être aussi importante qu'en rivière. Voies de communication par excellence, les canaux ont été des vecteurs privilégiés pour la colonisation de nouveaux milieux par la faune et la flore aquatiques. Certaines espèces comme le brochet se rencontrent dans les canaux les plus larges.

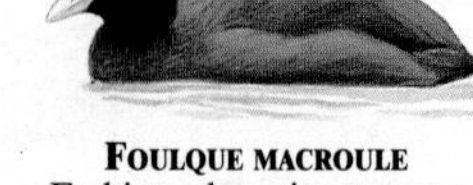

FOULQUE MACROULE
En hiver, de petites troupes fréquentent les canaux lorsqu'ils ne sont pas gelés.

MARTINET NOIR

Si le milieu n'est pas trop pollué, on trouve un cortège de plantes inféodées aux eaux calmes qui s'y développent en abondance.

Épiaire des marais

Acore

Bident

Cératophylle émergé

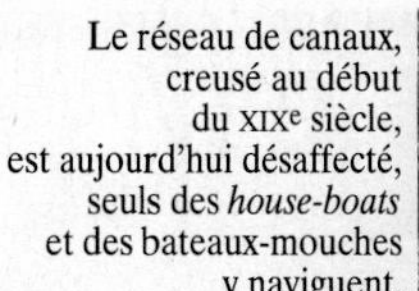

Le réseau de canaux, creusé au début du XIXe siècle, est aujourd'hui désaffecté, seuls des *house-boats* et des bateaux-mouches y naviguent.

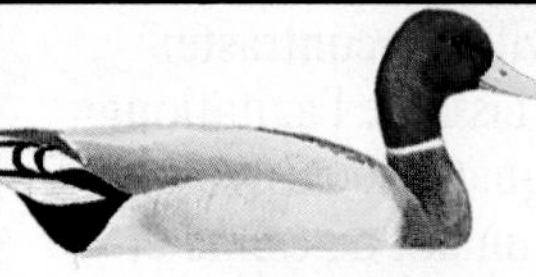

CANARD COLVERT
Canard le plus répandu en Grande-Bretagne, il ne craint pas de venir nicher au cœur de la ville.

ABLETTE

BROCHET
Super-prédateur, vivant en solitaire, il se nourrit de brèmes, de gardons et même d'ablettes. Les deux premiers vivent près du fond, surtout quand celui-ci est légèrement vaseux.

FULIGULE MORILLON
Ce canard plongeur ne fréquente les larges canaux qu'en hiver. Il préfère néanmoins les étangs.

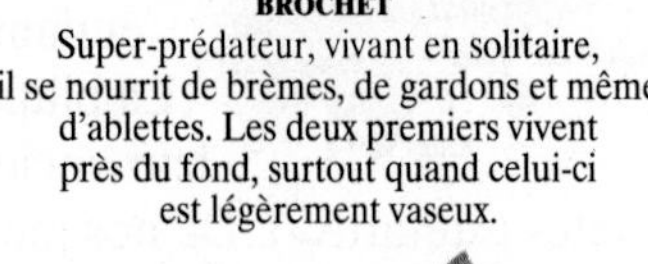

GARDON

BRÈME

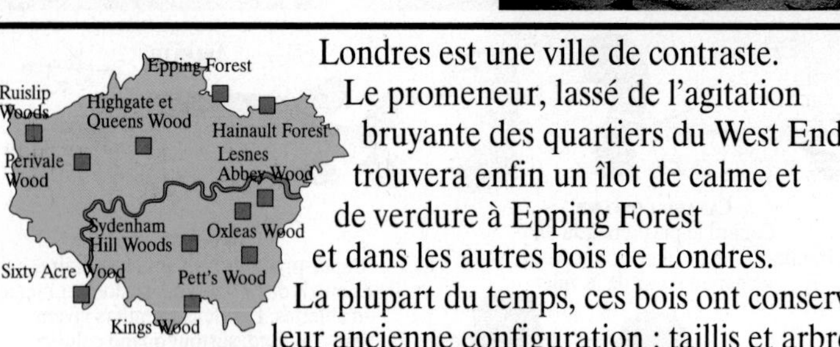

Londres est une ville de contraste. Le promeneur, lassé de l'agitation bruyante des quartiers du West End, trouvera enfin un îlot de calme et de verdure à Epping Forest et dans les autres bois de Londres. La plupart du temps, ces bois ont conservé leur ancienne configuration : taillis et arbres étêtés («têtards»). De nos jours, cette sylviculture traditionnelle ne perdure qu'en de rares endroits. Cependant les bois les plus vastes abritent des espèces – notamment des oiseaux – que l'on ne retrouve que dans les grandes forêts aux environs de la capitale.

GEAI DES CHÊ

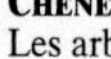

CHÊNE
Les arbres sont taillés en «têtards», c'est-à-dire taillés et écimés pour favoriser la repousse.

NOISETIER
Les branches des arbres en taillis sont coupées à leur base.

CAMPAGNOL ROUSSÂTRE
Habitant le sous-bois, il cherche sa nourriture dans la litière. Il est actif toute l'année.

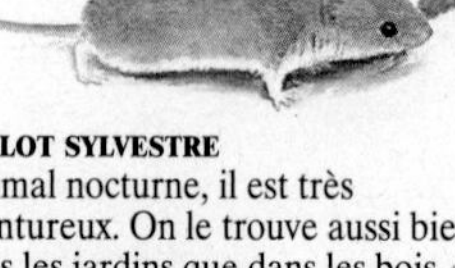

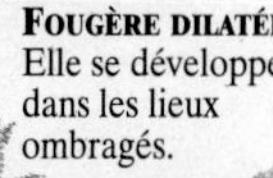

FOUGÈRE DILATÉE
Elle se développe dans les lieux ombragés.

MULOT SYLVESTRE
Animal nocturne, il est très aventureux. On le trouve aussi bien dans les jardins que dans les bois.

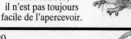

TAUPE D'EUROPE
Familière des jardins et des prés, elle a aussi trouvé refuge dans ces paisibles zones boisées; il n'est pas toujours facile de l'apercevoir.

CHARME
C'est l'arbre le plus commun du nord de Londres, on le trouve en «têtard» dans les bois traditionnels.
HÊTRE
Les collines du sud de Londres accueillent de belles forêts de hêtres.
NOISETIER
CHÊNE PÉDONCULÉ
MÉSANGE À LONGUE QUEUE
Ce minuscule oiseau fabrique son nid avec des plumes, des toiles d'araignées et des lichens.
PIC ÉPEICHETTE
POUILLOT SIFFLEUR
Typique des bois clairs, c'est un insectivore qui revient chaque été. Son chant sonore est mélodieux.
FAUVETTE À TÊTE NOIRE
Un des nicheurs forestiers les plus communs. Habituellement estivaux, depuis quelques années certains restent aussi en hiver.
PIC ÉPEICHE
Au début du printemps, ces deux pics tambourinent sur les arbres pour proclamer leur territoire.
PIGEON RAMIER
Son vol bruyant permet de le repérer facilement.
L'anémone sylvie et la jacinthe des bois sont typiques et communes des sous-bois.
jacinthe des bois
anémone sylvie
chenille de la thècle du chêne
chêne pédonculé
BLAIREAU D'EUROPE
On le trouve en bordure de forêt, mais il aime aussi entrer dans les jardins. La nuit, on peut le voir cherchant sa nourriture ou jouant avec d'autres.
Les fleurs printanières s'épanouissent avant que les feuillages ne les couvrent de leur ombre. Comme toutes les plantes des bois à floraison printanière, elles constituent une source de nourriture pour les insectes et leurs larves.

Lorsqu'un terrain reste longtemps en friche, il est peu à peu colonisé par une végétation arbustive à laquelle se substituent ensuite des arbres de plus grande stature. Ainsi, selon les essences qui colonisent le milieu, apparaît en quelques décennies un petit bois là où il y avait, par exemple, un ancien cimetière.
Entre les tombes laissées à l'abandon, la végétation est devenue, petit à petit, maîtresse des lieux. Les sycomores et les frênes sont parmi les espèces les plus fréquentes.
Ce type de milieu accueille une faune parfaitement adaptée à ces modifications récentes (passereaux, petits rongeurs, etc.).

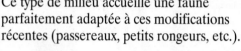

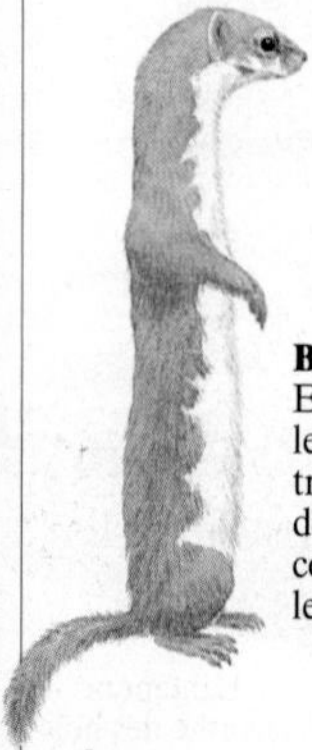

LIERRE
Il s'accroche aussi bien aux vieux murs que sur les pierres tombales ou les troncs d'arbres.

BELETTE
Elle chasse dans les friches, où elle trouve quantité de petits rongeurs comme les campagnols.

HÉRISSON
Il se nourrit la nuit, en particulier de vers de terre, quand ceux-ci remontent à la surface du sol.

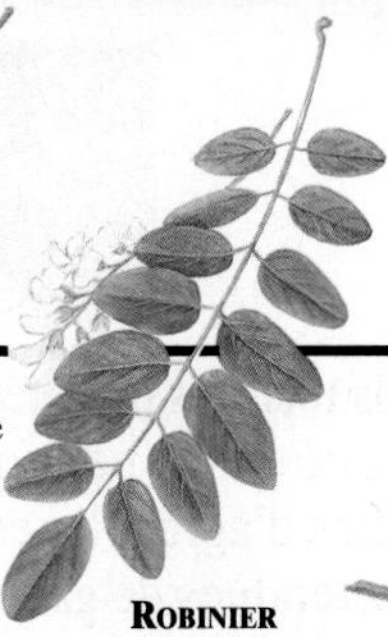

Frêne
C'est une essence de sols frais. L'ombre de son feuillage est l'une des plus rafraîchissantes.

Robinier faux-acacia
Importé de l'est des États-Unis, il s'est aujourd'hui répandu dans toute l'Europe.

Bouleau
Sa feuille très dentelée et son écorce blanche sont caractéristiques.

Sycomore
Originaire des montagnes d'Europe, c'est le plus grand des érables. Ses feuilles possèdent une longue tige.

Mésange charbonnière
Elle s'accommode d'une cavité naturelle dans un arbre pour y faire son nid.

Pouillot véloce
Dès mars, il entonne son «tsi-tsap» typique. Les Anglais l'appellent d'ailleurs *chiffchaff*.

Troglodyte mignon
Petit oiseau, c'est un chanteur puissant.

Tourterelle des bois
Elle passe l'hiver en Afrique et niche fréquemment dans les jeunes plantations en périphérie de la ville.

Épilobe en épi ou laurier de Saint-Antoine
Il pousse dans les friches en bordure de bois. Une microfaune particulière vit sur ses tiges, tels les pucerons, dont se nourrit la coccinelle.

Cet ancien cimetière est aujourd'hui colonisé par les graminées et quelques arbres. Dans quelques décennies, il aura disparu : un petit bois sera né.

■ LES PARCS

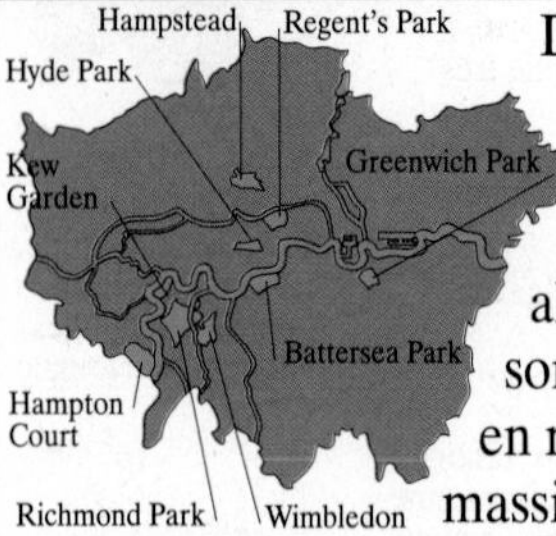

De grands terrains ont été préservés en plein centre-ville pour offrir aux citadins d'agréables espaces verts. Si ces étendues de gazon ras et les alignements d'arbres bien réguliers ne sont pas très attrayants pour les animaux, en revanche, les paysages où alternent lacs, massifs, carrés d'herbe haute attirent quantité d'espèces, en général, peu farouches – bernaches, canards, écureuils. Quelques parcs ont été spécialement conçus pour laisser la nature y régner ; c'est le cas du parc de Camley Street, derrière King's Cross, havre de vie sauvage au cœur même de la ville.

Le piétinement de l'herbe par les bernaches et leurs fientes, qui constituent un parfait engrais naturel, contribuent peut-être à la beauté du gazon des parcs.

ÉCUREUIL GRIS
Cet écureuil, originaire d'Amérique du Nord, a rapidement pris la place de l'écureuil roux européen après son introduction volontaire.

PERRUCHE À COLLIER
Originaire d'Asie et d'Afrique, cet oiseau exotique, relâché plus ou moins accidentellement dans la nature, s'est adapté à la vie londonienne et plusieurs centaines d'oiseaux vivent aujourd'hui en liberté.

CHOUETTE HULOTTE
Seul son hululement nocturne trahit la présence de ce rapace nocturne qui n'hésite pas à nicher en plein cœur de la ville.

Les parcs sont peuplés de nombreux arbres d'origine étrangère ; le marronnier vient du sud de l'Europe.

Les Anglais aiment beaucoup les oiseaux et introduisent des espèces d'origine lointaine dans leurs parcs, parfois au détriment de l'avifaune locale.

BERNACHE DU CANADA
Cette grande oie, volontiers agressive à l'égard des autres oiseaux en période de nidification, est, comme son nom l'indique, originaire d'Amérique du Nord.

CORNEILLE NOIRE
Elle s'est pafaitement adaptée au milieu citadin. Dans les parcs, elle niche dans les grands arbres.

PIE BAVARDE
Omniprésente, elle fréquente les grands parcs comme les squares les plus exigus. Dès fin février, elle s'active à la nidification.

Pour les Londoniens qui vivent dans une métropole très peuplée, le jardin est un havre précieusement entretenu. Le jardin typique, avec ses haies, son gazon, son potager, sa mare, est le fief d'une quantité surprenante d'animaux sauvages. Quelques espèces sont bien accueillies, comme le rougegorge ou les hirondelles, qui se nourrissent respectivement de vers et d'insectes. Grenouilles, crapauds et papillons sont également les bienvenus. Ceci n'empêche pas le jardinier de mener un combat acharné contre les pucerons, les chenilles ou certaines «mauvaises» herbes.

FEUILLE DE TROÈNE Le troène possède un hôte privilégié qui est la chenille du sphinx du troène, un superbe papillon nocturne brun et rosé.

Dans leurs jardins, les Anglais creusent souvent des mares, qui attirent grenouilles et libellules.

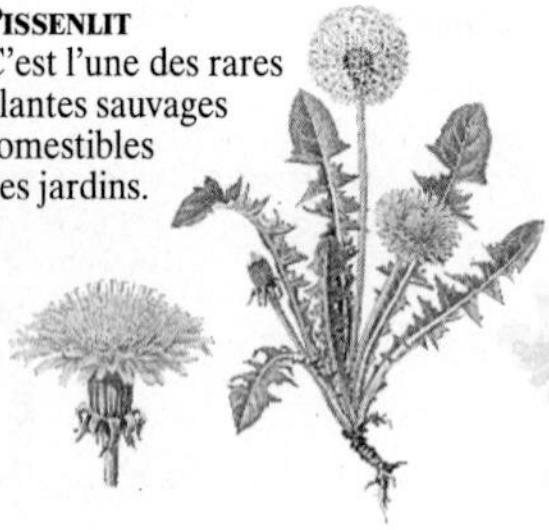

PISSENLIT C'est l'une des rares plantes sauvages comestibles des jardins.

CRAPAUD COMMUN
Grand consommateur d'invertébrés, il est l'utile auxiliaire du jardinier.

PIGEON BISET
Omniprésent en ville, le pigeon biset niche fréquemment sous les avant-toits et même dans les gouttières !

ROUGEGORGE FAMILIER
Dès le mois d'octobre, les oiseaux du nord de l'Europe viennent hiverner jusque dans les jardins londoniens.

PIPISTRELLE COMMUNE
Au crépuscule, elle vient chasser les insectes nocturnes au-dessus des jardins de banlieue.

SOURIS GRISE
C'est l'un des rares mammifères qui n'hésite pas à s'aventurer dans les maisons.

MARTINET NOIR
En juin, les adultes nicheurs font, le soir, des rondes bruyantes au-dessus des toits, dessinant des arbalètes noires sur le ciel de la ville.

HIRONDELLE RUSTIQUE
Autrefois commune jusqu'au cœur de la ville, cette hirondelle a considérablement régressé et ne niche plus aujourd'hui que dans de rares habitations.

■ La campagne domestiquée

Pic vert
Il affectionne les vieux arbres sous l'écorce desquels il recherche des insectes.

Totteridge Fields
Walthamstow
Wanstead Flats
Yeading Valley
Hampstead Heath
Chase Nature Reserve
Richmond Park
Wimbledon Common
Keston
Bushy Park
Hutchinson's Bank

La ville, en se développant, s'est étendue à la campagne, ceci au détriment de grandes propriétés. Quelques parcelles ont pu être sauvegardées comme espaces verts grâce à une prise de conscience de leur intérêt écologique. Si chacune de ces zones de campagne urbaine présente des différences, toutes possèdent une vaste étendue de prairies car beaucoup étaient à l'origine des zones de pâturage. Aujourd'hui encore, on peut y voir des chevaux, des poneys, des vaches, des moutons et même – comme à Richmond Park – des cerfs. Ces paysages de prairies fleuries où les animaux paissent en toute liberté entre les arbres sont typiquement anglais.

Verdier d'Europe
Il est extrêmement répandu dans ce «bocage citadin».

Pinson des arbres
Il voit ses effectifs renforcés en hiver par l'arrivée d'oiseaux nordiques.

Perdrix grise
Autrefois commune, elle a régressé dans la campagne anglaise. Le changement des pratiques culturales a largement contribué à cette diminution.

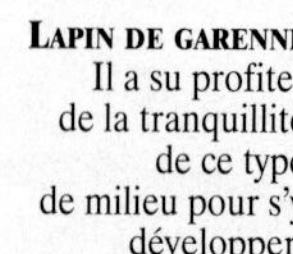

Lapin de garenne
Il a su profiter de la tranquillité de ce type de milieu pour s'y développer.

Ville et campagne se côtoient de façon singulière dans ce que les Britanniques appellent le *captive countryside*.

Des parcs où alternent prairies et bosquets constituent un paysage typique des environs immédiats de Londres. Ils abritent bien souvent une faune riche, car parfaitement protégée.

Le jeune faon est tacheté à la différence de la biche, dont la robe est unie. En revanche, chez le daim, mâle et femelle sont également tachetés.

La flore, simple mais diversifiée, abrite des espèces comme le trèfle blanc (1), la flouve odorante (graminée) (2), le lychnis fleur-de-coucou aux pétales roses et découpés (3) et la potentille tormentille aux fleurs jaunes (4), sur lesquelles se nourrissent certains papillons comme les piérides.

Pommier sauvage
On rencontre encore, ici et là, quelques pommiers sauvages qui donnent de petits fruits très acides.

Reine-des-prés
Ses épis floraux denses en panicules sont très odorants. Cette fleur est souvent liée aux lieux humides.

La nature est prompte à envahir le moindre carré de terre, c'est pourquoi elle ne s'avouera jamais vaincue à Londres, ni par le macadam ni par le béton. Ce sont les «mauvaises herbes» qui, semées par le vent, colonisent d'abord ces terrains, ensuite viennent les insectes. Si l'espace est assez vaste, cette enclave de verdure «sauvage» dans la ville ne tardera pas à attirer petits oiseaux et mammifères. Avec le temps, ces terrains abandonnés deviennent le refuge d'animaux réputés plus sauvages, comme le renard. Terrains communaux, bordures de routes ou voies de chemin de fer désaffectées sont, en quelque sorte, les plus surprenantes «jungles» de Londres.

Azuré de la bugrane (femelle)

Azuré de la bugrane (mâle)

VULCAIN
Papillon migrateur, il fréquente lui aussi les fleurs du buddleia.

BUDDLEIA
Ses fleurs en grappes sont une source d'alimentation privilégiée pour de nombreux papillons, comme l'azuré de la bugrane.

LÉZARD VIVIPARE
À l'époque de l'accouplement (avril-mai), le mâle devient agressif à l'égard de ses congénères.

Le renard s'approche parfois tout près des maisons ; de sa démarche souple et silencieuse, il vient fouiller les poubelles.

Chardonneret élégant
C'est aussi un granivore, surtout friand de graines de chardons.

Linotte mélodieuse
Elle fréquente souvent le bord des voies ferrées, où elle trouve de nombreuses graines.

Bruant des roseaux
La moindre zone humide dans un terrain vague lui convient pour nicher.

Faucon crécerelle
Petits passereaux et rongeurs, attirés dans ces lieux par les graines, sont ses principales proies.

Mésange bleue
Peu exigeante, elle trouve à Londres quantité d'insectes pour élever ses jeunes.

Grâce aux trains et aux remblais qui permettent l'installation d'espèces pionnières, beaucoup de plantes de terre-pleins ont envahi ce milieu de «friche» que sont devenues certaines voies ferrées ou docks.

Lotier corniculé

Les terre-pleins et les terrains vagues sont envahis par les ronces, parfait refuge pour la faune de ce milieu.

Quelques graminées typiques des terrains vagues : brome stérile (1) ; orge des rats (2) ; avoine élevée (3).

Renard roux
Il n'hésite pas à s'aventurer dans les terrains vagues et les friches londoniennes pour «muloter».

■ Les vieux murs

L'asplenium, la ruine-de-Rome aux jolies fleurs violettes et la tortula sont trois hôtes typiques des vieux murs.

À Londres, beaucoup d'habitations sont traditionnellement clôturées de murs. Soleil, pluies, vents, gelées attaquent les murs des jardins privatifs, endommageant et creusant le mortier. C'est ainsi que des plantes prennent racine dans les fissures et que peu à peu un petit monde animal s'y installe comme les insectes ou les araignées. Les murs les plus exposés au soleil sont le refuge idéal des plantes exotiques, sans doute importées en nombre à la grande époque du commerce maritime international anglais.

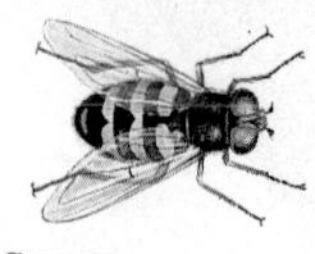

Syrphe
Inoffensif, il ressemble à une guêpe ou à un bourdon, mais il est plus proche des mouches.

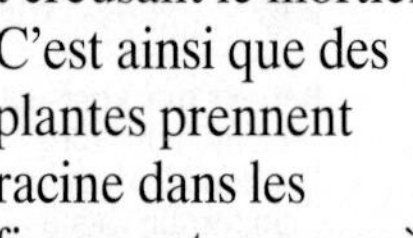

Moineau domestique
Omniprésent dans la ville, il vient chercher graines et morceaux de pain jusque dans la main.

Étourneau sansonnet
Dès les beaux jours, il siffle au sommet d'une antenne de télévision ou d'une cheminée.

Centranthe rouge
Cette plante vivace fleurit de mai à septembre.

Accenteur mouchet
Cet oiseau passe inaperçu à cause de son plumage terne et ses mœurs discrètes.

Séneçon négligé
On le trouve souvent près des terrains vagues londoniens.

Vergerette du Canada
Elle est originaire d'Amérique du Nord.

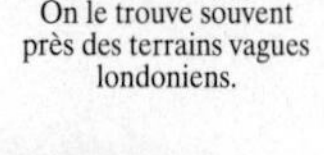

Rat surmulot
Il habite les égouts, le métro londonien et les terrains vagues des banlieues.

Merle noir
Citadin, il peut chanter dès le mois de janvier pour peu que le temps soit doux.

HISTOIRE

Ier-Xe SIÈCLE : LA FONDATION

55-54 avant J.-C.
Premières expéditions romaines en Bretagne.

70-84
La conquête du pays de Galles et du Nord est achevée, l'Écosse est conquise.

Médaille de la fin du IIIe siècle représentant l'empereur Constantin.

409-410
La Bretagne se révolte contre Rome et met fin à sa domination.

Mosaïque romaine découverte dans le sous-sol de la City (à droite).

Vers 450
Les Saxons envahissent la Bretagne et s'installent dans le Kent.

Charles d'Orléans à la Tour de Londres.

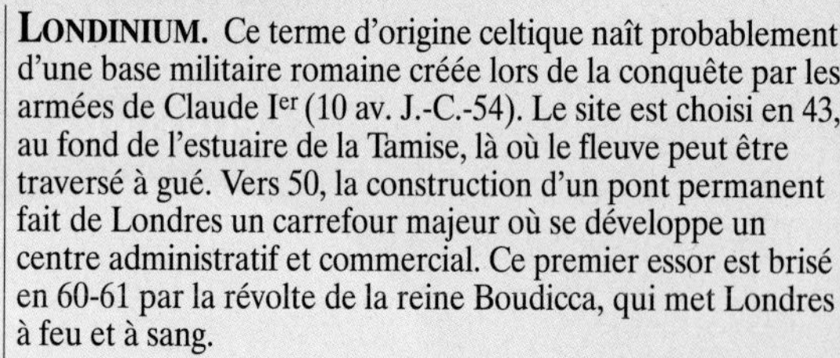

LONDINIUM. Ce terme d'origine celtique naît probablement d'une base militaire romaine créée lors de la conquête par les armées de Claude Ier (10 av. J.-C.-54). Le site est choisi en 43, au fond de l'estuaire de la Tamise, là où le fleuve peut être traversé à gué. Vers 50, la construction d'un pont permanent fait de Londres un carrefour majeur où se développe un centre administratif et commercial. Ce premier essor est brisé en 60-61 par la révolte de la reine Boudicca, qui met Londres à feu et à sang.

LA PLUS GRANDE CITÉ DE BRETAGNE. La cité, important centre d'affaires et de commerce, est vite reconstruite. Elle est alors le siège de la garnison (installée dans un vaste fort) du procurateur et du gouverneur de Bretagne, et principal centre administratif. Elle abrite le seul atelier monétaire de Bretagne. La future City s'inscrira dans l'enceinte fortifiée de 3 500 mètres, où, à l'apogée de la ville, au IIIe siècle, vivent près de 40 000 habitants. Les rives aménagées de la Tamise voient affluer produits courants et produits de luxe de tout l'Empire tandis que Londres exporte blé, bois, argent et esclaves. Au IVe siècle, Londres amorce un lent déclin et une longue phase de confusion, dus aux révoltes bretonnes contre Rome et aux invasions barbares. Mais, lorsqu'en 410, les soldats romains quittent la Bretagne, Londres parvient à survivre.

LUDENWIC. Vers 500, la ville paraît largement désertée car les nouveaux conquérants, les Saxons, s'installent à l'extérieur de la vieille cité romaine. Londres, où, en 604, le premier évêque saxon, Mellitus, a fondé la cathédrale St Paul, est alors incluse dans le royaume d'Essex et elle en devient le centre majeur au début du VIIIe siècle. Cependant ses malheurs perdurent : aux IXe et Xe siècles, la ville subit les invasions danoises mais, malgré ces troubles, redevient un pôle actif d'échanges et profite de l'absence de monarchie centralisée pour se doter d'une ébauche d'administration municipale, la Cité. Vers 1050, Édouard le Confesseur (1042-1066), dernier grand souverain de la maison de Wessex, entreprend la construction de l'abbaye de Westminster, consacrée en décembre 1065 et près de laquelle il installe sa résidence royale.

XIe-XVe SIÈCLE : L'AFFIRMATION DE LA CITY

La conquête normande permet à la Cité de renforcer son pouvoir. Au lendemain de la victoire, en 1066, Guillaume le Conquérant (1066-1087) fait surveiller la ville en la flanquant de trois forteresses : la Tour, Baynard et Montfichet.
Avec les rois normands, la séparation entre la Cité et le pouvoir royal, qui se fixe à Westminster pour cinq siècles, est

Henri VI (1421-1471) et St Edmund.

enfin consommée. Londres concentre les instruments du pouvoir : résidence royale, Parlement, cours de justice à Westminster, écoles de droit aux portes de la Cité et Monnaie dans la tour.

864-899
Débuts de la conquête danoise et règne d'Alfred le Grand.

1066
Conquête normande.

1139-1153
Guerre civile opposant Etienne de Blois et Henri d'Anjou.

LES PRIVILÈGES. Avec l'essor du commerce, la Cité enrichie souhaite une administration plus efficace et autonome par rapport à la Couronne. Elle profite des troubles des XIIe et XIIIe siècles pour obtenir de gérer librement ses affaires. Ainsi, en 1191, le futur roi Jean lui donne le statut communal et, en 1215, il lui confirme le droit d'élire son maire. En 1319, Édouard II consacre la complète autonomie de la Cité, qui, à partir de 1351, élit un conseil communal. À la fin du XIVe siècle, Londres a atteint un degré exceptionnel de *self government* : le souverain ne pénètre plus dans la Cité qu'avec l'accord de la municipalité.

1190
Richard Cœur de Lion part pour la Croisade. Son frère, le prince Jean, assure la régence.

LE TEMPS DES DIFFICULTÉS. Entre 1348 et 1375, la ville est frappée par la Peste noire qui emporte la moitié de ses habitants. Une grave crise sociale fait suite à l'épidémie et, en 1381, un nouvel impôt entraîne un soulèvement de paysans qui, menés par Wat Tyler, pénètrent dans Londres, pillent la ville, tuent l'archevêque de Cantorbery et tentent d'arracher à Richard II des concessions. L'insurrection, mal préparée, échoue.

Effigie de Richard II (1367-1400).

1199
Jean sans Terre accède au trône.

1215 Guerre civile. Jean accepte la Grande Charte.

LONDRES CAPITALE. Au XVe siècle, Londres est désormais la capitale incontestée de l'Angleterre. Seul le pouvoir spirituel échappe à Londres, mais évêques et abbés, à l'image des puissants, acquièrent logements et résidences dans la ville ou alentour. En 1450, Londres est secouée par l'insurrection de John Cade et de ses partisans venus du Kent et du Sussex qui envahissent la capitale et soumettent leurs revendications écrites. Si la guerre des Deux-Roses (1455-1485) n'affecte guère Londres, la victoire et l'avènement d'Henri VII Tudor, en 1485, ouvrent la voie à l'épanouissement de tendances jusque-là simplement esquissées.

1348
La Peste noire.

1492
Christophe Colomb découvre l'Amérique.

LE XVIe SIÈCLE ET L'ÂGE ÉLISABÉTHAIN

LE PORT DE LONDRES. Le port, jusqu'alors en marge des grands foyers économiques et des principales routes maritimes, s'ouvre au monde et connaît un essor considérable, tissant des liens jusqu'aux Amériques et aux Indes orientales. Les marchands perfectionnent les techniques de l'organisation

1517
Réforme luthérienne.

Vue du vieux pont de Londres avant 1760.

1509-1547
Règne d'Henry VIII. La crise avec Rome, ouverte par le divorce du roi en 153, conduit, en 1534, au schisme de l'église d'Angleterre.

1553-1558
Règne de Marie Tudor, persécutions contre les protestants.

1603-1625
Règne de Jacques VI d'Écosse devenu Jacques Ier d'Angleterre.

Élisabeth 1re (à droite).

1605
La conspiration des Poudres conduite par Guy Fawkes est la dernière grande conspiration catholique.

commerciale, créant la compagnie par actions - la *Joint-Stock Company* - dotée de privilèges par charte royale. La première, créée en 1555, est la Compagnie de Moscovie ; la Compagnie de Virginie est lancée pour coloniser et exploiter les terres découvertes, en 1585, par sir Walter Raleigh. En 1600 est créée la Compagnie des Indes orientales qui devait, pour près de deux siècles, présider aux destinées de l'Inde et stimuler les activités du port de Londres. Cette prospérité favorise une augmentation rapide de la population de la ville, qui passe d'environ 50 000 habitants au début du siècle à plus de 200 000 habitants vers 1600, et son extension de la ville vers le nord-ouest et, vers l'est, au-delà du port, à Wapping et Limehouse.

LA DISSOLUTION DES MONASTÈRES. Ordonnée en 1539 par Henri VIII, elle permet un important transfert de propriétés au profit de la Couronne et de quelques favoris. Le roi et la Cité doivent prendre en charge les services assurés par les monastères : hôpitaux et enseignement.

L'AGE D'OR ÉLISABÉTHAIN. L'épanouissement intellectuel de Londres est déjà sensible au XVe siècle puisque, en 1477, Caxton établit la première imprimerie d'Angleterre près de Westminster Abbey. C'est sous le règne d'Elisabeth Ire (1558-1603) que la chapelle royale reçoit des musiciens de talent et que le théâtre prend un essor remarquable avec William Shakespeare (1564-1616). Cependant Londres n'est pas à l'abri des menaces extérieures durant cet âge d'or. En août 1588, elle prépare sa défense contre une Invincible Armada espagnole vaincue par les tempêtes et l'amiral Francis Drake.

La cathédrale de Southwark, 1647.

LE XVIIe SIÈCLE : HEURS ET MALHEURS

1611
La version autorisée de la Bible est publiée.

1649
Procès et exécution de Charles Ier.

LES GUERRES CIVILES. Durant les guerres civiles (1642-1646 et 1648), Londres, dominée par le camp républicain, est ardemment puritaine et défend la cause du Parlement et du Commonwealth. La ville, menacée dans ses libertés municipales par la restauration des Stuarts, en 1660, est prête à accueillir avec enthousiasme, après la fuite de Jacques II, la Glorieuse Révolution de 1688, durant laquelle Guillaume III d'Orange et Marie II acceptent la charte de la Déclaration des droits.

L'incendie de Londres en 1666.

Les malheurs de Londres. En 1665, Londres est ravagée par une peste qui fait environ 100 000 victimes entre avril et novembre, provoquant une grave crise économique dans la capitale, vidée de ses habitants, abandonnée par son roi réfugié à Oxford et envahie par les herbes. La ville, à peine remise de la peste, est détruite, entre le 2 et le 9 septembre par le Grand Incendie qui fait disparaître le vieux Londres médiéval. En 5 ans, la capitale est reconstruite sous la direction de Wren. L'idée d'un nouvel urbanisme a été abandonnée et sa reconstruction n'est que rénovation. La Cité ne retrouve pas toute sa population car la bourgeoisie aisée se déplace vers les nouveaux quartiers de l'ouest, rejoignant la noblesse. À l'est, l'expansion du port fixe les nouveaux venus. À la fin du siècle, Londres compte environ 600 000 habitants.

Le nouveau pôle économique. C'est au XVIIe siècle que Londres supplante définitivement Amsterdam et devient la première place financière et commerciale du monde. Bénéficiant à la fois du retour d'une communauté juive, autorisé par Olivier Cromwell (1599-1658) en 1655, et de l'arrivée des huguenots français qui s'établissent à Spitalfields, la capitale se dote progressivement des instruments lui assurant cette suprématie, ainsi, en 1694, la Banque d'Angleterre est créée.

Couronnement de George IV en 1821

1653-1658
Cromwell devient lord protecteur.

1757
Victoire des Britanniques à Plassey, au Bengale, qui assoient leur domination sur l'Inde.

1763
Le traité de Paris accorde le Canada aux Britanniques qui s'étaient emparés de Québec, en 1759.

1773
La Tea Party de Boston : les colons américains protestent contre le monopole d'exportation du thé en Amérique dont bénéficie la Compagnie des Indes orientales.

XVIIIe siècle : le Londres georgien

La croissance. Le règne des Hanovre est l'âge d'or de l'urbanisme londonien et la ville connaît une très forte croissance qui profite d'abord au West End. Celui-ci se développe en trois phases. Dans la première moitié du siècle, de grands espaces - Hanover, Cavendish, Harley, Grosvenor, Berkeley -, centrés sur un vaste square, sont lotis. À partir de 1763, le West End se développe à nouveau, sous la direction des deux rivaux, William Chambers et Robert Adam. Enfin de 1812 à 1830, le futur George IV et John Nash mènent une politique d'urbanisme volontariste destinée à doter le West End de vastes avenues ; la multiplication des ponts, entre 1750 et 1819, favorise l'essor de la rive sud. Durant ce siècle, la population londonienne s'accroît et dépasse le million vers 1815. Mais les inégalités sociales deviennent plus sensibles. Tandis que le quartier du West End développe une vie sociale brillante, ailleurs les conditions de vie de la majeure partie de la population restent précaires. La ville, peu sûre, est dotée, en 1750, d'un système d'éclairage à l'huile et, en 1762, une opération de rénovation est menée dans le quartier de Westminster : le réseau d'égouts et de canalisations d'eau est étendu, les rues et les trottoirs sont pavés, les places publiques dégagées sont ornées de statues, les maisons sont numérotées. Le mécontentement reste grand et les émeutes antipapistes de 1780, les *Gordon Riots*, puis la Révolution française de 1789, font de la révolte populaire le cauchemar de l'aristocratie et de la bourgeoisie londoniennes.

Le prince régent, 1815 (ci-contre).

1776
Déclaration d'Indépendance américaine.

1793-1815
Guerres contre la France.

Ouverture du Tower Bridge en 1894.

1824
Légalisation des syndicats. Inauguration de la première ligne de chemin de fer, Stockton-Darlington.

L'ÈRE VICTORIENNE

La reine Victoria (1819-1901).

1829
Emancipation des catholiques qui recouvrent leurs droits civiques.

1832
Première grande réforme électorale.

Le Crystal Palace en 1851 (à droite).

1833-1834
Abolition de l'esclavage. Institution des workhouses.

St Pancras Station après 1869.

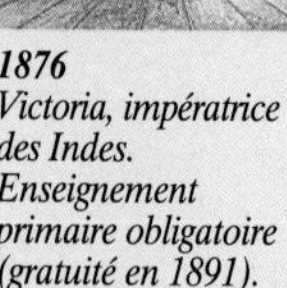

1876
Victoria, impératrice des Indes. Enseignement primaire obligatoire (gratuité en 1891).

1899-1902
Guerre des Boers.

1906
Naissance du Parti travailliste.

1918-1928
Droit de vote des femmes.

Le célèbre magasin Harrod's (à droite).

LA PREMIÈRE VILLE DU MONDE. Le XIXe siècle fait de Londres la plus grande ville mondiale. De 900 000 habitants en 1801, la population de Londres passe à 2,4 millions en 1851 et à 6,5 millions en 1901. La capitale attire des Ecossais, des Irlandais et des étrangers, en particulier des juifs d'Europe centrale qui se regroupent dans l'East End. À partir de 1870, les naissances l'emportent définitivement sur les décès.

LE CŒUR ÉCONOMIQUE DU MONDE. C'est dans la Cité que se regroupent toutes les institutions financières - banques, Bourses, compagnies d'assurances -, qui en font le centre du capitalisme mondial. Le port, qui se développe avec l'ouverture de nouveaux docks entre 1868 et 1905, approvisionne le Royaume-Uni en matières premières et produits alimentaires importés du monde entier et en réexporte une partie vers l'étranger. Les industries, localisées dans le centre, l'East End et le sud, participent à l'enrichissement de la capitale.

L'EXPOSITION UNIVERSELLE DE 1851. Le 1er mai 1851 s'ouvre la première Exposition universelle, organisée par le prince Albert. Le Crystal Palace, cathédrale de verre et de métal, symbole de cette réussite, a été édifié dans Hyde Park par Joseph Paxton. L'Exposition attire 6 millions de visiteurs venus pour admirer des stands de près de 14 000 exposants venus de l'Empire et du monde entier.

TRANSPORTS NOUVEAUX ET CROISSANCE URBAINE. Le développement des premières voies ferrées reliant, dès 1836, Londres à ses environs, puis l'apparition du métropolitain - le *tube* -, à partir de 1863, amorcent la croissance de Londres dont le rayon construit passe de 5 km en 1820 à 15 km en 1914. Les banlieues victoriennes s'étirent, avec leurs maisons de brique à un étage, jointives (les *terrace houses*) ou entourées d'un petit jardin.

LES DEUX LONDRES. Désormais West End et East End s'opposent clairement. Le West End, brillant et mondain, où vit la classe dirigeante et où se sont développés les hauts lieux du commerce de luxe, rappelle que Londres est le centre du monde. De l'autre côté de la City,

Fleet Street.

dans l'East End, l'autre Londres, laborieuse, est misérable. Ce n'est qu'à partir de 1880 que le syndicalisme se manifeste à Londres : la première grande manifestation ouvrière a lieu à Hyde Park en 1884 et, en 1886, les chômeurs déclenchent une émeute à Trafalgar Square. En 1889, ce sont les dockers qui lancent leur première grande grève. La création la même année d'un London County Council, élu au suffrage universel et d'emblée dominé par les socialistes fabiens, permet de combattre les maux les plus graves dont souffrait la capitale.

1921
Indépendance et partition de l'Irlande.

1931
Abandon de l'étalon or, création du Commonwealth.

Le XXe siècle : vers l'effacement

Si la Première Guerre mondiale n'affecte guère Londres, qui en 1915 subit le premier raid aérien de son histoire, l'entre-deux-guerres est surtout marqué par la poursuite de la croissance de la ville. La population du Grand Londres passe de 7,5 millions d'habitants, en 1921, à 8,7 millions, en 1939. Les banlieues s'étendent sur une zone dont le rayon a doublé. Dans le même temps, la Cité se vide : en 1931, elle n'abrite plus que 11 000 résidents. Londres subit aussi les effets de la crise économique que traverse le pays : grève générale de 1926, actions des fascistes de Mosley dans l'East End, marches de la faim dont la plus célèbre est celle des ouvriers des chantiers navals de Jarrow, en 1936.

Churchill dans les décombres du Blitz.

La Seconde Guerre mondiale et le Blitz. La Seconde Guerre mondiale frappe doublement Londres. La bataille d'Angleterre (août-septembre 1940) et les bombardements de l'hiver 1940-1941 la ravagent une première fois. Puis, en 1944-1945, elle subit à nouveau l'assaut allemand avec les V1 et les V2. Le nombre des victimes est élevé ; les docks, la City, l'East End, le Sud, Westminster sont en partie détruits. De juin 1940 à juin et décembre 1941, la Grande-Bretagne et Londres deviennent le dernier rempart de la résistance contre le nazisme, offrant refuge à de nombreux gouvernements en exil.

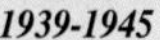

1939-1945
L'Angleterre, en guerre depuis 1939, est dirigée par Churchill à partir de mai 1940.

1952
Avènement d'Elisabeth II.

1969
Troubles sanglants en Irlande du Nord.

Comment garder sa place ? Londres, dans la seconde moitié du XXe siècle, conserve une partie de sa splendeur ; elle est aussi la capitale d'un pays qui n'est plus une grande puissance même si elle cherche encore à s'en donner l'illusion lors du *Festival of Britain,* organisé en 1951. L'héritage qui assure encore à Londres une position internationale comme centre d'affaires financier est affecté par la fermeture des installations du port, entre 1960 et 1980, et par la désindustrialisation de la ville. L'est et le sud de la capitale souffrent aujourd'hui d'un fort chômage dont sont victimes d'abord les immigrés venus des anciennes colonies d'Asie et des Antilles et qui peuplent les quartiers de l'East End et les banlieues du Grand Londres. La ville connaît de profonds changements dans son paysage marqué par d'importants programmes immobiliers, dont le dernier en date est l'aménagement des Docklands.

1971
L'Angleterre adhère au Marché commun.

1982
Guerre des Malouines.

1989-1990
Introduction de la Poll Tax et fin de l'expérience Thatcher.

1991
John Major est nommé Premier ministre

Immeuble de la Lloyd's, dans la City.

Le Grand Incendie

Le Grand Incendie de Londres éclata le dimanche 2 septembre 1666 à deux heures du matin et fit rage jusqu'au jeudi suivant dans l'après-midi. À l'exception d'un quartier situé au nord-est, toute la partie de la ville intra-muros fut dévastée ; la cathédrale Saint-Paul fut anéantie ainsi que 88 églises paroissiales, 13 200 maisons et d'innombrables trésors artistiques. Mais il n'y eut que douze morts. Cette catastrophe eut pour effet de mettre un terme à la peste de 1665. Samuel Pepys, génial et savoureux chroniqueur de la vie quotidienne à Londres au XVIIe siècle, évoque dans son *Journal* cette tragique nuit : «Le vent, très violent, poussait l'incendie vers la Cité. Après une si longue sécheresse, tout était combustible même les pierres des églises.»

Samuel Pepys (1633-1703)

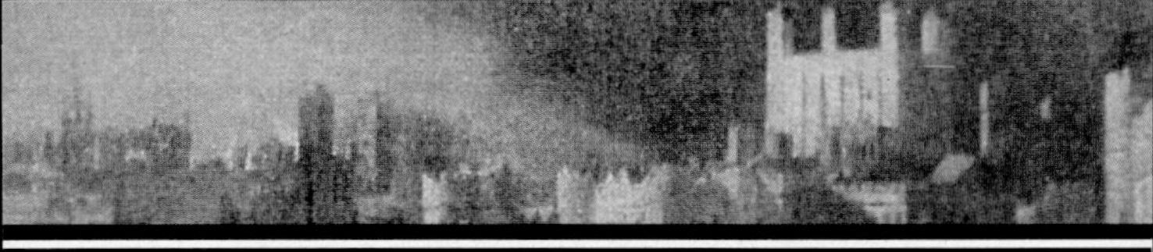

Un témoin : Samuel Pepys

Ce vrai Londonien, qui connut les honneurs puis l'oubli, écrivit son *Journal* de 1660 à 1669 ; codé en plusieurs langues, il ne sera déchiffré qu'en 1825. Ce journal intime est une source unique d'informations sur les événements de l'époque, dont le Grand Incendie : «Les gens étaient comme fous. On n'essayait en aucune façon d'éteindre le feu. D'ailleurs les maisons sont très rapprochées dans ce quartier et pleines de matières combustibles (…). À mesure que l'obscurité se faisait, surgissait au-dessus des clochers, entre les maisons et les églises, aussi loin que porte le regard de la colline sur la Cité, une horrible flamme maléfique, sanglante. Quand nous partîmes, l'incendie formait une vaste arche de feu, de part et d'autre du pont, et sur la colline une autre arche, d'au moins un mile. À cette vue, j'éclatai en sanglots.»

Automne 1940. Le 7 septembre vers 17 heures, Londres est frappée par le Blitz (du mot allemand *Blitzkrieg,* «guerre éclair») : l'attaque surgit des airs. En douze heures, un millier d'avions lancent sur la ville, bombes et mines équipées de parachutes, provoquant plus de mille incendies ; une fois de plus, Londres est ravagée par les flammes. Deux mois durant, chaque nuit, près de 200 bombardiers harcèlent et torturent la capitale. Le Blitz, qui a pour enjeu la maîtrise de l'air, va se terminer la nuit du 10 mai 1941, la plus terrible, la plus tragique de toutes.

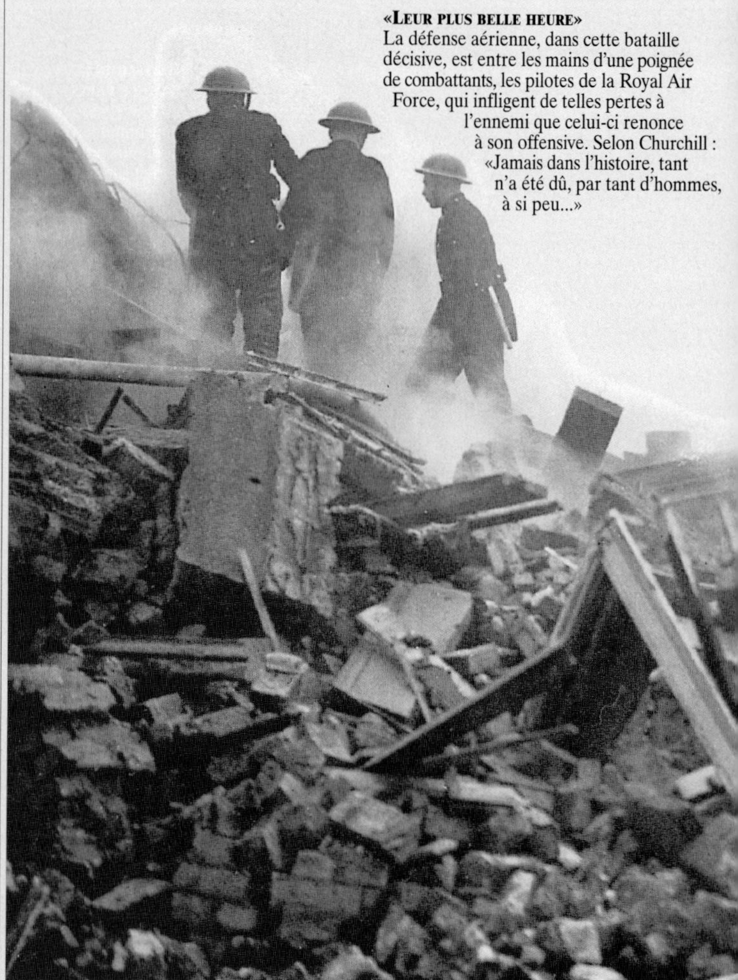

«Leur plus belle heure»
La défense aérienne, dans cette bataille décisive, est entre les mains d'une poignée de combattants, les pilotes de la Royal Air Force, qui infligent de telles pertes à l'ennemi que celui-ci renonce à son offensive. Selon Churchill : «Jamais dans l'histoire, tant n'a été dû, par tant d'hommes, à si peu...»

«La plus grande cible du monde»
«Londres ressemblait à un gigantesque animal préhistorique, capable de recevoir sans broncher des coups terribles et qui, mutilé, saignant par mille blessures, persistait cependant à se mouvoir et à vivre.»
Winston Churchill.

La rage des bombardements
Pendant le Blitz, à l'heure du black-out, obscurité totale, les bombardiers allemands déversent, sans répit, 100 000 bombes explosives et plus d'un million de bombes incendiaires. La solidarité rassemble les Londoniens dans un même élan patriotique : ils s'organisent pour faire face aux tâches démesurées que leur imposent ces redoutables orages d'acier et de feu. Le bilan des pertes humaines, certes lourd, est toutefois limité en regard de l'ampleur des dégâts matériels.

La ville du «cockney»

«Cross readings near Charing Cross»
«Il faut lire de haut en bas» préconise en légende cette illustration.

Après la conquête normande, en 1066, le français, langue des conquérants et des élites, s'imposa aux dépens de l'anglais. Ainsi cessa-t-on de composer les œuvres littéraires en anglais, lequel fut alors relégué au rang de langue de communication orale, ce qui d'ailleurs le dégagea de toute entrave conservatrice et lui permit d'évoluer vers une langue originale, loin du latin et de l'allemand. Au XIVe siècle, il perdit ce statut de langue secondaire et, pour des raisons politiques, économiques et démographiques, émergea dans la région londonienne un dialecte qui allait devenir la norme, l'anglais standard.

De «cokeney» à «cockney». *Cokeney* est un terme du moyen anglais (1150-1500) signifiant «œuf de coq», ce qui désignait un œuf contrefait comme en font parfois les jeunes poules. Par extension, il désignait également un homme efféminé ou niais, ou encore un citadin à la santé fragile, par opposition au robuste paysan. Au XVIIe siècle, le terme de *cockney* fut exclusivement appliqué aux Londoniens, par plaisanterie et de manière péjorative. *Cockney* tendit, à partir du XVIIIe siècle, à désigner le parler de la classe ouvrière de Londres ; son sens prit alors, pour la bonne société, une connotation vraiment méprisante.
L'expression *«born within the sound of Bow Bells»* signifie être né assez près de St Mary-le-Bow pour pouvoir entendre les cloches de cette église située au cœur de la City (à une certaine distance de l'East End actuel). C'était là une condition nécessaire pour être un vrai *Cockney*. Londres était, à l'origine, constituée de deux noyaux : la City, ville marchande, et Westminster, capitale politique depuis le XIe siècle, située, elle aussi, sur la rive gauche mais plus à l'ouest. Ces deux centres ne furent reliés qu'au XVIe siècle. Au lendemain du Grand Incendie, la grande bourgeoisie commença de quitter la City, qui était occupée par une

Une tour de Babel
«J'ai dû me garer d'une foule de naïfs et de grossiers qui marchaient sur moi sans me voir : provinciaux arrivés l'année dernière dans la capitale… [qui] se regardaient quand je parlais, et relevaient en aparté ce qu'ils prenaient pour mes erreurs ou mes bévues.»
Valery Larbaud, *A. O. Barnabooth*

❝La formule chère au droit anglais, c'est d'invoquer «une coutume qui, de mémoire d'homme, ne s'est jamais démentie». *Nolumus mutari*, disent les barons ; et le cockney auprès de qui l'étranger s'enquiert de la raison de tel usage, coupe court à cette curiosité par un : «Dame, monsieur, ç'a toujours été comme ça!».❞
Ralph Waldo Emerson, *L'Âme anglaise*

population diverse, pour aller s'installer dans le West End. Cet ensemble de quartiers avait, au XVIIIe siècle, une population relativement diversifiée. À l'époque, la division entre le West End et l'East End se faisait au niveau de Soho Square, et Regent Street fut créée en partie comme «cordon sanitaire», frontière encore valable au XIXe siècle. La construction des docks, à partir de 1800, favorisa l'installation d'une population ouvrière importante dans ce qu'on finit par appeler l'East End. Ce caractère populaire fut renforcé par l'arrivée de populations moins aisées que les huguenots, qui formaient une classe de marchands et d'artisans. La City formait une zone commerçante rassemblant la petite noblesse, la bourgeoisie et les petits métiers. Dialectes et accents s'ajoutèrent tout naturellement au parler londonien et l'enrichirent.

«Standard English» et «Cockney». La réforme appelée Education Acts (1870), ou loi Forster, du nom de son auteur, officialisa le *correct English* et les *three R's* (*reading*, *writing*, and *arithmetic* : l'écriture, la lecture et les mathématiques). En outre, elle favorisa la construction d'écoles primaires ; dès lors, les enfants de l'East End commencèrent d'être scolarisés. Au début du XXe siècle, *Cockney* désignait exclusivement un Londonien de la classe ouvrière, mais il faut admettre que les œuvres de Charles Dickens sont pour beaucoup dans la création de l'image du *Cockney* et sa pérennité. J. C. Lockhart, critique littéraire et romancier, alla jusqu'à coller l'étiquette de *cockney school* sur certains poètes du XIXe siècle, tels Keats et Shelley, qui, selon lui, avaient une langue relâchée. La plupart des bourgeois parlaient et continuent aujourd'hui de parler un anglais standard (*standard english*).

Une éducation «public school»

«Le ronronnement grave et riche d'un rapide sur la Great Western n'est pas, pour la conversation, un fond désagréable et le voyage fut assez plaisant. Rien ne pouvait surpasser l'amabilité des deux messieurs. Ils relevaient les glaces pour certaines dames et les abaissaient pour d'autres ; ils sonnaient l'employé, nommèrent les collègues quand on passa à Oxford, ressaisissaient au vol, pendant leur chute, les livres et les réticules. Rien de précieux pourtant dans leur politesse : elle avait la marque "public school" et malgré son assiduité demeurait virile.»

E. M. Forster, *Howards End*

"L'homme en face de qui je m'assis était jeune, bien bâti, avec un teint clair, un visage ouvert et honnête, et une petite moustache blonde frisée. Il portait un haut-de-forme fort brillant, un costume noir sobre et élégant, bref ce qu'il fallait pour lui donner l'apparence de ce qu'il était : un jeune familier de la City appartenant à cette classe que l'on a baptisée Cockneys mais qui a fourni l'élite de nos régiments de volontaires, de nos sportifs et de nos athlètes."

A. Conan Doyle, *Souvenirs sur Sherlock Holmes*

La ville du «cockney»

Orwell décrit le *rhyming slang* en ces termes : «Toute chose était désignée par un terme rimant avec la désignation usuelle de la chose, ainsi *hit or miss* pour *kiss*, *plates of meat* pour *feet*…» *(Dans la dèche à Paris et à Londres)*

Le «rhyming slang» C'est un argot truffé de jeux de mots qui sont créés au jour le jour par les marchands ambulants : ils peuvent annoncer discrètement un bas prix au collègue tout en vendant au prix fort aux autres clients.

Le verlan est aussi très fréquent, et le *rhyming slang* appliqué à ce même verlan devient un casse-tête pour le profane.

Par ailleurs, une grande partie de la population londonienne mélange plusieurs accents (celui du sud-est par exemple et de l'Essex en particulier) avec plus ou moins de *cockney*. À la radio surtout, on a toujours châtié son langage *(BBC English)* ; néanmoins, on tend de plus en plus à admettre chez les journalistes de la radio et de la télévision des traces d'accents régionaux, voire américains. La division est également moins sensible dans la répartition de la population. Avant la Seconde Guerre mondiale, les bourgeois ne mettaient pas les pieds dans l'East End, tandis qu'aujourd'hui, le quartier a été réhabilité, et une population privilégiée en occupe les maisons du XVIIIe siècle.

Même si la culture cockney est associée à l'East End, l'accent est donc avant tout lié au niveau social. Et s'il existe encore une zone plus populaire à l'est de la City, la géographie londonienne mélange généralement ses couches sociales.

Le Cockneyland et l'accent «cockney». Le cœur du Cockneyland est Poplar, bien que ce ne soit pas du tout son centre géographique. L'East End débute maintenant à Aldgate et continue le long de Commercial Road, Whitechapel Road jusqu'à la River Lea, et comprend Stepney, Limehouse, Bow, Old Ford, Whitechapel et Bethnal Green. C'est surtout l'emploi du «h» muet qui caractérise l'accent *cockney* (*half* se prononce *alf*). Le «th» est remplacé par «f» ou par «v», et parfois même par «d» ; «tt» n'est plus prononcé (*butter* devient *bu'er*) ou bien il est remplacé par «dd» (*better* devient *bedder*) ; le «t» final est abandonné : *didn't* devient *didn'*. Le «a» change : *take* n'est plus prononcé «teik» mais «taïk». Mais, plus qu'un accent lié à un seul quartier, le *cockney* est un langage émanant d'un certain état d'esprit, fait de jeux de mots invraisemblables et régi par le non-respect des règles de grammaire.

L'argot «cockney». Le *rhyming slang*, ou «argot rimé», qui apparaît à la fin du XIXe siècle et se développe surtout dans les années trente, n'est qu'un des aspects du langage *cockney*, mais sans doute le plus ludique. Les nombreuses comédies musicales ont, malgré tout, contribué à exagérer l'importance du *rhyming slang* dans la culture *cockney*. La liste des exemples de *rhyming slang* est infinie. Citons quand même *Cain and Abel* pour *table*, *trouble and strife* pour *wife*, *holy friar* pour *liar*, *bees and honey* pour *money*, *pleasure and pain* pour *rain*, *weasel and stoat* pour *coat*, *dustbin lids* ou *God forbids* pour *kids*, *Lilian Gish* pour *fish*, et même, il y a peu de temps, on disait *heath* pour *teeth* pour évoquer l'ancien Premier ministre et sa dentition… Le *rhyming slang*, argot totalement incompréhensible au profane, se fait de plus en plus rare, mais est encore utilisé par les marchands ambulants *(costermongers)* et les marchands des halles qui, à l'origine, ne voulaient pas se faire comprendre de la police.

Art de vivre

R.J.KNAPMAN.
336
Baker.
HOVIS BREAD
PREVENTS INDIGESTION
DAREN

Aujourd'hui encore, malgré les turbulences qu'elle traverse, la monarchie reste, pour la majorité des Britanniques, la clé de voûte de l'État. Et l'étranger ne doute pas, en voyant les palais royaux et le rituel fastueux des célébrations, de l'influence stabilisatrice de la Couronne sur la vie du pays. La Couronne a pour rôle essentiel celui de représenter les quatre pays qui forment le Royaume-Uni. Si la reine, chef de l'Église d'Angleterre, n'a pas prise sur le pouvoir exécutif, sa fonction ne se limite pas cependant à présider un certain nombre de cérémonies officielles. Elle garde une place dans les mécanismes de la vie politique ; elle nomme, entre autres, le Premier ministre et dissout le Parlement à la demande de ce dernier. Un tel consensus rend les oppositions de partis et de classes moins dangereuses.

LE COURONNEMENT D'ÉLISABETH II
En 1947, Élisabeth, fille aînée de George VI, épousa Philippe, duc d'Édimbourg et amiral de la Flotte. Son sacre (ci-dessus) eut lieu le 2 juin 1953.

PRINCE DE GALLES
Ce titre est réservé au prince héritier. Ci-contre, le futur Édouard VIII, alors prince de Galles, se tient derrière son père, George V.

Élisabeth II et le prince Philippe
Le couple royal a quatre enfants : Charles (1948), prince de Galles, Anne (1950), André (1960) et Édouard (1964). En 1960, la reine décide que les membres de la famille royale porteront le nom de Mountbatten-Windsor quand ils n'ont pas le titre de prince ou d'altesse royale.

La reine Victoria et son majordome
En 1837, Victoria Ire (1819-1901), reine de Grande-Bretagne et d'Irlande, succède à son oncle Guillaume IV et devient impératrice des Indes à partir de 1876. Pendant le long règne de cette souveraine extrêmement populaire, la puissance britannique connaît son apogée.

La Garde royale se divise en sept régiments : deux pour la cavalerie, les *Horses Guards* (les *Blues and Royals,* les *Life Guards)* et cinq pour l'infanterie, les *Foot Guards* (les *Grenadiers*, les *Coldstreams*, les *Scots*, les *Irish* et les *Welsh*). Sur un char d'assaut, ou à cheval, pour la *Horse Guards Parade* ou lors de la cérémonie du *Trooping the Colour* ● *53,* la Garde royale affiche toujours la même aisance.

LES «HORSE GUARDS» (la cavalerie)
1. Les *Blues and Royals* : plumet rouge sur le casque.
2. Les *Life Guards* : plumet blanc.

LES «FOOT GUARDS» (l'infanterie)
Ils ont en commun la tunique rouge et le bonnet en poil d'ours, mais les emblèmes, sur le col et les épaulettes, diffèrent.
3. Les *Grenadiers* : plumet blanc à gauche du bonnet et boutons à espaces réguliers.
4. Les *Coldstreams* : plumet rouge à droite et boutons par deux.
5. Les *Irish,* Irlandais : Plumet bleu à droite, boutons par quatre.
6. Les *Welsh,* Gallois : plumet vert et blanc à gauche, boutons par cinq.

Grenadiers entrant dans la cour des Ambassadeurs du palais St James's pour la relève de la garde.

L'étendard du premier bataillon des *Welsh Guards*, créé en 1915 (ci-contre), et celui des *Life Guards* : le *Sovereign's Standard* (ci-dessous).

Les «Scots Guards»
La bataille de l'Alma en 1854 (ci-contre), où l'on voit les *Scots Guards* portant leur étendard : le *Regimental Colours*. Le régiment des *Scots Guards*, créé en 1642 par Charles Ier, fut ainsi baptisé par la reine Victoria en 1877. La veste rouge du *Scots Guards* (à droite) se distingue de celle des autres régiments par les boutons groupés par trois et le col arborant l'emblème écossais : le chardon. Contrairement aux autres fantassins de la Brigade des *Guards,* aucun plumet ne figure sur le bonnet en poil d'ours, emprunté aux soldats de la Garde impériale de Napoléon, adopté à partir de 1831.

L'année londonienne est ponctuée de festivités qui témoignent de l'attachement des Britanniques aux traditions et de leur goût pour les tenues colorées. Les principales fêtes sont «Trooping the Colour» (le salut au drapeau), en juin ; la réunion des «Pearly Kings and Queens» (rois et reines perlés) à St Martin-in-the-Fields, le premier dimanche d'octobre ; le «Lord Mayor's Show» (fête du lord-maire), le deuxième samedi de novembre et «The Beating of the Bounds» (la battue des bornes), célébrée tous les trois ans le jour de l'Ascension.

«Pearly Kings and Queens»
Ces marchands ambulants au costume recouvert de boutons nacrés sont élus par leur quartier, depuis 1880, pour servir d'intermédiaire entre leurs confrères et la police.

«The Beating of the Bounds»
Les Beefeaters (hallebardiers de la Tour ▲ *183*) accompagnent un groupe d'enfants (parmi lesquels se trouvent des choristes) mené par un aumônier. La procession longe l'enceinte de la Tour de Londres et les enfants frappent, à l'aide d'un bâton, les 31 bornes qui marquent son ancienne limite.

Anniversaire royal
La célébration officielle de l'anniversaire de la reine, «Trooping the Colour», donne lieu à une grande parade qui réunit, sur Horse Guards Parade, les sept régiments de la Garde royale ● *50*.

«IL PLEUT DES COULEURS ET DES BOUQUETS ; SUR LES CANAPÉS DURS, SUR LES TABLES À TAPIS RÂPÉS, SUR LES COMMODES DE BOIS BLANC, IL TRAÎNE DES PAILLETTES DE GOURMANDISE ET DES ÉTINCELLES D'OR.» JULES VALLÈS

«LORD MAYOR'S SHOW» ▲ *146*
Autrefois, il arrivait que la procession empruntât la Tamise (ci-dessus) à bord de bateaux richement décorés. Aujourd'hui, le nouveau lord-maire passe en revue les troupes à Mansion House, puis reçoit, à St Paul's Churchyard, une bible des mains du doyen, avant d'être présenté à ses administrés et aux juges des Royal Courts of Justice.

«TROOPING THE COLOUR»
Colour désigne le drapeau de l'unité qui sera à l'honneur. Élisabeth II arrive du palais de Buckingham dans le phaéton construit pour la reine Victoria, passe en revue la cavalerie et assiste aux évolutions des troupes.

LA MUNICIPALITÉ EN FÊTE
La procession du lord-maire est fastueuse : carrosses dorés, costumes, porte-glaives…, guildes et conseillers municipaux forment un long défilé. Les effigies de bois peint de Gog et Magog, les deux fondateurs mythiques de Londres, sont portées sur des attelages en tête du cortège.

Londres compte parmi les meilleures scènes internationales : aller au théâtre fait partie des habitudes culturelles des Londoniens. Du théâtre classique au théâtre d'auteur, en passant par l'opéra, les ballets et la comédie musicale, une centaine de salles offrent un répertoire qui répond, par sa diversité et sa qualité, aux exigences d'un public très averti. L'éclectisme du théâtre anglais puise sans doute sa force dans la formation de ses acteurs, très observée outre-Manche, et considérée comme une des meilleures au monde.

THE PALACE THEATRE
Cet imposant «vaisseau victorien», à la masse curviligne, construit à l'instar d'un opéra, est inauguré en 1891 sous le nom de Royal Opera English House. Augustus Harris le transforme en music-hall dès 1892. Il s'appelle alors Palace Theatre of Varieties ; Anna Pavlova et Nijinski s'y sont produits. À partir de 1924, c'est le règne de la comédie musicale et sa consécration : de *No No Nanette* (1925), *Jésus-Christ Superstar* (1986), aux *Misérables* (1992).

THE OLD BEDFORD
Dans cet ancien théâtre populaire de Camden Town, on donna surtout des spectacles de music-hall. La galerie supérieure (le «poulailler») et les loges (ci-dessus) ont maintes fois inspiré le peintre Walter Sickert (1860-1942) ● *101*, qui est à l'origine de la création du Camden Town Group.

«ASSIS DANS CETTE LOGE MITEUSE
J'ÉTAIS COMPLÈTEMENT ENSORCELÉ.
J'AVAIS OUBLIÉ QUE J'ÉTAIS À LONDRES ET AU XIXe SIÈCLE.»

OSCAR WILDE

WEST END, LE QUARTIER DES THÉÂTRES
Ci-contre et de haut en bas : Shaftesbury Avenue, l'avenue des théâtres ; façade de l'Albery Theatre ; le Royal Opera House ▲ *274* ; le Theatre Royal Drury Lane. Comme pour les églises, l'architecture des théâtres du West End, en majorité victoriens, fait appel au grandiose : façades, halls et colonnes immenses, décors somptueux agrémentés de statues, utilisation du stuc et de la ferronnerie. Ces lieux chargés d'histoire sont, pour la plupart, ouverts au public dans la journée.

LES FLEURS DE SHAKESPEARE
En 1951, à la pose de la première pierre du National Theatre, la reine mère déposait une gerbe, réalisée avec des plantes et des fleurs dont les noms figurent dans l'œuvre de Shakespeare.

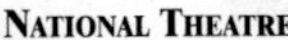

NATIONAL THEATRE
Ce complexe artistique, le plus important de Grande-Bretagne, installé dans le South-Bank, fut conçu par Denys Lasdun. Cette forteresse de béton, construite en terrasses au bord de la Tamise avec vue sur la City, abrite trois salles de théâtre dont la plus grande se nomme l'Olivier, en souvenir du premier directeur artistique de la compagnie : sir Laurence Olivier. Les coulisses sont ouvertes au public.

Le cricket

Le cricket, sport national des Britanniques, trouve ses racines au Moyen Âge. Il n'a cessé d'évoluer depuis pour devenir le jeu que l'on connaît aujourd'hui. Selon le professeur Skeat, son nom viendrait du mot *crice,* bâton ; pour d'autres, du mot français cricquet (bâtonnet utilisé dans le jeu de boules). Le cricket s'est implanté avec le même engouement dans les pays du Commonwealth, que l'on retrouve à un très haut niveau de compétition lors des rencontres internationales.

Terrain

Deux équipes de onze joueurs s'opposent sur un large terrain centré autour d'un *pitch,* rectangle de pelouse tondue à ras, de 20 m de long et de 3 m de large, avec, aux deux extrémités, un guichet, *wicket,* que défend le batteur, appelé *batsman.*

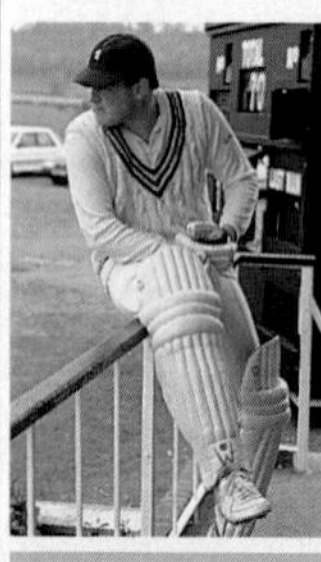

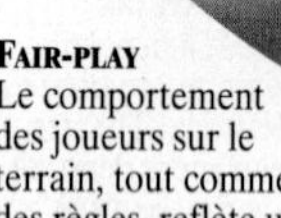

Fair-play

Le comportement des joueurs sur le terrain, tout comme le respect des règles, reflète une attitude de fair-play : ni jurons, ni mouvement d'humeur, ni contestations de l'arbitrage. Le jeu lui-même est simple, ce sont les règles – d'une rare complexité – qui demandent des mois d'étude.

Tout sur le cricket

Le terrain de Lord's, à St John's Wood, abrite un musée, une boutique et une bibliothèque.

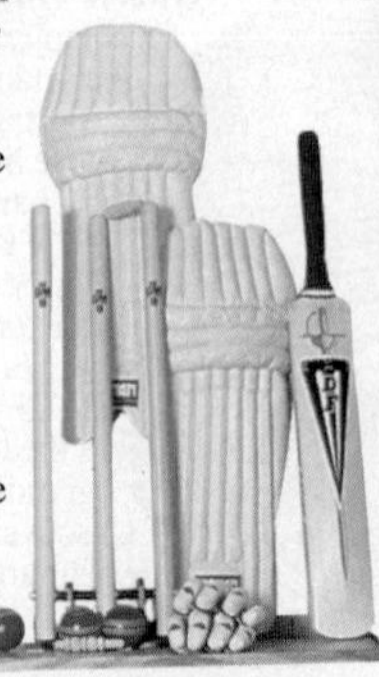

Équipement

La batte (96 cm de long) est taillée dans du bois de saule (*willow*). La balle est recouverte de cuir dur. Le batteur porte des jambières et un gant de cuir.

La pause

« La longue pause de cinq heures coupait la garden-party de ces joutes alenties ; [...] on voyait les hommes en blanc, assis autour de petites tables prendre le thé ensemble comme des yachtmen, sans se presser, avant de reprendre nonchalamment leurs hostilités flegmatiques et compliquées. »

Julien Gracq

Chapeau !
Le chapeau complète l'équipement du *cricketer* : il le protège du soleil.

Le grand départ !
La saison débute, si le temps le permet, la deuxième semaine d'avril et se termine en septembre, sur la pelouse du fameux terrain de Lord's Cricket Ground, à Londres : il devient alors le point de mire de tous les amateurs.

Tenue de rigueur
La tenue des joueurs est très élégante, tout en blanc ou blanc cassé. Seul le col en V et la ceinture du pull, avec ou sans manches, portent des rayures de couleur. L'arbitre, en blouse blanche, porte un chapeau.

Début et fin de partie
Le lanceur envoie la balle vers le guichet adverse, le batteur essaie de la stopper et de la renvoyer le plus loin possible. Le temps que l'adversaire ramasse la balle, le batteur doit faire le plus de tours (*runs*) possible entre les deux guichets (chaque trajet compte pour un point). Pour gagner, il faut comptabiliser le maximum de *runs* et éliminer, le plus vite possible, les batteurs adverses.

Pénalités
Si le *batsman* rate la balle envoyée par le *bowler* (lanceur), il est remplacé par un autre joueur ; et si l'adversaire arrive à renverser le *bail* (bâton de bois placé à l'horizontale sur le guichet) de l'équipe rivale, il est exclu du jeu *(out)*. Le batteur est aussi éliminé lorsqu'un joueur de l'équipe adverse récupère la balle avant qu'elle ne touche le sol.

Apprentissage
Tous les enfants rêvent de devenir de grands *cricketers*. Le savoir-faire passe par un apprentissage ardu et l'acquisition d'une bonne technique demande du temps.

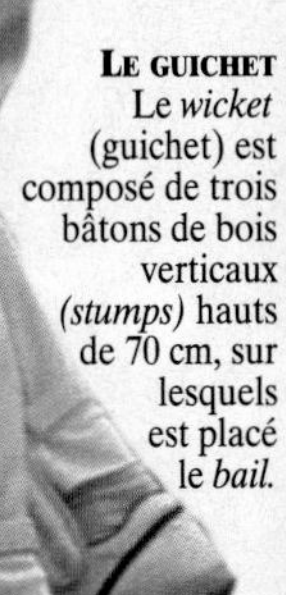

Le guichet
Le *wicket* (guichet) est composé de trois bâtons de bois verticaux *(stumps)* hauts de 70 cm, sur lesquels est placé le *bail.*

Le pub occupe une place privilégiée dans la vie sociale des Anglais qui s'y retrouvent volontiers autour d'une bière (*ale*) ou d'une tourte au porc (*pork pie*). *Pub* est l'abréviation de *public house,* terme qui fait son apparition vers 1885, désignant l'entrée ou le coin de salle à manger d'un particulier qui brasse et vend sa propre bière. L'engouement des Anglais pour la bière, boisson du pub, a supplanté leur passion pour le gin, la «folie du gin» (*Gin Craze)*, des siècles précédents.

LÉGISLATION
L'accès aux pubs est normalement interdit aux enfants de moins de quatorze ans. Pour lutter contre l'alcoolisme, une loi réglementa, après la Première Guerre mondiale, les heures d'ouverture des pubs. Cette loi fut assouplie en 1989.

ATMOSPHÈRE !
L'ambiance d'un pub est chaleureuse car sa fonction d'origine est d'être un lieu de réunion. Un espace est généralement réservé aux amateurs de fléchettes, *darts.* C'est surtout sous le règne de Victoria que les pubs se dotèrent de leurs somptueux décors. Ci-contre, *The Queen Victoria*, construit vers 1860. À gauche, *The Princess Louise.*

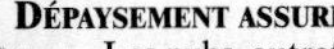

Dépaysement assuré
Les pubs, autrefois réservés aux hommes et désormais ouverts aux femmes, reçoivent toute la société anglaise dans une surprenante convivialité, *melting-pot* inattendu qui étonne toujours le non-initié.

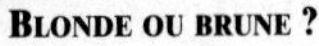

Blonde ou brune ?
Il existe de nombreuses sortes de bière (*beer*) : blondes (la *pale ale,* la *bitter,* la *lager*), ou brunes (la *stout* irlandaise), plus ou moins fortes ou amères (*best bitter* ou *premium bitter*), la *lager*, la moins anglaise de toutes. Une *ale* se sert avec beaucoup de soin et à la même température qu'un vin rouge. Les commandes se font et se paient au comptoir, «*You pay as you order*».

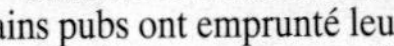

Origine des enseignes
Certains pubs ont emprunté leur nom à l'histoire, à un personnage célèbre, ou aux activités traditionnelles du quartier. Ces noms, *Red Lion, King's Head*, *George Inn, Ye Olde Cheshire Cheese,* rehaussent la singularité des enseignes qui ornent l'entrée.

À la fin du XVIIe siècle, l'Angleterre se prend de passion pour une nouvelle boisson venue de Chine, le thé. «On boit du thé pour oublier le bruit du monde» : ce précepte du sage chinois T'ien Yieng se retrouve dans la façon dont toute une population a su réinventer un art de vivre. Boire du thé rythme la journée des Anglais ; loin de l'agitation, ils savourent l'intimité de l'instant : «C'était exquis, cette besogne de prendre le thé, et elle avait toujours de délicieuses petites choses à manger : des petits sandwichs épicés, des petits biscuits doux aux amandes...» (Katherine Mansfield, *La Garden-Party*)

Le théier
Le jeune *Camellia Sinensis,* arbuste à feuilles persistantes, est taillé plusieurs années avant la première récolte afin d'obtenir le maximum de bourgeons.
Thés verts (Chine) ou thés blancs (très rares, Chine), thés noirs, fermentés (Inde et Ceylan) ou semi-fermentés (Taiwan), fumés ou non, ces variétés proviennent de la même plante, tout dépend du traitement des feuilles après la cueillette.
Chaque thé possède une couleur, un arôme, un goût déterminés par la nature du sol, le climat (soleil et pluie), l'altitude et la saison à laquelle a lieu la récolte.
La qualité d'un thé varie aussi en fonction des feuilles ; les plus jeunes et les plus tendres, proches du bourgeon, produisent des thés fins et très aromatiques, tandis que les plus grandes et les plus anciennes donnent un thé fort mais de qualité inférieure.

Les trois éléments indispensables
- Le thé (à l'instar des vins, les thés ont leurs appellations. Les noms des grands crus, les «grands seigneurs», rappellent le domaine d'origine, le «jardin» : Assam, Darjeeling, Yunnan, par exemple).
- La théière (argent, fonte, porcelaine, ou terre cuite).
- L'eau : une eau de source est conseillée.

«Tea time »
Au XIXe siècle, la duchesse Anna de Bedford prit l'habitude de se faire servir entre le déjeuner et le dîner, qu'elle devait trouver beaucoup trop tardif, une collation accompagnée de thé. Mais c'est la reine Victoria qui institua le rituel du *tea time* de l'après-midi vers 16 h (*afternoon tea*), transformé au cours des années en thé de cinq heures (*five o'clock tea*). Si le cérémonial s'est sensiblement simplifié, prendre le thé demeure un moment privilégié pour les Britanniques. L'hiver, auprès de la cheminée, ou l'été dans le jardin (*tea garden*), l'heure, le lieu et la saison permettent à la maîtresse de maison de faire preuve d'imagination et de créer une atmosphère de «nonchalance confortable», propice aux relations sociales et, bien sûr, à l'humour : «Il est peu de moments plus agréables que ceux consacrés au thé de l'après-midi.» (Henry James)

La préparation
Le soin que l'on prend à la préparation du thé contribue pour moitié à sa réussite.
- Faire chauffer l'eau dans l'indispensable *tea kettle* (bouilloire), à pas plus de 95°.
- Réchauffer la théière.
- Déposer dans celle-ci une petite cuillerée de thé par tasse, plus une (selon votre goût) *for the tea pot* (pour la théière).
- Verser l'eau frémissante et laisser infuser environ 5 min pour les feuilles, un peu moins pour les sachets (au-delà le thé devient amer), puis les retirer.
- Servir dans les tasses après avoir remué doucement.
- Et déguster votre *nice cup of tea* (exquise tasse de thé). Lait, sucre, citron et autres additifs sont tolérés.

● GASTRONOMIE
LE «CHRISTMAS PUDDING»

Le *Christmas Pudding* est une recette traditionnelle de Noël. Dégusté le 25 décembre, le *pudding* doit être préparé longuement à l'avance car son goût s'enrichit en vieillissant. Les quantités de fruits confits et de sucre qui entrent dans sa préparation lui permettent de se conserver longtemps, mais jamais plus d'un an.
Le *Christmas Pudding* est servi chaud ou tiède, accompagné de *brandy butter*.

2. Hacher menu 75 g d'amandes blanchies et effilées.

3. Verser en pluie 125 g de farine tamisée et 1 cuillère à café de gingembre confit dans le bol.

6. Ajouter les amandes hachées et une carotte râpée. Mélanger à nouveau.

7. Battre six œufs entiers à l'aide d'un fouet.

10. Plonger le moule jusqu'au 1/3 dans une cocotte remplie d'eau bouillante.

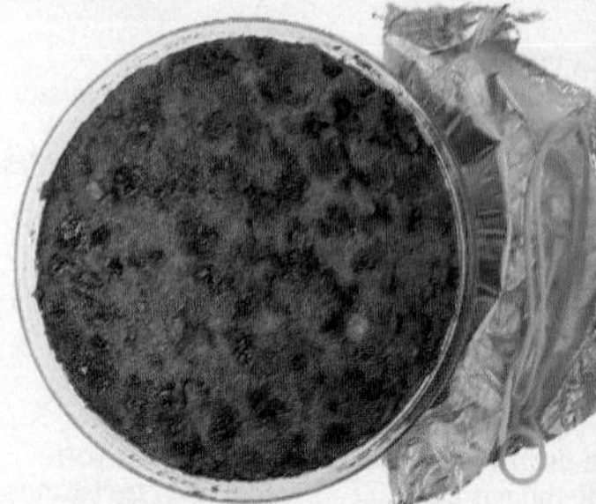

11. Faire cuire 8 h sous pression. Laisser refroidir à découvert. Conserver dans un endroit sec et frais.

«LE REPAS DE CHRISTMAS ! – IL Y A DES PLATS DE FONDATION, LE PUDDING CÉLÈBRE, LE MINCE PIE MOINS CONNU.»

JULES VALLÈS

La préparation du *Christmas Pudding* est un travail de longue haleine. Il s'agit d'abord de réunir tous les ingrédients, puis de les mélanger par étapes successives.

1. Dans un bol, mélanger 275 g de mie de pain rassis, 225 g de sucre roux, 1 cuillère à café de gingembre confit et 1 cuillère à café de noix de muscade râpée.

4. Incorporer au mélange les fruits confits coupés : 125 g de cerise, 50 g de citron, 125 g d'orange et 25 g de citron vert.

5. Ajouter 225 g de raisins de Corinthe, 225 g de raisins de Smyrne et 225 g de raisins noirs. Bien mélanger le tout.

8. Verser les œufs dans le bol sans cesser de remuer. Ajouter 2 cuillères à soupe de *mélasse.* Dans une casserole, faire fondre 225 g de moëlle de bœuf.

9. Mélanger le contenu du bol à la moëlle et à 300 ml de bière. Verser le tout dans un moule beurré et couvrir avec du papier sulfurisé graissé, puis du papier aluminium.

12. Pour préparer le *brandy butter* : mélanger 150 g de beurre fouetté à 150 g de sucre, puis ajouter, par cuillerée, 200 ml de brandy.

Les biscuits
Lemon puffs, *digestive biscuits* et les délicieux *ginger snaps* (ci-dessus), faits à partir de mélasse et de gingembre, se grignotent à toute heure de la journée.

Les desserts
La gelée (*jelly*) anglaise existe dans différents parfums et couleurs (ci-dessus : au citron vert) et entre dans la composition de nombreux entremets comme le traditionnel *triffle* aux fruits. Le *treacle pie* (à gauche), autre dessert très apprécié, est un fond de tarte rempli de mélasse.

À l'heure du déjeuner, les *salt and vinegar crisps* accompagnent le sandwich et la bière dans les pubs.

Londres ne serait pas Londres sans le fameux bus à deux étages, le *double decker* : ci-dessus, version miniature, à rapporter en souvenir.

Les bières
Chaucer et ses contemporains parlaient déjà de la qualité des *ales* de Londres. Parmi les grandes brasseries londoniennes, citons Anchor Brewery, Courage Ltd, Black Eagle Brewery et Fuller Smith & Turner. Certains pubs brassent encore leur propre bière. Ce sont des *freehouses* qui n'appartiennent pas à l'une des principales brasseries anglaises.

Les quotidiens
La presse nationale anglaise est réputée pour être l'une des meilleures au monde. Les *quality papers*, ou quotidiens de qualité (*The Guardian*, *The Independant*, *The Times*…), côtoient les fameux tabloïds (*The Sun*, *Daily Star*…). L'*Evening Standard* est le seul quotidien du soir. Quant aux journaux du dimanche (*Sunday Papers*), ils proposent des suppléments pour toute la famille et pour tous les goûts.

Architecture

Londinium est le nom donné par les Romains au noyau urbain (pont sur la Tamise et garnison) qu'ils avaient établi au premier siècle de notre ère et entouré d'une muraille ● *34*. Dévastée au Ve siècle par les invasions anglo-saxonnes, la ville, réédifiée, devint, au VIIe siècle, capitale du royaume d'Essex. Sur un terrain, à l'ouest, les Anglo-Saxons avaient déjà construit un palais royal et l'abbaye de Westminster, envisagés probablement comme le centre d'une seconde ville. Entre ces deux édifices, les résidences du haut clergé et les auberges attachées à la cour furent bâties. La ville s'étendit aussi au sud de son unique pont, mais de façon moins rigoureuse.

LONDON WALL ▲ *178*
L'enceinte construite par les Romains autour de Londinium entre 190 et 220 apr. J.-C.

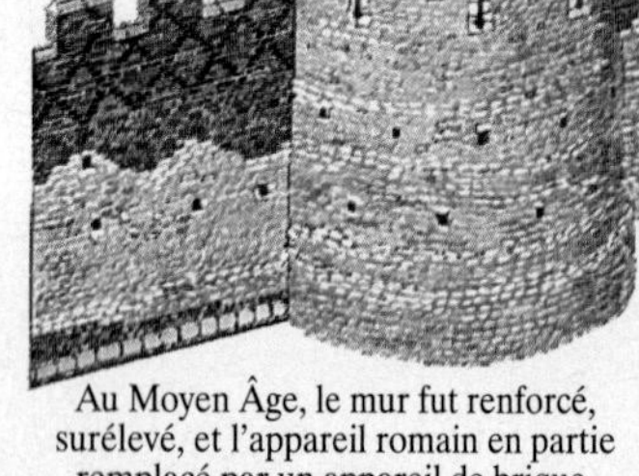

Au Moyen Âge, le mur fut renforcé, surélevé, et l'appareil romain en partie remplacé par un appareil de brique.

À l'origine, le mur courait de la Tour à Crippelgate ▲ *181*, passait sous l'Old Bailey pour redescendre ensuite vers la Tamise. Le niveau du sol s'est constamment élevé depuis l'Antiquité, (ci-dessus) provoquant la surélévation médiévale de la muraille et son actuel semi-ensevelissement.

GUILDHALL ▲ *148*
Il ne subsiste aujourd'hui de la construction médiévale de 1411-1440 que la crypte voûtée et le porche, témoins de la fierté commerciale de la cité.

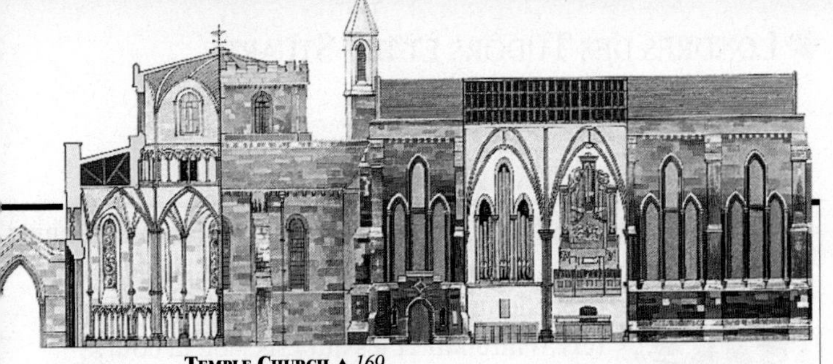

TEMPLE CHURCH ▲ *169*
La tradition voulait que les églises des Templiers soient rondes ce qui explique le plan de Temple Church (1160-1185) où les arcs romans font place aux ogives gothiques. Le chœur fut ajouté en 1220.

WHITE TOWER ▲ *182*
Construit pour surveiller la ville et ses habitants et non pour la protéger, ce donjon est l'œuvre de Guillaume le Conquérant. Elevé de 1077 à 1097, il est le plus important des édifices militaires normands de Grande-Bretagne. Bâti en pierre de Caen, le style roman, massif, contraste avec la légère courtine et les coiffures en poivrière ajoutées aux XVIe et XVIIe siècles.

ST BARTHOLOMEW THE GREAT ▲ *176*
Cette église romane (1123) au style puissant est restée, malgré de nombreuses altérations, l'un des grands édifices du XIIe siècle à Londres.

Cependant, Guildhall est toujours une des plus grandes salles médiévales gothiques de Londres.

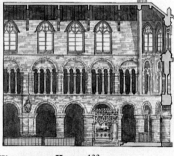

WESTMINSTER HALL ▲ *133*
Sa charpente, rehaussée par Henry Yevele entre 1394 et 1401, est la première du type à ferme sur blochet bâtie à aussi grande échelle.

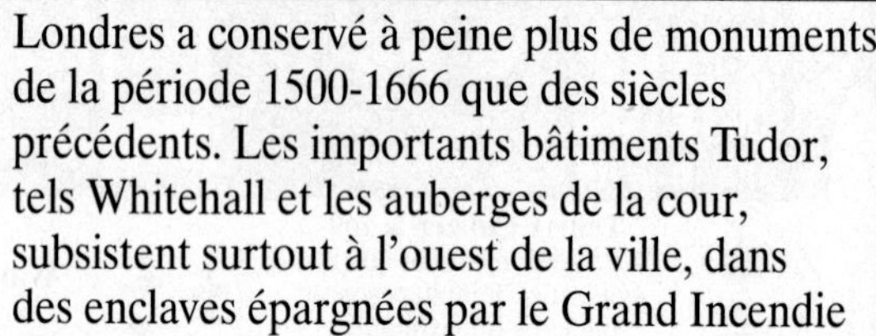

Londres a conservé à peine plus de monuments de la période 1500-1666 que des siècles précédents. Les importants bâtiments Tudor, tels Whitehall et les auberges de la cour, subsistent surtout à l'ouest de la ville, dans des enclaves épargnées par le Grand Incendie ● *40*. Les riches négociants de la période Stuart construisirent beaucoup hors les murs ; leurs résidences prouvent qu'ils avaient leurs propres architectes. Ils surent créer un riche mélange de maniérisme jacobéen et de pur classicisme.

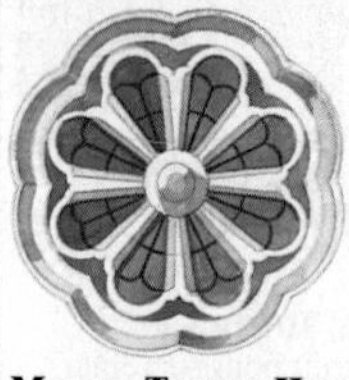

MIDDLE TEMPLE HALL
▲ *162* Cette rose indique la constante gothique présente au cours du XVIe siècle.

QUEEN'S CHAPEL, ST JAMES'S PALACE
▲ *241*
Le style raffiné et italianisant d'Inigo Jones s'adapte bien à la sobriété obligée de cette chapelle catholique bâtie en 1625 pour la reine Henriette-Marie.

LINCOLN'S INN ▲ *165*
Ce détail d'une des entrées (1518) montre le jeu élégant et typique des briques rouges et bleues.

CHARLTON HOUSE, GREENWICH
Sir Adam Newton était le tuteur d'Henri, prince de Galles. Sa maison, construite entre 1607 et 1612, possède la plus belle façade de style Jacques Ier à Londres, que caractérisent de larges ouvertures et une sculpture à la fois riche et élégante. Cette demeure est aussi un bon exemple du plan en H souvent adopté à l'époque.

STAPLE INN, HIGH HOLBORN
Daté en partie de 1586, c'est un des rares ensembles à colombage du centre de Londres. Considérablement restauré en 1937, il montre encore de grandes façades à pignons aigus avec fenêtres en débords.

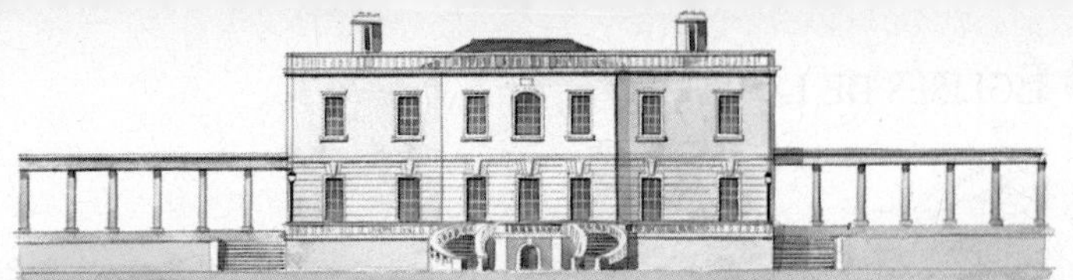

Queen's House ▲ *327*
Ce chef-d'œuvre d'Inigo Jones fut réalisé entre 1617 et 1637.

The Banqueting House ▲ *142*
Datée de 1619-1622, elle est la première commande des rois Stuart à Inigo Jones, qui introduit ici l'usage de la pierre de Portland en référence probable aux blanches façades des palais urbains de Palladio.

Middle Temple Hall ▲ *162*
Middle Temple, élevé de 1560 à 1570, constitue un lien stylistique entre les périodes médiévale et élisabéthaine. Le plan, de conception médiévale, offre un somptueux toit à ferme sur blochet ; le coffrage en lambris de l'entrée est, lui, de style tout à fait classique, égayé par de robustes atlantes.

St James's Palace ▲ *240* Henri VIII avait fait construire cette résidence à partir de 1532 pour un de ses fils illégitimes, le duc de Richmond. Résidences, chapelle et tour d'entrée sur une même façade forment une séquence continue de style Tudor significative des aménagements urbains projetés par le monarque.

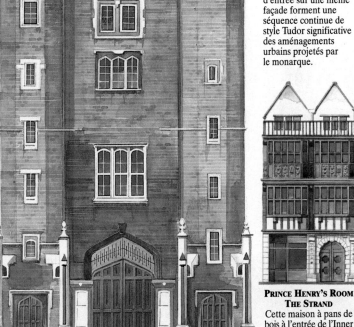

Prince Henry's Room The Strand
Cette maison à pans de bois à l'entrée de l'Inner Temple fut construite en 1610-1611.

Au Moyen Âge, Londres possédait plus de cent églises ; quatre-vingt-huit furent détruites ou endommagées lors du Grand Incendie de 1666 ● *40*, tout comme la cathédrale. L'architecte et mathématicien sir Christopher Wren (1632-1723) fut chargé de renouveler le paysage urbain. ● *171*, *174*. Il reconstruisit la cathédrale Saint-Paul et fournit les plans des cinquante et une églises nouvelles.

St Mary Aldermary ▲ *157*
Achevée en 1682, elle montre la virtuosité de Wren à s'adapter à des formes très diverses. Ce grand classique ne dédaigne pas ici les rigueurs passées du gothique.

Voûtes de St Mary Aldermary ▲ *157*
La richesse décorative de ce renouveau gothique dérive en réalité d'une tendance plutôt baroque.

St Mary le Bow ▲ *157*
Cette flèche (1670-1683) d'une des premières églises reconstruites par Wren caractérise son goût pour les superpositions architectoniques.

St Mary Woolnoth ▲ *149*
L'élégante composition de Nicholas Hawksmoor ▲ *312* a pour assise un espace centré de plan carré, ponctué de colonnes élancées et éclairé par de larges lunettes.

St Bride's, Fleet Street
Les flèches les plus spectaculaires de Wren furent ajoutées vers la fin de sa vie à des églises antérieures de vingt ou trente ans. Celle-ci, la plus haute de toutes (68 m), fut adaptée en 1701-1703 à une église érigée en 1671-1673.

St Stephen Walbrook ▲ *149*
La plus somptueuse des églises de Wren à Londres (1672-1679) cache ses attraits sous d'austères façades juste animées par des lunettes et des oculi oblongs. Son dôme annonce celui de Saint-Paul.

St Mary Woolnoth ▲ *149*
Hawksmoor utilise ici (1716-1727) les idées du baroque européen, de façon plus engagée et plus osée que son maître Wren. Pourtant, le dessin très libre du frontispice avec la rustication intense du premier niveau, les colonnes supportant les angles, le jeu contrasté, presque violent, des rapports de proportions et le décor appuyé des niches latérales relèvent plus de l'esprit maniériste que de l'antique ou de l'esthétique baroque.

Christchurch, Spitalfield ▲ *311*
Avec un impérieux clocher posé sur une arche vénitienne massive (serlienne), Hawksmoor crée ici une œuvre puissante possédant une très forte intensité dramatique (ci-dessus, à droite).

La serlienne trahit l'influence grandissante de l'architecture palladienne, présente aussi dans les motifs antiques et les proportions élancées de l'espace intérieur.

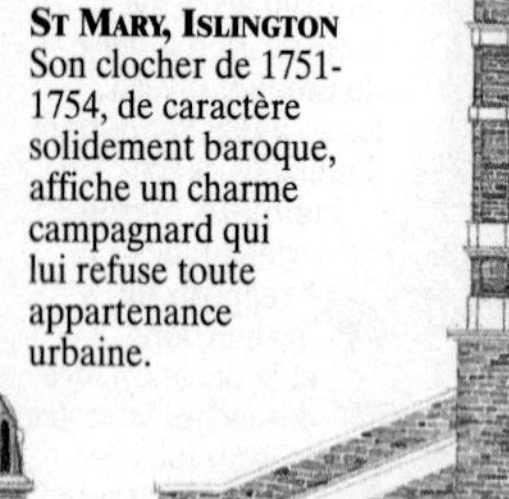

HOLY TRINITY, CLAPHAM
Elle fut élevée, en 1774-1777, dans un élégant style néo-classique.

L'ancienne structure villageoise de Londres, dont les vestiges subsistent encore, donne à la ville une grande partie de son caractère. Les églises paroissiales datent parfois du Moyen Âge, mais ont le plus souvent été reconstruites au XVIIIe siècle par de riches paroissiens voyageurs.

Elles présentent une grande diversité. Certaines, nichées au fond de leur vieux cimetière, restent toujours peu connues. À Hampstead ou Islington, elles sont au contraire au centre de quartiers très vivants.

ST JOHN, HAMPSTEAD ▲ *261*
Cette église, rebâtie par John Sanderson en 1745-1747, alors que Hampstead se transformait en ville d'eau, fut agrandie en 1872 par F. P. Cockerill. Elle associe l'élégance de ses éléments classiques de pierre blanche à la rusticité de la brique rouge.

ST MARY, ISLINGTON
Son clocher de 1751-1754, de caractère solidement baroque, affiche un charme campagnard qui lui refuse toute appartenance urbaine.

ST MARY, WANSTEAD
L'église fut reconstruite de façon très élégante par Thomas Hardwick en 1787-1790.

La nef est bordée de simples arcades classiques très élancées qui contrastent avec la complexité des lignes du chœur.

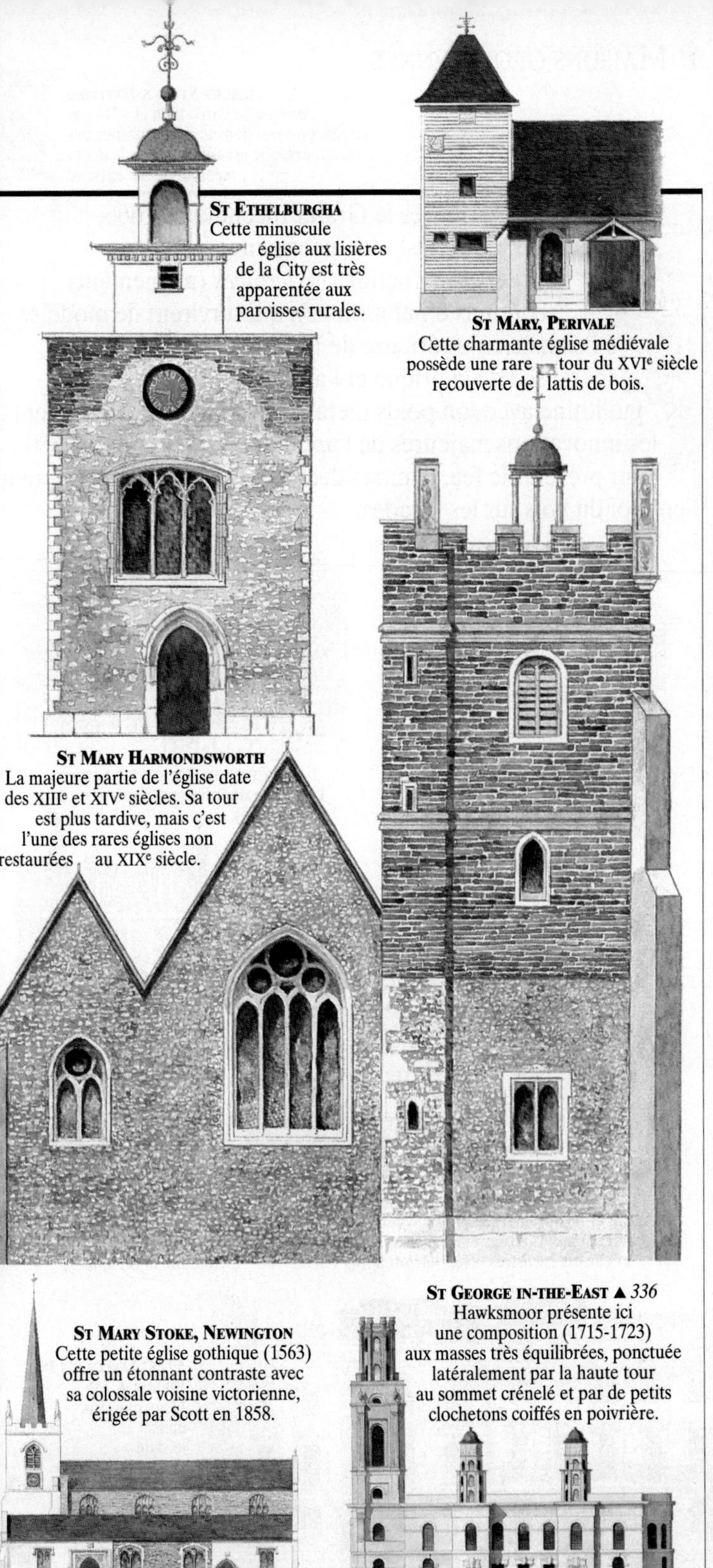

St Ethelburgha
Cette minuscule église aux lisières de la City est très apparentée aux paroisses rurales.

St Mary, Perivale
Cette charmante église médiévale possède une rare tour du XVIe siècle recouverte de lattis de bois.

St Mary Harmondsworth
La majeure partie de l'église date des XIIIe et XIVe siècles. Sa tour est plus tardive, mais c'est l'une des rares églises non restaurées au XIXe siècle.

St Mary Stoke, Newington
Cette petite église gothique (1563) offre un étonnant contraste avec sa colossale voisine victorienne, érigée par Scott en 1858.

St George in-the-East ▲ *336*
Hawksmoor présente ici une composition (1715-1723) aux masses très équilibrées, ponctuée latéralement par la haute tour au sommet crénelé et par de petits clochetons coiffés en poivrière.

ALBURY STREET, DEPFORD
Aménagée entre 1706 et 1714 par un maçon local dans le riche quartier des armateurs, elle est célèbre pour le décor sculpté de ses entrées.

Après le Grand Incendie de 1666, la législation georgienne imposa les constructions en *terraces* (alignements continus d'habitations), qui servirent de modèles à l'expansion ultérieure de Londres. L'utilisation généralisée de la brique et l'apparition de la fenêtre à guillotine avec son poids métallique sur poulie constituent les innovations majeures de l'architecture des années 1680. Pour prévenir le feu, d'autres décrets (1707 et 1709) limitèrent l'emploi du bois sur les façades.

FENTON HOUSE, HAMPSTEAD ▲ *262*
Cette grande maison patricienne (1693) adopte les menuiseries du style riche et recherché des *terraces* de cette époque.

NEWINGTON GREEN, ISLINGTON
C'est une des plus anciennes *terraces* de brique (1658).

39-42 OLD TOWN, CLAPHAM
Toit élevé et façade chargée (1707) créent ici un ensemble un peu archaïque. Lourdes entrées, corniches d'avant-toits et châssis encastrés disparaîtront après 1709.

QUEEN'S ANN GATE
Ces maisons «régulières» de 1704 créent à la fois une rue et un *square*.

57-60 LINCOLN'S INN FIELDS ▲ *165*
Deux maisons, dans le style de Jones (1730 et 1640). La plus ancienne, en brique et stuc, use magistralement de l'ordre colossal sur une base à refends.

The Rugby Estate, Holborn
Ce quartier est riche en maisons des années 1680 à 1720. La «cour anglaise», petite cour enterrée, située en avant de la façade, éclairant les services domestiques installés en sous-sol, les toits en deux combles parallèles à une même façade et le décor, concentré sur les portes d'entrée, sont les nouveautés qui définissent cette première période georgienne.

Portes dans Rugby Street
Leur structure classique très élaborée est caractéristique des années 1720.

36 Elder Street
Vers 1760-1780, fronton et colonnes introduisent un style plus néo-classique.

Princelet Street
Les consoles supportant une architrave plate sont caractéristiques des années 1720.

75 Elder Street
Cette entrée de 1726 adopte un style dorique plus rustique.

Vers 1760, une certaine austérité gagne l'architecture.
En 1774, une loi restreint davantage encore l'emploi du bois et exige que soient cachés les châssis de contrepoids des baies. Cette sobriété s'accompagne par l'emploi de briques de couleurs froides, grises ou jaunes, éloignées des tons bruns d'alors. On utilise de plus en plus souvent les enduits, non plus couleur pierre, mais blancs ou ivoire. Enfin, les *terraces* se font de plus en plus monumentales, surtout celles de John Nash.

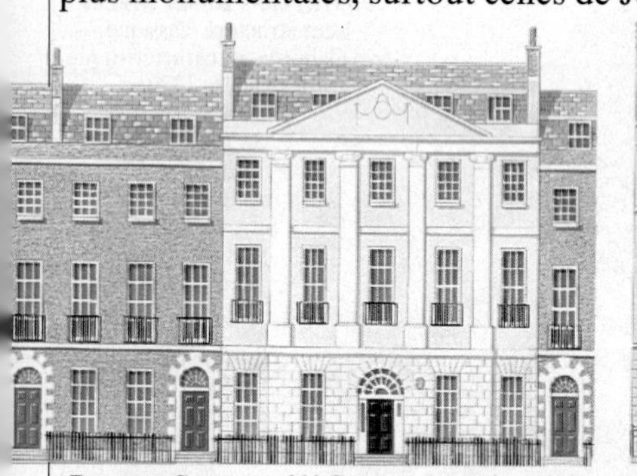

BEDFORD SQUARE ▲ *300* Ce square georgien très accompli (1778-1783) possède d'étonnants portails habillés de blocs alternés de pierre de Coade.

FITZROY SQUARE ▲ *308* *Terrace* de R. Adam (1792).

CUMBERLAND TERRACE ▲ *256*
La dernière *terrace* de John Nash, édifiée en 1826, regroupe vingt-sept habitations, en trois groupes reliés pour ne former qu'un unique et somptueux palais, où portiques et statues rivalisent de majesté.

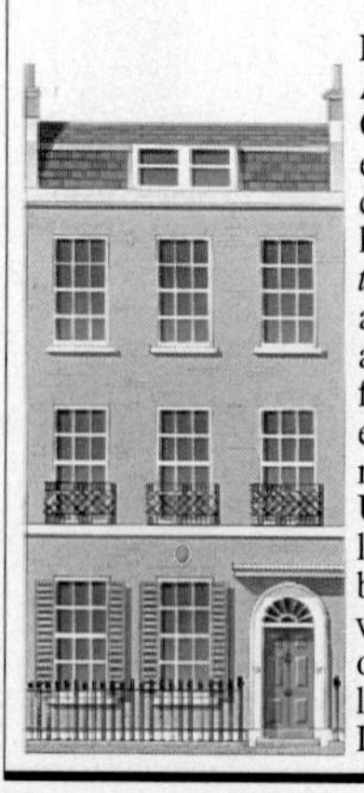

DOUGHTY STREET ▲ *298*
Commencée en 1792 et achevée en 1809, cette rue continue la tradition des *terraces* georgiennes avec une ordonnance assez simple des façades de brique et un alignement modulaire rigoureux. Une de ses maisons les plus exemplaires, bien que réaménagée vers 1830, est le n° 48, où vécut un temps l'écrivain Charles Dickens.

The Paragon, Black Heath
L'architecture anglaise de «maisons semi-détachées» trouve ici une de ses origines de valeur. Michael Searles signe là une réalisation (1794) dont les colonnades ouvertes et le plan courbe offrent une réponse pittoresque aux vastes terrains des banlieues. Le style adopté, néo-classique, avec ordre toscan, révèle l'apogée du goût georgien.

Chester terrace ▲ *258* **(1827)**
John Nash utilise de monumentales séquences d'un ordre corinthien colossal pour magnifier la plus longue des *terraces* de Regent's Park.

Lonsdale Square
Dans les années 1840, architectes et constructeurs se lassent du grand style classique. Le romantisme aidant, ils montrent une passion subite pour les cottages de goût élisabéthain. R. C. Carpenter prit ainsi, en 1838-1842, la décision d'adopter ce style pour la construction de tout ce *square* destiné à la Draper's Company.

Milner Square
Construit dans un style étrange, Milner Square (1842-1844) offre une ampleur et une opulence que l'on retrouve dans la dernière génération de grandes *terraces*. Les maisons ont chacune trois travées séparées par des pilastres doubles finement proportionnés. Les unités sont coiffées par un attique continu qui exaspère la longueur presque démesurée de l'ensemble.

BUTLER'S WHARF ET COURAGE'S BREWERY
Côté Tamise, Butler's Wharf jouxte la façade animée de la brasserie *Courage*.

SHAD THAMES
La face arrière de Butler's Wharf, érigée en 1891, incorpore à l'ouest les vestiges d'une brasserie de 1789. L'atmosphère particulière de la rue, avec ses hauts pignons et le treillage de fer de ses multiples ponts, évoque à la fois les visions de Piranèse et de Gustave Doré.

Un décret de 1799 imposant l'augmentation de la flotte de commerce sur la Tamise, le premier dock fut construit en 1800. Londres devint ainsi au XIXe siècle le grand port du pays. Ce développement fut conforté par la possibilité de stocker les marchandises dans des entrepôts de douanes sans paiement de droits. De nos jours, les hauts murs de ces bâtiments créent, malgré leur fermeture vers 1970, un paysage industriel spectaculaire.

WEST INDIA DOCK ▲ *330, 337*
Ces entrepôts de douanes (1802-1803) présentent un aspect fonctionnel rigoureux que tempèrent cependant d'étonnants détails de composition : circulations verticales placées dans des tours séparant les pavillons, lunettes d'attique et oculi des travées centrales.

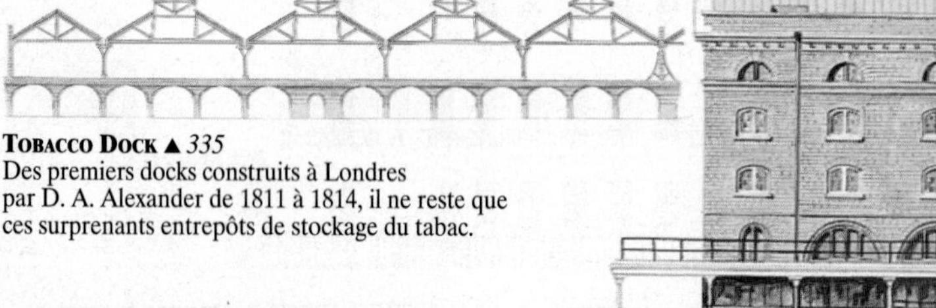

TOBACCO DOCK ▲ *335*
Des premiers docks construits à Londres par D. A. Alexander de 1811 à 1814, il ne reste que ces surprenants entrepôts de stockage du tabac.

PIERRE, BOIS, ACIER
Ce prodige de technique mêlant le fer, le bois et la pierre est également connu sous le nom de «plancher des peaux» (*skin floor*), car il servit aussi à stocker des fourrures.
La structure complexe de Tobacco Dock, en fonte, qui porte la charpente de bois, repose sur les puissantes voûtes de pierre et de brique des caves à vin.

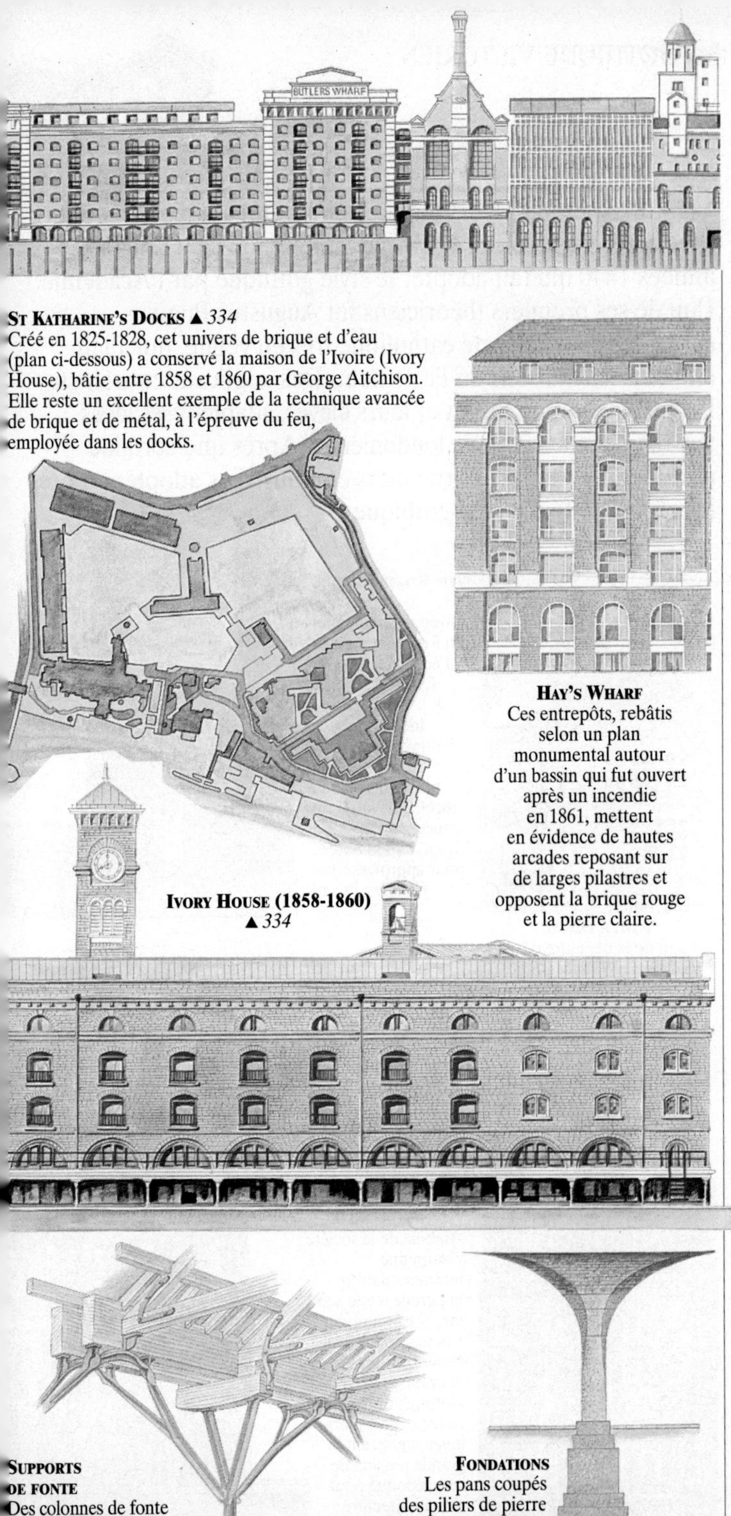

St Katharine's Docks ▲ *334*
Créé en 1825-1828, cet univers de brique et d'eau (plan ci-dessous) a conservé la maison de l'Ivoire (Ivory House), bâtie entre 1858 et 1860 par George Aitchison. Elle reste un excellent exemple de la technique avancée de brique et de métal, à l'épreuve du feu, employée dans les docks.

Hay's Wharf
Ces entrepôts, rebâtis selon un plan monumental autour d'un bassin qui fut ouvert après un incendie en 1861, mettent en évidence de hautes arcades reposant sur de larges pilastres et opposent la brique rouge et la pierre claire.

Ivory House (1858-1860)
▲ *334*

Supports de fonte
Des colonnes de fonte partent de fins supports en fourche, sorte d'arborescences, qui soutiennent la légère charpente du toit.

Fondations
Les pans coupés des piliers de pierre se prolongent dans les voûtes de brique et stabilisent un ensemble porté par de forts massifs de fondation sur pieux.

Chapiteau à sujet «ferroviaire» dans St Pancras Station.

Vers 1820, les bâtisseurs manifestent un regain d'intérêt pour l'architecture médiévale. Mais c'est le renouveau religieux des années 1840 qui fait adopter le style gothique par l'Académie. L'un de ses premiers théoriciens fut Augustus Pugin (1812-1852), architecte catholique très en vogue, qui allait embellir les maisons du Parlement. Des anglicans convaincus, Butterfield, Scott, Street et leurs élèves, adaptent ses idées aux rigueurs de la brique londonienne. Après une certaine période d'hésitation, particuliers et industriels adoptent toutes les excentricités du néo-gothique.

TOWER HOUSE
Il s'agit de la demeure de style féodale de William Burges, fervent défenseur du renouveau gothique, élevée entre 1876 et 1881.

NEW RIVER PUMPING STATION
Avec ses cheminées en forme de tours et d'échauguettes, ses fenêtres conçues comme des meurtrières, ce bâtiment industriel ressemble à un véritable château fort médiéval. Il fut conçu par Chadwell Mylne, en 1854-1856, pour approvisionner Londres en eau potable.

ST PANCRAS HOTEL
Édifiée pour concurrencer directement celle de King's Cross, toute proche, cette gare associée à un hôtel (1868-1874) est le symbole de la société victorienne, internationale et impériale, et de son incroyable mobilité. Les matériaux choisis, brique rouge et brillante de Nottingham, granite rouge et gris, pierre beige, montrent la grande passion de cette époque pour une architecture polychrome visible dans l'atmosphère enfumée du XIXe siècle et qui résiste à la pollution.

ST PANCRAS STATION
Sir Gilbert Scott, qui avait fait élever de nombreuses églises, souhaitait ardemment réaliser un important bâtiment public de style gothique. Ce fut la gare de la Compagnie Midland Railway (1866-1868).

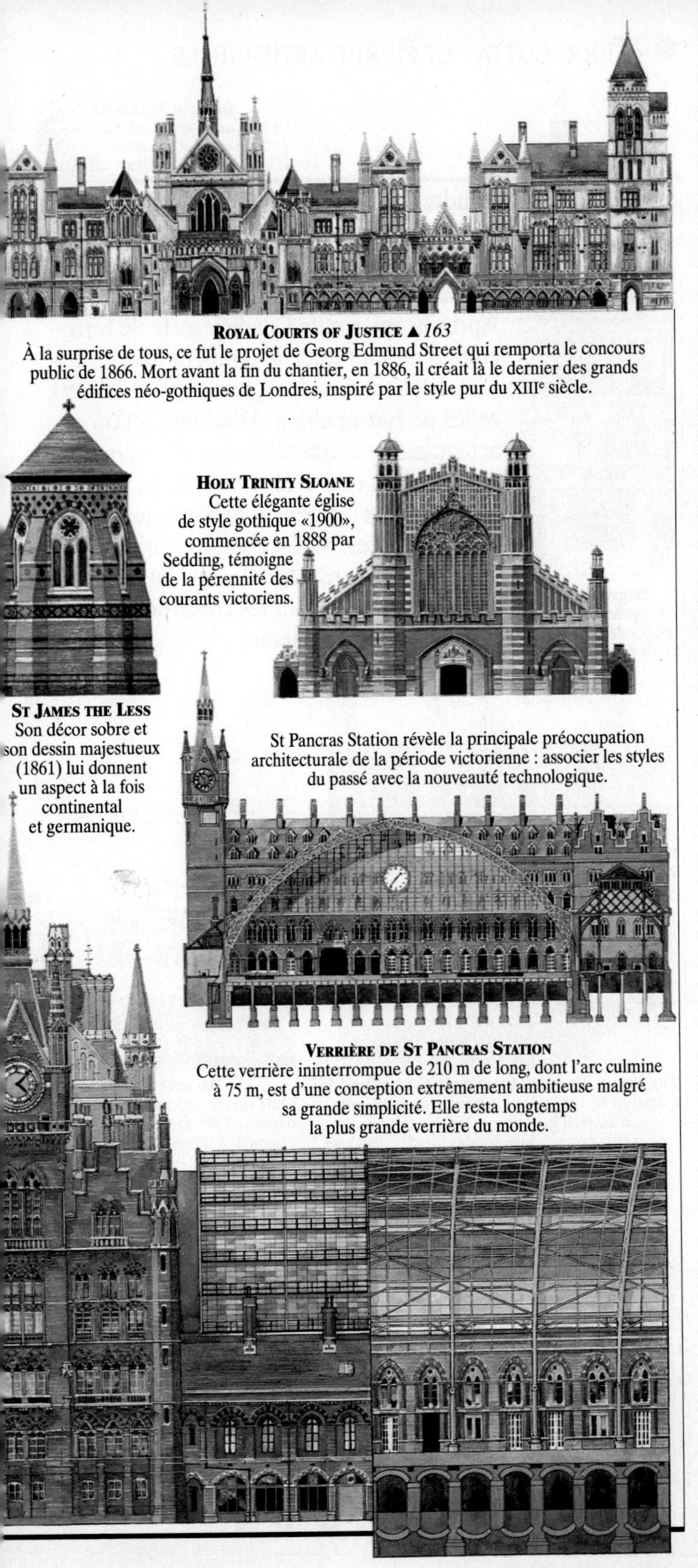

Royal Courts of Justice ▲ *163*
À la surprise de tous, ce fut le projet de Georg Edmund Street qui remporta le concours public de 1866. Mort avant la fin du chantier, en 1886, il créait là le dernier des grands édifices néo-gothiques de Londres, inspiré par le style pur du XIIIe siècle.

Holy Trinity Sloane
Cette élégante église de style gothique «1900», commencée en 1888 par Sedding, témoigne de la pérennité des courants victoriens.

St James the Less
Son décor sobre et son dessin majestueux (1861) lui donnent un aspect à la fois continental et germanique.

St Pancras Station révèle la principale préoccupation architecturale de la période victorienne : associer les styles du passé avec la nouveauté technologique.

Verrière de St Pancras Station
Cette verrière ininterrompue de 210 m de long, dont l'arc culmine à 75 m, est d'une conception extrêmement ambitieuse malgré sa grande simplicité. Elle resta longtemps la plus grande verrière du monde.

«TERRACOTTA» ET PIERRE ARTIFICIELLE

BAINS DE GALLIPOLI
Ce kiosque oriental coloré (1895) servait d'entrée à de luxueux bains publics.

Londres ne disposait pas de carrières de pierre. Aussi, dans les années 1770, la céramique décorative fut utilisée afin d'égayer les façades de brique. Après la «pierre de Coade», sorte de terre cuite dure fabriquée à Lambeth par Mrs. Eleanor Coade, apparurent, vers 1850, celles de Blashfields et Doultons, qu'on acheminait par train. La céramique, matériau peu onéreux et d'utilisation souple, se prêtait aisément aux références historicistes des architectes. Surface saine et brillante pour les Édouardiens, elle devient le support d'images de rêve pour les constructeurs de théâtres et de cinémas.

MOUNT STREET
Cette *terrace* (1893) est totalement revêtue de *terracotta* rose.

THE PALACE THEATRE, CAMBRIDGE CIRCUS ● *54-55*
Construit de 1888 à 1891 sur une grande parcelle d'angle, il fait alterner la faïence grège et la brique rouge sur des façades d'un luxe peu commun, dessinées par l'éclectique Thomas Colcutt.

HACKNEY EMPIRE
Cette œuvre majeure de Matcham, datée de 1901, fait apparaître deux superbes dômes en *terracotta*.

LE MUSEUM NATIONAL D'HISTOIRE NATURELLE ▲ *234*
Alfred Waterhouse construisit ce musée, de 1873 à 1881, dans la plus pure tradition de la céramique de South Kensington. Le décor néo-roman, style apparu dès 1840 à Londres, présente les notions avancées de l'Institut en matière de classification animale, depuis les ptérodactyles et poissons fossiles jusqu'aux mammifères actuels.

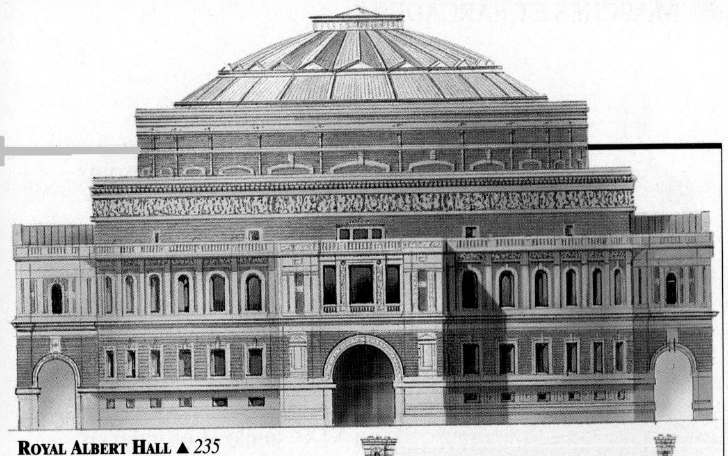

Royal Albert Hall ▲ *235*
Cette salle (1867-1871), dédiée au prince Albert, instigateur de la construction des collèges et des musées de South Kensington, fut édifiée tout en brique et *terracotta.* Les élèves du cours de céramique local en créèrent la grande frise supérieure.

Maison du Paon, 8 Addison Road
Halsey Ricardo, fervent défenseur de la *terracotta*, exprime ici en 1905 ses principes sur la couleur en architecture.

Usine Doultons
Ce bâtiment fut conçu, en 1878, par R. Stark Wilkinson pour présenter la gamme de productions de l'entreprise, ce qui explique la multiplicité colorée des aspects de sa façade néo-gothique.

Carlton Cinema
Construit en 1929 par George Cole dans le style égyptien, il utilise la clinquante faïence de Hathernware dans des motifs très bariolés, afin d'attirer plus puissamment l'attention sur sa façade.

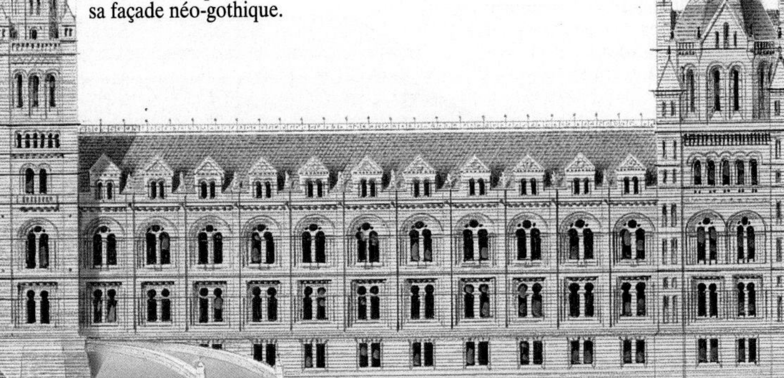

Le rôle commercial de Londres et les besoins de son importante population nécessitèrent la création de très nombreux marchés. Smithfield pour la viande, Billingsgate pour le poisson, Covent Garden, Spitalfields et le Borough pour les légumes ou Leadenhall, pour les denrées sèches et la volaille, furent établis dès le Moyen Âge, et réorganisés au XVIIe et au XIXe siècle. Les galeries couvertes, ou *arcades*, du West End ne distribuaient, elles, que les produits manufacturés de luxe.

SMITHFIELD MARKET
▲ *177*
Dans ce monumental édifice de 1866-1868, de larges nefs séparant les pavillons marient de grands arcs de fonte à une charpente de bois élancée d'esprit gothique. Les angles des façades en brique et pierre, très classiques, sont ponctués par de petits dômes baroques.

BURLINGTON ARCADE
▲ *281*
Les galeries du West End sont nées d'une spéculation sur le quartier après 1815. Ainsi, en 1819, s'ouvrit Burlington Arcade. Inspirée de modèles continentaux, elle est couverte d'une verrière et ses devantures étroites sont délicatement composées. Ses façades plus lourdes datent de 1911.

FAÇADE DE OLD BOND STREET ARCADE
Elle a inspiré celle de Burlington Arcade.

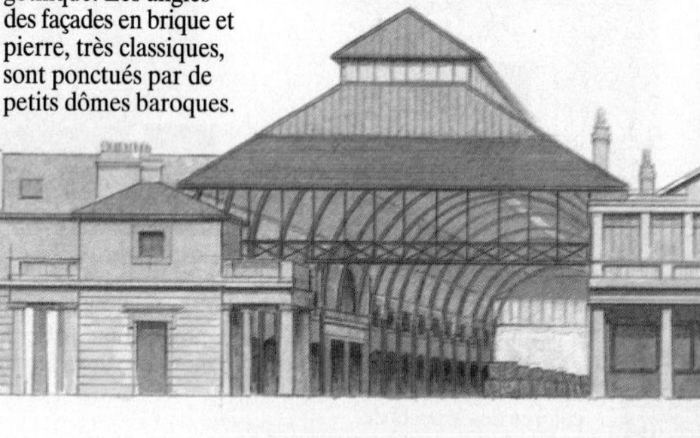

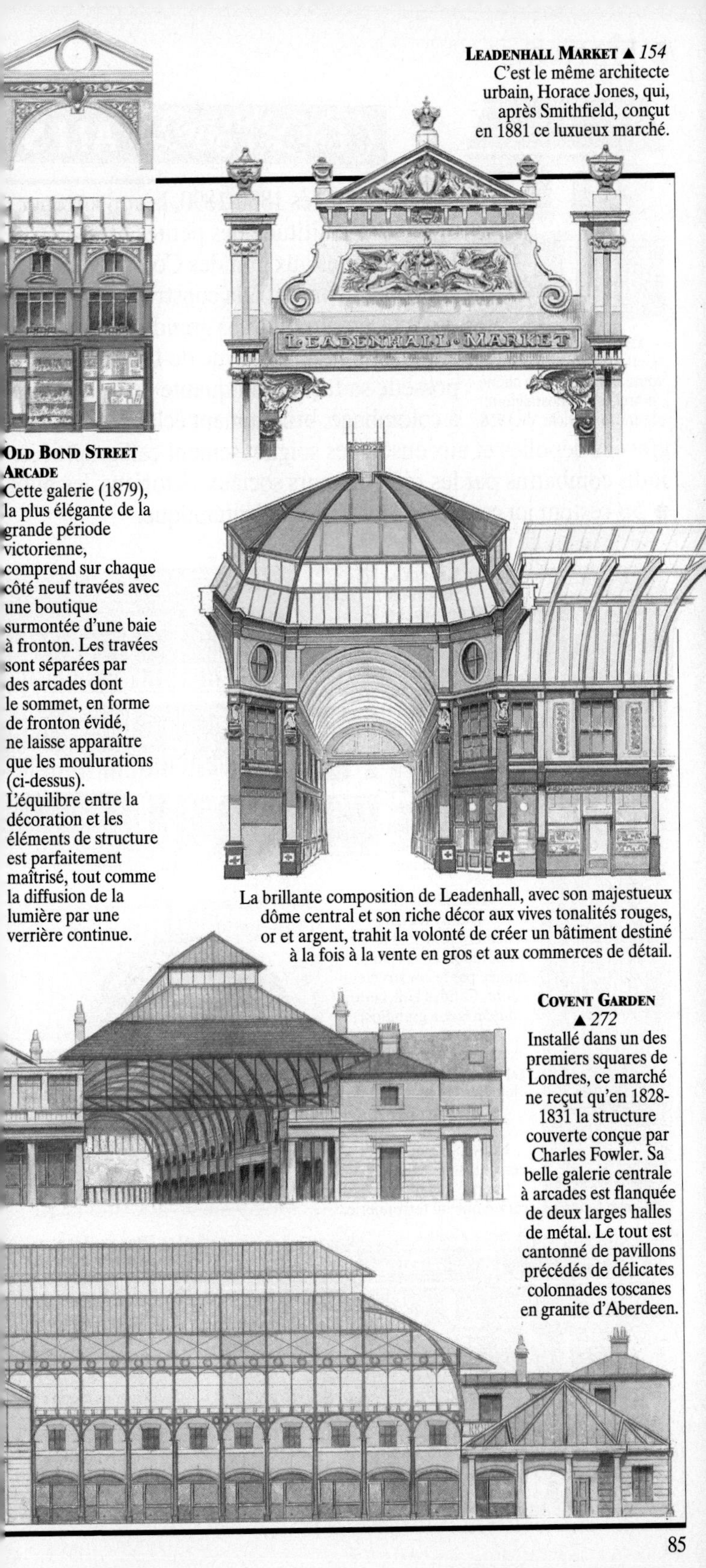

LEADENHALL MARKET ▲ *154*
C'est le même architecte urbain, Horace Jones, qui, après Smithfield, conçut en 1881 ce luxueux marché.

OLD BOND STREET ARCADE
Cette galerie (1879), la plus élégante de la grande période victorienne, comprend sur chaque côté neuf travées avec une boutique surmontée d'une baie à fronton. Les travées sont séparées par des arcades dont le sommet, en forme de fronton évidé, ne laisse apparaître que les moulurations (ci-dessus). L'équilibre entre la décoration et les éléments de structure est parfaitement maîtrisé, tout comme la diffusion de la lumière par une verrière continue.

La brillante composition de Leadenhall, avec son majestueux dôme central et son riche décor aux vives tonalités rouges, or et argent, trahit la volonté de créer un bâtiment destiné à la fois à la vente en gros et aux commerces de détail.

COVENT GARDEN
▲ *272*
Installé dans un des premiers squares de Londres, ce marché ne reçut qu'en 1828-1831 la structure couverte conçue par Charles Fowler. Sa belle galerie centrale à arcades est flanquée de deux larges halles de métal. Le tout est cantonné de pavillons précédés de délicates colonnades toscanes en granite d'Aberdeen.

The Mayflower Inn
Cette vénérable auberge toute lambrissée de chêne noirci est un nostalgique et tendre pastiche de 1958.

Dans les années 1880-1890, la concurrence oppose la multitude des petites brasseries londoniennes aux grandes Compagnies Burton, et conduit à la construction de pubs de plus en plus grands et luxueux. Aujourd'hui, pas une rue de Londres qui ne possède sa façade clinquante de brique ou à colombage, brillamment éclairée, aux vitre gravées dépolies et aux enseignes soigneusement calligraphiées. Jadis combattus par les réformateurs sociaux victoriens, les pubs ● *58* restent au centre de la vie sociale britannique.

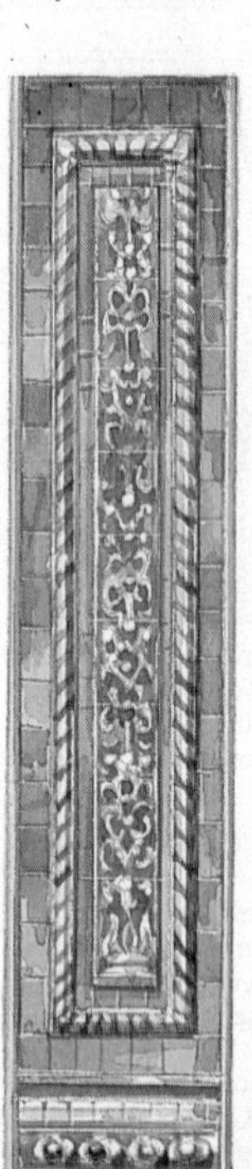

«The George», Borough High Street
Dernier relais de poste sur la route de Canterbury *The George* fut réédifié en 1676. Mais ses galeries de bois extérieures témoignent de la permanence de dispositions traditionnelles beaucoup plus anciennes.

«The Salisbury», Green Lanes
Élément principal d'une opération immobilière menée par le constructeur John Cathles Hill, cette *public house* grandiose, ouverte en 1899, comprend une spacieuse salle de concert, une salle de billard et une suite de salons séparés par des arcades. L'Art Nouveau se mêle aux éléments soignés du décor : verre, menuiserie, céramique ou ferronnerie.

«Prince Alfred»
Aménagé vers 1890, ce pub possède une devanture aux courbes complexes avec de rares vitres gravées et bombées, insérées dans de délicates moulures de bois. Panneaux de verre dépoli et lambris de chêne divisent aussi la salle intérieure en espaces plus intimes.

«Crockers», Aberdeen Place
C. H. Worley couvrit de marbre les murs de ce pub, construit en 1898-1899, et orna les pièces de hautes cheminées d'allure seigneuriale, ce qui fit atteindre de nouveaux sommets à la décoration ostentatoire propre à ce genre.

«The Princess Louise»
L'intérieur de ce pub fut redessiné en 1891 par les décorateurs Simpson et fils. Ils y installèrent de riches panneaux et frises de céramique estampée tandis que Morris et fils fournissaient des miroirs dorés et gravés, placés en alternance, créant ainsi une somptueuse composition.

«The Blackfriars», Blackfriars Bridge
Construit aux alentours de 1875, *The Blackfriars* resta un pub tout à fait quelconque jusqu'en 1904, année où on lui donna un nouveau décor *Art and Crafts*, style très anglo-saxon du début de ce siècle.

La grotte du «Blackfriars»
Une joyeuse équipe de moines en marbre, laiton, cuivre, bois et mosaïque, envahit alors les murs. En 1917, on y adjoignit, dans le même style, une sorte de grotte creusée dans les voûtes du chemin de fer voisin, ornée de maximes exemplaires comme «l'industrie est tout», aux antipodes de l'atmosphère joviale de l'endroit.

LE WEST END ÉDOUARDIEN

BUSH HOUSE
Ce bâtiment (1925-1935) est un bel exemple de «greek» revival américain à Londres.

Au début du siècle, la Couronne et le Grosvenor Estate, propriétaires de la plus grande partie du West End, rebâtissent l'ensemble du quartier afin de réaliser une plus-value sur leurs propriétés foncières, traditionnellement allouées, à Londres, pour 99 ans. Au même moment, des quartiers moins cotés sont percés de nouvelles rues pour faciliter la circulation. Grands magasins et bâtiments commerciaux imposent alors une architecture grandiose, modifiant radicalement l'aspect des rues.

Nos 27-30 WIGMORE STREET, ANCIEN «DEBENHAM'S»
Cet ancien grand magasin (1907-1908) est entièrement revêtu de céramique de Carrare

ALMIDE INVERESK HOUSE
À l'entrée ouest de *The Aldwych,* percée entre 1900 et 1905, Inveresk House (1906-1907) arbore sur sa façade la *French manner,* très parisienne, introduite dans le Londres édouardien par Mèwes et Davies. Le bâtiment cache l'une des premières structures d'acier utilisée à Londres pour ce type d'immeuble.

«SELFRIDGES» ▲ *297*
Avec ses colonnes ioniques géantes, il est à la fois le premier des grands magasins de Londres (1907-1928), et le premier bâtiment de la ville à structure d'acier apparente.

Regent Street ▲ *283*
Le grand boulevard de John Nash, commencé 90 ans plus tôt, considéré comme obsolète, fut réédifié à partir de 1900, sur un dessin général grandiose de Sir Reginald Blomsfield. Brique et plâtre cédèrent alors la place aux longues et somptueuses façades en pierre de taille actuelles.

«Liberty's» ▲ *283*
En 1924, les Hall père et fils conçoivent ce nouveau magasin de Marlborough Street comme une sorte de rêve nostalgique de style Tudor. L'édifice, bâti avec grand soin, est couvert de tuiles faites à la main et les bois des parties supérieures proviennent des charpentes de deux bateaux du XIXe siècle.

«Harrods», Knightsbridge ▲ *225*
La reconstruction par Stevens du plus célèbre de tous les grands magasins commence en 1894. Sa fameuse façade de céramique estampée, au décor mi-baroque mi-renaissance (1902-1903), œuvre de Neatby, relève du plus somptueux éclectisme édouardien.

● Banlieues 1930

Coty Factory
Avec ses lignes profilées, c'est l'une des grandes usines Arts déco de la Great West Road, voie triomphale créée en 1925.

Entre 1914 et 1938, Londres fait plus que doubler sa surface. La récession affecte les activités britanniques traditionnelles liées au charbon, et des industries plus légères, liées à l'électricité, se groupent alors le long des grandes artères de la périphérie. De nouvelles banlieues surgissent pour loger des milliers d'ouvriers spécialisés, alors que planification et extension du réseau de transports souterrains favorisent la croissance de ces immenses cités-dortoirs. Usines, habitations, cinémas et pubs y arborent une joyeuse et moderne diversité de styles où domine l'Art décoratif.

Odeon, Woolwich
Ce cinéma de George Coles (1937) fait partie d'une série archétype de l'époque : volumes carrés et façades blanches de style moderne, d'inspiration très germanique.

Battersea Power Station
C'est l'une des premières grandes centrales thermo-électriques de Grande-Bretagne (1929-1955), devenue symbole des années trente. Sir Giles Gilbert Scott, créateur de la cathédrale de Liverpool, conseiller du projet, apporta au bâtiment ses socles de briques monumentaux.

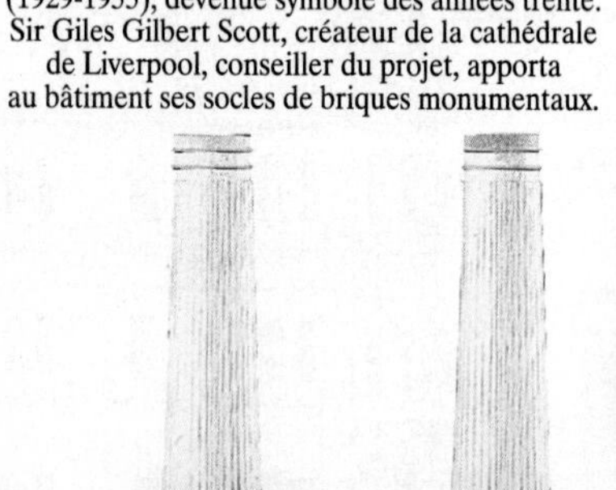

Grosvenor Cinema, Rayners Lane
Cet édifice (1936) de F.E. Bromige, auteur des cinémas des banlieues Nord, présente un jeu étonnant de volumes convexes et concaves axés sur un aileron en trompe.

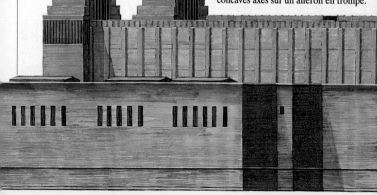

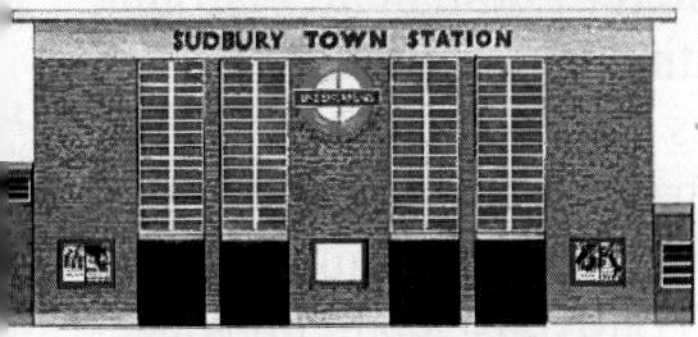

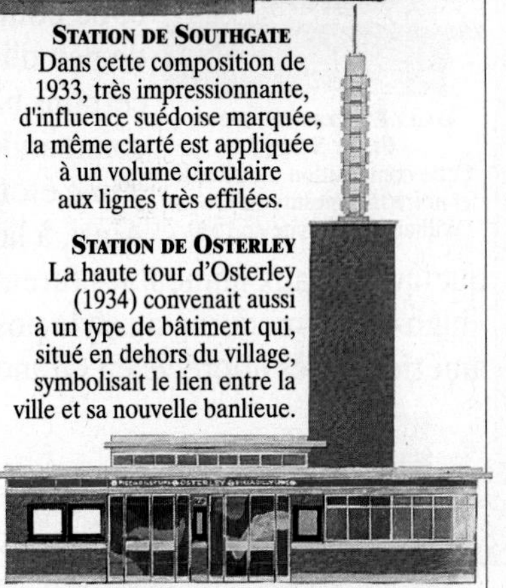

Les stations de Métro
Charles Holden, architecte fort apprécié pour ses stations de métro de style classique, fut profondément influencé par sa visite de la Suède et des Pays-Bas en 1931. La prolongation de la ligne Piccadilly lui permit d'appliquer ses nouveaux principes. La première station, Sudbury Town (1932), présente un volume clair, de brique et de verre, ayant pour toit une dalle plate en béton.

Station de Southgate
Dans cette composition de 1933, très impressionnante, d'influence suédoise marquée, la même clarté est appliquée à un volume circulaire aux lignes très effilées.

Station de Osterley
La haute tour d'Osterley (1934) convenait aussi à un type de bâtiment qui, situé en dehors du village, symbolisait le lien entre la ville et sa nouvelle banlieue.

Hoover Building, Western Avenue
Architectes reconnus des années trente, Wallis, Gilbert et Partners expriment parfaitement le souci contemporain de faire de l'usine un palais du travail, de la production et du progrès. La façade principale mêle diverses tendances modernistes qui se fondent ici en un style brillant et coloré, presque égyptien, habillé de céramique et de fer forgé.

St Saviour's Church, Eltham
Son architecte, N.F. Cachemaille-Day, fut ici très inspiré par les églises allemandes de Fritz Höger. Construit en 1932, ce petit sanctuaire anticipe sur la stylisation expressionniste, plus tard associée en Grande-Bretagne à l'image du groupe de cinémas Odéon.

DAILY EXPRESS BUILDING, FLEET STREET
Cette composition translucide et noire très mesurée d'Owen William fut conçue en 1930.

Peu de villes subirent une spéculation immobilière aussi intense que Londres et de nombreux ensembles de bureaux de peu d'intérêt y dominent. Pourtant, certains bâtiments, surtout des commandes privées, relèvent souvent d'une étonnante recherche architecturale. Ainsi, à la fin des années quatre-vingt, quelques beaux immeubles furent construits, allant du goût «high-tech» moderne au style post-moderne américain très apprécié en Grande-Bretagne.

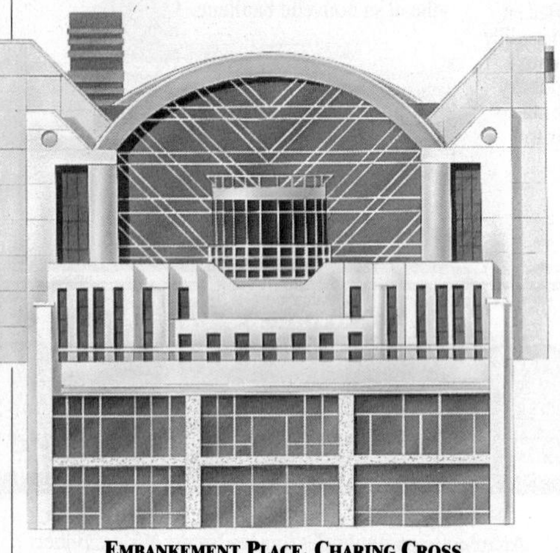

EMBANKEMENT PLACE, CHARING CROSS
Cet ensemble d'appartements (1987-1990) est en parfaite harmonie avec la gare qu'il surplombe. Colonnes et verrière embellissent cette réalisation, sans doute la plus subtile, de Terry Farrell.

THE ARK, HAMMERSMITH
Enjambant d'importantes voies de communication, ces bureaux (1988-1992), de Ralph Erskine, ménagent des niveaux ouverts autour d'un espace très aéré.

Station de pompage de Stormwater, Isle of Dogs ▲ *336*
John Outram dessine là un édifice (1986-1988) à l'éclectisme attachant : larges colonnes égyptiennes, couleurs éclatantes et symbolisme mystérieux.

China Wharf, Mill Street
Campbell, Zogolovitch, Wilkinson et Gough furent parmis les premiers architectes à introduire le courant post-moderne à Londres. Ce bâtiment est l'une de leurs réalisations les plus stylées (1987-1988), version contemporaine, d'un rouge éclatant, réalisée dans l'esprit des structures de fonte ou d'acier des anciens entrepôts des docks.

Lloyd's Building ▲ *153*
Richard Rogers a la réputation d'être l'architecte britannique le plus singulier. L'immeuble de la Lloyd's (1981-1986) est sa seule œuvre majeure à Londres.
En dépit de son profil agité, ce bâtiment de plan rectangulaire, est centré autour d'un vaste atrium : l'architecte renverse ici les conventions et rejette toutes les installations de services au-dehors. Il amplifie les effets de volume par une dramatisation due aux reflets de l'acier et de l'aluminium.

Canary Wharf tower, Isle of Dogs ▲ *338*
Cette tour, haute de 244 m, est l'édifice principal du nouveau centre d'affaires destiné à faire revivre les docks.

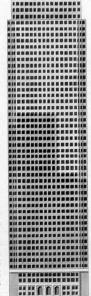

Canary Wharf tower
Dans cette œuvre réalisée de 1988 à 1991, l'architecte Cesar Pelli crée volontairement une confusion dans la perception des volumes : il utilise la répétition de modules abstraits qui se fondent dans les proportions et les lignes générales de l'édifice.

THE CLATTERN BRIDGE, KINGSTON
Cet ouvrage du XIIe siècle est le plus vieux pont de Londres.

Jusqu'en 1738, Londres ne possédait qu'un seul pont sur la Tamise : le London Bridge. Il en existe à présent trente-et-un, (en comptant les ponts de chemins de fer), construits à l'aide de matériaux variés (acier, pierre, béton). Les ponts de fer du XIXe siècle ont remplacé aujourd'hui dans leur majorité ceux du XVIIIe siècle.

BLACKFRIARS RAILWAY BRIDGE
Œuvre de 1862-1864, ses piliers sont faits de colonnes romanes et ses culées portent les grandes armes en fonte de sa compagnie ferroviaire.

PILE DE BLACKFRIARS RAILWAY BRIDGE

BLACKFRIARS BRIDGE
Construit entre 1860 et 1869, ce pont à arches d'acier surbaissées, soutenues par des piliers de granite, est bâti dans un style victorien néo-dorique.

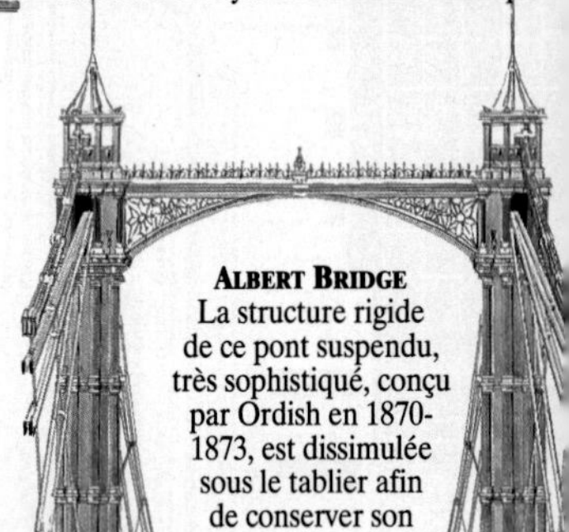

ALBERT BRIDGE
La structure rigide de ce pont suspendu, très sophistiqué, conçu par Ordish en 1870-1873, est dissimulée sous le tablier afin de conserver son aspect élancé et raffiné.

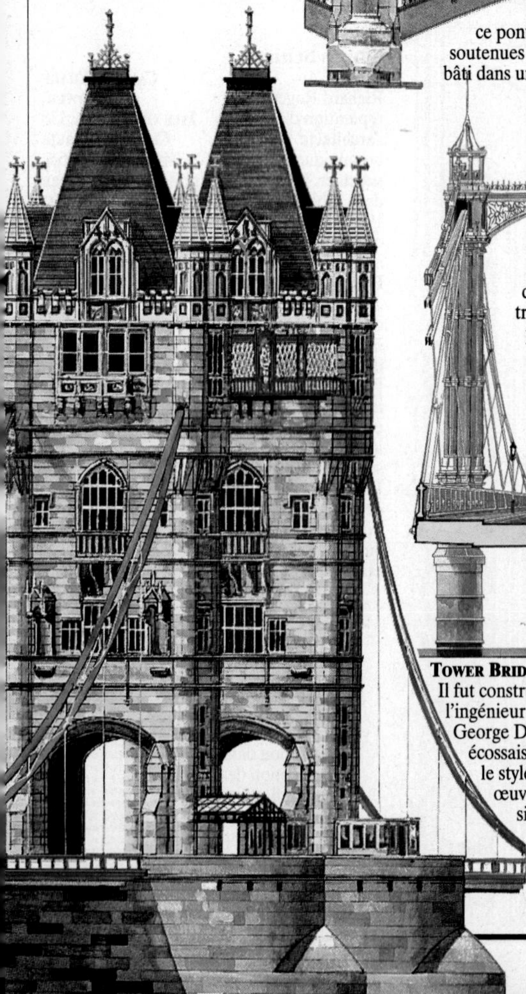

TOWER BRIDGE ▲ *189*
Il fut construit entre 1886 et 1894 par l'ingénieur John Wolfe Barry et par George D. Stevenson. Les antécédents écossais de ce dernier caractérisent le style seigneurial écossais de cette œuvre. Le bassin de la Tamise, situé entre Tower Bridge et London Bridge, étant la partie la plus fréquentée de la rivière, le pont fut conçu pour s'ouvrir au passage des grands navires.

Londres vue par les peintres

Suzanne Bosman

Les maisons du Parlement venaient d'être reconstruites lorsque Claude Monet (1840-1926), réfugié à Londres pendant la guerre de 1870 et la Commune, peignit, en 1871, sa fameuse toile : *La Tamise sous Westminster* (1, détail). Cette peinture, dont l'atmosphère brumeuse se prête bien à de subtiles variations de couleurs, reflète parfaitement les préoccupations picturales de Monet à cette époque. Plus tard, en 1899, il réalisera une série de peintures des maisons du Parlement, vues de son balcon de l'hôtel Savoy. Au XVIIIe siècle, Canaletto (1697-1768) trouva aussi l'inspiration sur les bords de la Tamise. Dans son tableau : *La Tamise et la Ville de Londres depuis Richmond House* (1747) (2, détail), il peint le mouvement majestueux de la Tamise, qui s'engage vers la cathédrale St Paul, avec une légère évocation de ses œuvres vénitiennes. Son style influença plus d'un artiste anglais, tel Samuel Scott (1702-1772) qui l'adopta dans la toile *Une arche du vieux pont de Westminster* (1750), (page précédente) où les silhouettes sont écrasées par l'échelle monumentale du pont.

2

1

Dans sa toile intitulée *St Pancras Hotel and Station from Pentonville Road : Sunset (*1884) (4), le peintre irlandais John O'Connor (1830-1889) a choisi l'une des perspectives les plus caractéristiques du Londres victorien. La gare, avec sa grande verrière, moderne et innovatrice pour l'époque, apparaît néanmoins tel un château néo-gothique, réminiscence d'un passé médiéval. Dans cette représentation de St Pancras, vue de la colline, O'Connor a su rendre compte du contraste que représentent la scène romantique du coucher de soleil et le brouillard de la ville, contrebalancés par l'animation de la rue au premier plan. La représentation de Greenwich (2), par Henry Pethers (1828-1865), a un caractère inquiétant, presque surréaliste. La perspective grandiose évoque les scènes portuaires au coucher du soleil de Claude Lorrain. Atkinson Grimshaw (1836-1893) est le spécialiste des scènes nocturnes de rivières où les silhouettes des bateaux au bord de l'eau rappellent celles des toits de la ville. Ses représentations de la Tamise (1 et 3) ont un caractère sinistre digne d'un roman de Conan Doyle.

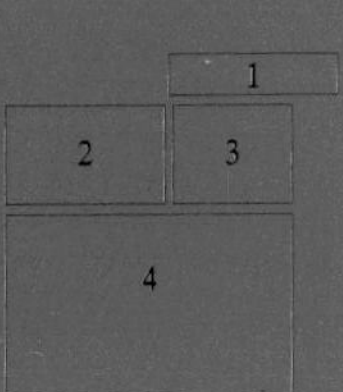

1

2 3

4

Dans la toile de Walter Greaves (1846-1930), *Hammersmith Bridge on Boat Race Day* (vers 1862) (2), l'espace pictural est densément peuplé de personnages disposés sur le pont selon une configuration dynamique.
Les régates des universités de Cambridge et d'Oxford, événement sportif annuel depuis 1839, ont lieu sur la Tamise, entre Putney et Mortlake.
La naïveté du style de Greaves et la perspective fuyante du tableau donnent une interprétation originale d'une scène londonienne : l'attention est portée sur les spectateurs de la course, au détriment des rameurs figurant au bas de la toile.
Les tableaux de scènes quotidiennes se multiplieront au XXe siècle avec l'émergence de courants tel le Camden Town Group, dont les membres avaient en commun, outre l'influence de l'impressionnisme français, un intérêt particulier pour les scènes de la vie contemporaine.
La toile de Malcolm Drummond (1880-1945), *St James Park* (1912) (3), représente des Londoniens au parc dans une grande variété de poses figées, proches de la caricature.
Dans *Piccadilly Circus* (1912) (4), de Charles Ginner, le franc découpage s'inspire de la photographie mais aussi des compositions de Degas et de Sickert.
La densité de la surface du tableau, constituée d'une mosaïque de touches de pinceau, a pour effet d'intensifier l'activité du carrefour.
Une même impression de précipitation et de frénésie se dégage de la toile de Christopher Nevinson (1889-1946), *The Strand by Night* (1, détail), dans laquelle des personnages se hâtent sous la pluie.
On y voit l'influence des futuristes dans la représentation saccadée et géométrique des personnages.

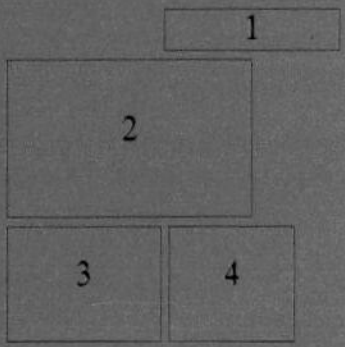

1

2

3 4

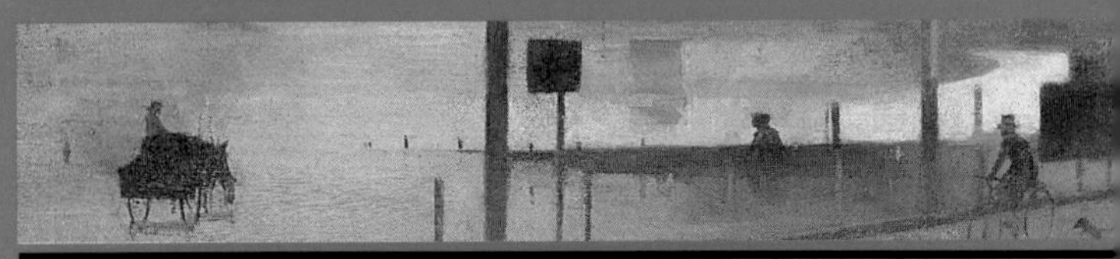

Dans son aquarelle représentant la Tamise, *The White House at Chelsea* (1800) (2), Thomas Girtin (1775-1802) montre la rivière dans son décor rural, à l'époque où Chelsea n'était qu'un village de campagne. Très tôt, il développa un style particulier d'aquarelle, et son talent fut largement reconnu durant sa courte vie. L'atmosphère lyrique, qui prévaut dans la représentation de la rivière de Girtin, est évoquée un siècle et demi plus tard dans la toile de Victor Pasmore (né en 1908), *The Quiet River : The Thames at Chiswick* (1943-1944) (1, détail). La rivière apparaît sous un jour plus dramatique dans le tableau de J.M.W. Turner (1775-1851) représentant l'incendie des maisons du Parlement en 1834 (3). Turner aurait assisté à l'événement depuis un bateau, sur la Tamise. Ici, la vision dramatique du feu renvoyant ses reflets orange dans l'eau exprime à la fois l'aspect terrifiant et historique de ce moment. L'aquarelle est le moyen idéal pour saisir le caractère éphémère de ce genre de scène, où immeubles, eau et feu fusionnent en un maelström de couleurs. Turner exposa deux peintures à l'huile représentant le même événement, mais aucune ne réussit à rendre l'intensité du drame qui se dégage de cette petite étude.

1

2

3

L'Américain James Abbott McNeil Whistler (1834-1903) s'établit à Londres en 1859. *Nocturne en bleu et or : vieux pont de Battersea* (1872) évoque l'influence de l'estampe japonaise. La qualité abstraite de l'œuvre est renforcée par le titre qui relègue au second plan le sujet de la peinture pour favoriser la musique et la couleur.

Londres vue par les écrivains

LONDRES, DE NUIT

Charles Dickens (1812-1870) est sans doute le plus connu et surtout le plu populaire des écrivains anglais. De son enfance, passée en grande partie Londres, il se souviendra surtout de l'emprisonnement de son père, en 182 pour une dette de quarante livres et en retiendra l'injustice des institution sociales et l'inégalité entre les riches et les pauvres contre lesquelles il ne cessera de lu ter, thèmes – en particulier celui de la prison – que l'on retrouve souvent dans s romans. De journaliste dans de petits quotidiens, il deviendra reporter pour le Mornin Chronicle *et commencera alors à publier de petites esquisses de la vie londonienn sous le pseudonyme de Boz. La plupart de ses romans seront d'ailleurs publiés sou forme de séries dans des périodiques.*

« Londres ! – ce grand et vaste lieu ! – [...] il avait souvent entendu les vieux c l'hospice dire qu'un gars courageux ne risquait pas la misère à Londres et qu'il avait dans cette vaste cité des façons de vivre, dont ceux qui avaient été élevés à l campagne n'avaient pas la moindre idée [...]
Jean Dawkins s'étant refusé à pénétrer dans Londres avant la tombée de la nuit, était presque onze heures quand ils atteignirent la barrière de péage d'Islington. I passèrent de l'auberge de l'Ange dans St John's Road, prirent la ruelle qui about au théâtre de Sadler's Wells, enfilèrent Exmouth Street et Coppice Row, puis l ruelle qui longe l'hospice, traversèrent le terrain classique autrefois appel Hockley-in-the-Hole ; après quoi ils montèrent la côte de Little Saffron et arr vèrent ainsi à Saffron Hill the Great, où le Renard détala d'un pas rapide, e conseillant à Olivier de se coller à ses talons.
Bien que celui-ci eût besoin de toute son attention pour ne pas perdre son guide d vue, il ne put s'empêcher, chemin faisant, de jeter quelques coups d'œil à droite e à gauche. Il n'avait jamais vu endroit plus sale ni plus misérable. La rue était trè étroite et très boueuse, et l'atmosphère imprégnée d'odeurs immondes. Il y ava pas mal de petites boutiques, mais il semblait que les seules marchandises en maga sin fussent des masses d'enfants qui, même à cette heure tardive, entraient et so taient à quatre pattes ou poussaient des cris perçants à l'intérieur. Les seu endroits qui parussent prospérer au milieu de la flétrissure générale étaient le tavernes, dans lesquelles des Irlandais de la plus basse classe se querellaie de toutes leurs forces. Des venelles et des cours couvertes, qui s'amorçaient de-de-là sur la rue principale, laissaient voir de petits enchevêtrements de maisons, o des ivrognes et des ivrognesses se vautraient littéralement dans les immondice tandis que de plusieurs porches émergeaient prudemment des personnages d méchante mine, qui partaient pour des expéditions dont le but n'était, selon toute apparence, ni bien intentionné ni inoffensif.
Une fois arrivés au bas de la côte, Olivier commençait juste à se demander s'il ne ferait pas mieux de s'enfuir, quand son guide, ouvrant d'une poussée la porte d'une maison proche de Field Lane, lui saisit le bras, l'attira dans le couloir et referma le battant derrière eux. »

CHARLES DICKENS, *LES AVENTURES D'OLIVIER TWIST*, TRAD. DE L'ANGLAIS PAR FRANCIS LEDOUX, GALLIMARD, PARIS, 1958

UN PETIT COIN TRANQUILLE

« On n'aurait pu trouver dans Londres un coin de rue plus original que celui où habitait le docteur. Il ne menait nulle part, mais des fenêtres de l'appartement, on découvrait l'agréable perspective d'une rue paisible, propice au recueillement. À cette époque-là, il y avait peu de

âtiments du côté nord d'Oxford Road, mais, dans les champs qui maintenant ont isparu, prospéraient de grands arbres, poussaient des fleurs sauvages et s'épaouissait l'aubépine ; en sorte que les brises de la campagne circulaient dans Soho vec une vigoureuse liberté au lieu d'y passer languissamment comme de pauvres agabonds sans feu ni lieu. Non loin de là, sur plus d'un mur exposé au midi, les êches mûrissaient en leur saison.

ɜn été, pendant toute la matinée, le soleil éclairait brillamment ce coin de rue ; nais, à mesure que la chaleur augmentait d'intensité, l'ombre le gagnait, sans toutefois vous empêcher de voir au-delà la lumière éclatante. C'était un havre reposant, à la fois calme et riant, avec de merveilleux échos, un véritable port de salut près le bruit assourdissant des rues.

l ne pouvait y avoir qu'une barque paisible dans un tel ancrage. Le docteur occuait deux étages d'une vaste maison où se trouvaient plusieurs ateliers qui fonctionaient tout le jour sans qu'on perçût aucun bruit et qui tous étaient désertés la nuit. 'ar-delà la cour de derrière, où l'on entendait le bruissement d'un platane, on abriquait des orgues d'église ; plus loin, l'argent était ciselé et l'or battu par un nystérieux géant dont le bras doré sortait du mur extérieur de la maison comme si, 'étant lui-même transmué en métal précieux, il menaçait les visiteurs d'une semblable conversion. On voyait et on entendait à peine tous ces métiers, ainsi qu'un ocataire solitaire qui passait pour habiter au dernier étage et qu'un tapissier de voiures qui, disait-on, avait son bureau au rez-de-chaussée. Parfois, un ouvrier isolé, nfilant sa veste, traversait le vestibule, ou en passant y jetait un coup d'œil, ou bien ncore un tintement métallique se faisait entendre de l'autre côté de la cour, ou un oup sourd émanait du géant doré. Mais ce n'étaient là que les exceptions qui onfirmaient la règle, à savoir que les moineaux du platane piaillaient à leur guise t que les échos du quartier se répétaient librement du dimanche matin jusqu'au amedi soir. »

CHARLES DICKENS, *UN CONTE DE DEUX VILLES*, TRAD. DE L'ANGLAIS PAR JEANNE MÉTIFEU-BÉJEAU, GALLIMARD, PARIS, 1970, «FOLIO»

ES PONTS DE LONDRES

« Aussi, les foules qui passent et repassent sur les ponts (du moins sur les ponts xempts de péage), où beaucoup s'arrêtent, par les soirs de beau temps, pour regarer l'eau d'un air distrait, en songeant vaguement que bientôt elle coulera entre des ives vertes qui s'écarteront de plus en plus jusqu'à ce qu'enfin le fleuve rencontre vaste mer ; où certains font halte pour déposer un moment leur lourde charge et enser, en regardant par-dessus le parapet, que passer sa vie à musarder et à fumer, dormir au soleil sur une bâche chaude dans une barque lente, paresseuse, engourie, doit être le comble de la félicité ; où d'autres enfin et c'est une classe toute diférente, pliant sous un fardeau plus pesant encore, se rappellent avoir lu ou entenu dire autrefois que se noyer n'est pas une mort pénible, mais de tous les modes e suicide le plus facile et le meilleur. »

CHARLES DICKENS, *LE MAGASIN D'ANTIQUITÉS*, GALLIMARD, PARIS, 1962

LE WAPPING

Héros de la Commune de Paris et l'un des chefs de file de l'insurrection, Ju Vallès (1832-1885) est l'un des derniers combattants à résister sur les bar cades en 1871. Condamné à mort, il réussit à s'enfuir et se réfugie à Lond pendant douze ans. Durant son exil, il observe la rue londonienne dont l'atm sphère calme, traditionnelle, et la vocation commerciale contrastent violemment avec côté carnavalesque et révolutionnaire de la rue parisienne. Ses impressions, qu consigne sous forme de journal, une fois complétées et reprises après son retour France, sont réunies dans La Rue à Londres, *dont est extrait le texte suivant.*

« Le Wapping, c'est là que, d'après la légende, la Tamise vomit tous les marins p et avalés à l'autre bout du monde.

C'est là que l'on entend les hurlements de l'orgie, quand La Salamandre a touc sa paie.

C'est là que les sirènes de la fange attendent leur proie au coin des rues, déballa leurs tétasses hors de leurs robes de nuances criardes, comme les femmes symb liques, au-devant des grands navires, tendent leur gorge à l'Océan.

Toutes les corruptions y arrivent. Les libertinages de toutes les latitudes y so représentés. Quand les équipages, chargés d'envies bestiales amassées pendant d mois entre les murs de bois du couvent flottant, offrent leur ceinture à dénouer a femelles qui les attendent comme des requins, ils trouve des filles qui leur flatteront la chair comme ils l'entendent.

«Ici, l'on parle mille langues, comme dans la tour de Babel»

Jules Vallès

: sont des Européennes surtout qui fournissent le contin-
nt, puisqu'on est en Europe et que d'ailleurs elle est le
and Lupanar : mais il y a aussi des femmes jaunes et des
mmes noires ; il y en a de toutes les couleurs comme il y en
oour tous les goûts.
ı, l'on parle mille langues, comme dans la tour de Babel.
ette mêlée d'hommes, de femmes exotiques, donne au
apping une physionomie qui diffère de celle des quartiers
ırement anglais, autant que Messine, Hambourg ou Calcutta
fférent de Londres.
n y voit d'autres têtes que la tête classique, en haricot de
is ou en gueule de brochet, de notre ami John Bull.
y a des nez épatés et des fronts fuyants qui écrasent ou
ıissent des faces en œuf ou en boulet, lesquelles ont
:s teintes de citron ou des reflets de fonte, suivant la
iisson que donne le soleil sur la rive où ces coureurs de
er ont grandi, et d'où ils sont partis comme des
seaux sauvages. »

Jules Vallès, *La Rue à Londres*, in Œuvres, Gallimard, Paris, 1989, «La Pléiade», tome II

ableau londonien

Un des derniers grands romantiques allemands, Heinrich Heine (1797-1856) fut reconnu et apprécié dès la publication, en 1827, de son recueil de poèmes intitulé Le Livre des chants. *C'est à la même époque qu'il commença la daction des* Tableaux de voyage, *auxquels il donnera plusieurs suites entre 1826 et 831. Dans ces* Tableaux, *inspirés par plusieurs de ses voyages en Italie, en Grande-etagne et autres pays, plutôt que de décrire des lieux et des scènes, il dépeint le chemiment de son imagination et de sa pensée, où transparaissent des idées olitiques teintées de libéralisme qui lui valurent d'être censuré dans plusieurs États lemands.*

« J'ai vu la chose la plus étonnante que puisse montrer le monde à l'esprit stupé-
ıit : je l'ai vue et ne cesse de m'étonner encore... Toujours se dresse devant ma
ensée cette forêt de briques traversée par ce fleuve agité de figures humaines
vantes, avec leurs mille passions variées, avec leur désir frémissant d'amour, de
ıim et de haine... Je parle de Londres.
nvoyez un philosophe à Londres ; mais, pour Dieu, n'y envoyez pas un poète!
menez-y un philosophe et placez-le au coin de Cheapside, il y apprendra plus de
ıoses que dans tous les livres de la dernière foire de Leipzig ; et à mesure que ces
ots d'hommes murmureront autour de lui, une mer de pensées se gonflera aussi
evant lui, l'esprit éternel qui flotte au-dessus le frappera de son souffle, les secrets
s plus cachés de l'ordre social se révéleront à lui soudainement, il entendra et
erra distinctement les pulsations vitales du monde... Car si Londres est la main
roite du monde, main active et puissante, cette rue qui conduit de la Bourse à
owning Street peut être regardée comme la grande artère.
Iais n'envoyez pas un poète à Londres ! Ce sérieux d'argent comptant, dont tout
orte l'empreinte, cette colossale uniformité, cet immense mouvement mécanique,
et air chagrin de la joie elle-même, ce Londres exagéré écrase l'imagination et
échire le cœur ; et si par hasard vous voulez y envoyer un poète allemand, un
êveur qui s'arrête devant la moindre apparition, peut-être devant une mendiante
éguenillée ou devant une brillante boutique d'orfèvre, oh ! alors, il lui en arrivera
rand mal : il sera bousculé de tous les côtés, ou même renversé avec un aimable
oddam. Goddam ! les damnées bourrades ! »

Heinrich Heine, *Tableaux de voyage*, Éditions de l'Instant, Paris, 1989

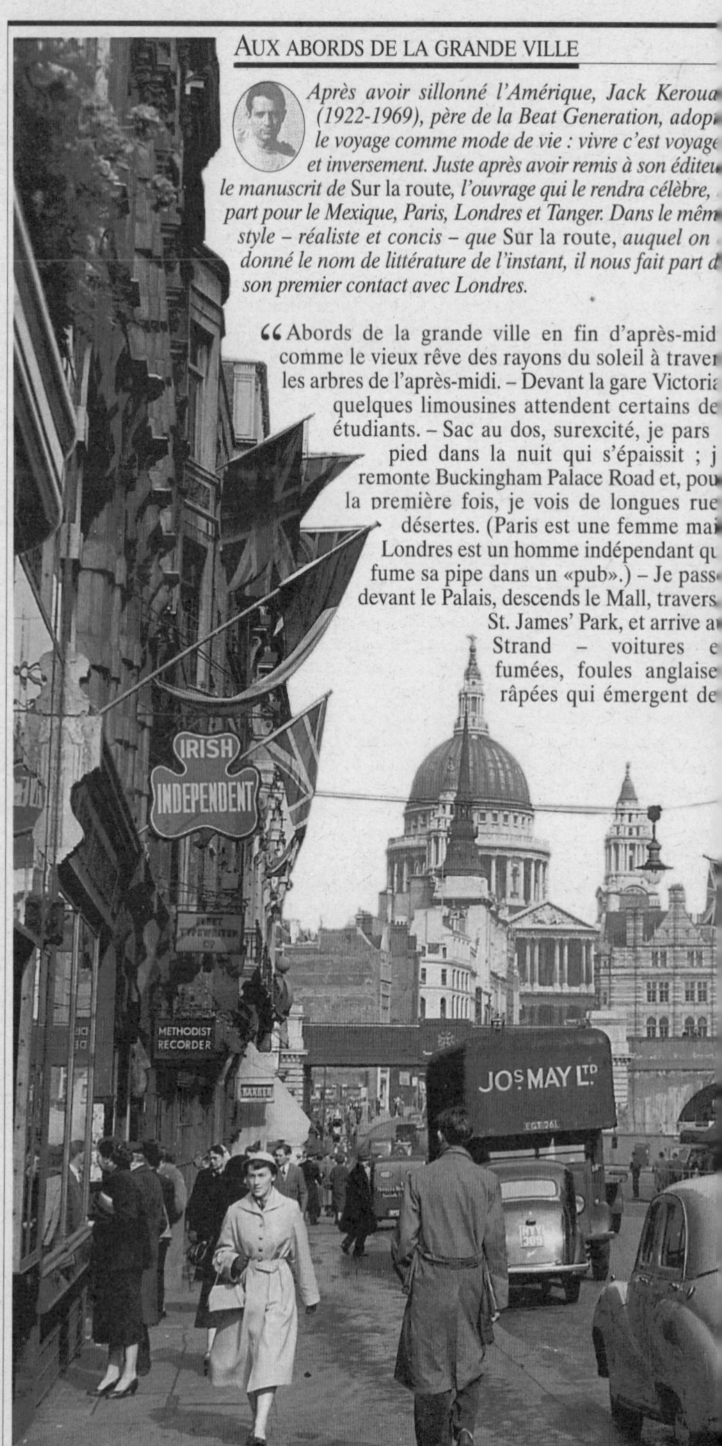

AUX ABORDS DE LA GRANDE VILLE

Après avoir sillonné l'Amérique, Jack Keroua (1922-1969), père de la Beat Generation, adopt le voyage comme mode de vie : vivre c'est voyage et inversement. Juste après avoir remis à son éditeu le manuscrit de Sur la route, *l'ouvrage qui le rendra célèbre, part pour le Mexique, Paris, Londres et Tanger. Dans le mêm style – réaliste et concis – que* Sur la route, *auquel on donné le nom de littérature de l'instant, il nous fait part d son premier contact avec Londres.*

« Abords de la grande ville en fin d'après-mid comme le vieux rêve des rayons du soleil à traver les arbres de l'après-midi. – Devant la gare Victoria quelques limousines attendent certains de étudiants. – Sac au dos, surexcité, je pars pied dans la nuit qui s'épaissit ; j remonte Buckingham Palace Road et, pou la première fois, je vois de longues rue désertes. (Paris est une femme mai Londres est un homme indépendant qu fume sa pipe dans un «pub».) – Je pass devant le Palais, descends le Mall, travers St. James' Park, et arrive a Strand – voitures e fumées, foules anglaise râpées qui émergent de

inémas, Trafalgar Square puis Fleet Street : il y a moins de voi-
ıres, les cafés sont plus sombres ; des ruelles tristes
ouvrent de part et d'autre, et je remonte ainsi
resque jusqu'à la cathédrale Saint-Paul :
ıais l'atmosphère se fait plus triste, plus
ohnsonienne. – Je re-brousse donc che-
ıin, fatigué, et j'entre dans un «pub», le
ing Lud pour me faire servir une fon-
ue au fromage à la galloise, pour un
emi-shilling, et une «stout».
e téléphonai à mon agent littéraire
our lui décrire ma situation.
Mon cher ami, c'est terriblement
ommage que je n'aie pas été là cet
près-midi. Nous étions allés voir ma mère dans le Yorkshire. Cinq livres, ça vous
épannerait ?
Oui !»
e pris un autobus pour me rendre à son élégant appartement de Buckingham
ate. (J'étais passé juste devant en descendant du train) et j'allai trouver le digne
ieux couple. – Lui – il avait un bouc – m'offrit une place au coin du feu ; il me versa
u scotch, et me donna tous les détails sur sa mère centenaire qui lisait le texte inté-
ral du livre de Trevelyan : *Histoire sociale de l'Angleterre*. – Le chapeau, les gants, le
arapluie, tout était sur la table, attestant son mode de vie, et moi, j'avais l'impres-
ion d'être le héros américain d'un très vieux film. – Cri lointain du petit enfant
ous le pont de la rivière, il rêve de l'Angleterre. – Ils me donnèrent des sandwichs
t de l'argent et je repartis dans Londres, aspirant avec délices le brouillard de
Chelsea ; les agents erraient dans la brume laiteuse ; je me demandai : «Qu'est-ce
ui va étrangler le flic dans le brouillard ?» Lumières confuses ; un soldat anglais
éambule ; d'un bras il entoure les épaules de son amie ; de sa main restée libre
mange du poisson et des frites ; klaxons des taxis et des autobus, Piccadilly
minuit ; un groupe de blousons noirs me demande si je connais Gerry Mulligan. –
inalement je trouve une chambre à quinze shillings à l'hôtel Mapleton (sous les
ombles) et je passe une nuit divine, dormant la fenêtre ouverte ; le lendemain
ıatin, pendant toute une heure les carillons s'en donnent à cœur joie, vers onze
eures ; et la femme de chambre m'apporte un plateau chargé de toasts, beurre,
onfiture d'oranges, lait chaud et café brûlant ; et moi je reste allongé, frappé
'étonnement.»

JACK KEROUAC, *LE VAGABOND SOLITAIRE*, TRAD. DE L'ANGLAIS PAR JEAN AUTRET,
GALLIMARD, PARIS, 1969

UN AUTOBUS TRÈS MORAL

En 1914, après un mois passé dans le 4e régiment de zouaves, Paul Morand (1888-1976) est envoyé à Londres comme «affecté spécial» à l'ambassade. La période londonienne marque le début de ce qu'il appellera son «âge snob», âge où, lors de ses fréquents séjours à Paris, il se lie avec Proust (qui signera la préface de son premier recueil de nouvelles Tendres Stocks*), Cocteau, Milhaud, Auric, etc. Diplomate, voyageur insatiable, Morand livre dans ses œuvres littéraires, qu'il définit comme les «feuilles de température» du monde, la photographie instantanée des milieux qu'il traverse.* Londres, *publié en 1933, fait partie de la série des portraits de villes sur lesquelles Morand portera son regard le plus âpre et le plus fin.*

«Le 11 est un autobus entièrement moral. Bondissant de Shepherd's Bush, dont personne n'a jamais entendu dire quoi que ce soit de mal, il traverse une phase de bohème innocente dans Chelsea, ramasse quelques clients des magasins Peter Jones, tourne dans Pimlico Road (trop occupée pour la moindre lascivité), s'approche des écuries royales, fait un signe de reconnaissance à Victoria Station, Westminster Abbey, le Parlement, bourdonne avec révérence devant Whitehall et, après son unique contact (effleurement à peine) avec le vice sur le Strand, plonge vers Liverpool Street à travers la noble et sérieuse architecture de la City. À l'exception d'un bout de Strand, le trajet du 11, estima Mme Patrick, était aussi moral qu'un dimanche après-midi. Comme une jeune personne ne peut pas être trop prudente, elle n'aurait pas approuvé le 24, qui descend Charing Cross Road. Pauline rougit, elle avait entendu parler de Charing Cross Road. »

PAUL MORAND, *LE NOUVEAU LONDRES*, PLON, PARIS, 1962

LA GARE DE KING'S CROSS

Edward Morgan Forster (1879-1970), né à Tonbridge, en Angleterre, fréquenta l'université de Cambridge, avant de se consacrer au journalisme, à la critique littéraire et à l'écriture. Aujourd'hui, sa réputation tient surtout à ses œuvres romanesques, certaines ayant été adaptées au cinéma tels, Route des Indes, Vue sur l'Arno *et* Howards End. *Dans ses romans, qui mettent généralement en scène des membres de la société anglaise, Edward Morgan Forster aborde les différences sociales ainsi que les contrastes existant entre les traditions urbaines et les traditions rurales anglaises. Tel est le cas de* Howards End, *publié en 1910, dont est extrait ce passage sur les gares de Londres ; passage obligé, en ce début de siècle, car lieu incontournable de transition entre la capitale et l'inévitable maison de campagne...*

« En elle comme en nombre de ceux qui ont longtemps habité une capitale, les diverses grandes gares éveillaient de profondes résonances. Elles sont pour nos villes les portes ouvertes sur la splendeur et sur l'inconnu. Nous débouchons, par elles, dans l'aventure et le soleil, par elles, hélas ! nous revenons ! La Cornouaille entière gît latente en Paddington– et là-bas l'ouest plus lointain ; aux rampes de Liverpool Street dorment les marais de Fen, les étangs sans bornes des Broads ; les pylônes d'Euston encadrent l'Écosse ; le Wessex transparaît derrière Waterloo, chaos suspendu. Les Italiens naturellement sentent cela et ceux d'entre eux, assez infortunés pour être garçons de café à Berlin, appellent l'Anhalt Bahnhof : Stazione d'Italia, parce qu'ils partiront de là pour retourner chez eux. Bien froid serait le Londonien qui ne doterait pas d'une personnalité les gares de sa ville et n'étendrait pas jusqu'à elles, timidement peut-être, son trésor d'amour et de peur.
À Margaret – j'espère que le lecteur ne lui en voudra pas – la gare de King's Cross avait toujours suggéré l'Infini. Sa situation même – un peu en retrait des faciles splendeurs de Saint-Pancras – comportait un commentaire sur le matérialisme de la vie. Ses deux grandes arches, incolores, indifférentes, soutenant ensemble une horloge sans attrait, s'ouvraient comme des porches convenables à une aventure éternelle, dont la conclusion, réussie peut-être, ne s'exprimerait certainement pas en termes de réussite. Si vous jugez cette rêverie ridicule, souvenez-vous que Margaret ne vous l'a pas confiée elle-même et laissez-moi ajouter en hâte que ces dames gagnèrent le quai avec une avance confortable [...] »

EDWARD MORGAN FORSTER, *HOWARDS END*,
TRAD. DE L'ANGLAIS PAR CH. MAURON,
PLON, PARIS, 1950, «COLLECTION 10/18»

UNE NUIT DANS LA CATHÉDRALE DE WESTMINSTER

Quand Chateaubriand (1768-1848) débarque à Londres le 21 mai 1793, c'est un homme exilé qui fuit la France révolutionnaire. Il connaît alors la misère et la faim, vivant de leçons particulières et de traductions. Mais c'est aussi à Londres qu'il écrira son premier ouvrage, Essai historique, politique et moral sur les révolutions anciennes et modernes considérées dans leurs rapports avec la Révolution française, *qui, publié en 1797, lui apporte une relative notoriété dans les milieux émigrés. De ces années londoniennes, relatées dans le dixième livre des* Mémoires d'outre-tombe, *retenons ici l'incroyable épisode où René, enfermé malgré lui dans la cathédrale de Westminster, est contraint d'y passer la nuit.*

« Une fois, cependant, il arriva qu'ayant voulu contempler à jour failli l'intérieur de la basilique, je m'oubliai dans l'admiration de cette architecture pleine de fougue et de caprice. Dominé par le sentiment de la *vastité sombre des églises chrestiennes* (Montaigne), j'errais à pas lents et je m'anuitai : on ferma les portes. J'essayai de trouver une issue ; j'appelai l'*usher*, je heurtai aux *gates* : tout ce bruit, épandu et délayé dans le silence, se perdit ; il fallut me résigner à coucher avec les défunts. Après avoir hésité dans le choix de mon gîte, je m'arrêtai près du mausolée de lord Chatam, au bas du jubé et du double étage de la chapelle des Chevaliers et de Henri VII. À l'entrée de ces escaliers, de ces asiles fermés de grilles, un sarcophage engagé dans le mur, vis-à-vis d'une mort de marbre armée de sa faulx, m'offrit son abri. Le pli d'un linceul, également de marbre, me servit de niche : à l'exemple de Charles Quint, je m'habituais à mon enterrement.

J'étais aux premières loges pour voir le monde tel qu'il est. Quel amas de grandeurs renfermé sous ces dômes ! Qu'en reste-t-il ? Les afflictions ne sont pas moins vaines que les félicités ; l'infortunée Jane Gray n'est pas différente de l'heureuse Alix de Salisbury ; son squelette seulement est moins horrible, parce qu'il est sans tête ; sa carcasse s'embellit de son supplice et de l'absence de ce qui fit sa beauté. Les tournois du vainqueur de Crécy , les jeux du Camp du Drap-d'or de Henri VIII, ne recommenceront pas dans cette salle des spectacles funèbres. Bacon, Newton, Milton sont aussi profondément ensevelis, aussi passés à jamais que leurs plus obscurs contemporains. Moi banni, vagabond, pauvre, consentirais-je à n'être plus la petite chose oubliée et douloureuse que je suis, pour avoir été un de ces morts fameux, puissants, rassasiés de plaisirs ? Oh ! la vie n'est pas tout cela ! Si du rivage de ce monde nous ne découvrons pas distinctement les choses divines, ne nous en étonnons pas : le temps est un voile interposé entre nous et Dieu, comme notre paupière entre notre œil et la lumière.

Tapi sous mon linge de marbre, je redescendis de ces hauts pensers aux impressions naïves du lieu et du moment. Mon anxiété mêlée de plaisir était analogue à celle que j'éprouvais l'hiver dans ma tourelle de Combourg, lorsque j'écoutais le vent : un souffle et une ombre sont de nature pareille.

Peu à peu, m'accoutumant à l'obscurité, j'entrevis les figures placées aux tombeaux. Je regardais les encorbellements du Saint-Denis d'Angleterre, d'où l'on eût dit que descendaient en lampadaires gothiques les événements passés et les années qui furent : l'édifice entier était comme un temple monolithe de siècles pétrifiés.

J'avais compté dix heures, onze heures à l'horloge ; le marteau qui se soulevait et retombait sur l'airain était le seul être vivant avec moi dans ces régions. Au-dehors une voiture roulante, le cri du *watchman*, voilà tout : ces bruits lointains de la terre me parvenaient d'un monde dans un autre monde. Le brouillard de la Tamise et la fumée du charbon de terre s'infiltrèrent dans la basilique, et y répandirent de secondes ténèbres.

Enfin, un crépuscule s'épanouit dans un coin des ombres les plus éteintes : je regardais fixement croître la lumière progressive ; émanait-elle des deux fils d'Édouard IV, assassinés par leur oncle ? «Ces aimables enfants», dit le grand tragique, «étaient couchés ensemble ; ils se tenaient entourés de leurs bras innocents et blancs comme l'albâtre. Leurs lèvres semblaient quatre roses vermeilles sur une seule tige, qui, dans tout l'éclat de leur beauté, se baisent l'une l'autre.» Dieu ne m'envoya pas ces âmes tristes et charmantes ; mais le léger fantôme d'une femme à peine adolescente parut portant une lumière abritée dans une feuille de papier tournée en coquille ; c'était la petite sonneuse de cloches. J'entendis le bruit d'un baiser, et la cloche tinta le point du jour. La sonneuse fut tout épouvantée lorsque je sortis avec elle par la porte du cloître. Je lui contai mon aventure ; elle me dit qu'elle était venue remplir les fonctions de son père malade : nous ne parlâmes pas du baiser.”

CHATEAUBRIAND, *MÉMOIRES D'OUTRE-TOMBE*,
GALLIMARD, PARIS, 1950, «LA PLÉIADE»

LA REINE À BOND STREET

Londres, où elle est née, occupe une place importante dans la vie de Virginia Woolf (1882-1941), comme dans ses romans. En effet, c'est dans sa maison londonienne de Bloomsbury, près du British Museum, que fut fondé le Bloomsbury Group, réunissant écrivains, historiens, économistes et critiques, qui représenta l'un des courants importants de l'avant-garde anglaise. C'est également à Londres qu'elle fonda avec son mari, Leonard Woolf, la maison d'édition Hogarth Press, partageant ainsi son temps entre son travail d'écrivain et celui d'éditeur. Dans son roman Mrs. Dalloway, *on accompagne Clarissa, une hôtesse anglaise, dans les rues de Londres, pendant une journée de préparation en vue d'une soirée qu'elle organise chez elle le soir même.*

“Stores baissés, réservée, impénétrable, l'automobile continua vers Piccadilly. Tout le monde regardait ; tous les visages, des deux côtés de la rue, reflétaient la même vénération profonde. Pour la reine, le prince, le Premier ministre ? on ne savait pas. Trois personnes seulement, pendant quelques secondes, avaient entrevu un visage. On discutait même sur le sexe. Mais nul ne doutait qu'un grand personnage ne fût à l'intérieur. La grandeur passait, cachée, dans Bond Street, tout près des gens ordinaires qui se trouvaient – un jour dans leur vie – à portée de voix des Majestés de l'Angleterre, du symbole durable d'un État qu'étudieront plus tard les archéologues dans les fouilles et dans les ruines. Alors, quand Londres ne sera plus que sentiers couverts d'herbe, et quand de tous ceux qui, ce mercredi matin, se pressent dans la rue, il ne restera plus que des ossements avec quelques alliances mêlées à leur poussière et l'or d'innombrables dents cariées,

on saura quel était ce visage qui se cachait dans l'automobile.
« C'est sans doute la reine, pensa Mrs. Dalloway qui sortait, avec ses fleurs, de chez Mulberry, la reine ! » Et elle prit pour une seconde un grand air de dignité, debout, à côté du magasin, dans le soleil, tandis que la voiture passait lentement, stores baissés. «La reine va visiter un hôpital, la reine va ouvrir une vente», pensa Clarissa. L'encombrement était terrible à cette heure-là ! Lords, Ascots, Hurlingham ? «Y a-t-il quelque chose ? se demanda-t-elle, car la rue était embouteillée. Ces gens, assis sur l'impériale des autobus, ont des paquets, des parapluies et même des fourrures, par un jour comme celui-ci ! Quoi de plus ridicule, de plus invraisemblable que la bourgeoisie anglaise ! Et la reine elle-même est arrêtée, la reine elle-même ne peut passer.» Clarissa était retenue d'un côté de Brook Street, sir John Buckhurst, le vieux juge, l'était de l'autre ; la voiture entre eux deux. (Sir John, avec toutes ses années de magistrature, aimait les femmes élégantes.) Mais le chauffeur, se penchant un petit peu, dit quelque chose au policeman qui salua, leva le bras, fit ranger l'autobus d'un signe de la tête et la voiture passa. Lentement, très silencieusement, elle prit sa route.
Clarissa devina, comprit : elle avait vu quelque chose de blanc, de magique, de rond, dans la main du valet de pied, un disque où était inscrit un nom – la reine, le prince de Galles, le Premier ministre ?– qui, par son éclat, s'ouvrait un passage (voilà la voiture qui diminue, qui disparaît) vers Buckingham Palace où ce soir, [...] se trouveront, la poitrine chamarrée de broderies, Hugh Whitbread et ses collègues, toute la société de l'Angleterre. Et Clarissa aussi donnait une soirée. Elle se redressa un peu. C'était vrai : elle se tiendrait au sommet de son escalier.»

VIRGINIA WOOLF, *MRS. DALLOWAY,* IN *L'ŒUVRE ROMANESQUE,* STOCK, PARIS, 1973, TOME I

ERRANCE DANS COVENT GARDEN

Les pièces de théâtre de l'écrivain anglais Oscar Wilde (1854-1900) sont aujourd'hui très appréciées du public londonien. Il n'en fut pas toujours ainsi. À la fin du siècle dernier, incarcéré pour ses relations homosexuelles avec le fils du marquis de Queensberry, Wilde, mis au ban de la société londonienne, voit ses manuscrits refusés par son éditeur. Dans son unique roman, Le Portrait de Dorian Gray, *publié en 1891, il dépeint, sur fond londonien, les aventures d'un jeune homme à la recherche du plaisir, mais hanté par le temps qui passe. Il peut en mesurer les effets sur son propre portrait, réalisé lors de sa prime jeunesse, qu'il voit jour après jour se détériorer et vieillir à sa place...*

«Où le menèrent ses pas, il aurait été bien en peine de le dire. Il se rappela avoir erré dans des rues mal éclairées, longé de lugubres passages peuplés d'ombres noires et de maisons inquiétantes. Des femmes à la voix éraillée, au rire brutal, l'avaient hélé. Des ivrognes titubants l'avaient côtoyé, l'injure à la bouche, marmottant comme des singes monstrueux. Il avait vu des enfants à l'aspect grotesque blottis sur des pas de portes, et entendu des cris et des jurons s'élever d'arrière-cours ténébreuses.
Comme le jour commençait à poindre, il se retrouva tout près de Covent Garden. L'obscurité s'atténua, et le ciel, s'éclairant de faibles feux, s'arrondit pour devenir une perle parfaite. D'énormes charrettes remplies de lis dodelinants roulaient lentement le long des rues vides au pavage poli. L'air était chargé du parfum des fleurs, et leur beauté semblait à Dorian alléger ses souffrances. Il les suivit jusqu'à l'intérieur du marché, et regarda les hommes décharger leurs chariots. Un charretier en blouse blanche lui offrit des cerises. Il le remercia, se demanda pourquoi l'autre refusait d'accepter quelque argent en échange, et se mit à les manger distraitement. Elles avaient été cueillies à minuit, et la froideur de la lune les avaient pénétrées. Une longue file de jeunes garçons portant des paniers de tulipes à rayures et de

roses jaunes et rouges passa devant lui, se faufilant au milieu des énormes amas de légumes vert jade. Sous le portique aux colonnes grises blanchies par le soleil, une troupe de fillettes en haillons, tête nue, flânait, attendant que les enchères fussent achevées. D'autres étaient massées près des portes à tambour du café de la Piazza. Les lourds chevaux de trait glissaient et piétinaient sur les pavés inégaux, agitant leurs clochettes et secouant leur harnachement. Certains conducteurs dormaient, étendus sur une pile de sacs. Les pigeons, col d'iris et pattes de rose, sautillaient çà et là, picorant des graines.»

OSCAR WILDE, *LE PORTRAIT DE DORIAN GRAY*, TRAD. DE L'ANGLAIS PAR J. GATTÉGNO, GALLIMARD, 1992 «FOLIO»

HYDE PARK

À l'âge de dix-sept ans, Joseph Conrad (1857-1924) quitte sa Pologne natale pour entamer une carrière de marin. Avant d'obtenir son brevet de capitaine, il fait du cabotage sur des bateaux anglais et profite de son temps libre pour lire Shakespeare et en apprendre la langue. C'est donc en anglais qu'il écrira son premier roman, La Folie-Almayer. *En 1896, il s'établit en Angleterre et, malgré une santé défaillante, se consacre à l'écriture. De* L'Agent secret, *publié en 1907, il dira : «Je viens de finir un roman où il n'y a pas une goutte d'eau – excepté de la pluie, ce qui est bien naturel puisque tout se passe à Londres. Il y a là-dedans une demi-douzaine d'anarchistes, deux femmes et un idiot...»*

«Entre les barreaux des grilles du parc, ces regards contemplaient des cavaliers et des cavalières en promenade dans Rotten Row : il y avait des couples qui passaient harmonieusement au petit galop, d'autres qui avançaient posément au pas, il y avait des groupes de trois ou quatre cavaliers qui s'attardaient, des cavaliers isolés à l'air insociable et des femmes isolées, suivies à distance par un palefrenier portant cocarde à son chapeau et ceinture de cuir par-dessus sa redingote ajustée. Des voitures passaient rapidement près de lui, surtout des coupés à deux chevaux, avec, de temps à autre, une victoria à l'intérieur garni d'une peau de bête fauve et où la tête et le chapeau d'une femme émergeaient au-dessus de la capote repliée. Un soleil typiquement londonien (auquel on ne pouvait faire aucun reproche, sinon qu'il paraissait injecté de sang) faisait resplendir tout cela sous son regard fixe. Il était établi à une altitude modeste au-dessus de Hyde Park Corner d'un air de vigilance ponctuelle et bienveillante. Il n'était pas jusqu'au trottoir qui, sous les pas de M. Verloc, n'eût pris une teinte d'or terni sous cette lumière diffuse, incapable de projeter l'ombre des murs, des arbres, des animaux et des humains. M. Verloc s'en allait vers l'ouest à travers une ville sans ombres, dans une atmosphère d'or terni réduit en poudre. Il y avait des reflets rouges, cuivrés, sur le toit des maisons, au coin des murs, jusque sur la robe des chevaux et sur le large dos du pardessus de M. Verloc où ils produisaient un effet de terne rouillure. Mais M. Verloc n'avait pas le moins du monde conscience de s'être rouillé. Il observait d'un œil approbateur, entre les barreaux des grilles du parc, les témoignages de l'opulence et du luxe [...]»

CONRAD, *L'AGENT SECRET*, TRAD. DE L'ANGLAIS PAR SYLVÈRE MONOD, GALLIMARD, PARIS, 1992, «LA PLÉIADE»

AU RYTHME DES VERS

En 1872, Paul Verlaine (1844-1896) abandonne son épouse pour s'enfuir à Londres en compagnie d'Arthur Rimbaud. Vivant chichement de leçons de français, les deux amants y mènent une vie de bohème rythmée par les brouilles et les réconciliations. Ce fut somme toute une période difficile pour Verlaine, qui finit par tomber malade. À son retour, incarcéré pour avoir blessé

Rimbaud d'un coup de revolver, il profite de sa réclusion pour écrire une série de poèmes, tantôt profanes tantôt mystiques, publiés par la suite dans Sagesse, Parallèlement *et* Jadis et Naguère.

Sonnet boiteux

Ah ! vraiment c'est triste, ah ! vraiment ça finit trop mal.
Il n'est pas permis d'être à ce point infortuné.
Ah ! vraiment c'est trop la mort du naïf animal
Qui voit tout son sang couler sous son regard fané.

Londres fume et crie. Ô quelle ville de la Bible !
Le gaz flambe et nage et les enseignes sont vermeilles.
Et les maisons dans leur ratatinement terrible
Épouvantent comme un sénat de petites vieilles.

Tout l'affreux passé saute, piaule, miaule et glapit
Dans le brouillard rose et jaune et sale des Sohos
Avec des *indeeds* et des *all rights* et des *haôs*.

Non vraiment c'est trop un martyre sans espérance,
Non vraiment cela finit trop mal, vraiment c'est triste :
Ô le feu du ciel sur cette ville de la Bible !

Paul Verlaine, *Jadis et Naguère*, in *Œuvres poétiques complètes*, Gallimard, Paris, 1962, «La Pléiade»

Valery Larbaud (1881-1957), né à Vichy dans une famille fortunée, suit d'abord des cours de lettres en Sorbonne. À l'âge de vingt et un ans, un héritage conséquent lui permet d'entreprendre une série de voyages en Espagne, en Italie, en Allemagne, en Suède et en Angleterre, qui contribueront à faire de lui un parfait Européen à l'image de Barnabooth, le héros de plusieurs de ses romans, publiés entre 1913 et 1923 et regroupés sous le titre : A. O. Barnabooth. *Il s'agit en fait du journal d'un multimillionnaire sud-américain et oisif multipliant les voyages, de pays en pays et d'un palace à l'autre, en quête d'une raison de vivre. Dans ses pérégrinations, Barnabooth séjourne à Londres, qui lui inspirera le poème suivant.*

Londres

Après avoir aimé des yeux dans Burlington Arcade,
Je redescends Piccadilly à pied, doucement.
Ô bouffées de printemps mêlées à des odeurs d'urine,
Entre les grilles du Green Park et la station des cabs,
Combien vous êtes émouvantes !

Puis, je suis Rotten Row, vers Kensington, plus calme,
Moins en poésie, moins sous le charme
De ces couleurs, de ces odeurs et de ce grondement de Londres.
(Ô Johnson, je comprends ton cœur, savant Docteur,
Ce cœur résonnant des bruits de la grand'ville :
L'horizon de Fleet Street suffisait à tes yeux.)

Ô jardins verts et bleus, brouillards blancs, voiles mauves !
Barrant l'eau de platine morne du Bassin,
Qui dort sous l'impalpable gaze d'une riche brume,
Le long sillage d'un oiseau d'eau couleur de rouille...

Il y a la Tamise, que Madame d'Aulnoy
Trouvait «un des plus beaux cours d'eau du monde».
Ses personnages historiques y naviguaient, l'été,
Au soir tombant, froissant le reflet blanc
Des premières étoiles ;
Et les barges, tendues de soie, chargées de princes
Et de dames couchés sur les carreaux brodés,
Et Buckingham et les menines de la Reine
S'avançaient doucement comme un rêve, sur l'eau,
Ou comme notre cœur se bercerait longtemps
Aux beaux rythmes des vers royaux d'Albert Samain.
La rue luisante où tout se mire ;
Le bus multicolore, le cab noir, la girl en rose
Et même un peu de soleil couchant, on dirait...
Les toits lavés, le square bleuâtre et tout fumant...
Les nuages de cuivre sali qui s'élèvent lentement...
Accalmie et tiédeur humide, et odeur de miel du tabac ;
La dorure de ce livre
Devient plus claire à chaque instant : un essai de soleil
sans doute.
(Trop tard, la nuit le prendra fatalement.)
Et voici qu'éclate l'orgue de Barbarie après l'averse.

VALERY LARBAUD, *A. O. BARNABOOTH*, IN *ŒUVRES*,
GALLIMARD, PARIS, 1950, «LA PLÉIADE»

Joseph Brodsky, prix Nobel de littérature en 1987, est né à Leningrad en 1940. Poète et traducteur, ses efforts pour faire connaître les œuvres d'écrivains polonais et occidentaux ne sont pas appréciés des autorités soviétiques qui, en 1964, le condamnent à cinq ans de travaux forcés en Sibérie. Libéré dix-huit mois plus tard, il fait l'objet d'une campagne de dénigrement et est prié, en 1972, de quitter le pays. Après un passage à Vienne puis à Londres, il s'installe aux États-Unis, où il poursuit ses activités littéraires et enseigne dans différentes universités.

LA TAMISE À CHELSEA

Novembre. Le soleil tard levé sur sa faim
se meurt dans les sirops à l'étal d'un drugstore.
Le vent bute partout et s'accroche à des riens,
cheminée, arbre ou homme aventuré dehors.
Quelques Juifs picoreurs. Les mouettes vigiles.
De fluviaux transports glissant sur la Tamise
selon ce gris méandre au détours inutiles.
Là, Thomas Moore, au front sa convoitise,
contemple l'autre rive, aujourd'hui comme hier.
Et ce morne regard, plus dur que tout le fer
du pont du Prince Albert – en vérité, je vous le dis –
quoi de mieux pour quitter Chelsea ?

Infinie, une rue, après un brusque écart,
dans un envol d'acier plonge vers d'autres bords.
Ma vieille fripe égrène les pas de mon corps
entre deux rangs d'arbres-chalands alléchés par
le fleuve poissonnier qui leur vend ce qu'il a :
sa houle à croupe d'esturgeon.
Une cheminée, là, dans la bruine fond.
Ici, celui dont le regard porte au-delà
du siècle, percevra sous le néon futile
tel portique bruni qui n'a rien pu changer,

les orgues des gouttières, les barges en file,
et la Tate Gallery où le bus est rangé.

La ville est belle. Et plus encor sous cette pluie
que rien n'arrêtera, feutre, tôle ou couronne.
Quelqu'un existe-t-il à qui ces climats donnent
sa chance d'être roi, si ce n'est roi du parapluie ?
Dans le jour gris, quand l'ombre en vain s'applique
à ramper sur tes pas, que tu n'as plus d'argent,
dans cette ville sombre de sa moindre brique
où chaque seuil humide a sa fleur de lait blanc,
dans un journal tu tomberas peut-être sur
le cas d'un malheureux péri sous les voitures,
et ce n'est, soulagé, qu'en détaillant l'émoi
de ses parents que tu diras : ce n'est pas moi !
[...]
La ville est belle, où tant d'horloges vont battant.
Mais quel cœur ne s'essouffle à suivre le gros Ben ?
La Tamise en aval gonfle comme une veine.
Les steamers de Chelsea hululent gravement.
Londres si beau, plus bas que haut,
infiniment se vautre et descend à la mer.
Et quand je dors, le téléphone y fond les numéros
dont je vis aujourd'hui, dont je vivais hier
en chiffres d'astronome. Et l'index qui meut le cadran
de la lune d'hiver, n'obtient qu'un lancinant
occupé – ce bruit creux
bien plus inéluctable que la voix de Dieu.

JOSEPH BRODSKY, *POÈMES* 1961-1987,
TRAD. DU RUSSE PAR JEAN-PAUL SÉMON, GALLIMARD, PARIS, 1987

Jacques Prévert (1900-1977), né avec le siècle, participa dans sa jeunesse à tous les mouvements d'avant-garde. Il fit partie du groupe des surréalistes dit de la rue du Château, collabora aux créations théâtrales du groupe «Octobre» avant de se consacrer à son travail personnel. De celui qui fut à la fois poète, dramaturge, chansonnier et auteur de scénarios de cinéma, nous ne retiendrons ici que la poésie. Charmes de Londres, *publié en 1952, est un recueil de plusieurs poèmes à la fois tendres, satiriques et nostalgiques en hommage aux charmes de cette «île de l'Angleterre/ entourée d'eau, d'herbe et de sang».*

Charmes de Londres

Venus en visite vous m'avez à peine regardée
et vous direz plus tard que vous me connaissez
Seuls peuvent connaître les secrets d'une ville
les vrais prénoms de sa beauté
ceux qui lui donnent leurs pas sans compter

Ainsi parle la Ville aux touristes pressés

Quatre fois plus grande qu'une autre
et peut-être quatre fois plus perdue
quand tout son corps s'éveille
pour aller au travail
sur les docks sur les quais les places et les rues
sa tête peuplée de rêves
sommeille encore en d'autres quartiers
où le travail et la misère n'ont pas droit de cité

Mais la Tamise caresse la plante de ses pieds
Alors elle se lève comme une grande fille
la ville aux cheveux roux
la ville des femmes enfants et des hommes flottant
et caressant du regard sa rivière de mazout de
sel et de diamants par les fenêtres de ses usines
elle secoue ses tapis d'Orient
Et quand un voyageur a la chance de lui plaire
elle lui donne les clefs de son musée errant
où le noir animal et le noir de fumée dans
le cul-de-sac du ciel s'en vont vers la City
s'en vont porter la note du Mauvais Teinturier

Et souriante elle lui dit
Écoute
un remorqueur va siffler dans ses doigts
pour ranimer la simple joie de vivre
d'un vieux marin encore à demi endormi

Vois
sur mes taches de rousseur cette rosée de suie
l'aube est grise
et le matin dejà ressemble au soir comme le soir
bientôt va ressembler à la nuit
Je ne dis pas ça pour me plaindre
mais

Je ne suis pas venu pour te plaindre
dit l'étranger

Non tu es venu pour me voir
me regarder
faire mon portrait
et peut-être aussi pour m'aimer
D'ailleurs je ne suis pas à plaindre
à mes moments perdus je suis toujours sauvée
Et puis tu sais
J'ai de si beaux jardins d'été
et mes enfants de mes enfants d'enfants
écoutent toujours les très vieilles histoires
de mon jeune temps.

Jacques Prévert, *Grand Bal du printemps*,
Gallimard, Paris, 1976

Itinéraires dans Londres

▲ *Her Majesty's Ship Belfast* et Tower Bridge.

▲ Regent Street sous les lumières de Noël.

▼ L'île des Chiens et Canary Wharf.

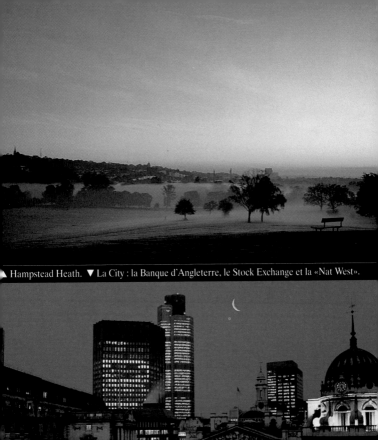

▲ Hampstead Heath. ▼ La City : la Banque d'Angleterre, le Stock Exchange et la «Nat West».

▼ Royal Naval College, Greenwich.

▲ «Trooping the Colour».

▼ Parade de *Horse Guards*.

▼ Promenade dans Grovelands Park. ▲ «Garden Party» au palais de Buckingham.

▲ Le quartier résidentiel de Highgate conserve un charme provincial.

▲ Syon House.

▼ Le palais de Hampton Court et son jardin à la française.

Les quartiers des institutions

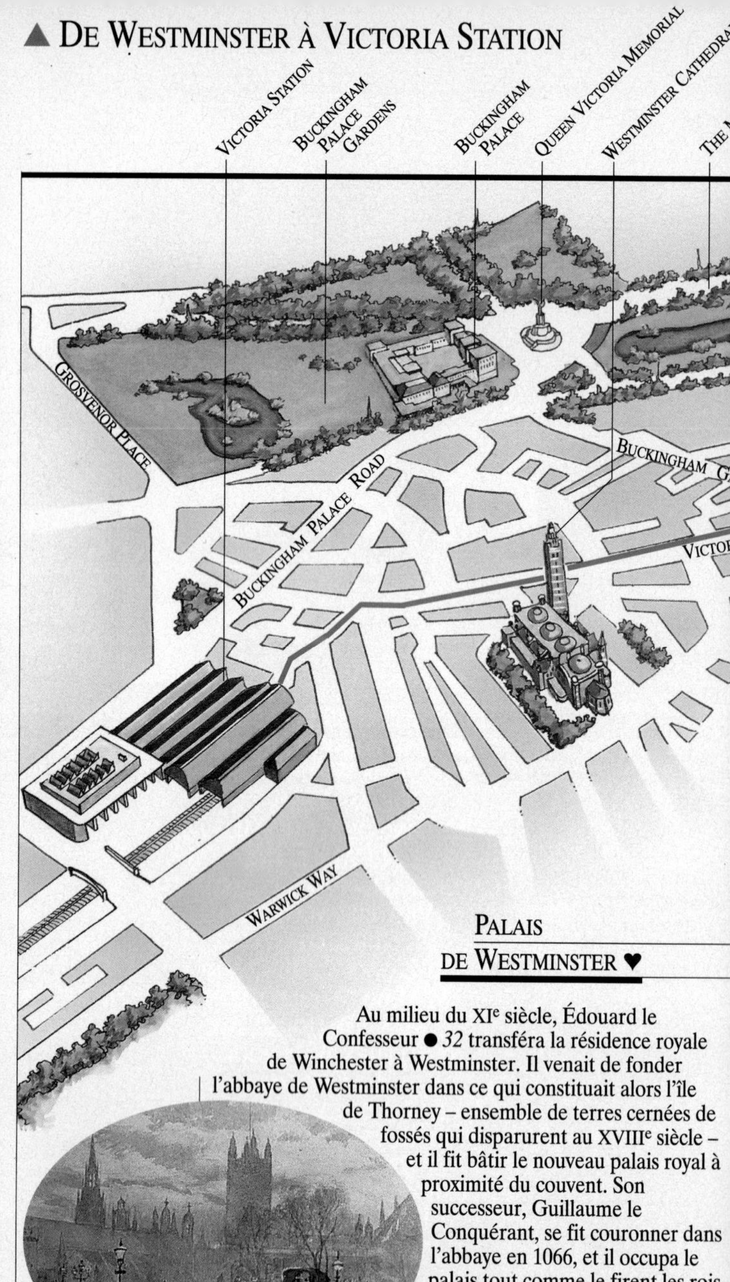

PALAIS DE WESTMINSTER ♥

Au milieu du XIe siècle, Édouard le Confesseur ● *32* transféra la résidence royale de Winchester à Westminster. Il venait de fonder l'abbaye de Westminster dans ce qui constituait alors l'île de Thorney – ensemble de terres cernées de fossés qui disparurent au XVIIIe siècle – et il fit bâtir le nouveau palais royal à proximité du couvent. Son successeur, Guillaume le Conquérant, se fit couronner dans l'abbaye en 1066, et il occupa le palais tout comme le firent les rois suivants jusqu'à Henri VIII qui, en 1529, préféra s'installer dans le palais de Whitehall.

ÉVOLUTIONS ET TRANSFORMATIONS. En 1097, Guillaume le Roux, fils de Guillaume le Conquérant, fit construire Westminter Hall, puis le palais connut des phases successives d'agrandissement : aux XIIIe et XIVe siècles, la chapelle Saint-Stephen, la cour des Requêtes et la Chambre Peinte furent édifiées. En 1364-1366 fut construite, au sud-ouest du palais, à proximité de l'abbaye, la tour des Joyaux. Jusqu'au règne d'Henri VII, les trésors et la garde-robe du souverain étaient entreposés dans cette tour qui servit de dépôt d'archives à la Chambre des lords de 1621 à 1686

❝Big Ben frappait au loin deux coups sourds vibrant longuement dans la nuit.[...] Ce fut au coin de Parker Street qu'il sentit que quelque chose d'anormal se préparait autour de lui.❞

Jean Ray, *Harry Dickson*

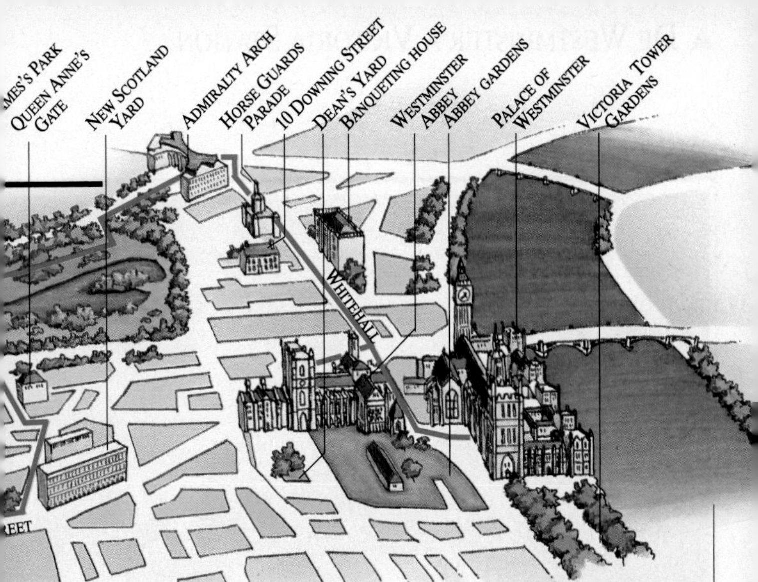

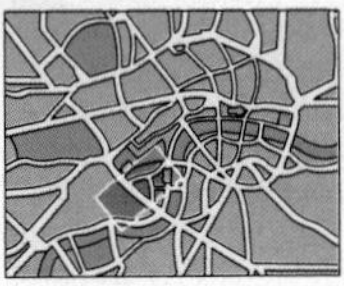

et qui abrite actuellement un musée consacré à l'histoire du Parlement. D'autres bâtiments furent édifiés au XVIIIe siècle, puis au XIXe siècle. Dans les années 1820, John Soane ▲ *166* construisit de nouvelles Law Courts et une nouvelle entrée royale pour la Chambre des lords, la *Scala Regia*. Jusqu'à l'incendie de 1834, il faut imaginer le palais pris dans un enchevêtrement de ruelles où se trouvaient pensions, pubs, coffee-houses et autres commerces.

RECONSTRUCTION : L'ASSOCIATION DE BARRY ET PUGIN. La victoire du projet de sir Charles Barry sur ses rivaux est due principalement à sa collaboration avec A. W. N. Pugin (1812-1852), l'un des plus fertiles artistes du «gothicisme» qui, de 1836 à sa mort, assista Barry. L'association de deux tempéraments si contraires assura l'originalité architecturale du Parlement. À Barry, le Parlement doit son équilibre classique, jouant sur la symétrie. À Pugin, il doit ses éléments qui créent l'asymétrie, la tour Victoria et la tour de l'Horloge, et le foisonnement de la décoration qui donne au Parlement

1 journée

“Quand on a vécu à Westminster – combien d'années maintenant ? plus de vingt – on sent au milieu du mouvement, si l'on s'éveille la nuit (Clarissa l'affirmait), une sorte d'arrêt, quelque chose de solennel, une pause qu'on ne peut décrire ; tout semble se figer […] avant que Big Ben sonne. Ah ! Il commence. D'abord un avertissement musical, puis l'heure, irrévocable. Les cercles de plomb se dissolvent dans l'air.”
Virginia Woolf, *Mrs. Dalloway*

cet aspect si peu orthodoxe. Pugin réalisa l'essentiel de la décoration intérieure et en surveilla les aménagements. Albert ▲ *228* , prince consort dès 1840, amateur de peinture et de sculpture, fervent admirateur du Moyen Âge, obtint en 1841 la création d'un comité de sélection chargé de choisir les artistes qui devraient réaliser les fresques, les sculptures, les ferronneries destinées à la décoration des salles du Parlement : Dyce, Maclise, Gibson furent parmi les lauréats.

Les travaux, commencés en 1839, furent achevés en 1860, lorsque la tour Victoria eut son toit.

WESTMINSTER HALL ♥. Des premiers bâtiments demeure cette vaste salle, peut-être la plus grande d'Europe à l'époque de sa construction, en 1097-1099, et qui avait été transformée sous Richard II, en 1394-1401, par les architectes royaux : les murs furent rehaussés, un porche important fut construit, une charpente de châtaignier à double poutre sur console ajoutée. Le Hall abrita les premiers Parlements, les Law Courts qui, aux XVIIe et XVIIIe siècles, partageaient l'endroit avec des commerces. De grands procès s'y déroulèrent, dont celui de Guy Fawkes ● *36*. Après la Restauration, la tête de Cromwell y fut exposée près de vingt-cinq ans. Les dépouilles d'Édouard VII et de Churchill y furent veillées. Mais le Hall accueillit également des festivités : jusqu'à George IV, les fêtes du couronnement s'y déroulaient. Aujourd'hui, le Hall sert de vestibule à la Chambre des communes, à laquelle il est relié par la galerie Saint-Stephen.

"La célèbre abbaye, fantôme blanc dressé sur la Cité fumeuse, a tout oublié du pieux roi qui la construisit."
Paul Morand, *Londres*

L'INCENDIE DE 1834
Dans la nuit du 16 au 17 octobre 1834, le feu fit rage au palais de Westminster et les artistes présents à Londres ne perdirent rien de ce spectacle. Pour voir le feu, Constable s'était installé sur Westminster Bridge. Turner, embarqué avec un autre étudiant de la Royal Academy sur la Tamise, Charleson Stanfield, peignit plusieurs aquarelles ● 102. À l'aube du 17, il ne restait de l'ancien palais royal, siège du Parlement, que Westminster Hall, le cloître et la chapelle basse de Saint-Stephen.

Parlement. Le Parlement britannique est composé de [...]x Chambres : la Chambre des lords, nommée, fut pendant [...]gtemps uniquement héréditaire et la Chambre des [...]nmunes, élue. Les premiers Parlements se réunissaient [...]ıs Westminster Hall, et ce n'est qu'au début du XIVe siècle [...]e Lords et Communes prirent l'habitude, après une [...]mière séance en présence du roi, de se séparer.

Chambre des lords. Plus de mille pairs siègent à la [...]ambre des lords, répartis en trois catégories : les pairs [...]réditaires, les plus nombreux bien que les créations de [...]ries héréditaires soient aujourd'hui rarissimes, sont aussi [...] moins assidus ; les pairs viagers, créés par la réforme de [...]58, sont les plus nombreux lors des sessions de la Chambre ; [...] 26 lords spirituels, tous évêques de l'Église anglicane. Les [...]uvoirs de la Chambre ont été limités par les lois de 1911 et [...]49. Aujourd'hui, les lords n'usent guère de leur droit de [...]o suspensif. Par contre, ils n'hésitent pas à amender les [...]tes de lois en provenance des Communes, obligeant celles-[...]à une nouvelle lecture. Aujourd'hui, la Chambre s'érige en [...]rdien des libertés et de la «Constitution». Elle est présidée [...] le lord chancelier, ministre de la Justice, qui prend place [...] pied du trône, sur le «sac de laine» (le *Woolsack*), large [...]ge tendu de rouge qui rappelle l'origine de la fortune du [...]yaume, liée à l'exportation de la laine. Le lord chancelier, [...]mmé par la reine sur proposition du Premier ministre, fait [...]rtie du gouvernement.

Chambre des communes. L'histoire de la Chambre des [...]mmunes est celle d'une double lutte : lutte pour affirmer [...] droits face à la Chambre des lords et lutte pour affirmer [...] droits face à la Couronne. En 1642, Charles Ier dut [...]ncliner lorsque, pénétrant aux Communes, il tenta d'arrêter [...]-même cinq députés. Sommé de lui désigner les cinq hommes, [...] *Speaker*, à genoux, lui répondit : « Je n'ai point d'yeux pour [...]ir, ni de langue pour parler en ce lieu, sauf à suivre les [...]cisions de la Chambre, dont je suis ici le serviteur ...». [...]puis ce jour, aucun souverain ne pénètre aux Communes. [...] Chambre des communes fut d'abord élue au suffrage [...]nsitaire, peu à peu élargi par les réformes du XIXe siècle. [...]puis 1918-1928 (les femmes obtinrent le droit de vote en [...]ux étapes), ses membres sont élus au suffrage universel. Pour [...]ter, le député doit obligatoirement être «présent» à la [...]ambre. Il vote en sortant de la salle des séances soit par le [...]uloir «yes», soit par le couloir «no». Au bout de chaque [...]uloir, des représentants, généralement chefs de file de [...]aque parti décomptent les votes. Leur nom, les «whips» [...]rive d'un terme de chasse : le *whipper in* ou rabatteur. Si

Centre politique du royaume
Après le départ du souverain Henri VIII, le palais demeura l'un des centres politiques et administratifs du royaume. Du XIIIe siècle à 1882, les Law Courts siégèrent dans Westminster Hall puis dans les bâtiments reconçus par Soane ; mais surtout le Palais continua d'abriter les Chambres du Parlement et finit par se confondre avec elles.

“Le palais de Westminster résume quelques traits essentiels de Londres. C'est-à-dire le mélange inextricable de la tradition la plus reculée et de l'imitation du passé la plus récente et la plus inattendue, du vrai-vrai et du presque-faux, du faux-faux, du faux en passe de devenir vrai.”

Claude Roy, *Londres*

Reconstruction des maisons du Parlement, 1842.
L'incendie de 1834 fournit l'occasion d'édifier un palais spécifiquement conçu pour les Chambres, jusque-là abritées dans des bâtiments de fortune.

St Stephen's Hall
Il abrita la Chambre des communes de 1537 jusqu'à l'incendie de 1834.

La Chambre des communes
Jusqu'en 1550, les Communes siégeaient soit dans Chapter House, la salle capitulaire, soit dans le réfectoire de l'abbaye. Après la sécularisation des biens de l'église, en 1547, elles se réunirent dans la chapelle Saint-Stephen.

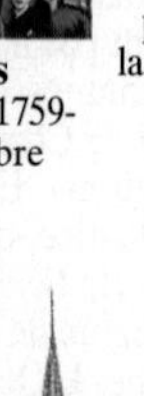

Le Speaker
La chambre est présidée par le *Speaker*, élu pour la durée de la législature. Généralement, il est maintenu dans ses fonctions même si la majorité change. Ci-contre, George Thomas, *Speaker* entre 1976 et 1983.

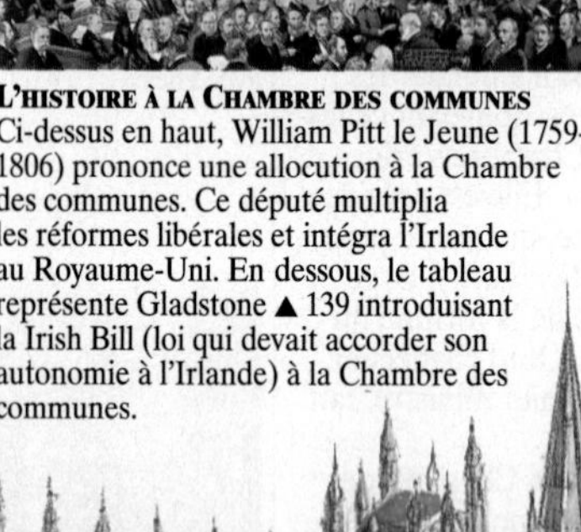

L'histoire à la Chambre des communes
Ci-dessus en haut, William Pitt le Jeune (1759-1806) prononce une allocution à la Chambre des communes. Ce député multiplia les réformes libérales et intégra l'Irlande au Royaume-Uni. En dessous, le tableau représente Gladstone ▲ 139 introduisant la Irish Bill (loi qui devait accorder son autonomie à l'Irlande) à la Chambre des communes.

4

5

6

7

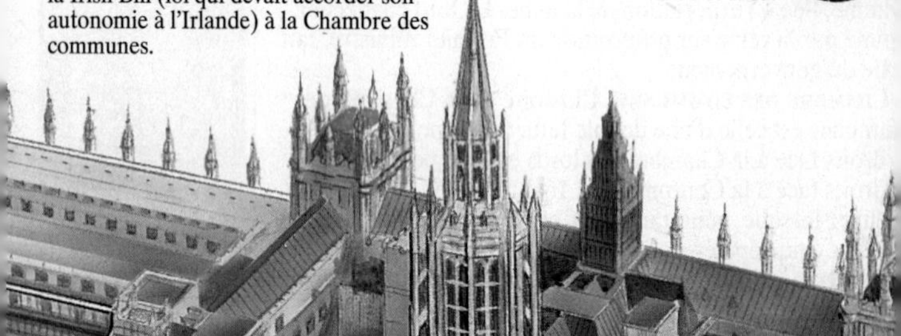

“L'Angleterre est à présent le plus libre pays qui soit au monde, je n'en excepte aucune république ; j'appelle libre, parce que le prince n'a le pouvoir de faire aucun tort imaginable à qui que se soit, par la raison que son pouvoir est contrôlé et borné par un acte.”

Montesquieu
Notes sur l'Angleterre

PROJET POUR L'ENTRÉE À LA CHAMBRE DES LORDS.

LA CHAMBRE DES LORDS

Dans cette majestueuse salle néo-gothique où les dorures sont mises en valeur par le cuir rouge des banquettes, l'imagination néo-gothique de Pugin est à son point culminant. En témoigne le trône couronné d'un magnifique dais, véritable dentelle.

Ci-contre, en haut, la reine Anne, trônant à la Chambre des lords.

LA CHAMBRE DES LORDS, PEINTE EN 1851 PAR JOHN NASH ▲ *257*.

8

9

10

11

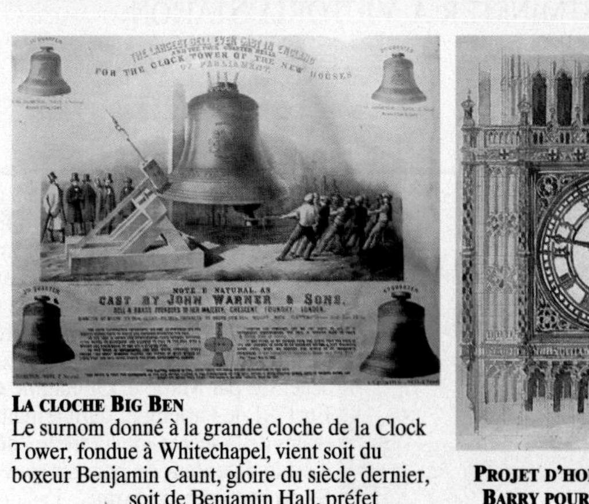

La cloche Big Ben
Le surnom donné à la grande cloche de la Clock Tower, fondue à Whitechapel, vient soit du boxeur Benjamin Caunt, gloire du siècle dernier, soit de Benjamin Hall, préfet des Travaux Publics de l'époque. Lorsque siège le Parlement, une lumière s'allume au sommet de la Clock Tower.

Projet d'horloge de Charles Barry pour la Clock Tower
La réalisation de l'horloge fut le fru d'une âpre compétition entre Benjamin Vuillamy, protégé de Barry, et E.J. Dent. Ce dernier emporta le contrat en 1852, mais mourut l'année suivante, et so gendre reprit le projet. Les cadrans de l'horloge, qui fut achevée en 1854, mesurent 7 m de diamètre.

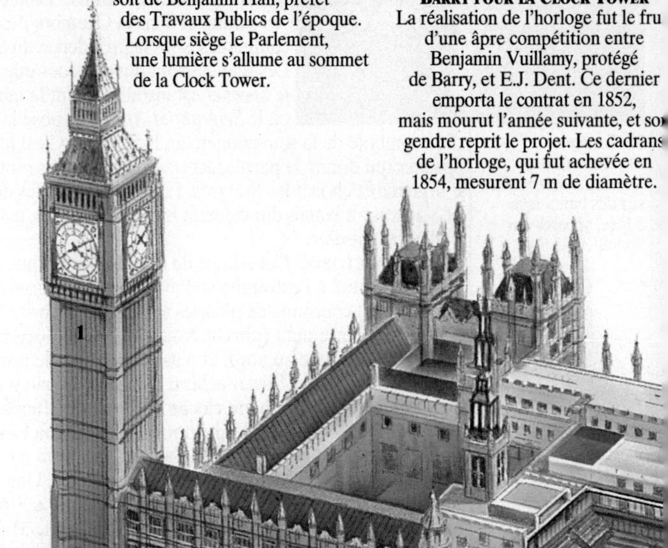

1. Clock Tower (Tour de l'Horloge)
2. Westminster Hall (Grande salle)
3. House of Commons (Chambre des communes)
4. Commons Lobby (vestibule des Communes)
5. Central Lobby (Hall central)
6. Peers' Lobby (vestibules des Pairs)
7. House of Lords (Chambre des lords)
8. Prince's Chamber (salle du Prince)
9. Royal Gallery (galerie Royale)
10. Victoria Tower (Tour de Victoria)
11. Robing Room (vestiaire Royal)

LA CHAMBRE DES COMMUNES
Les députés sont assis sur des bancs face à face, séparés par une allée, le *floor.*

chacune des Chambres chercha à affirm ses droits, la lutte contre l'absolutisme royal fut aussi un long combat commun, commencé en 1215, lorsque les barons imposèrent au roi Jean la Grande Chart et qui s'acheva par la victoire de 1687, quand la Déclaration des Droits fut acceptée par Marie et Guillaume ● *36*. En 1701, le Parlement définit même les règles de la succession au trône : dès lors il est le détenteur du pouvoir souverain.

SÉANCES PARLEMENTAIRES. Les députés se réunissent dans la Chambre des communes, sous la présidence du *Speake* Les séances sont ouvertes dès que le *Speaker* est installé devant la table où le *Sergeant-at-Arms* a déposé la Mass d'or, symbole de la souveraineté du Parlement. C'est le *Speaker* qui donne la parole, accepte ou rejette les motions d'urgence et choisit les orateurs. Lors des débats, les députés ne s'adressent jamais directement les uns aux autres, mais parlent au *Speaker*.

LA TOUR VICTORIA. Cet édifice de style néo-gothique, haut c 104 m, est situé à l'extrémité sud du palais. Surchargé de statues, il est couronné de pinacles aux angles. Il abrite les archives du Parlement (plus de trois millions de documents).

BIG BEN ♥. Située au nord, et plus connue sous le nom de Big Ben, la Clock Tower achève la façade du palais de Westminster. Une première cloche de 16 tonnes, fondue en 1856 par Warner et Sons à Stockton-on-Tees, gagna Londres par bateau. Mais, lors d'un essai, l'alliage ne résista pas au choc d'un battant trop lourd et la cloche fut fêlée. Une seconde cloche de 13,5 t fut fondue à Whitechapel ▲ *316* et installée en 1858. Elle sonna pour la première fois le 31 mai 1859. Jusqu'en 1940, l'exactitude de l'horloge était contrôlée deux fois par jour, par télégraphe, par l'observatoire de Greenwich. Durant la Seconde Guerre mondiale, cette exactitude fut mise à rude épreuve : le 10 mai 1941, après le bombardement de la Chambre des communes, elle indiqua l'heure avec une erreur d'une seconde et demie. Entre 1942 e 1945, elle s'arrêta à trois reprises : par la faute d'un ouvrier, à la suite d'une rupture de ressort et, enfin, à cause du froid.

RITES SÉCULAIRES. Chaque année, en novembre, la reine se rend

Westminster pour ouvrir la session parlementaire. Pénétrant ar le porche d'honneur, elle gagne le Vestiaire royal où elle evêt le Manteau royal et la Couronne impériale. Accompagnée u prince de Galles, elle est accueillie à la Chambre des lords ar le grand chambellan et les lords en robe. Une fois la reine ssise sur son trône, les députés sont invités par un hérault pénétrer dans la Chambre des lords pour écouter la lecture, ar la souveraine, du discours du trône. Cette déclaration de olitique générale est toujours rédigée par le Premier ministre. Alors seulement, le Parlement peut travailler. Avant cette cérémonie, on procède à l'inspection rituelle des caves du palais, en souvenir de la Conspiration des poudres, ourdie par Guy Fawkes, le 5 novembre 1605.

St Margaret's Church

Sur Parliament Square, St Margaret's Church, fondée au XIIe siècle, fut econstruite entre 1486 et 1523. Elle abrite un superbe vitrail abriqué en Flandre, en l'honneur du mariage du prince Arthur, fils aîné d'Henri VII, et de Catherine d'Aragon. De part et d'autre d'une crucifixion, Arthur et Catherine sont eprésentés en orants. Église du Parlement, St Margaret's Church a été aussi le lieu privilégié des mariages à la mode : Samuel Pepys ▲ *40* s'y maria ainsi que Winston Churchill ▲ *42*.

L'Abbaye de Westminster ♥

Lieu du sacre et sépulture royale. L'abbaye remplit à elle seule la double fonction que se partageaient, en France, les cathédrales de Reims et Saint-Denis : lieu de couronnement d'une part, de sépulture royale d'autre part. Ainsi, de Guillaume le Conquérant à Élisabeth II, tous les souverains britanniques, à l'exception d'Édouard V et d'Édouard VIII, y furent couronnés. La plupart des souverains, de Harold Ier (1040) à George II (1760), ont leurs tombeaux à Westminster.

Une fondation incertaine. La première église aurait été édifiée au VIIe siècle, puis plusieurs édifices dont une abbaye bénédictine se succédèrent sur le site. En

Big Ben
Un astronome de Greenwich, George Biddell Airy, fut chargé de régler

les mécanismes de l'horloge afin qu'elle indiquât l'heure (à la seconde près), les jours, les mois, les années, les cycles, et garantir son exactitude. Le carillon égrène un arrangement d'une aria du *Messie*, de Haendel.

Le Hall Central
(À gauche). Vaste, décoré de belles mosaïques, il est situé au cœur du palais de Westminster. C'est là que les députés reçoivent la presse.

Carton d'invitation au couronnement de George IV à Westminster Abbey.

Influence française
Chapelles radiales, déambulatoire, emploi de meneaux entre les vitraux, techniques de décoration (feuillage naturaliste sur les chapiteaux, écoinçons, et l'ange musicien au sourire du transept sud) sont empruntés à la cathédrale de Reims.

Les fenêtres en forme de triangle curviligne s'inspirent d'Amiens et de la Sainte-Chapelle ; la veine française s'inscrit aussi dans les arcs-boutants et les roses des transepts.

1050, Édouard le Confesseur entama la construction d'une église abbatiale, de style normand. Après la canonisation de ce dernier, en 1139, l'abbaye devint un lieu de pèlerinage
Les transformations d'Henri III. Henri III fut le premie à faire modifier l'abbaye : en 1220, il fit ajouter la Lady Chapel, démolie depuis, et, en 1245, il décida la constructio d'un nouvel édifice. L'intervention royale fut décisive pour l'histoire de la cathédrale : le roi imposa son goût et engage les plus grands architectes anglais ou étrangers qui supplantèrent artisans et architectes locaux. La première pierre fut posée le 6 juillet 1245, mais les tours de la façade ouest ne furent achevées que cinq siècles plus tard. Le maîtr d'œuvre de la nouvelle abbaye, Henry de Reynes, lu imprima son caractère français, reflet probabl des goûts du souverain pour un art gothique qu'il connaissait bien. Ainsi, dans son plan comme dans ses proportions, l'architecture de Westminster est d'influence française. Et malgré tous les emprunts à Reims et à Amiens qui font de Westminster la plus française des églises gothiques du pays, Westminst reste anglaise. Des éléments traditionnels tels que la nervure centrale au sommet de la voûte, l'utilisation des galeries, la forme polygonale de la salle capitulaire en témoignent.
L'apport de Henry Yevele. Les transepts, la façade nord, une partie du cloître et la salle capitulaire furent achevés en 1269, à l'occasion de la translation des restes d'Édouard le Confesseur dans la chapelle Saint-Édouard. La grande mosaïque de porphyre, de marbre et de pâte de verre, œuvre du Romain Odericus, était en place devant le maître-autel. Mais la mort d'Henri III, en 1272, provoqua la suspension des travaux. Ils reprirent en 1376 sous la conduite de Henry Yevele, maître maçon du roi, maître d'œuvre de Westminster Hall et de la nef de la cathédrale de Canterbury. Yevele reprit la construction de la nef, remania la maison abbatiale, y ajoutant la chambre de

«Procession des chevaliers de l'ordre du Bain»
Ce tableau de Giovanni Canaletto (1697-1768) illustre une procession des chevaliers de l'ordre du Bain, sortant de l'abbaye de Westminster. Cet Ordre a pour grand maître le souverain du royaume. C'est dans la chapelle Henri-VII que se réunit son conseil. Dans chaque stalle de la nef figurent les armes des chevaliers, gravées sur une plaque de cuivre, au-dessus de laquelle sont attachées leurs bannières.

«DANS CE LABYRINTHE DE TOMBEAUX, JE PENSAIS AU MIEN PRÊT À S'OUVRIR. LE BUSTE D'UN HOMME INCONNU COMME MOI NE PRENDRAIT JAMAIS PLACE AU MILIEU DE CES ILLUSTRES EFFIGIES !»

CHATEAUBRIAND

Jérusalem. En 1413, Henri IV, pris de fièvre alors qu'il priait devant le tombeau du Confesseur, y mourut. Yevele, négligeant l'évolution des styles depuis Henry de Reynes, assura à Westminster une unité et une cohérence exceptionnelles que ses successeurs n'altérèrent pas. En dehors des tours difiées au milieu du XVIIIe siècle par Hawksmoor ▲ *311*, 'essentiel de l'abbaye (dont la nef) fut achevé en 1532. Lors le la dissolution des monastères ● *37*, la protection royale auva Westminster de tout acte de vandalisme.

PANTHÉON ET NÉCROPOLE. La profusion de monuments fait de 'abbaye de Westminster le musée de la sculpture anglaise et émoigne de l'évolution des conceptions et représentations de a mort à travers l'art funéraire du XIIIe siècle à nos jours. Westminster est d'abord un panthéon, car l'abbaye abrite les ombes d'une quinzaine de souverains et celles de certains nembres de leur famille. Ces tombes sont dispersées dans diverses hapelles, deux d'entre elles occupant une place particulière, elle d'Édouard le Confesseur et celle d'Henri VII. Westminster est également une nécropole, puisqu'on ne compte pas moins de inq mille tombes, cénotaphes et mémoriaux dans l'abbaye. Dès e règne de Richard II, les grands serviteurs du royaume furent nhumés dans l'abbaye ou honorés par un cénotaphe. La forte densité de monuments funéraires s'explique également par es besoins financiers du chapitre de l'abbaye, qui n'hésita pas à monnayer le droit d'inhumation dans Westminster. La nef, es bas-côtés et les chapelles rayonnantes furent alors envahis.

LIEUX DE MÉMOIRE. L'espace abbatial est partagé en lieux de mémoire spécifiques. Une partie du collatéral et le transept nord sont dévolus aux hommes d'État : là, tombes et mémoriaux des grandes figures politiques du XIXe et du XXe siècle trouvent leur place. Dans le «COIN DES RADICAUX», Charles Fox (1749-1806), ardent défenseur de la Révolution française, sculpté par Westmacott, meurt dans les bras de la *Liberté* tandis que la *Paix* pleure sa disparition et qu'un esclave noir, à ses pieds, le remercie de son combat pour l'abolition de l'esclavage. Dans le transept nord, Benjamin Disraeli (1804-1881), chantre de la politique coloniale victorienne, contemple, d'un air sceptique, la tombe de son rival William Gladstone (1809-1898), et dans le transept sud se trouve le «COIN DES POÈTES». Savants et ingénieurs, architectes et universitaires, acteurs sont aussi à l'honneur, mais de façon dispersée. L'abbaye est le mémorial des deux guerres mondiales. Le Soldat inconnu a été inhumé en 1926 dans la nef. Enfin, la mémoire de Churchill est évoquée par une plaque à l'entrée de la nef et celle de Franklin Delano Roosevelt, près de la porte ouest de l'abbaye.

LE TRANSEPT NORD
Cette façade spectaculaire donne sur Parliament Square.
Une immense rosace enchâssée dans un bel ensemble d'arcs-boutants surmonte un triple porche.

LA CHAPELLE HENRI-VII, EN 1828
Située derrière l'autel, elle abrite le tombeau du roi, l'œuvre du sculpteur italien Torrigiani, qui avait fui l'Italie après avoir rossé Michel-Ange.

CHANTEURS DE LA CHORALE DE L'ABBAYE DE WESTMINSTER
Comme toutes les églises londoniennes, Westminster a ses chorales, dont une pour enfants.

LA CHAPELLE D'ÉDOUARD LE CONFESSEUR ET LE TRÔNE ♥. Au centre de cette chapelle se dresse le tombeau du saint roi. Le trésor de cette chapelle est le trône de son couronnement, une cathèdre gothique en chêne, décorée de motifs géométriques par le peintre d'Édouard Ier, maître Walter. Ce fauteuil fut réalisé pour abriter la pierre de Scone, morceau de grès rouge sur laquelle s'asseyaient les rois d'Écosse lors de leur couronnement. Au cour de la conquête de l'Écosse, en 1296, Édouard Ier s'empara de ce symbole, le rapporta à Westminster et le fit fixer entre les pieds du fauteuil. Selon la tradition, Jacob posa la tête sur cette pierre lorsqu'il dormit à Béthel. Depuis le couronnement d'Édouard II, en 1308, tous les souverains ont été couronnés sur ce trône qui ne quitta qu'une fois l'abbaye, lors du protectorat de Cromwell.
Dans l'oratoire qui précède la chapelle gît le vainqueur de la bataille d'Azincourt, Henri V, ainsi que, depuis la fin du XIXe siècle, son épouse Catherine de Valois (Kate). Durant trois siècles, en effet, la dépouille embaumée de la reine avait été exposée dans une tombe ouverte.

LA CHAPELLE HENRI-VII ♥. Le règne d'Henri VII Tudor (1485-1509) occupe une place majeure dans l'histoire de l'abbaye. Désireux, en effet, d'offrir une sépulture digne d'un saint à son oncle Henri VI, assassiné en 1461, soucieux aussi de légitimer son pouvoir, le roi fit édifier une chapelle (achevée vers 1512, sous Henri VIII) qui occupe une place particulière dans cette nécropole royale. La chapelle Henri-VII, symbole de la nouvelle dynastie Tudor, bâtie en pierre de Huddelston dans le prolongement du chœur, est en fait une abbaye avec sa nef, ses bas-côtés, son abside et ses cinq chapelles rayonnantes. Elle eut pour vocation d'éblouir : voûte en éventail, entrelacs des nervures, pendants font

GISANT DE GUILLAUME DE VALENCE
«Toute l'histoire d'Angleterre est là. [...] Les plus anciens gisants, aux pieds tournés vers l'ouest, les rois et les princes, raidis sur leur fraise pareille à un billot de marbre...»
Paul Morand, *Londres*

Couronnement de Guillaume IV en l'abbaye de Westminster.

LA NEF
Théâtrale et aérienne, la nef de Westminster surprend le visiteur. L'envolée, haute de 31 m sous la voûte, renforcée par l'étroitesse de la nef (moins de 12 m), souligne cette impression de grandeur. Le sombre marbre de Lurbeck fut employé pour les colonnes principales. L'allée est éclairée grâce à une immense verrière du XVe siècle située au-dessus de la porte ouest. Au fond apparaissent les premiers éléments du chœur.

«Ce coin des poètes est célèbre [...] dans le monde entier. Ceux qui reposent ici ne sont pas seulement des gloires anglaises ; ce sont des citoyens de l'univers : ils ont travaillé pour l'humanité» Louis Énault

Le coin des Poètes
Le transept sud abrite le «coin des Poètes», où le premier écrivain inhumé est Chaucer, auteur des *Contes de Canterbury*, en 1400. Peu à peu, l'habitude d'honorer par une plaque les écrivains a été prise. Ainsi Haendel, dont le monument funéraire fut sculpté par Roubillac, est-il perdu parmi les écrivains, Milton, Shakespeare, Byron, Tennyson et Henry James. Ben Jonson, l'auteur de Volpone, l'ami de Shakespeare et de Bacon, a le double honneur d'un mémorial dans le coin des Poètes et d'une tombe dans le bas-côté nord de la nef. Il souhaita être enterré dans l'abbaye : «deux pieds sur deux me suffiront». Aussi fut-il enterré debout, avec l'épitaphe : «O rare Ben Johnson»

a richesse et témoignent de la virtuosité des architectes. .à encore, les sépultures royales et nobles sont nombreuses, commencer par celle d'Henri VII et d'Élisabeth d'York. Au nord, Élisabeth et Marie Tudor partagent le même caveau et, dans le «coin des Innocents», la princesse Sophie, fille le Jacques Ier, renvoie son pâle reflet, à côté de sa sœur Marie.

Chapelle de la Royal Air Force. La chapelle située dans l'axe de la chapelle Henri-VII, est actuellement celle de a R.A.F. En 1658, Cromwell y fut enterré. À la Restauration cependant, son corps fut exhumé, pendu au gibet de Tyburn usqu'au 30 janvier 1661, anniversaire de l'exécution de Charles Ier. Sa tête fut alors fichée, au bout d'une pique, sur le toit de Westminster Hall.

La geste royale. Dans le chœur se déroulaient es couronnements, cérémonies strictement réglées par e *Liber regalis*, rédigé au XIVe siècle. L'abbaye n'échappa pas à la fièvre politique. Par le cloître, on gagne la salle du Chapitre, octogone symétrique qui fut reconstruit sous Henri III. À partir de 1352, elle accueillit la Chambre des communes, au grand mécontentement des moines qui se plaignaient du bruit. Et lorsque ces derniers reprirent leur salle, les Communes durent s'installer dans le réfectoire de l'abbaye ! Les murs de la salle du Chapitre sont décorés des fresques du moine Jean de Northampton. Son pavement, réalisé vers 1250, est le plus bel exemple de cet art du XIIIe siècle. Les carreaux, vernis à l'origine, sont ornés de motifs variés dont les armes du roi Henri : des léopards, traversant la salle en deux bandes continues, des scènes figuratives et des rosaces. Deux sujets sont propres à Westminster : le poisson, rappel de la dîme que l'abbaye imposait aux pêcheurs de la Tamise, et «Saint Édouard et le pèlerin». L'histoire de l'abbaye est évoquée dans le musée de l'Abbaye (effigies en bois ou en cire de personnalités historiques), situé sous la salle du Chapitre. Au sud du vestibule par lequel on accède à cette dernière, se trouve la salle des Coffres (Pyx Chamber). Cette crypte romane, construite vers 1070, fut d'abord une sacristie avant d'abriter le trésor de l'abbaye au XIIIe siècle. Du début du XIVe siècle au XIXe siècle, elle devint trésor royal.

Tombeau de la reine Élisabeth Ire

Tombeau d'Édouard le Confesseur
(À gauche). Il ne reste du tombeau original que le piédestal. La châsse dorée qui le surmonte date du XVe siècle. Sur la corniche qui sépare la chapelle du chœur, une frise illustre des scènes de la vie de saint Édouard.

Downing Street
Le n° 10, la plus illustre demeure de Downing Street, est aujourd'hui relié aux n°s 11 et 12. La maison fut offerte en 1732 par George II à Robert Walpole, alors premier lord de la Trésorerie. Walpole refusa ce don pour lui-même et en fit présent au premier lord. Lorsque fut créée la fonction de Premier ministre, le n° 10 devint la résidence officielle de ce dernier. Le n° 11 abrite le domicile du chancelier de l'Échiquier : la salle à manger est l'œuvre de Soane, qui l'éclaira par un dôme identique à celui de sa maison de Lincoln's Inn Fields.

Le quartier général des Horse Guards
Il fut dessiné par W. Kent, l'un des fondateurs du renouveau palladien, vers 1745-1748 et construit, après sa mort, entre 1750 et 1760 par J. Vardy. Ce bâtiment, fait d'éléments juxtaposés associant saillants et rentrants, s'articule sur les trois côtés d'une cour et ouvre sur l'esplanade du Horse Guards' Parade par un ensemble de trois arches. Hogarth se fit un malin plaisir de dénoncer une architecture dépourvue de vie.

Dean's Yard

Dans ce paisible square est installée l'une des plus prestigieuses *public schools*, la Westminster School, héritière d'une vieille école monastique attachée à l'abbaye bénédictine de Westminster, qui avait survécu à la dissolution de 1540 ● *47*.
Ashburnham House. Construite en 1662 par John Webb, la demeure est célèbre par sa cage d'escalier carrée, soutenue par des piliers ioniques et éclairée par une lanterne. Il s'agit de l'une des très rares maisons londoniennes du milieu du XVIIe siècle. Au-delà de Dean's Yard s'ouvrent des rues tranquilles, bordées de belles maisons georgiennes que les membres du Parlement louent souvent lors des sessions parlementaires.

Le long de Whitehall

Whitehall, qui relie Westminster à Charing Cross, est l'avenue sur laquelle se concentrent les ministères, la résidence du Premier ministre et les administrations centrales.
Whitehall. À l'origine se trouvait là York Place, résidence londonienne des archevêques d'York, édifiée en 1245, sur des terres achetées à l'abbaye de Westminster. Thomas Wolsey, archevêque de 1514 à 1529, cardinal et lord chancelier, agrandit et embellit York Place, la transformant en un palais Renaissance dans lequel il recevait Henri VIII et sa cour. Lorsque, en 1530, il eut disgracié Wolsey, Henri VIII confisqua York Place et, abandonnant le trop vétuste palais de Westminster, fit de ce qui désormais s'appelle Whitehall sa résidence favorite. Malgré les grands projets du souverain, qui avait acquis un vaste domaine entre Charing Cross et St James's Park, Whitehall ne fut qu'un assemblage disparate

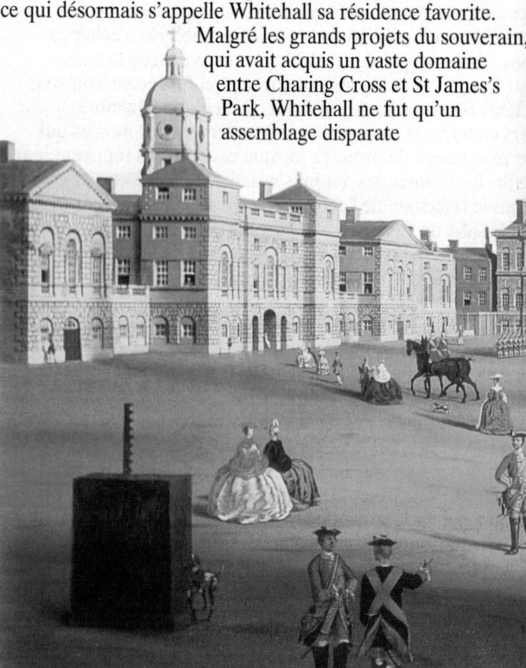

Le quartier général des Horse Guards
Chaque jour la garde est montée, de 10h à 16h, par deux gardes à cheval, à l'entrée de Whitehall, par deux gardes à pied, du côté de Horse Guards' Parade ● 50.

e constructions, dont il ne reste rien. La dynastie des Stuarts urait dû marquer un important changement dans l'histoire e Whitehall : Inigo Jones (1573-1652) et son neveu John Vebb (1611-1672) furent chargés de remodeler et d'agrandir et immense palais d'environ deux mille pièces, bâti sur près e 10 ha. Mais leur projet, inspiré de l'Escurial et des uileries, fut rapidement abandonné. À partir de 1685, c'est Vren qui, à son tour, imprimait sa marque à Whitehall, difiant d'abord une galerie privée et une chapelle pour le atholique Jacques II puis, du côté du fleuve, les ppartements de la reine. Mais les incendies de 1691 et 1698 rent disparaître l'essentiel du palais, n'épargnant que anqueting House. Les successeurs de Jacques II, Marie et Guillaume d'Orange, ayant abandonné Whitehall dès 1690 our Kensington, le palais ne fut pas reconstruit.

Downing Street. Cette étroite allée, impasse à l'origine, doit on nom au parlementaire sir George Downing. Au sud, la rue st bordée par le Foreign and Commonwealth Office, onstruit entre 1868 et 1873 en style italien. En face, au n° 10, e trouve la résidence du Premier ministre. En 1766, sa façade ut refaite en brique, ce qui lui donne un aspect austère. L'intérieur, dont le centre est occupé par un splendide escalier, ut modifié entre 1732 et 1735 par William Kent puis, en 1825, ar Soane ▲ *166,* qui dota la salle à manger d'un exceptionnel lafond de style gothique décoré à la grecque.
Les transformations contemporaines n'ont pas altéré l'œuvre le Kent et de Soane. Les questions qui doivent être débattues ux Communes sont préalablement abordées dans le Cabinet Room, au rez-de-chaussée.

La vieille trésorerie. Mitoyenne des âtiments de Whitehall, elle présente ne façade du début de l'époque ictorienne, œuvre de Charles Barry ▲ *129*.

L'Amirauté et Admiralty House. Derniers des grands bâtiments fficiels sur l'ouest de Whitehall :

Whitehall
Au XVIIe siècle, Whitehall connaît une double évolution : d'une part, des parcelles sont louées à des particuliers et, d'autre part, les chantiers de construction des bâtiments publics débutent : ils connaîtront leur apogée à l'époque victorienne.

Officier des «Life Guards»
Sur l'esplanade de Horse Guards' Parade se produisent depuis le XVIe siècle revues et parades.

En 1755 a lieu le premier *Trooping the Colour* qui se déroule régulièrement à partir de 1805.
Cette cérémonie commémorait la vieille habitude de faire parader drapeaux et bannières au front des troupes pour les habituer à leurs couleurs sur le champ de bataille ● *50*.

PLAFOND DE RUBENS, BANQUETING HOUSE
Ces immenses toiles d'inspiration baroque furent peintes par Rubens, à la gloire de la monarchie.

l'Amirauté et Admiralty House. Cette dernière, construite par S. P. Cockerell en 1786-1788, est la résidence du premier lord de l'Amirauté. On y accède par une aile de l'Amirauté, construite entre 1722 et 1726 par Ripley. Ce bâtiment en brique, à trois étages, incorpore des éléments de la construction de Wren, en particulier dans la Board Room.

BANQUETING HOUSE ♥. Situé sur le côté est de Whitehall, c'est l'unique édifice rescapé du palais qui s'y trouvait. Faute d'une salle de réception, Elisabeth Ire fait édifier en 1581, pour accueillir le duc d'Alençon, un pavillon de bois et de toile, doté de fenêtres vitrées et d'une riche décoration. C'est la première Banqueting House. En 1606, Jacques Ier fait construire un édifice de pierre, œuvre de Basil détruite par un incendie en 1619. Le roi charge alors Inigo Jones ▲ *273*, *326* de le remplacer.

ADMIRALTY ARCH
Près du Mall, Admiralty Arch fut construit en 1911 par sir Aston Webb. Cet arc, composé de trois arches identiques, est complété des deux côtés par des ailes incurvées. L'arc avait été conçu comme élément d'un mémorial à la gloire de Victoria.

BANQUETING HALL ♥. Jones construit une vaste salle de 34 m de long sur 17 m de large et de haut, soit un double cube. Il reprend le modèle palladien qu'il a inauguré à Greenwich. Le hall repose sur une crypte. L'extérieur comporte un soubassement surmonté de deux étages (le premier de style ionique, le second de style corinthien) couronnés par un parapet avec balustrade à colonnettes. Ce type de façade servira de modèle aux maisons aristocratiques du XVIIIe siècle ● *76*. Les peintures du plafond furent commandées en 1629 par Charles Ier à Rubens, alors en mission diplomatique à Londres. Installés en 1635, ces panneaux peints à Bruxelles ont pour thème central les bienfaits apportés au Royaume-Uni d'Angleterre et d'Écosse par le règne sage et éclairé de Jacques Ier. Après l'incendie de 1698, le hall, modifié par Wren, devint chapelle royale jusqu'à ce que, en 1890, Victoria affectât le bâtiment à la Royal United Service Institution qui en fit un musée. Après 1964, Banqueting Hall fut restauré et les peintures furent remises à leur place.

UNE PROMENADE À LA MODE
Pendant plus d'un siècle et demi, le Mall, bordé d'arbres fut l'avenue en vogue, à la fois bourgeoise et aristocratique. C'est aussi la voie royale, parcourue par les cortèges lors des cérémonies et parades de la monarchie.

LE MALL

En regagnant Admiralty Arch, on entre sur le Mall, créé vers 1660. Au début du XXe siècle, cette avenue est intégrée dans un ensemble monumental et devient l'axe joignant Admiralty Arch au mémorial de Victoria, devant Buckingham Palace.

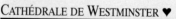

CATHÉDRALE DE WESTMINSTER ♥

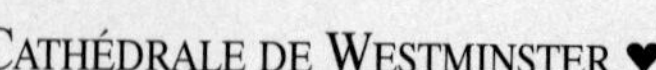

Par Victoria Street, bordée d'immeubles de bureaux sans grand intérêt, on arrive à ASHLEY PLACE, où se dresse la cathédrale de Westminster, enserrée dans l'un des derniers écrins victoriens, empreinte de calme, entre Francis Street, Ambrosden Avenue et Morpeth Terrace. La hiérarchie catholique avait été restaurée en 1850 en Angleterre, mais aucune cathédrale n'avait été bâtie. À la fin de sa vie, le cardinal Manning acheta le terrain de Bulinga Fen, après la destruction de la prison qui s'élevait sur ce lieu. Son successeur, le cardinal Vaughan, décida, en 1894, l'édification d'une cathédrale sur ce terrain et fit appel à J. F. Bentley, doyen des architectes catholiques. Contrairement aux vœux de Vaughan, qui souhaitait deux tours symétriques sur la façade, Bentley choisit cette surprenante asymétrie.

Sous le signe de la grandeur. Si l'immensité surprend de l'extérieur (le campanile mesure 83 m de haut, et la cathédrale 110 m de long), elle surprend encore plus à l'intérieur. La nef, la plus large d'Angleterre, accueille mille deux cents personnes assises tandis que les galeries qui couvrent les bas-côtés peuvent en recevoir plusieurs centaines. L'architecte souhaitait décorer les murs, les piliers et les dômes de marbres et de mosaïques comme à Ravenne et à Saint-Marc. Plus de cent variétés de marbres furent ainsi utilisées. Le marbre vert des huit piliers monolithiques de la nef provient des carrières d'où Justinien fit venir, en 563, les marbres destinés à Sainte-Sophie. Mais la décoration intérieure resta inachevée. Les coupoles n'ont pas reçu leur revêtement et laissent apparaître la brique. Seules les chapelles latérales, en particulier la Lady Chapel, la chapelle Saint-Paul et la chapelle Saint-Edmund ont été décorées de riches mosaïques, parfois très chargées.

Southern Railway
Le trafic s'accrut avec l'essor des échanges continentaux et des voyages sur la côte sud.

Douze millions et demi de briques !
La cathédrale ne devait pas avoir à rivaliser avec l'abbaye de Westminster, aussi Bentley, partisan du Gothic Revival, fut-il contraint de chercher un autre style. Un voyage en Italie en 1894 lui fit découvrir l'architecture chrétienne primitive, l'architecture italienne du Moyen Âge et celle de Byzance, d'où la construction, entre 1895 et 1902, d'un édifice en brique rouge (douze millions et demi de briques) rayé de pierre blanche de Portland. La cathédrale associe le modèle byzantin de la basilique à coupole, dont le prototype était Sainte-Sophie, et le modèle italien du campanile, emprunté à Sienne ou à Venise.

Victoria Station

On y accède par Buckingham Palace Road. À l'origine, il s'agissait de deux gares édifiées dans les années 1860 par des compagnies ferroviaires intéressées par le trafic vers la côte sud et les ports du continent : la London, Brighton and South Coast Railway et la London, Chatham and Dover Railway. En 1908, elles fusionnèrent pour devenir la gare des trains maritimes et, en 1923, la Southern Railway fit abattre le mur qui séparait les deux gares. Victoria Station a vu débarquer sur la Continental Platform, lors de fastueuses cérémonies, nombre de têtes couronnées et de chefs d'État.

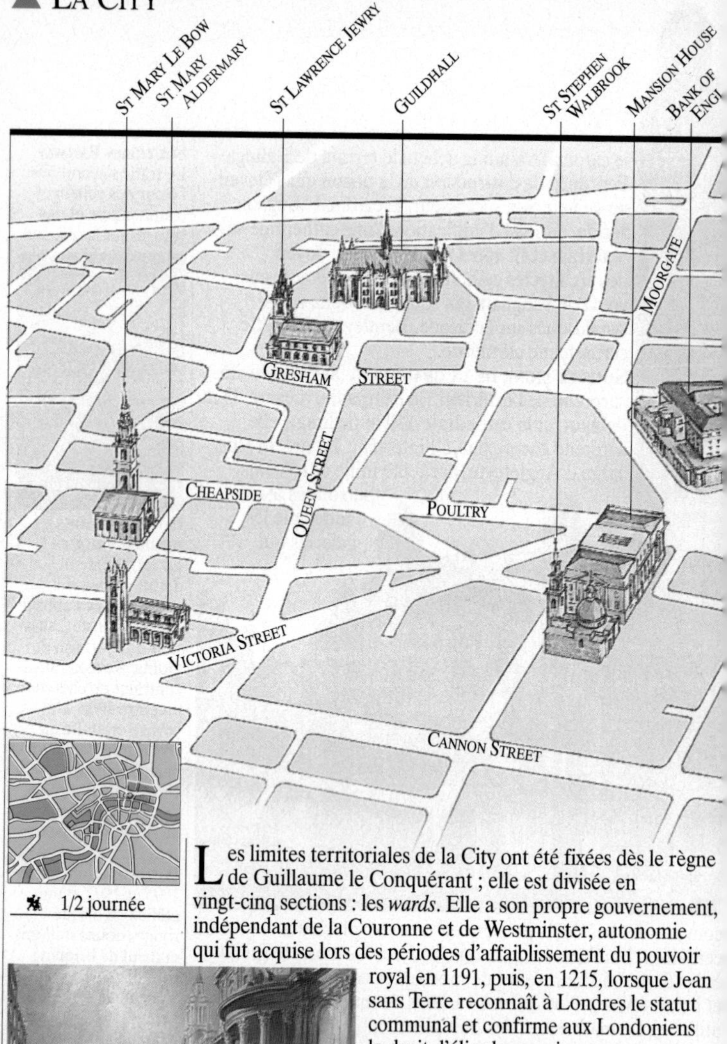

ST MARY LE BOW
ST MARY ALDERMARY
ST LAWRENCE JEWRY
GUILDHALL
ST STEPHEN WALBROOK
MANSION HOUSE
BANK OF ENGL
MOORGATE
GRESHAM STREET
CHEAPSIDE
QUEEN STREET
POULTRY
VICTORIA STREET
CANNON STREET

1/2 journée

Les limites territoriales de la City ont été fixées dès le règne de Guillaume le Conquérant ; elle est divisée en vingt-cinq sections : les *wards*. Elle a son propre gouvernement, indépendant de la Couronne et de Westminster, autonomie qui fut acquise lors des périodes d'affaiblissement du pouvoir royal en 1191, puis, en 1215, lorsque Jean sans Terre reconnaît à Londres le statut communal et confirme aux Londoniens le droit d'élire leur maire.

LA REINE REND VISITE AU LORD-MAIRE
La reine Victoria se rend à Guildhall, le 9 novembre 1837. Chef de la plus vieille municipalité du monde, le lord-maire jouit de certains privilèges dans la City : il a préséance sur tous, sauf sur le souverain auprès duquel il a un droit d'audience.

«LIVERIES». Les *liveries* ou compagnies à uniforme, qui tirent leur nom de l'uniforme que portent leurs membres lors des cérémonies et des banquets, assurent dès le XIIe siècle la direction de la Cité. Bien qu'elles aient perdu de leur importance depuis le Moyen Âge et leur caractère religieux avec la Réforme, ces corporations ont conservé leurs activités charitables. En 1514, l'assemblée des *aldermen* (échevins) fixa un ordre de préséance, confirmant la place qu'avaient acquise les douze grandes compagnies – marchands de soieries, épiciers, drapiers, poissonniers, orfèvres, pelletiers, tailleurs, merciers, marchands de sel, ferronniers, négociants en vins et fabricants de drap –, ordre qui n'a guère évolué aujourd'hui : la centième compagnie, celle des techniciens de l'information, est née en 1992.

L'ÉLECTION DU LORD-MAIRE. Depuis 1189 ou 1192, date approximative de la première élection du lord-maire, celui-ci est réélu tous les ans à Guildhall, le jour de la Saint-Michel, le 29 septembre. Deux candidats *aldermen* sont désignés par

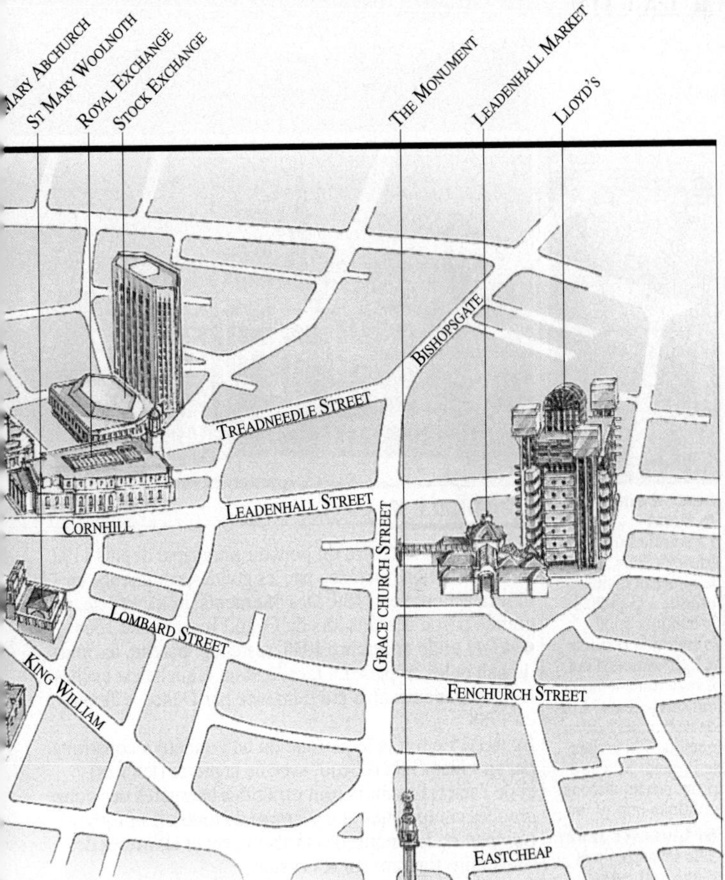

Mary Abchurch
St Mary Woolnoth
Royal Exchange
Stock Exchange
The Monument
Leadenhall Market
Lloyd's
Bishopsgate
Treadneedle Street
Leadenhall Street
Cornhill
Grace Church Street
Lombard Street
King William
Fenchurch Street
Eastcheap

l'assemblée des corporations, appelée Common Hall. L'assemblée élit le premier de la liste à main levée en criant : «All !» et encourage le second aux cris de «Next year !». L'entrée en fonction du maire s'accompagne de cérémonies codifiées telles que le *Silent Change* au cours duquel les insignes du pouvoir – épée de perles et épée d'Etat, sceptre de cristal, grande masse et collier à double S – sont transmis au nouveau lord-maire dans un silence total de vingt minutes.

Lord Mayor's Show
Fastueuse parade tenant du carnaval, elle escorte le lord-maire lorsqu'il va faire acte d'allégeance au souverain et le raccompagne ensuite à Mansion House, sa résidence officielle. En usage depuis 1755, le carrosse est tiré par six chevaux gris pommelés. Ces festivités sont l'occasion de spectacles autrefois mis en scène par les poètes de la City.

LORD MAYOR'S BANQUET
Le soir du Lord Mayor's Show, le nouveau maire préside à Guildhall le banquet dont la tradition remonte à 1501. Aujourd'hui, il se déroule le lundi qui suit le Show. Lors de ce banquet, devant quelque 700 invités, le Premier Ministre prononce un discours politique important.

ST LAWRENCE JEWRY
Elle est surmontée d'une tour carrée de pierre.
Entre les colonnes du fronton alternent niches et fenêtres surmontées d'une frise exceptionnelle de fruits et de fleurs, œuvre de Wren ▲ *171-174*.

GUILDHALL ♥

Guildhall est le centre du pouvoir municipal depuis 1192. Sa construction, financée par les guildes, commence en 1411 et sera achevée en 1439. Des bâtiments du XVe siècle, en grande partie détruits lors du Grand Incendie de 1666 ● *40-41* et de décembre 1940, restent le porche, les murs du hall et les cryptes. La façade, dans laquelle est enchâssé le porche médiéval, a été remaniée par Dance le Jeune en 1788.

LE HALL. Le toit et le plafond du hall ont été reconstruits par sir Giles Gilbert Scott, avec de la pierre (les arcs) et de l'acier. Les murs sont ornés des bannières des douze grandes compagnies et des armes de toutes les *Livery Companies*. Les noms des lords-maires et les armes des souverains figurent sur les vitraux.

LES CRYPTES. Sous Guildhall se trouvent deux cryptes : la plus tardive, à l'est, où nef et bas-côtés sont séparés par de délicats piliers en marbre de Purbeck, date du début du XVe siècle. L'autre, à l'ouest, probablement de la fin du XIIIe siècle est, malgré sa belle voûte soutenue par de gros piliers octogonaux, d'un style beaucoup plus primitif.

LA BIBLIOTHÈQUE. Guildhall est doté d'une remarquable bibliothèque créée en 1423, grâce à un legs de Richard Whittington. Cette première bibliothèque publique fut saisie en 1549 par le duc de Somerset. Reconstituée en 1828, ouverte au public en 1873, elle renferme la plus belle collection d'ouvrages, de gravures, de cartes consacrés à Londres et des documents relatifs aux mandats des maires. Elle abrite aussi l'un des plus riches musées de l'Horlogerie du monde. Une nouvelle bibliothèque a été ouverte en 1974, dans l'aile ouest.

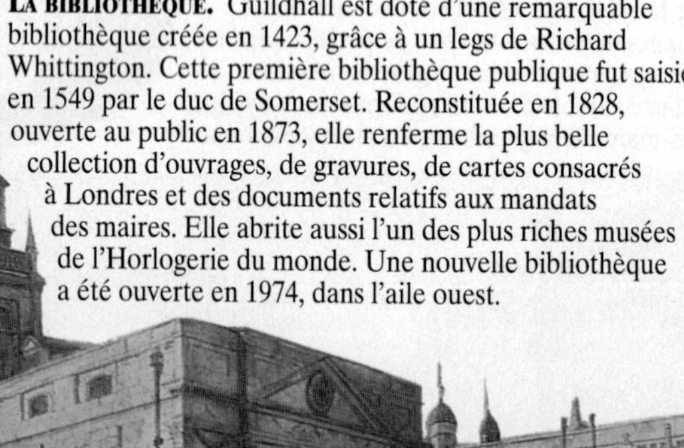

St Lawrence Jewry

Face à Guildhall, St Lawrence Jewry est située aux limites de l'ancien quartier juif, d'où son nom.

Église officielle de la Corporation de Londres. Le lord-maire et les *aldermen* y ont leurs bancs et une chapelle a été consacrée au Commonwealth, en souvenir du rôle joué par les marchands de la City dans l'essor de l'Empire. Depuis, l'église du XIIe siècle, ravagée par le Grand Incendie, a été remplacée par une église construite par Wren de 1670 à 1687. L'intérieur de l'église, détruit en 1940, a été restauré par Cecil Brown, qui l'a légèrement modifié, le rendant plus spacieux.

St Mary Woolnoth ♥

À l'angle de Lombard Street et de King William Street se trouve St Mary Woolnoth. L'église, antérieure à la conquête normande, a été reconstruite en pierre par Guillaume le Conquérant (v. 1028-1087) . Wren ▲ *171-174* se contente de la rafistoler après le Grand Incendie. Les travaux de reconstruction sont confiés en 1716 à l'un de ses élèves, Hawksmoor ▲ *312*, qui, en dix ans, édifie la plus originale des églises de la City. Sa beauté baroque éclate à l'intérieur, où quatre volées de trois fins piliers corinthiens délimitent un carré. Parmi les monuments, on peut citer celui d'Edward Lloyd ▲ *153*, à l'origine de l'illustre compagnie d'assurances, et celui de John Newton, marchand d'esclaves repenti qui prêcha à St Mary.

Mansion House

Dans le cœur financier de la City se dresse Mansion House. Le palais, œuvre de Dance l'Ancien, est un lourd édifice de style palladien en pierre de Portland. Sa façade est précédée d'un portique à six colonnes corinthiennes géantes reposant sur un étage en appareil rustiqué. Le tout est surmonté d'un fronton sculpté présentant les allégories de Londres et de la Tamise. Dès la fin du XVIIIe siècle, l'ensemble fut remanié par Dance le Jeune, qui enleva l'escalier intérieur et embellit le Hall Égyptien, salle de réception du lord-maire, de style romain : le plafond fut abaissé grâce à une voûte en berceau, de hautes fenêtres furent ajoutées et des niches sculptées.

St Stephen Walbrook

Sur Walbrook, St Stephen, construite par Wren en 1672-1679, semble être une ébauche de St Paul ▲ *171*.

Fastes fluviaux
Au cours des fêtes qui ont lieu lors du Lord Mayor's Show, le nouveau maire de Londres se rend parfois en barque jusqu'à Westminster, rappelant ainsi la cérémonie des épousailles du doge avec la mer à Venise.

Résidence du lord-maire
Le palais de Mansion House fut construit, de 1739 à 1753, sur le site de l'ancien Stocks Market, marché de viande et de poisson, installé au XIIIe siècle, au débouché de Poultry. Dance l'Ancien tira parti des difficultés du terrain. Collaborateurs et officiers du lord-maire de la Cité ont leurs bureaux à Mansion House où se tient aussi l'un des deux tribunaux de la Cité. Dans les sous-sols se trouvent dix cellules pour hommes et une cellule pour femmes – la cage d'oiseau – où fut enfermée la suffragette Emmeline Pankhurst.

L'intérieur de St Stephen Walbrook
L'ensemble, rectangulaire, divisé par quatre rangées de colonnes en cinq bas-côtés, est coiffé d'une coupole surmontée d'une lanterne. La lumière vient de trois sources différentes : la lanterne, les fenêtres de la façade est et la nef.

Les lingots de la Banque d'Angleterre
La banque d'Angleterre détient toujours, dans ses caves, l'or de la nation.

Une rue de la City au début du siècle
Cette photographie ancienne traduit l'ambiance de la City, (ici Mansion House et Cheapside) au temps où elle était encore le cœur financier de la planète.

La Banque d'Angleterre
Soane réalisa, par étapes, une construction néo-classique comprenant, outre l'immense façade aveugle décorée de colonnes corinthiennes, le Stock Office (1792), la Rotonde (1796) et le Dividend Office (1818-1823). Ces salles démontraient que le néo-classique pouvait allier finesse et légèreté. Au nouveau musée de la Banque d'Angleterre, une maquette présente l'originalité de cette œuvre.

La City

La City, édifiée sur le site du vieux Londres romain, en grande partie détruite par la guerre, ne cesse, depuis les années cinquante, de changer de physionomie. La spéculation aidant, les immeubles des années cinquante laissent la place aux ensembles ultra-modernes de verre et d'acier qui voisinent avec les quelques constructions anciennes sauvegardées.

La Banque d'Angleterre ♥

À l'origine, cette institution privée, fondée en 1694 par l'Écossais William Paterson, était destinée à fournir l'argent nécessaire à la guerre contre la France. Dès 1766, Pitt l'Ancien en fait la banque du gouvernement. La loi de 1844 la divise en deux départements : «banque» et «émission». Le département «banque» est une banque ordinaire qui a de surcroît la responsabilité d'assurer les réserves monétaires du pays ; le département «émission» a la charge d'émettre les billets.

La «vieille dame de Threadneedle Street». Nationalisée en 1946, la «vieille dame de Threadneedle Street», pour reprendre l'expression lancée par Sheridan aux Communes en 1797, est la banque des banques. Elle supervise le système bancaire britannique, fort complexe, élaboré depuis le XVIIIe siècle (*clearing houses* ou banques de dépôt, *accepting houses* ou banques d'affaires). Elle est dirigée par un conseil d'administration nommé par la Couronne. Les portiers, en haut-de-forme, portent encore sa livrée rose.

Œuvre de Soane. D'abord logée dans le hall de la guilde des Merciers puis dans celui de la guilde des Epiciers, dans Poultry, la banque s'installe, en 1734, dans Threadneedle Street. En 1788, Pitt le Jeune confie à John Soane ▲ *166* la construction d'un nouvel édifice. Sa réalisation s'avéra délicate du fait de l'exiguïté de l'espace disponible. De plus, la crainte des émeutes imposa l'édification d'un mur aveugle sur la rue. L'ensemble, très profondément agrandi et remanié pendant l'entre-deux-guerres par sir Herbert Baker, ne conserva de l'œuvre de Soane que quelques rares éléments intérieurs et le mur extérieur.

Le Royal Exchange

Face à la Banque d'Angleterre, le Royal Exchange est la plus vieille institution marchande de la City, créée par sir Thomas Gresham. La Bourse, construite à Cornhill par des Flamands avec des matériaux importés de Flandres, ouvre en 1567. Bâtie sur le modèle de celles d'Anvers et de Venise, elle présente une piazza entourée de galeries ouvertes surmontées de boutiques. En 1570, Elisabeth Ire, venue l'inaugurer, lui donne ses lettres de noblesse : la Bourse sera le Royal Exchange. Les bâtiments, anéantis par le Grand Incendie, sont remplacés par l'ensemble, plus vaste, de Jarman, détruit à son tour en 1838. Il laisse place à un troisième édifice, construit par sir William Tite et inauguré par Victoria en 1844. De style néo-classique, il présente, en façade, un portique décoré de huit lourdes colonnes corinthiennes supportant un fronton sculpté dont la figure centrale représente le Commerce. Elle a cessé ses fonctions en 1939 et abrite depuis 1983 un marché à terme, le LIFFE (London International Financial Future Exchange). De la Bourse de 1567 ne subsiste que le pavement à la turque de la cour.

La statue de Wellington. Devant le Royal Exchange se dresse la statue équestre du duc de Wellington ▲ *244-245*, coulée dans le bronze de canons pris aux Français à Waterloo. Inaugurée en 1844, en présence du duc , elle est l'œuvre de Chantrey.

«Dividend Day»
Ce tableau de 1859 évoque le *Dividend Day*, jour de paiement trimestriel à la Bourse de Londres où les titulaires des comptes récupéraient leurs bénéfices.

Thomas Gresham
Fils d'un marchand qui fut Lord Maire, Thomas Gresham (1519-1579) est le premier exemple d'un homme ayant mené une double carrière, au service de la Couronne et du commerce. Agent des Marchands de Londres à Anvers, il y découvre la Bourse. A son retour, il crée pour les marchands de Lombard Street, un lieu de transaction et d'échanges : le Royal Exchange. Son emblème, une sauterelle dorée, en couronne toujours la façade.

Le Stock Exchange

Le Stock Exchange est né des besoins de capitaux et du développement des sociétés par actions, créées par l'expansion du commerce et de l'industrie.

LE TEMPS DES «COFFEE HOUSES». Jusqu'au XVIIe siècle, les transactions s'effectuaient à l'extérieur du Royal Exchange. Mais les négociants, dérangés par la présence bruyante des agents de change, chassent ces derniers, qui, en 1698, s'installent dans les *coffee houses* de Change Alley, entre Lombard Street et Cornhill : au JONATHAN'S COFFEE HOUSE, ouvert vers 1680, ou encore chez GARRAWAY'S, qui, dix ans plus tôt, fut le premier à vendre du thé. Là, ils traitent avec leurs clients. En 1773, n'ayant plus accès au JONATHAN'S, des agents de change ouvrent une nouvelle Bourse, dans Threadneedle Street, et la baptisent Stock Exchange. Dès sa création, le Stock Exchange est un organisme autonome du pouvoir politique et très jaloux de son indépendance. En 1801, un petit groupe d'agents de change acquiert un nouvel emplacement à Capel Court, près de la Banque d'Angleterre, et y fait construire un nouvel édifice – aujourd'hui disparu – par un assistant de Dance le Jeune.

«BROKERS» ET «JOBBERS». Malgré l'admission des femmes en 1973, le fonctionnement du Stock Exchange n'a guère varié depuis le XVIIIe siècle. Les membres du Stock Exchange sont divisés en deux catégories : *brokers* et *jobbers*, fonctions propres à la Bourse de Londres. Les *jobbers* sont des marchands de titres, dégageant leur profit de la différence entre le prix d'achat et le prix de vente d'un titre, mais ils ne peuvent vendre ou acheter de titres directement auprès des particuliers qui n'ont pas accès à la Bourse

ATMOSPHÈRE DE LA CITY
Il faut déambuler dans ces rues en semaine, aux heures d'ouverture des bureaux, lorsque la City grouille de ses 400 000 ou 500 000 cadres et employés. Certes, ce n'est plus tout à fait l'atmosphère victorienne qui régnait encore dans le quartier jusque dans les années cinquante. L'employé au chapeau melon, à la veste noire, au pantalon rayé, à la chemise blanche et au col dur, parapluie roulé au bras, a disparu. Si costume et cravate sont toujours de rigueur, couleur et fantaisie ont gagné. Le quartier, longtemps masculin, est aujourd'hui davantage féminin. Les habitudes ont changé : dans les bureaux, on s'appelle par les prénoms, on déjeune dans les snacks, au bar à vin, d'un sandwich. La City est désertée dès 5 heures le soir.

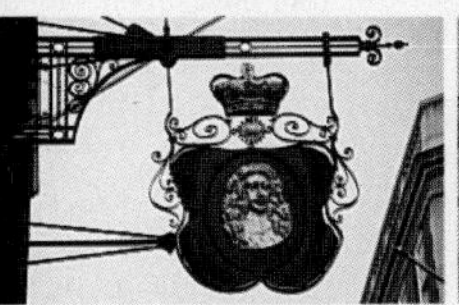

de Londres. Pour toute opération boursière, ces derniers doivent recourir à un *broker* qui, contre une commission fixée par le Conseil en fonction de la nature de l'opération, traite avec le *jobber*.

LES BANQUES PRIVÉES. La plupart des grandes banques privées ont installé leur siège social et leurs bureaux dans la City. En 1930, la MIDLAND BANK, fondée en 1836 à Birmingham, s'installe dans un imposant immeuble en pierre de Portland commandé à Lyutens (1869-1944) dont la construction ne sera achevée qu'en 1936. Il faut prendre du recul pour découvrir le dôme qui complète l'édicule du sommet, évoquant ainsi celui dont l'architecte avait coiffé le palais du vice-roi édifié à New Delhi.

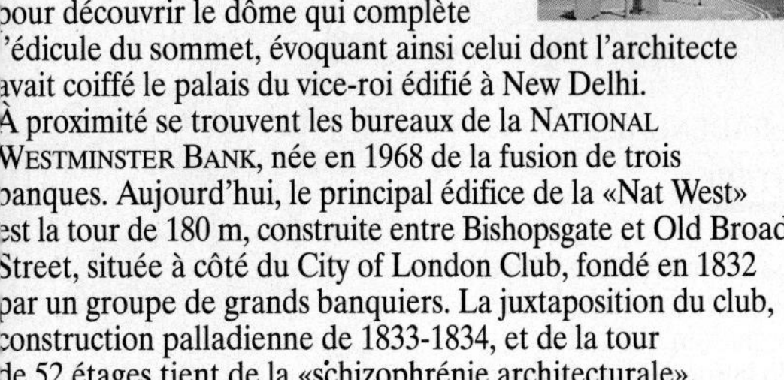

À proximité se trouvent les bureaux de la NATIONAL WESTMINSTER BANK, née en 1968 de la fusion de trois banques. Aujourd'hui, le principal édifice de la «Nat West» est la tour de 180 m, construite entre Bishopsgate et Old Broad Street, située à côté du City of London Club, fondé en 1832 par un groupe de grands banquiers. La juxtaposition du club, construction palladienne de 1833-1834, et de la tour de 52 étages tient de la «schizophrénie architecturale».

LA LLOYD'S ♥

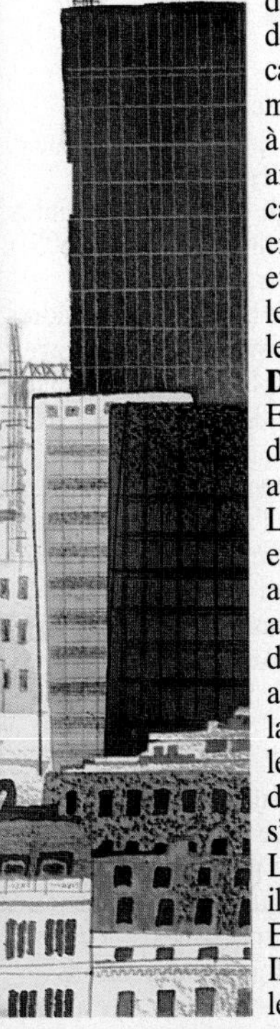

La Lloyd's n'est pas une compagnie d'assurances mais une Bourse de contrats d'assurances. Deux catégories de personnes y agissent : les membres (*underwriters*), seuls autorisés à couvrir les risques, et les cotisants annuels (*Lloyds names*), «invités» à cautionner. Tout contrat est souscrit entre un particulier ou une société et un membre. Ce dernier répartit le contrat (dividendes et risques) entre les cotisants.

DE LA TAVERNE À LEADENHALL STREET. En 1691, Edward Lloyd s'installe dans une taverne d'Abchurch Lane, au coin de Lombard Street. Là se vendent et s'achètent des navires et sont souscrites des assurances, activités qui se développeront au XVIIIe siècle. En 1769, un groupe de souscripteurs, concernés par la seule assurance maritime, délaisse la taverne d'Abchurch Lane et fonde le New Lloyd's Coffee House dans Pope's Head Alley. Des navires s'y vendent à la lueur des bougies. Le café devenu rapidement étroit, ils s'installent en 1771 au Royal Exchange, où ils restent jusqu'en 1928. Ils emménagent alors dans les bâtiments de Leadenhall Street.

LA LLOYD'S : CATHÉDRALE DE MÉTAL ET DE VERRE
Ce nouvel immeuble, ouvert en mai 1986, devait témoigner de la modernité de la compagnie. L'œuvre de Richard Rogers, l'un des architectes de Beaubourg, est un rectangle de verre et de métal, complété de six tours satellites, construit autour d'un atrium central et couronné par une immense voûte de verre culminant à 60 m. En 1991, la Lloyd's comptait 26 500 membres. Dans son musée, l'on voit l'Underwriting Room et la «Lutine», cette cloche continue d'annoncer mauvaises et bonnes nouvelles selon qu'elle sonne un ou deux coups.

LLOYD'S COFFEE HOUSE
Les origines de la Lloyd's appartiennent à la légende et remontent aux années 1680 quand Edward Lloyd recevait ses clients dans la taverne d'Abchurch Lane.

Marché de la City
Le nouveau marché de Leadenhall que l'on voit aujourd'hui fut construit en 1881 par sir Horace Jones.

Ses arcades métalliques, peintes en crème et marron-rouge, sa verrière et sa coupole centrale à la croisée des allées lui donnent tout son charme. Ce marché de luxe fournit les banquets des Livery Companies ▲ *146*. Aujourd'hui se sont multipliés les snacks, les croissanteries, les bars à vin, envahis à l'heure du déjeuner.

Leadenhall Street

Là se tenaient, au Moyen Âge, les marchés du blé et du foin. Au nord de la rue s'ouvre le marché de Leadenhall, surprenante enclave dans la City. A la fin du XIIIe siècle, la City acquiert ces terres et, plus tard, les droits de ce marché, qu'elle détient toujours.

St Andrew Undershaft. Le surnom de cette église («sous l'arbre») remonte au XVe siècle quand, chaque année, un arbre de mai était planté à côté de l'église, coutume qui fut interdite en 1517. Dans cette église gothique, maintes fois restaurée, se trouve la tombe de John Stow (1525-1605). Ce tailleur de vêtements, devenu éditeur, collectionna les manuscrits et fut le premier véritable historien de Londres. A sa mort, sa veuve fit placer à St Andrew un buste en terre cuite de son mari tenant une plume d'oie à la main, buste que la guilde des Tailleurs remplaça en 1905. Chaque année se déroule une cérémonie en présence du lord-maire, qui remplace la plume d'oie dans la main de Stow et offre l'ancienne plume ainsi qu'un exemplaire de *L'Enquête* sur Londres, publiée par Stow en 1598, à l'écolier qui a réalisé le meilleur travail de l'année sur la ville. Hans Holbein le Jeune aurait, lui aussi, été enterré à St Andrew.

Marchands de Leadenhall Market
Leadenhall Street devient après le Grand Incendie un marché général : viande, gibier, poisson, fruits et légumes, plantes y sont vendus. Tous les petits métiers de la rue y sont présents.

Cheapside et Cornhill

Au Moyen Âge, Cheapside était la rue la plus large, elle est aujourd'hui la seule à être plus étroite qu'alors.

Le marché de Cheapside. Le principal marché londonien se tenait dans cette rue qui connaissait une intense activité et où de multiples spectacles se déroulaient : cortèges, processions ou exécutions. Le pilori de Cheapside était alors célèbre. Cette artère

«LA VOITURE FONÇAIT.. CHEAPSIDE, POULTRY. LA SIRÈNE RETENTISSAIT DANS LES RUES. L'INSPECTEUR SE CONCENTRAIT SUR LES INDICES QU'IL DEVRAIT BIENTÔT CHERCHER...»

PETER ACKROYD

ıt détruite lors du Grand incendie. ,es différentes sections de la rue s'étaient ɔécialisées dans des activités que ːs noms des rues latérales rappellent. ur BREAD STREET, qui relie Cheapside u dock de Queenhithe, se tenait ː marché au pain et sur MILK STREET ː marché au lait ; dans Ironmonger Lane ːavaillaient les ferronniers, ans Goldsmith Street les orfèvres.

'ANCIENNE RUE DES ÉDITEURS. Cornhill, point culminant ːe la City, accueillait le marché au grain. Pendant longtemps, ː site fut célèbre pour sa prison et son pilori. Mais c'est aussi Cornhill que Thomas Guy tint sa librairie et imprima ːs bibles. De 1816 à 1868, SMITH ET ELDER, les éditeurs ːe Thackeray, de Mrs. Gaskell, des sœurs Brontë, étaient ıstallés au 32 que fréquentait sir Leslie Stephen, gendre ːe Thackeray et père de Virginia Woolf ● *114*, ▲ *308*. ıujourd'hui, banques et assurances occupent les immeubles ːe Cornhill. A l'angle de Lime Street se dressait East India Iouse, la maison de la Compagnie des Indes orientales, ondée en 1600, qui fut détruite en 1862. Jusqu'à la révolte ːes Cipayes de 1857, la compagnie eut le monopole ːu commerce et fut l'agent du gouvernement.

ːGLISES DE CORNHILL. Deux églises au sud de Cornhill ıéritent un détour : St Michael, dont la tour qui avait résisté ı l'incendie fut reconstruite, en 1715-1722, par Hawksmoor ːn style néo-gothique et St Peter-upon-Cornhill, ːù Mendelssohn joua de l'orgue en 1840 et 1842.

LA GRANDE ARTÈRE DE CHEAPSIDE
Reconstruite en 1720, après le Grand Incendie, l'artère de Cheapside est devenue «une belle et large rue, bordée de hautes maisons».

“Les tours et les gratte-ciel ont beau surgir de partout, Londres reste encore ce patchwork de bourgs [...]. Tous sont plantés au bord du fleuve-ruban-à-tenir-Londres-ensemble, S. M. The Thames.”

Claude Roy, *Londres*

ːOMBARD STREET

ıprès l'expulsion des juifs en 1290, les Lombards, installés ːur l'actuelle rue depuis le XIIe siècle, les remplacent dans ː maniement de l'argent.

:LA RUE DE LA BANQUE». Presque toutes les grandes banques ınglaises ont leur siège dans Lombard Street et les banques ːtrangères y tiennent leurs agences principales. Certaines ː'enracinent dans le passé comme la banque Barclays. À l'origine, les Barclays étaient des orfèvres qui étaient déjà ıstallés dans Lombard Street vers 1694. Entre 1736 et 1896,

ALEXANDER POPE (1688-1744)
Le poète et essayiste est un enfant de Lombard Street où son père avait une boutique de drap.

FENCHURCH STREET

BILLINGSGATE MARKET
Il existait à la fin du XIIIe siècle et obtint le monopole de la vente du poisson par une charte royale en 1699. Avant la dernière guerre, Billingsgate voyait, tous les jours, 400 tonnes de poisson changer de mains.

EN MÉMOIRE DU GRAND INCENDIE
Cette colonne en pierre de Portland possède un escalier de 331 marches qui permet d'accéder à un balcon, d'où l'on a vue sur la Tamise et les toits de Londres.

la Barclays absorbe de nombreuses banques, dont certaines nées de l'orfèvrerie. La Barclays a offert à la City la fontaine de Poséidon, due à sir Charles Wheeler, située sur George Yard.

PREMIÈRE IDYLLE DE DICKENS. Dickens vécut, en 1829, à dix sept ans, son premier amour dans Lombard Street. Il habitait au n° 2, près de la banque Smith, Fayne & Smith, et était amoureux de Maria Beadnell, fille du directeur de la banque.

FENCHURCH STREET

Elle prolonge Lombard Street. Son nom vient peut-être du vieux marché au foin de Gracechurch Street.

FOUNTAIN HOUSE. La fontaine, à l'angle de la rue, fut élevée en 1954-1957 à l'image de Lever House à New York.

LLOYD'S REGISTER OF SHIPPING. Elle est installée au n° 71 dans un immeuble de style Art nouveau dont la façade est décorée de colonnes, de tourelles et de frises. C'est là que sont enregistrés et classés tous les actes concernant les navires. Un désaccord sur les méthodes de classification de la Lloyd's conduisit un groupe d'armateurs à créer leur propre organisation en 1799. Depuis 1834, les liens entre la compagnie d'assurances, et la Lloyd's Register sont fort étroits.

PLANTATION HOUSE. Les Bourses du caoutchouc et des produits tropicaux sont implantées dans cet édifice construit en 1934-1937 sur un vaste quadrilatère ouvrant sur des ruelles. Dès le Xe siècle, les produits exotiques arrivaient à Mincing Lane où se trouve également le hall des Clotheworkers (les fabricants de drap), bâtiment de style néo-georgien, ouvert en 1958.

AUTOUR DU MONUMENT

LE MONUMENT. Des propositions de Wren et de Hooke ne fut retenue que cette colonne dorique de 62 m de haut, soit

la distance de sa base au foyer d'origine du feu, dans Pudding Lane. Inauguré en 1677, il fut élevé sur décision du Parlement pour commémorer le Grand Incendie de façon solennelle. Sur le piédestal de la colonne, quatre panneaux rappellent l'ampleur du sinistre et retracent l'histoire de la reconstruction. Si la sécheresse et un vent violent suffirent dans un premier temps à expliquer l'origine de l'incendie, on chercha vite d'autres causes et, dans le climat anticatholique des années 1670, les «agents du pape» furent désignés comme bouc émissaire, à commencer par le boulanger de chez qui le feu était parti. Aussi l'inscription latine figurant sur le panneau nord de la colonne fut-elle complétée en 1681 par quelques mots dénonçant la frénésie des catholiques. Quand Jacques II monta sur le trône, ils furent effacés, puis gravés à nouveau à l'avènement de Guillaume d'Orange. Ils ne disparurent qu'en 1830, lorsque les catholiques obtinrent les droits civiques.

Billingsgate Market. «Et chaque matin la halle de Billingsgate reçoit son gibier d'écailles (...) mais il y a toujours du saumon pour Belgravia et des harengs pour Whitechapel», écrivait Jules Vallès à propos de Billingsgate – jadis le plus grand marché aux poissons de Londres –, célèbre pour ses odeurs, son brouhaha et ses harengères au langage cru. En 1982, après plusieurs siècles d'activité, le marché ferma. Dans l'Isle of Dogs, sur les quais du West India Dock, une nouvelle halle aux poissons s'est ouverte, conservant le nom de Billingsgate.

Autour de Cannon Street

Au lendemain du Grand Incendie, quelques artères plus larges sont percées : Queen Street et King Street remontant de la Tamise à Guildhall, seuls axes sauvegardés des grands projets d'urbanisme d'après l'incendie puis, entre 1829 et 1835, King William Street, dans le prolongement du pont de Londres ; entre 1867 et 1871, Queen Victoria Street, tracée de l'Embankment à la Banque d'Angleterre.

St Mary Abchurch ♥. Cette église, commencée en 1681, située sur Abchurch Lane, est la plus gracieuse des églises de Wren et celle qui a le mieux résisté au temps. De plan carré, elle est flanquée d'une tour en brique rouge et en pierre que surmontent une lanterne ajourée et une fine flèche de plomb. La nef, carrée, sans bas-côtés, est coiffée d'une coupole percée de lucarnes ovales qui repose sur huit arcades. Cette coupole a été peinte par William Snow. L'église possède un retable sculpté (1686), le seul qui puisse être attribué avec certitude à Grinling Gibbons ▲ *173, 329*.

St Mary Aldermary. Près de Queen Victoria Street se trouve la plus ancienne des églises consacrées à Marie, rebâtie en 1681-1682. Wren semble avoir joué ici avec les formes du gothique perpendiculaire ● 66, allant jusqu'à la parodie, employant la voûte en éventail, mais ajoutant d'immenses rosaces.

Le vieux pont de Londres
Il fut construit sur le site du vieux pont romain. Le premier, commencé en 1176 par Pierre de Colechurch, fut le premier pont d'Europe à être bâti en pierre depuis la période romaine et l'unique pont de Londres jusqu'en 1749. Reposant sur dix-neuf piliers, avec des arches inégales, il était bordé de maisons et de boutiques. La circulation imposa en 1758 la démolition de ces constructions. Un nouveau pont est construit entre 1823 et 1831, œuvre de John Rennie. Le pont actuel date de 1973.

St Mary-le-Bow (1670-1680)
Cette église, qui a été restaurée en 1956-1964 par Laurence King, possède le plus beau des clochers-porches édifiés par Wren. Le porche – inspiré d'une entrée de l'hôtel de Conti dû à Mansart – est enrichi de colonnes doriques. Le passage insensible de la tour carrée au clocher circulaire fait toute l'élégance de l'église, chère aux habitants de la City : tout véritable Cockney est né à portée des cloches de St Mary, une des treize églises de la City à dépendre directement de l'archevêque de Canterbury.

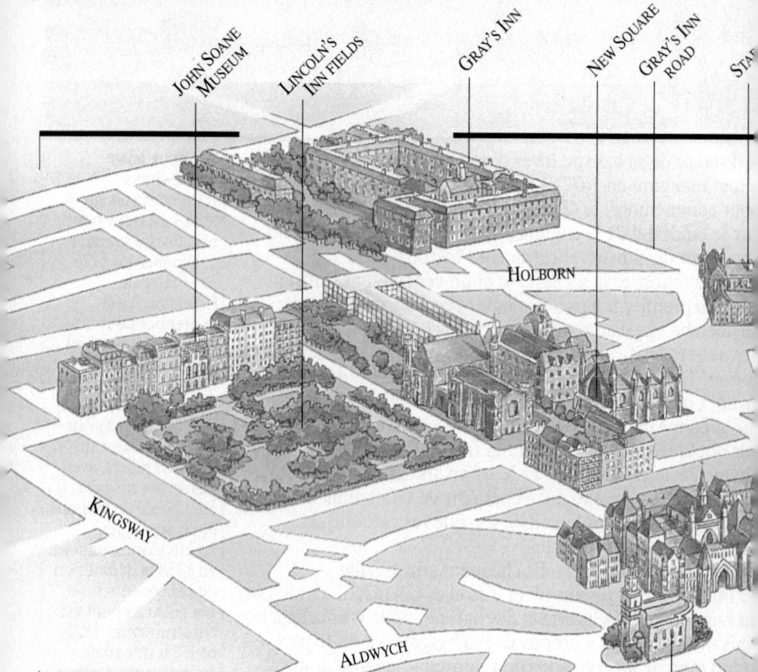

John Soane Museum
Lincoln's Inn Fields
Gray's Inn
New Square
Gray's Inn Road
Holborn
Kingsway
Aldwych
St Clement Danes

1 journée

Fleet Street

Fleet Street, qui s'étire depuis les Royal Courts of Justice jusqu'à Ludgate Circus, aux portes de Saint-Paul, tient son nom de la Fleet River, qui coulait à l'endroit aujourd'hui occupé par Farringdon Road. À l'époque, il fallait franchir Fleet Bridge pour rejoindre la cathédrale.

Wynkyn de Worde, premier patron de presse. C'est pour se rapprocher du quartier de la finance qu'était devenue la City ▲ *146*, que Wynkyn de Worde quitta le quartier de Westminster pour ouvrir, en l'an 1500, *The Sun*, la première imprimerie de Fleet Street. Depuis, cette rue est devenue une des principales artères de Londres et relie le centre politique à celui des affaires. C'est aussi probablement le voisinage des juristes des Inns of Court et des carmélites de Blackfriars, tous avides de publications et de documents écrits, qui inspira à De Worde ce déplacement vers l'est. À la fin de sa vie, Wynkyn de Worde aura édité huit cents titres et fondé une maison qui régna deux siècles sur le monde de l'édition et abrita à ses débuts un jeune journal : *The Times*. Depuis, la rue a hébergé

«Fleet River»
Cette peinture de Samuel Scott (1702-1772) représente l'embouchure de Fleet River vue de la Tamise.

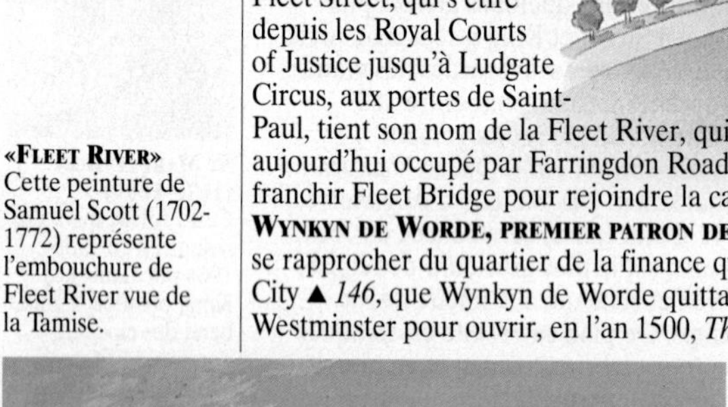

On distingue, sur la gauche, le clocher-flèche de St Bride, œuvre de Wren ● *171*, ▲ *174*.

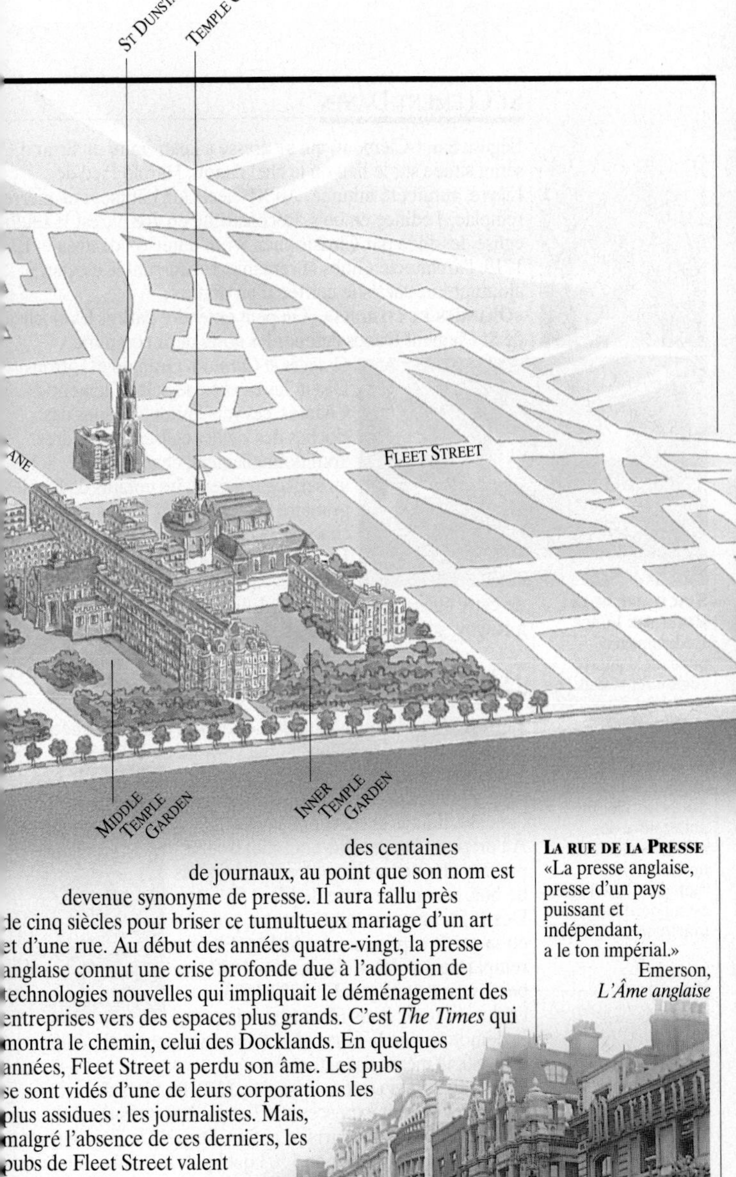

des centaines de journaux, au point que son nom est devenue synonyme de presse. Il aura fallu près de cinq siècles pour briser ce tumultueux mariage d'un art et d'une rue. Au début des années quatre-vingt, la presse anglaise connut une crise profonde due à l'adoption de technologies nouvelles qui impliquait le déménagement des entreprises vers des espaces plus grands. C'est *The Times* qui montra le chemin, celui des Docklands. En quelques années, Fleet Street a perdu son âme. Les pubs se sont vidés d'une de leurs corporations les plus assidues : les journalistes. Mais, malgré l'absence de ces derniers, les pubs de Fleet Street valent encore le détour, notamment le YE OLDE CHESHIRE CHEESE, fréquenté par Dickens et, selon la tradition, par Samuel Johnson. La façade et le foyer de l'immeuble du *Daily Express*, immeuble futuriste, construit en 1931-1932, est également à voir.

LA RUE DE LA PRESSE
«La presse anglaise, presse d'un pays puissant et indépendant, a le ton impérial.»
Emerson, *L'Âme anglaise*

ST CLEMENT DANES

L'église Saint-Clément, qui se dresse à l'extrémité du Strand, serait située sur le lieu où le chef danois, Harold Pied de Lièvre, aurait été inhumé. Au XIe siècle, un bâtiment de pierre remplace l'édifice en bois. Reconstruite en 1682, c'est la seule église dessinée par Christopher Wren dotée d'une abside. En 1719, l'architecte Gibbs la remanie, rehaussant le clocher et ajoutant une sacristie coiffée d'un dôme.

«ORANGES ET CITRONS». On peut entendre parfois les cloches de St Clement Danes égrener les notes de la comptine *Oranges et Citrons* :«Oranges et Citrons Disent les cloches de Saint-Clément». Chantés, ces vers imitent les sons des cloches des vieilles églises de Londres. Traditionnellement, chaque année, après un service religieux, les enfants de l'école primaire Saint Clement Danes reçoivent, chacun, un citron et une orange.

SANCTUAIRE DE LA ROYAL AIR FORCE Endommagée pendant la guerre, l'église fut restaurée par Lloyd entre 1955 et 1958, grâce à la contribution de la Royal Air Force. Mémorial, écussons des escadrilles et unités, liste des aviateurs morts en mission, reliques rappellent que l'église est aujourd'hui le sanctuaire de la RAF.

LE RECTEUR ET LE RUGBY. La tradition veut aussi que ce soit un des recteurs de cette église, William Webb-Ellis, qui, alors qu'il était élève à Rugby, soit à l'origine de ce jeu de ballon.

TEMPLE BAR

Entre 1191 et 1319, la Cité de Londres ▲ *174*, enfermée dans ses murs, affirme son autonomie vis-à-vis de la Cité de Westminster, où était installé le pouvoir royal. Temple Bar, situé au-delà des anciennes fortifications, marque, depuis 1222 l'une des limites entre ces deux cités.

À l'origine, Temple Bar était matérialisé par une chaîne tendue entre deux piquets de bois barrant l'entrée de Fleet Street. Dès 1351, une porte abritant une prison en sa partie supérieure est édifiée. Elle est remplacée, au début des années 1670, par l'œuvre de Wren. En 1877-1878, l'essor du trafic dans Fleet Street impose la démolition de la porte. À son emplacement a été édifié, en 1880, le mémorial actuel.

PORTE DES SUPPLICIÉS. Jusqu'en 1772, les têtes des suppliciés étaient exposées sur Temple Bar, près duquel était installé un pilori où, parmi d'autres, Daniel De Foe, auteur de *Robinson Crusoé*, passa en 1703 quelques mauvais moments.

TEMPLE BAR AUJOURD'HUI Dessiné par sir Horace Jones, ce monument est surmonté d'un dragon en bronze, symbole de la City.

LE QUARTIER DU TEMPLE

À l'ouest, entre Fleet Street et la Tamise, se trouve le Temple, havre de tranquillité. Les templiers, implantés à Londres dès la première moitié du XIIe siècle, reçurent vers 1160 ces terres en bordure de la Tamise. Ils y édifièrent une église, consacrée en 1185, puis un monastère. Certains souverains, dont Jean sans Terre, y séjournèrent. Lors de la dissolution des monastères, entre 1535 et 1539, la Couronne hérita du Temple et, en 1609, Jacques Ier concéda à perpétuité la propriété du Temple aux doyens des MIDDLE et INNER TEMPLES.

La reconstruction, par sir Edward Maude, après la Seconde Guerre mondiale, se fit en partie dans un style néo-georgien.

ES INNS OF COURT. Dès le Moyen Âge, autour de Temple Bar, ; concentrent écoles de droit et cabinets d'hommes de loi. ∟ l'origine, ceux-ci, venus à Londres lors des sessions annuelles es cours royales de justice, logeaient dans des pensions, les *ns*. Mais les écoles, elles aussi appelées *inns*, sont créées vers ; XIIIᵉ siècle lorsque se développe le besoin d'un enseignement u droit que les universités ne dispensent pas. Les études duraient de sept à huit ans et doyens, avocats, stagiaires, étudiants étaient nourris et logés sur place, limitant ainsi tout contact avec l'extérieur. De la dizaine d'*inns* qui existaient au XIVᵉ siècle il ne reste que les quatre INNS OF COURT : LINCOLN'S INN (1422), MIDDLE et INNER TEMPLES (1501 et 1505) et GRAY'S INN (1569). Toutes les *inns* ont leur Hall (où ont lieu les vingt-quatre banquets annuels auxquels tout membre de l'*inn* est tenu de participer), ;ur église, leur bibliothèque, leur dédale de cours et d'allées, ;urs jardins, le tout formant un monde clos et original.

'EMPLE CHURCH ♥ ● 66

ëmple Church, seul vestige de l'époque des templiers, est une des rares églises anglaises à nef circulaire construite sur ; modèle de l'église du Saint-Sépulcre de Jérusalem. Édifiée ›rs de la phase de transition entre le roman et le gothique,

LES PAPER BUILDINGS D'INNER TEMPLE
Les Paper Buildings, situés dans la partie sud d'Inner Temple, furent dessinés au XIXᵉ siècle par les Smirke père et fils.

SAMUEL JOHNSON
Au n° 17, Gough Square, une maison de la fin du XVIIᵉ siècle, fut de 1746 à 1759 la demeure de Samuel Johnson. Il y rédigea son *Dictionnaire de la langue anglaise*, riche de 40 000 entrées et de 114 000 citations. On peut en admirer la première édition dans la maison devenue musée.

LA ROTONDE DE TEMPLE CHURCH
La rotonde (ci-contre), supportée par des colonnes en marbre de Purbeck, abrite les pierres tombales de neuf templiers, datant des XIIᵉ et XIIIᵉ siècles. Elles sont surmontées de gisants aux jambes croisées, également en marbre de Purbeck, dont celui de Guillaume de Maréchal (ci-dessus), comte de Pembroke et frère de Jean sans Terre, mort en 1219.

Temple Church
Temple Church fut remaniée à plusieurs reprises. On peut voir ci-dessus, à gauche, l'extérieur de l'église tel qu'il fut après les restaurations qui eurent lieu au XIXe siècle et, à droite, l'édifice privé de son toit à la suite des dégâts occasionnés par la Seconde Guerre mondiale.

elle juxtapose les éléments des deux style Entre 1220 et 1240, l'église a été complétée par un chœur gothique, où nef et bas-côtés ont la même hauteur L'édifice fut maintes fois embelli, en particulier, à la fin du XVIIe siècle, par Wren ▲ *171*, qui a dessiné le retable sculpté en 1682 par William Emmett. Enlevé par Sydney Smirke en 1840, il retrouve sa place lors de la restauratio d'après-guerre.

Middle Temple ♥

Middle Temple Gateway. Cette porte de brique, construite en 1684 par un amateur, Roger North, juriste et *bencher* de l'*inn*, est une œuvre classique agrémentée de quatre pilastres ioniques et d'un fronton ; elle s'ouvre sur Middle Temple Lane
Middle Temple Hall. Principal édifice de Middle Temple, le Middle Temple Hall (1562-1573), en brique, de style Tudor se trouve à hauteur de Fountain Court. Son plafond, en chêne sculpté à double poutre sur console et pendants, dans la tradition Perp ● *68*, est le plus bel exemple du genre. Au fond de la salle, un jubé en chêne, de style élisabéthain, est coiffé d'une galerie soutenue par des caryatides.
Deux tables. Sous un dais se trouve l'imposante table des *benchers*. Taillée dans un chêne de la forêt de Windsor, elle aurait été offerte par Élisabeth Ire. À côté se trouve une autr table, plus petite, la *cupboard*, sur laquelle les nouveaux avocat signent le registre des membres de l'*inn*. Selon la tradition,

Royal Courts of Justice
Elles sont plus communément appelées Laws Courts. La réalisation des nouveaux bâtiments fut confiée à l'architecte George Edmund Street (1824-1881). Les nouvelles cours, commencées en 1874, sont inaugurées par la reine Victoria, en 1882. Ces constructions sont le signe de l'apogée, ou le début du déclin du style néo-gothique, dont furent friands les victoriens.

“Mais pourquoi du costume de nos pères n'avoir précisément choisi que la perruque, qui certes ne rappelle aucune idée héroïque, et qui, de plus, a l'inconvénient de n'être ni ancienne ni moderne, puisqu'elle ne se rapporte qu'au XVIIe siècle ? Mais poursuivons.”
De Tocqueville, *Voyage en Angleterre et en Irlande*

lle aurait été faite avec les portes des écoutilles du GOLDEN IIND, le navire sur lequel sir Francis Drake – membre de *inn* – fit le tour du monde. La salle servit pendant longtemps e salle de jeu et accueillait des représentations théâtrales. insi, au début de 1601, Élisabeth Ire assista à la première e *La Nuit des rois* de Shakespeare.

A BIBLIOTHÈQUE. Reconstruite en 1956 en style néo-géorgien, lle abrite, outre la remarquable paire de globes réalisés vers 600 par Molyneux, une importante collection d'ouvrages e droit américain.

A GUERRE DES ROSES. Les Middle Temple Gardens, au sud e Fountain Court, auraient vu naître la guerre des Deux-Roses, uerre civile qui ravagea l'Angleterre de 1455 à 1485 et qui nspira deux tragédies à Shakespeare, *Henri VI* et *Richard III* : , Somerset aurait cueilli la rose rouge, symbole des ancaster, et Warwick, la rose blanche, symbole des York.

NNER TEMPLE ♥

Comme il ne reste rien de l'ancien Inner Temple, il convient e descendre KING'S BENCH WALK, dont la perspective ouvre ur la Tamise et sur l'Inner Temple Gardens.

NNER TEMPLE GATEWAY. C'est l'entrée la plus originale du èmple. L'arche est surmontée de l'une des plus belles maisons colombage de Londres, construite en 1610 à l'emplacement e l'entrée et d'une auberge qui accueillit successivement e musée de cire de Mrs Salmon et un barbier avant d'abriter, ujourd'hui, un musée consacré à Samuel Pepys.

ES LAW COURTS ● 82

Les Law Courts sont les cours royales de justice. Elles siégeaient à Westminster Hall avant d'être transférées, la fin du XIXe siècle, à proximité des *Inns of Court*. La façade en brique qui onge Bell Yard e termine à 'angle de Carey Street

DEVANTURE D'UNE LIBRAIRIE DE DROIT SUR NEW SQUARE
Une fois achetés, les livres sont transportés à l'aide d'un petit chariot à deux roues.

WILDY & SONS
Specialists in LAW BOOKS
ANCIENT & MODERN
BOOK BINDING
IN ALL ITS BRANCHES
Established 1830

LE QUARTIER DES PERRUQUES
Magistrats et avocats arborent cette coiffure lors des audiences. Chaque membre de l'*Inn* peut être appelé à tout moment à la cour et se doit donc d'«être prêt». Aussi, nombreux sont les *lawyers* qui se vêtent quotidiennement de noir.

LES LAW COURTS
Vue sur Fleet Street depuis Temple Bar. Middle Temple et Inner Temple sont cachés par les maisons situées sur la droite.

LINCOLN'S INN
Son nom dériverait des comtes de Lincoln, qui furent propriétaires du domaine et dont les armes – un lion rampant de gueule – figurent sur les deux bâtiments.

par une élégante tour où brique et pierre alternent en damie La longue façade sur le STRAND est réalisée en pierre de Portland dans le style des cathédrales et palais du XIIIe siècl Quatre éléments la caractérisent : la tour de l'Horloge, les entrées de la Cour et du Hall, les grilles, témoignage de l'intérêt que portait Street, un des maîtres de l'architectu néo-gothique, à la ferronnerie.

LE HALL. Cette immense nef de 76 m de long et 25 m de ha est coiffée d'une voûte en ogive. De là partent une multitude de couloirs et escaliers menant vers les centaines de bureaux des trente-cinq tribunaux de la cour suprême de Justice.

SAINT DUNSTAN IN THE WEST

En sortant de Johnson's Court pour gagner Chancery Lane, on passe devant cette église octogonale édifiée entre 1829 et 1833 où catholiques, anglicans et orthodoxes officient. Exemple précoce à Londres du *Gothic revival* ● *81*, elle a remplacé la vieille église du XIIe siècle détruite lors de l'élargissement de Fleet Street ▲ *158*.

L'HORLOGE AUX GÉANTS. L'horloge, ex-voto offert en 1671 par les paroissien rescapés du Grand Incendie, aurait été la première horloge de Londres à indique les minutes et à être à double face. Tous les quarts d'heure, deux géants, qui fire l'admiration de David Coperfield, héros de Dickens ▲ *106,* frappent une cloche.

CHANCERY LANE

Au sortir de l'église, sur la droite, commence Chancery Lane Son nom remonte à 1377, après qu'Édouard III eut attribué la MAISON DES CONVERTIS (où les juifs ayant renoncé à leur f et à leurs biens trouvaient secours) au chancelier. Sur le site de cette maison, détruite en 1896, est implanté le PUBLIC RECORD OFFICE, les Archives nationales britanniques, dont le musée abrite des documents rares : *Pipe Roll* de 1129, archives du Moyen Âge, papiers d'État antérieurs à 1782, archives judiciaires, copies du *Domesday Book* (recensement foncier sous Guillaume le Conquérant), exemplaire de 1225 de la *Magna Carta*, testament de Shakespeare...

STAPLE INN ET LINCOLN'S INN
Staple Inn (en haut) et Lincoln's Inn (ci-dessus), fondées au XIVe siècle, font partie des quatre Inns of Court. La première abrite depuis 1884 l'Institute of Actuaries (actuaires), et la seconde un grand collège d'avocats.

«La "Cour de la fontaine" est, dans le Temple,
Un coin exquis de ce point délicat
Du Londres vieux où le jeune avocat
Apprend l'étroite Loi, puis le Droit ample » Verlaine

[L]incoln's Inn ♥

[L]'*Inn*, épargnée par la guerre, remonte au XIVe siècle [e]t est la seule des quatre cours à avoir conservé son caractère [d]'origine. L'entrée monumentale, située sur Chancery Lane, [d]ate de 1518 et comporte des tours d'angle carrées et une [a]rche. Elle ouvre sur les Old Buildings, d'époque Tudor, [e]ntièrement construits en brique, à l'exception de la chapelle, [q]ui forment une cour imparfaitement carrée.

[D]e célèbres étudiants. Cromwell y fit ses études. L'*Inn* [c]ompta, parmi ses membres les plus illustres, Thomas More [(]1478-1535) qui, en tant que *bencher*, contribua à la [c]onstruction de l'entrée sur Chancery Lane ; John Donne, [c]hapelain de l'*Inn*, le juriste Jeremy Bentham et William [P]enn, fondateur de la Pennsylvanie.

[L]e Vieux Hall ♥. Situé à l'ouest et construit de 1485 à 1492, il [a]brite l'immense tableau de Hogarth, *Paul devant Félix*, de 1748. [P]lafond, jubé et fenêtres en saillie situés aux deux extrémités [d]e la salle méritent qu'on leur prête attention.

[L]a chapelle. La façade, reconstruite en 1619-1623, en style [g]othique, est de pierre. Le poète Ben Jonson aurait participé [à] sa construction, une truelle dans une main, un livre dans [l]'autre. La chapelle, dotée d'une voûte en berceau et [d]e fenêtres à meneaux en style Perp ● *68*, possède une galerie [b]asse, lieu de rencontre favori des étudiants. En 1659, quatre-[v]ingts membres du Parlement s'y réunirent en secret, dans [l]'intention de restaurer la monarchie. La chapelle fut rénovée en [1]685 par Wren ▲ *171, 174*, en 1791 par Wyatt, et enfin, en 1882, [p]ar Salter. Chaque année, en décembre, se tient un office chanté [o]ù les *seniors judges* de l'*Inn* lisent l'Évangile et les Épîtres.

[L]incoln's Inn Fields ♥. Ce fut un haut lieu de [l]'architecture du XVIIe au XIXe siècle. William Newton y fit [c]onstruire, dans les années 1730, les côtés sud et ouest du square.

[L]indsey House. Cette maison double, longtemps attribuée [à] Inigo Jones, est un bel exemple de la recherche, sous les [S]tuarts, d'un style national, mais inspiré par Palladio. Lindsey [H]ouse tire sa légèreté de l'usage de la brique, aujourd'hui [r]ecouverte de stuc, et de ses pilastres fuselés terminés par [d]e fins chapiteaux ioniques. La pureté de ses lignes est mise [e]n valeur par la maison voisine, nos 57-58, construite vers 1730 [p]ar Henry Joynes, en pierre de Portland, et décorée [d]e pilastres et d'une architrave, plus lourde.

Lincoln's Inn Fields
Au Moyen Âge, il y avait à cet endroit deux prairies, lieu de promenade et de jeu pour les Londoniens et la population de Lincoln's Inn. Leurs propriétaires, les hôpitaux St John et St Giles, les louaient comme pâturages.
Ces lieux, malfamés, servirent à partir du règne d'Élisabeth Ire aux exécutions capitales.

« ... Je vis l'ancien Westminster et les Verts-Jardins du Temple sous le soleil et un agréable ciel bleu de début de printemps ; ils flottaient entre eux une légère nuée de brume. »
Charlotte Brontë
Villette

Juriste sur Lincoln's Inn Fields

▲ Le musée John Soane

Dès 1790, sir John Soane (1753-1837) collectionne les objets les plu divers. Pour les abriter, l'architecte mit trente-deux ans à édifier sur Lincoln's Inn Fields une maison à leur mesure. Cette demeure de trois étages (en réalit trois maisons réunies en une seule), complexe et surprenante, est aussi u hymne à la lumière. Conservé en l'état depuis la mort de Soane, elle est l'un des musée les plus fous de Londres.

Illustration de l'ordre corinthien pour les conférences de Soane à la Royal Academy en 1819.

Bibliothèque de la maison de Soane
Soane constitua une impressionnante collection de manuscrits et de livres (dont la bibliothèque de Robert Adam) et une autre, très belle, de dessins et gravures.

Sir John Soane
Dès 1790, ce fils de maçon, influencé par les romantiques, collectionne marbres et moulages antiques et Renaissance, éléments d'architecture romaine, monuments funéraires, bronzes, vases.

UITS DE LUMIÈRE
:et espace évidé
ırmonté d'un dôme
ɾme un puits
: lumière au cœur
· la maison.

OUPE DU DÔME
U MUSÉE
OHN SOANE
eorge Bailey,
roche de Soane,
éalisa cette coupe
résentant
collection
e moulages
ntiques de Soane,
partie sur trois
aliers. L'état actuel
u musée est resté
ès proche de ce
essin de 1810.

«VUE IMAGINAIRE DES MODÈLES DES BÂTIMENTS PUBLICS ET PRIVÉS DE SIR JOHN SOANE» J.M. Gandy, collaborateur de Soane, dessina cette étrange représentation des constructions réalisées par Soane de 1789 à 1815.

LES JARDINS DE GRAY'S INN
Au XVIIe siècle, les jardins de Gray's Inn, promenade à la mode, furent rendus quelque peu dangereux par les duels qui s'y déroulaient. Parmi les promeneurs, on peut citer Samuel Pepys, Charles Lamb, qui les appelait «les plus beaux jardins des Inns of Court», ou encore Dickens, qui, à quatorze ans, travailla là comme commis d'un homme de loi de Lincoln's Inn.

ROYAL COLLEGE OF SURGEONS. Au sud de New Square se trouve le collège royal des Chirurgiens, séparés des Barbiers en 1745 pour former leur propre société – devenue Royal College en 1800 – et installés à Lincoln's Inn Fields en 1797. Les premiers bâtiments conçus par Dance laissent place, en 1835, aux constructions de Charles Barry ▲ *128* intégrant le vaste portique en style ionique de Dance, et qui furent à leur tour agrandies en 1888. Le collège abrite le HUNTERIAN MUSEUM, du nom du célèbre chirurgien écossais du XVIIIe siècle, précurseur de Darwin qui, intéressé par la transplantation chirurgicale, a accumulé une immense collection anatomique destinée à permettre un enseignement comparatif. En 1799, le gouvernement achète cette collection qui se développe jusqu'à la dernière guerre. Les destructions, dues aux bombardements, font qu'aujourd'hui elle est très réduite.

NEW SQUARE ♥. Édifié à la fin du XVIIe siècle, New Square ouvre sur Carey Street par une arche. Il est formé de constructions identiques de quatre étages chacune, disposées autour d'une pelouse centrale. Au nord se trouvent les STONE BUILDINGS construits en pierre en 1774-1780 par sir Robert Taylor en style palladien. Ils contrastent avec les constructions en brique, de style néo-Tudor réalisées par Philip Hardwick en 1843-1845 : le New Hall, la trésorerie, la bibliothèque. Fondée en 1497, celle-ci, avec 70 000 volumes, renferme une collection d'ouvrages de droit. Dans le New Hall se déroule l'immense fresque des *Lawgivers*, composée, en un style mélangeant raphaélisme et romantisme, par G. F. Watts en 1859.

“Les Anglais conservent les coutumes, les costumes et les pompes d'autrefois, la perruque et la masse, le sceptre et la couronne.”

Emerson, *L'Âme anglaise*

GRAY'S INN

Au nord de Lincoln's Inn se trouve la dernière des Inns of Court, Gray's Inn. Au XIVe siècle, l'Inn devint un hôtel pour hommes de loi et prit le nom de sir Reginald le Gray, *Chief Justice* de Chester, qui y avait auparavant sa résidence londonienne. Shakespeare (dont le protecteur, le comte de Southampton, était membre de l'Inn) donna en 1594 la première de *La Comédie des erreurs* dans le Hall. L'intérieur du Hall, détruit pendant la guerre, puis restauré par sir Edward Maude, conserve cependant quelques parties datant des XVIIe, XVIIIe et du début du XIXe siècle. On peut y voir, rescapé des bombardements, un vieux jubé qui aurait été sculpté dans le bois d'un galion espagnol. Les jardins de l'Inn, les seuls des quatre Inns of Court à être aujourd'hui ouverts au public, furent très fréquentés par les duellistes au XVIIe siècle.

LES JARDINS D'UN PHILOSOPHE
Les jardins sont la plus belle partie de Gray's Inn. Ils ont été dessinés par sir Francis Bacon en 1606. Le grand philosophe, auteur d'un essai sur les jardins, connut la gloire en politique puis l'ostracisme. Il fut étudiant (1576), puis *bencher* (1586) et enfin trésorier de Gray's Inn en 1608.

Itinéraires historiques

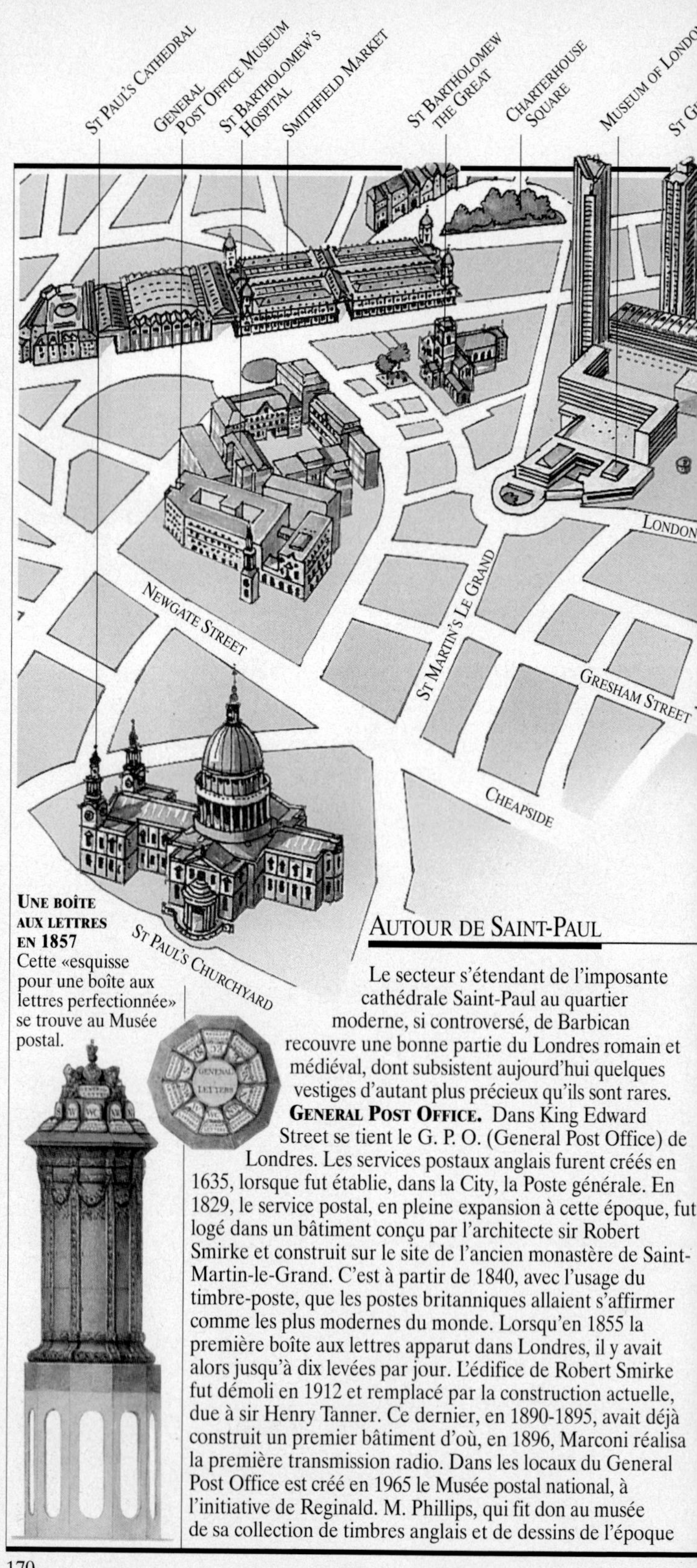

Une boîte aux lettres en 1857
Cette «esquisse pour une boîte aux lettres perfectionnée» se trouve au Musée postal.

Autour de Saint-Paul

Le secteur s'étendant de l'imposante cathédrale Saint-Paul au quartier moderne, si controversé, de Barbican recouvre une bonne partie du Londres romain et médiéval, dont subsistent aujourd'hui quelques vestiges d'autant plus précieux qu'ils sont rares.

General Post Office. Dans King Edward Street se tient le G. P. O. (General Post Office) de Londres. Les services postaux anglais furent créés en 1635, lorsque fut établie, dans la City, la Poste générale. En 1829, le service postal, en pleine expansion à cette époque, fut logé dans un bâtiment conçu par l'architecte sir Robert Smirke et construit sur le site de l'ancien monastère de Saint-Martin-le-Grand. C'est à partir de 1840, avec l'usage du timbre-poste, que les postes britanniques allaient s'affirmer comme les plus modernes du monde. Lorsqu'en 1855 la première boîte aux lettres apparut dans Londres, il y avait alors jusqu'à dix levées par jour. L'édifice de Robert Smirke fut démoli en 1912 et remplacé par la construction actuelle, due à sir Henry Tanner. Ce dernier, en 1890-1895, avait déjà construit un premier bâtiment d'où, en 1896, Marconi réalisa la première transmission radio. Dans les locaux du General Post Office est créé en 1965 le Musée postal national, à l'initiative de Reginald. M. Phillips, qui fit don au musée de sa collection de timbres anglais et de dessins de l'époque

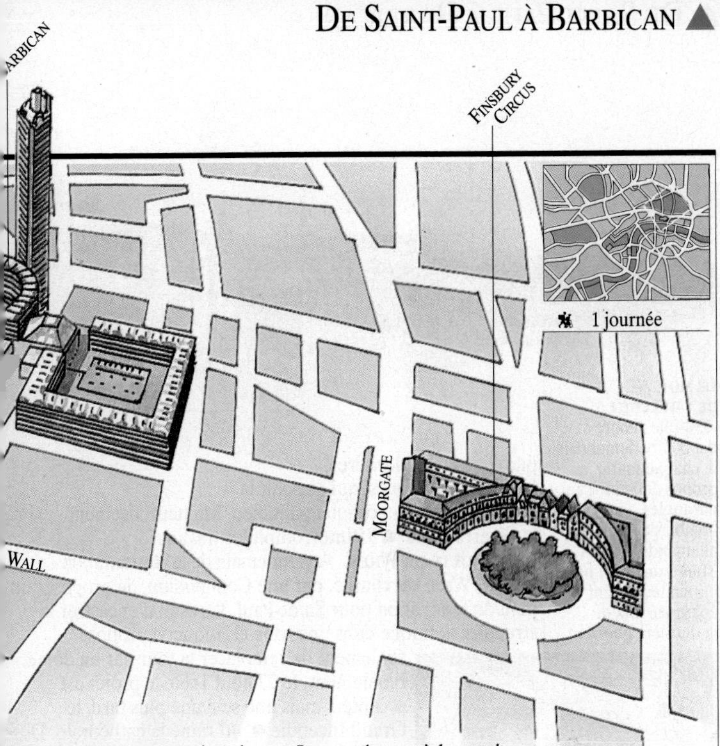

ARBICAN

FINSBURY CIRCUS

MOORGATE

WALL

1 journée

POSTAGE

L ONE PENNY B

victorienne. Le musée possède aussi une série de timbres émis depuis 1840, sous le contrôle des Postes britanniques, à la fois en Angleterre et outre-mer. Complété par un ensemble de timbres des pays membres de l'Union postale universelle, cet ensemble offre l'un des plus remarquables panoramas philatéliques au monde. Il présente enfin une intéressante collection d'objets : boîtes à timbres, tampons et boîtes aux lettres. Dans la cour du General Postal Office, près de St Bartholomew's Hospital, se trouve un élément du mur d'enceinte : un bastion médiéval et un pan de mur romain.

LE PENNY BLACK
Joyau du Musée postal, c'est le premier timbre collant au monde.

SIR CHRISTOPHER WREN (1632-1723)
Ce grand maître de l'architecture baroque anglaise fut chargé de la reconstruction de Londres après l'incendie de 1666, ● *40* et, entre autres, de la cathédrale Saint-Paul.

ST PAUL'S CATHEDRAL

HISTOIRE. La cathédrale Saint-Paul est construite sur l'une des hauteurs principales de la City, là où, du temps de Rome ● *34*, se trouvait un temple consacré à Diane. Une première cathédrale édifiée en 604 fut détruite par un incendie en 1087. Reconstruite entre le XIe et le XIIIe siècle, la nouvelle cathédrale, romane et gothique, était réputée être la plus grande église médiévale d'Europe. Sa flèche, haute de 164 m, fut brûlée lors d'un incendie en 1561. Elle était au cœur d'un ensemble de bâtiments religieux, dont le palais épiscopal et un campanile, la tour de Jésus. Après une période d'abandon où Saint-Paul devint un marché, les derniers travaux importants furent confiés en 1634

LE MOT DE CHURCHILL
«Est-elle encore debout ?» demandait-il, chaque matin, à propos de Saint-Paul, durant les bombardements allemands de 1941. Mais Saint-Paul fut miraculeusement épargnée lors de la dernière guerre.

par l'évêque de Londres, Laud, à Inigo Jones, qui enrichit la façade ouest d'un portique palladien. Malheureusement la Guerre civile ● *35* interrompit les travaux.

LES PROJETS DE WREN. Au lendemain de la Restauration (1660), Wren est chargé, par une Commission, de proposer un plan de rénovation pour Saint-Paul. Partisan d'encastrer la structure gothique dans une robe classique, il propose également de remplacer la tour par un dôme. Finalement, le 27 août 1666, le projet est accepté... mais une semaine plus tard, le Grand Incendie ● *40* ruine la cathédrale. Dès lors, la construction d'un nouvel édifice s'impose. Wren, nommé directeur des travaux du roi en 1669, propose alors des projets successifs allant dans deux directions différentes : le premier, qui avait sa préférence et convenait à Charles II, comportait un plan en croix grecque et un dôme. Jugé contraire à la tradition, il fut rejeté par le haut clergé anglican. Le «grand modèle» de 1673 cherchait, par l'adjonction d'un immense portique et d'un vestibule coiffé d'un dôme, à lever les résistances. En vain. Contraint de s'incliner, Wren présenta en 1675 un nouveau projet, le *Warrant Design,* qui revenait au plan en croix latine et de type «normand anglais» : longue nef (celle de Saint-Paul mesure 152 m de long), longs transepts saillants, long chœur développé bordé d'étroits déambulatoires s'achevant par une abside.

LE DÔME DE SAINT-PAUL. L'ensemble est coiffé d'un dôme splendide mesurant 31 m de diamètre, culminant à 110 m et reposant sur huit piliers. Il posait une certaine difficulté à Wren qui le conçut en trois épaisseurs : un cône de maçonnerie fut intercalé entre deux coupoles. La vue sur Londres, depuis la Galerie d'Or, au pied de la lanterne, est superbe.

L'EXTÉRIEUR. Outre le dôme, recouvert d'une couche de plomb, que tout concourt à mettre en valeur, l'extérieur de Saint-Paul est caractérisé par trois éléments : le grand tambour du dôme, ceint d'une colonnade d'où alternent niches et loggias ; le mur écran, qui sert de contrefort, cache les arcs-boutants et rehausse la majesté du tout, (majesté encore soulignée par les porches à colonnades semi-circulaires des transepts au nord et au sud) ; enfin, la façade ouest, largement inspirée par le baroque, où deux tours coiffées de

LE DÔME DE SAINT-PAUL
Ce dôme si classique, à péristyle, allait influencer Soufflot pour le Panthéon de Paris.

[c]lochetons encadrent un [d]ouble portique à colonnes [j]umelées (idée tirée de la nouvelle façade est [d]u Louvre de Perrault) surmonté d'un fronton sculpté.

[L]'INTÉRIEUR. Imposant, il manque de chaleur et n'inspire [g]uère la ferveur. Wren fit appel, pour sa décoration, de 1690 [à] 1720, à une pléiade d'artistes. Parmi eux, James Thornhill ▲ *329* décora la coupole de fresques racontant la vie de saint [P]aul. Grinling Gibbons ▲ *329* sculpta les magnifiques stalles [d]u chœur, le trône de l'évêque et le buffet d'orgue ; Jean [T]ijou, un artiste français, forgea les grilles du chœur et la [b]alustrade de l'escalier qui conduit à la bibliothèque. De la [g]alerie des Murmures, dans la coupole, la vue sur l'intérieur [d]e la cathédrale est surprenante.

[L]ES MONUMENTS FUNÉRAIRES. Jusqu'en 1790, l'intérieur de [l]a cathédrale demeura quasiment dépourvu de monuments [f]unéraires. Depuis, à l'image de l'abbaye de Westminster,

VUE DE SAINT-PAUL DEPUIS LA TAMISE
«Comme je me trouvai devant l'église Saint-Paul, j'y entrai, je montai au dôme : de là je vis Londres, son fleuve, ses ponts et ses églises.»
Charlotte Brontë

THE MORNING CHAPEL

UN CHANTIER DE TRENTE ANS
Cette longueur même amena dans le langage populaire l'expression : «Aussi lent que les ouvriers de Saint-Paul».

« Lecteur, si tu cherches son tombeau, regarde autour de toi.» Telle est l'épitaphe composée par Christopher Wren junior pour son père, sir Christopher Wren, maître d'œuvre de Saint-Paul, exemple unique de cathédrale réalisée du vivant de son architecte. Ces plans, témoins du long affrontement entre la Commission royale, chargée de veiller à la reconstruction de la cathédrale et Wren, montrent l'évolution du projet. En effet, Wren, ayant obtenu la caution royale, modifia le projet en cours de construction. Certaines de ces modifications sont, en partie, dues à son assistant, Nicolas Hawksmoor ▲ *311*.

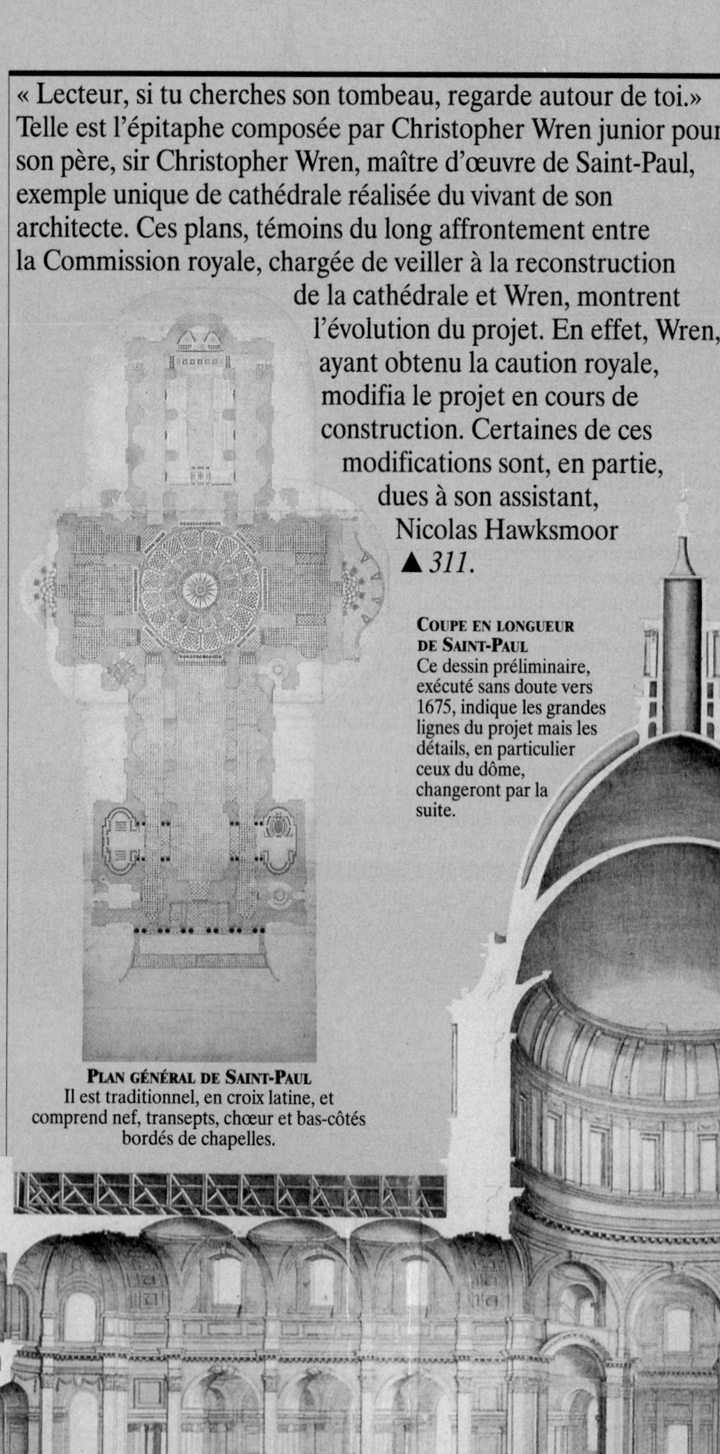

COUPE EN LONGUEUR DE SAINT-PAUL
Ce dessin préliminaire, exécuté sans doute vers 1675, indique les grandes lignes du projet mais les détails, en particulier ceux du dôme, changeront par la suite.

PLAN GÉNÉRAL DE SAINT-PAUL
Il est traditionnel, en croix latine, et comprend nef, transepts, chœur et bas-côtés bordés de chapelles.

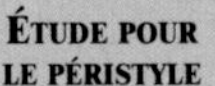

ÉTUDE POUR LE PÉRISTYLE

PROJETS POUR LE DÔME ET LE PÉRISTYLE
Ce projet, de 1675, est appelé «Plan définitif» mais ne l'est pas : Wren n'avait pas encore prévu le cône intermédiaire en maçonnerie et le tambour en péristyle.

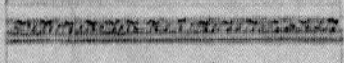

ÉTUDE POUR LA FAÇADE OUEST
D'esprit baroque, elle est alors dotée d'un élégant portique à deux niveaux. Ce dessin ne montre pas les deux clochetons latéraux qui serviront à atténuer la pesanteur du dôme.

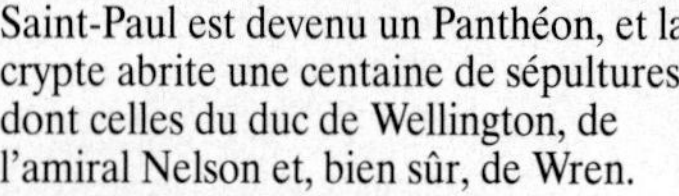

Le porche de St Bartholomew the Great
L'élégant porche de 1893 est l'œuvre de sir Aston Webb. Le portail d'origine de la nef disparue existe encore, dans la Gatehouse, à l'ouest.

Saint-Paul est devenu un Panthéon, et la crypte abrite une centaine de sépultures dont celles du duc de Wellington, de l'amiral Nelson et, bien sûr, de Wren.

Les cérémonies de Saint-Paul. Saint-Paul est l'édifice religieux le plus cher aux Londoniens : des funérailles nationales, comme celles de Nelson (1805), Wellington (1852) et Churchill (1965) s'y déroulèrent ; la reine Victoria y célébra ses cinquante ans de règne et, en 1981, le mariage du prince Charles et de lady Diana Spencer y eut lieu.

Smithfield

Il n'y a plus rien de commun entre l'ancien faubourg du nord de Londres et ce quartier qui s'immerge dans la City ▲ *146*. Le nom de Smithfield vient de l'anglais «*smooth fields*», qui désignait autrefois une vaste prairie en bordure de la ville.

St Bartholomew's Hospital ♥. Il s'agit du plus vieil hôpital de Londres. Attenant à un prieuré, fondé en 1123 par un augustinien, Thomas Rahère, l'hôpital fut refondé, au XVIe siècle, par le roi Henry VIII, après la dissolution des ordres monastiques. Reconstruit par James Gibbs, entre 1730 et 1759, il n'a rien conservé de ses bâtiments d'origine. Au-dessus de l'entrée se dresse une statue d'Henry VIII par Francis Bird, sculpteur qui travailla pour Wren ▲ *167*. William Harvey, qui découvrit le fonctionnement de la circulation du sang, dirigea l'hôpital de 1609 à 1633, et l'un des plus illustres membres du conseil d'administration fut William Hogarth ▲ *210*. Longtemps intendant honorifique, il offrit deux toiles à l'hôpital, *L'Étang de Bethesda* et *Le Bon Samaritain* (1735-1736), qui décorent l'escalier.

St Bartholomew the Less. Elle fut édifiée en 1184 et servait alors de chapelle à l'hôpital. Lors de la seconde fondation de St Bartholomew, elle fut transformée en église paroissiale. Endommagée durant la Seconde Guerre mondiale, elle a été restaurée au début des années cinquante. Elle abrite la sépulture de nombreux chirurgiens et médecins de l'hôpital. Sa tour carrée, flanquée d'une tourelle, est du XVe siècle.

St Bartholomew the Great
C'est la plus ancienne église de Londres, et l'un des rares témoignages de l'architecture normande dans la capitale, avec St John's, la chapelle de la Tour, et Temple Church.

St Bartholomew the Great. Le prieuré, fondé en 1123, par Rahère, fut acheté, en 1544, par Richard Rich et demeura la propriété de sa famille jusqu'en 1862. Si l'église échappa de peu au Grand Incendie, ses bâtiments, au fil des siècles, souffrirent de leur nouvelle affectation : la Lady Chapel servit d'habitation avant d'être aménagée en imprimerie, le cloître devint une étable et le transept nord une forge. Au milieu du XIXe siècle, l'église était en ruine. Elle ne fut restaurée qu'à partir de 1858. De la nef, seul subsiste un fragment, mais le chœur roman reste très impressionnant. Le remplage des fenêtres hautes date du XIVe siècle, ainsi que l'extrémité orientale du chœur et la Lady Chapel. Le cloître date du XVe siècle, la tour de 1628 et le porche de 1893. L'ensemble a subi de multiples transformations au cours des siècles.

MITHFIELD MARKET. Au Moyen Âge, l'on se rassemblait ans ce lieu inhabité (hormis St Bartholomew), situé l'extérieur de l'enceinte de Londres, pour assister à des xécutions capitales (Smithfield fut, à partir du XIVe siècle, un des principaux lieux d'exécution des rebelles écossais et es martyrs protestants), contempler des joutes ou participer la Grande Foire au drap, la si populaire *Cloth Fair*, qui se enait en août durant trois jours. Dès la fin de la période axonne, au XIe siècle, un marché au bétail se tenait à mithfield. Puis, au XVIe siècle, un faubourg important se éveloppa autour de ce marché dont les barrières se trouvaient l'extrémité de St John Street. Les nuisances inhérentes à endroit amenèrent la suppression de la Foire en 1855 et le éplacement du marché aux bestiaux à Islington. Il subsista, ependant, un marché de la viande dans de nouvelles halles.

LONDON CENTRAL MEAT MARKET. Les quatre bâtiments du marché ● *86* furent édifiés par sir Horace Jones. Le développement des grandes surfaces menace aujourd'hui Smithfield, comme jadis Covent Garden ▲ *272* ou Billingsgate ● *84* ▲ *156* ou encore Spitalfields ▲ *312*.

CHARTERHOUSE SQUARE ♥. Sur cette place à l'atmosphère ranquille, pavée et éclairée de vieux lampadaires à gaz, e trouve l'ancien monastère de CHARTERHOUSE fondé u XIVe siècle, qui abritait l'ordre des Chartreux, et devint ne école puis une maison de retraite. Thomas More ▲ *197*, *320* séjourna au monastère entre 1499 et 503, tout comme Thomas Cromwell n 1535. Les bâtiments ne se visitent pas mais faut admirer les jardins intérieurs en assant par le porche.

THE «FAT BOY». Ce garçonnet joufflu, en ois doré, posté dans GILTSPUR STREET l'endroit d'une ancienne taverne, marque la limite du Grand Incendie.

LONDON CENTRAL MEAT MARKET
Ouvert en 1868, le London Central Meat Market connut un succès immédiat et une intense activité. Derrière les façades de brique rouge et de pierre se trouvent de vastes halles à toiture de verre.

«THE OLD SMITHFIELD MARKET»
Ce tableau de Thomas Sydney Cooper dépeint le marché aux bestiaux du XIXe siècle.

THE OLD WALL
Les restes du rempart romain du IIIe siècle, en brique, englobe des parties en pierre datant, elles, de l'époque médiévale.

LE DIEU MITHRA
Cette tête, du IVe siècle, trouvée en 1954 dans le temple de Mithra, atteste l'importance de ce culte oriental à Londinium.

LE MUSÉE DE LONDRES

Installé depuis 1976 dans ses nouveaux locaux du quartier de Barbican, ce musée, très populaire, est né de la fusion des London et Guildhall Museums.

HISTOIRE. Le *Guildhall Museum* fut fondé en 1826 pour accueillir les vestiges du Londres romain et médiéval découverts dans la City et offerts à son administration. Le *London Museum*, lui, est né de l'inspiration des vicomtes Harcourt et Esher qui voulaient créer à Londres l'équivalent du musée Carnavalet ; il devait rassembler tout ce qui avait trait à l'histoire de Londres. Ouvert en 1912, il fut installé tantôt à Kensington Palace, tantôt à Lancaster House. Sir Mortimer Wheeler, en 1927, suggéra une fusion des deux musées, mais l'idée ne fut reprise qu'après la Seconde Guerre mondiale, la City et le gouvernement souhaitant utiliser les locaux à d'autres fins. La décision fut enfin prise en 1965. Le Museum of London était né. La nécessité de trouver pour ce nouveau musée des locaux adéquats se concrétisa en 1971 par la construction d'un bâtiment moderne dans le quartier de Barbican. Là, le Museum of London a su créer des collections complètes et didactiques, se rapportant à l'histoire économique et sociale de la capitale. Des ensembles entiers, des habitations et des échoppes ont été remarquablement reconstitués. L'entrée principale du musée, par la passerelle de la Rotonde, mène au niveau supérieur. C'est là que peut commencer la visite des dix salles qui retracent l'histoire de Londres.

TAMISE PRÉHISTORIQUE. Cette salle concerne le Londres préhistorique et protohistorique, s'étendant des origines à 42 après J.-C. Cette galerie présente des silex paléolithiques et néolithiques, des poteries trouvées à Heathrow, des armes en bronze.

LONDRES ROMAINE. Là est retracée l'histoire de Londinium ● *34*, de 43 à 410 après J.-C. L'un des vestiges de cette période est le temple de Mithra, découvert en 1954 à l'est du Walbrook et transplanté dans Temple Court, 11 Queen Victoria Street.

LONDRES MÉDIÉVALE. Cette galerie couvre mille ans, de 410 à 1484. Elle renferme, entre autres, des haches normandes du XIe siècle, mais aussi des objets plus tardifs, tel un panneau de bois sculpté (ci-contre) provenant d'un coffre datant de 1400, illustrant des scènes inspirées des *Contes de Canterbury*, ou encore une lourde broche dorée du VIe siècle, d'origine

St Bartholomew's Fair
Les divertissements de la foire de St Bartholomew sont représentés sur cet éventail (1728-1730).

saxonne (ci-dessous), trouvée dans la nécropole anglo-saxonne de Mitcham, dans le Surrey.

Londres Tudor. La galerie témoigne de l'enrichissement de la City et de la vie quotidienne des Londoniens de 1485 (année de l'avènement d'Henri VII) à 1603 (avènement de Jacques Ier et début de la dynastie des Stuarts). La salle renferme des armes, des bijoux et des costumes d'époque, ainsi que des horloges et des montres fabriquées alors par les communautés hollandaises de la City.

Londres sous les Stuarts. Cette salle se rapporte au Londres des premiers Stuarts, de 1603 à 1666. Elle présente de belles maquettes du théâtre de Shakespeare, du pont de Londres, un masque mortuaire de Cromwell et le diaporama sonore du Grand Incendie.

Londres sous les derniers Stuarts. La galerie concerne la période qui débute en 1667, avec la reconstruction de Londres, et se termine en 1713, par l'avènement de George Ier de Hanovre. On y découvre un costume de Londonien, une remarquable maquette en coupe de la nouvelle cathédrale Saint-Paul, ▲ *171*, une table à jeu, de backgammon et d'échecs.

Londres georgienne. Cette salle aborde le Londres en pleine expansion, entre 1714 et 1800, avec la reconstitution de l'intérieur d'une prison, un pilori et des armes.

Londres du XIXe siècle. Cette salle, couvrant la période de 1801 à 1880, expose un modèle de péniche, de 1807, la maquette du Crystal Palace construit en 1851 pour l'Exposition universelle et une voiture de pompiers de 1862.

Londres impériale.
L'époque victorienne, de 1881 à 1910, est évoquée dans cette salle. Une rue et l'intérieur d'un pub ont été reconstitués.

Londres du XXe siecle.
Cette salle, consacrée à l'entre-deux-guerres, présente un ascenseur du grand magasin *Selfridges*, de 1928, un abri antiaérien et un studio de radio.

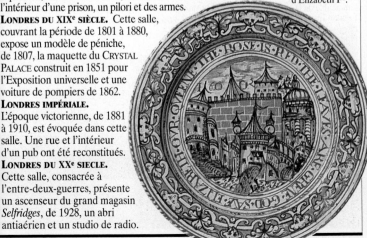

Ce vase du XIIIe-XIVe siècle serait d'origine vénitienne.

Plat (1602)
Œuvre probable d'un potier flamand d'Aldgate, ce plat est en faïence et «tin-glaze»(émail contenant de l'étain) ; à l'intérieur, il porte une inscription à la mémoire d'Elizabeth Ire.

AUTOUR DE BARBICAN

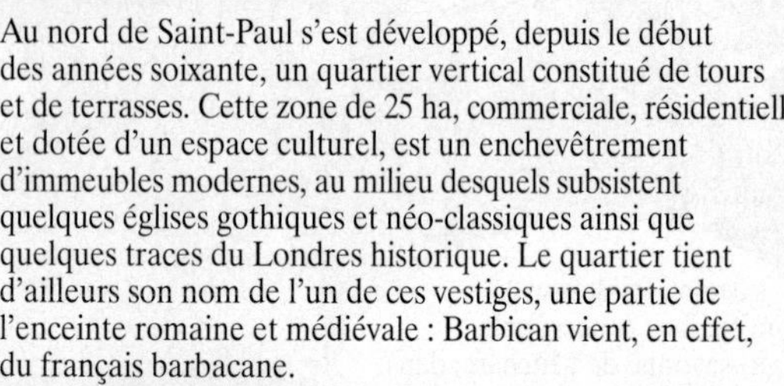

Au nord de Saint-Paul s'est développé, depuis le début des années soixante, un quartier vertical constitué de tours et de terrasses. Cette zone de 25 ha, commerciale, résidentielle et dotée d'un espace culturel, est un enchevêtrement d'immeubles modernes, au milieu desquels subsistent quelques églises gothiques et néo-classiques ainsi que quelques traces du Londres historique. Le quartier tient d'ailleurs son nom de l'un de ces vestiges, une partie de l'enceinte romaine et médiévale : Barbican vient, en effet, du français barbacane.

BARBICAN
Ce véritable dédale de bâtiments, cours, tours, escaliers, tunnels et passerelles, fut édifié sur les terrains rasés par le Blitz ● *42*.

LA RECONSTRUCTION. Si Saint-Paul sortait quasi indemne de l'épreuve du Blitz ● *42*, le tiers de la City était rasé. Et de tous ses quartiers, Barbican était celui qui avait le plus souffert. Les difficultés de l'après-guerre ne permirent pas de commencer véritablement sa reconstruction avant 1955. Il s'agissait de bâtir un ensemble moderne, en rupture totale avec l'ancien quartier, regroupant habitations, bureaux, lieux de loisirs, magasins, centres artistiques et culturels dont la réalisation fut confiée à trois architectes : Chamberlain, Powell et Bon.

UNE RÉALISATION CONTROVERSÉE. Les travaux, commencés en 1962, se prolongèrent durant vingt ans et ne s'achevèrent que le 3 mars 1982. Barbican, longtemps déserté, abrite aujourd'hui près des deux tiers des habitants de la City. Refoulant la circulation automobile en sous-sol, il se présente principalement comme un secteur où le piéton est roi. Ce dernier peut bénéficier, en effet, de tout un réseau de terrasses, de passages, de places et de pièces d'eau, reliant les divers éléments de cet ensemble. Les détracteurs de Barbican font aisément valoir qu'il s'agit, en fait, d'un espace difficilement accessible et incohérent, d'un univers de béton beaucoup trop froid que n'arrivent pas à humaniser ses nombreux centres culturels, dont le Museum of London, une école d'art dramatique, THE GUILDHALL SCHOOL OF MUSIC AND DRAMA, et un collège de jeunes filles, THE CITY OF LONDON SCHOOL FOR GIRLS.

«FINSBURY CIRCUS»
Ce tableau du XIXe siècle, œuvre d'un artiste anonyme, représente la partie nord de la place avec, dans le fond, l'immeuble de la London Institution.

The Barbican Arts and Conferences Centre. Inauguré en mars 1982, il est l'un des plus importants complexes socioculturels d'Europe. S'étendant sur plus de dix étages, aussi bien en surface qu'en sous-sol, il abrite désormais la salle de concerts du London Symphony Orchestra (2 000 places), le Théâtre de la Royal Shakespeare Company (1 500 places), le Pit Theatre, plus petit, une bibliothèque, une galerie d'art, des salles de conférences ou de spectacles, trois cinémas, des cafétérias et des restaurants.

St Giles without Cripplegate. L'église porte le nom de l'une des cinq portes romaines de la ville : Cripplegate, Aldgate, Bishopsgate, Newgate et Ludgate. L'édifice actuel fut construit au milieu du XVIe siècle et la tour au siècle suivant. C'est une des rares églises médiévales à avoir échappé à l'incendie de 1666 ; en revanche, elle fut endommagée lors du Blitz. Son chœur abrite la sépulture de l'explorateur et navigateur Martin Frobisher (1535-1594) et celle du poète John Milton (1608-1674). Oliver Cromwell (1599-1658) se maria en 1620 dans cette église.

St Botolph's Aldersgate
Cette peinture de l'époque victorienne met en valeur la flore subtropicale du cimetière de l'église Saint-Botolph, devenu, depuis 1880, Postman's Park. Il est situé de l'autre côté du Barbican, sur Noble Street.

The Wall. Plusieurs vestiges de l'ancienne enceinte de Londres se trouvent le long de la voie rapide London Wall, notamment dans le jardin de l'ancienne église Saint-Alphège et à West Gate. La caractéristique principale de l'ancienne enceinte est le mélange de fragments romains, qui en constituent l'assise, de parties médiévales faites de supports en pierre grise du XIVe siècle et surmontés de brique rouge du XVe siècle.

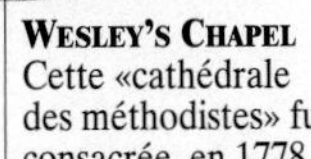

Wesley's Chapel
Cette «cathédrale des méthodistes» fut consacrée, en 1778, par le missionnaire et évangéliste John Wesley (1703-1791).

All Hallows Church. Édifiée entre 1765 et 1767, All Hallows Church, de style néo-classique, est due à George Dance le Jeune ▲ *149*. Un retable d'autel a été peint par Nathaniel Dance, frère de George. Un fragment du rempart romain est visible dans le jardin de l'église.

Finsbury Circus. En traversant Moorgate, on parvient à cette place circulaire (représentée ci-dessous vers 1820). Il ne reste malheureusement aucune des habitations édifiées vers 1815 par Dance le Jeune : aujourd'hui, d'imposantes bâtisses, dont Lutyens House (de sir Edwin Lutyens, 1924-1927), entourent un beau jardin.

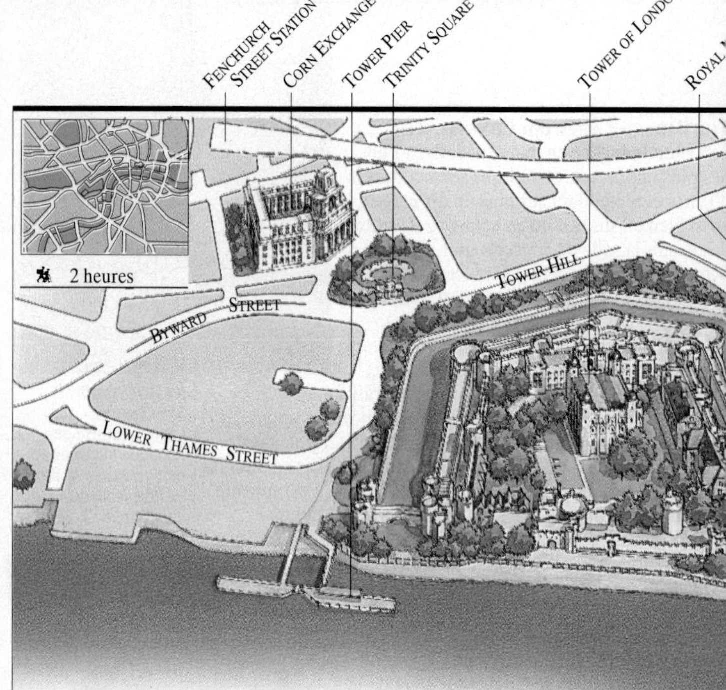

Vers l'an 200, Londinium, devenue l'une des villes les plus prospères de l'Empire romain, fut entourée de murailles (dont il subsiste des vestiges sur Trinity Square et à l'intérieur de la Tour). Malgré ces remparts, la ville fut prise en 1066 par Guillaume le Conquérant. Une dizaine d'années plus tard, il fit construire la tour Blanche. Ses successeurs y ajoutèrent divers éléments, tel Édouard Ier, qui ordonna l'érection de l'enceinte extérieure. Blanche, la Tour l'était déjà à cause du calcaire du Kent et de la pierre de Caen qu'on avait utilisés ; elle le devint tout à fait à partir de 1240, quand Henri III la fit enduire de lait de chaux. Les fenêtres, de style normand, furent agrandies par Christopher Wren ● *68,* ▲ *171, 349*. Aujourd'hui, la Tour abrite, outre une magnifique collection d'armes et le Herald's Museum, la St John's Chapel, la plus vieille église de Londres et chef-d'œuvre de l'art roman primitif anglais.

La White Tower
La tour Blanche, la plus ancienne construction de la Tour de Londres, constitue le donjon d'une imposante forteresse qui n'a cessé de s'appeler tout simplement the Tower, la Tour.

Palais royal, prison royale ♥. La Tour servit de résidence royale pour la première fois sous le règne d'Henri III (1216-1272). Une partie de ce palais fut reconstruite pendant le règne d'Henri VIII, et c'est à cette même époque, vers 1540, que les maisons à colombage appelées Queen's Houses furent construites sur Tower Green, petite colline verte dans l'enceinte de la Tour. Le palais royal fut redécoré en 1533, à l'occasion du sacre d'Anne Boleyn, deuxième épouse d'Henri VIII. Mais si la Tour de Londres était résidence royale, elle fut surtout une redoutable prison d'État, dans laquelle furent détenues de nombreuses personnes, souvent illustres, ainsi qu'un lieu d'exécution. Tower Green vit tomber de nombreuses têtes, dont celles de Jane Grey (dix-sept ans), d'Anne Boleyn et de Catherine Howard (deuxième et cinquième femmes d'Henri VIII). D'ailleurs, l'exécution sur Tower Green, au lieu de Tower Hill, était réservée aux prisonniers de marque. Ces privilégiés avaient également le droit d'être enterrés dans la CHAPEL OF ST PETER AD VINCULA (avant 1210) qui, détruite par un incendie en 1512, fut reconstruite trois ans plus tard. Sir Thomas More ▲ *173, 197* et John Fisher (évêque de Rochester, canonisé en 1935) furent parmi les victimes de la Tour de Londres, arrêtés puis exécutés parce qu'ils refusaient de souscrire à l'Acte de suprématie (Oath of Supremacy, 1534), qui faisait définitivement passer l'Église d'Angleterre sous l'autorité royale. En 1413, sir John Oldcastle, le Falstaff de Shakespeare, passa quelque temps dans les murs de ce sinistre lieu ; il échappa à l'échafaud grâce à son ami le roi Henri V, qui le fit évader. Mais il fut rattrapé et pendu à St Giles's Fields. Le roi Jean le Bon séjourna quelque temps dans cette prison, tout comme le poète Geoffrey Chaucer. En 1679, Samuel Pepys ● *40* fut accusé par Titus Oates d'avoir livré des secrets navals aux Français. Relâché sous caution, il fut innocenté. Durant la Seconde Guerre mondiale, Rudolf Hess, tombé en parachute en Écosse selon des circonstances restées mystérieuses, séjourna dans la maison du Geôlier (Gaoler's House). En 1483, Richard de Gloucester, futur Richard III, aurait fait assassiner ses neveux le prince Édouard V et le duc d'York, fils d'Édouard IV, dans une tour que l'on surnomma depuis THE BLOODY TOWER, la «tour Sanglante».

LES OISEAUX. La Tour est célèbre pour ses grands corbeaux. On dit que leur départ entraînerait la chute de la royauté et l'effondrement de la Tour, ce qui explique qu'on leur rogne les ailes.

HALLEBARDIER DE LA TOUR DE LONDRES
Les Yeomen Warders sont plus communément appelés Beefeaters. *Beefeater* signifie littéralement «mangeur de bœuf» ; pour certains, ce nom viendrait de la déformation de l'ancien français *buffetier*, c'est-à-dire gardien du buffet royal.

▲ La Tour de Londres

1. Middle Tower
Construite au XIIIe siècle, elle commandait le pont de pierre qui franchit le fossé.

2. Byward Tower
C'est la «tour du mot de passe». À l'intérieur, on admire une fresque du XIVe siècle. La tour ouvre sur la forteresse et permet d'atteindre le chemin de ronde extérieur.

3. Bell Tower
Thomas More et la future reine Élisabeth Ire y furent enfermés.

4. St Thomas's Tower
Édifiée au XIIIe siècle, elle présente des maquettes de la Tour.

5. Bloody Tower
Située en face de St Thomas's Tower, c'est là qu'auraient été assassinés les enfants d'Édouard IV.

6. Wakefield Tower
Henri VI y aurait été tué.

7. Beauchamp Tower
Édifiée au début du XIVe siècle, elle présente des objets découverts lors de fouilles.

WHITE TOWER
chevée en 1100. Son architecture normande est visible dans le donjon lui-même (en particulier sur le côté sud) et à l'intérieur, où se trouvent notamment des salles d'armes et l'édifice de style roman normand de St John's Chapel. Les quatre tours gothiques ont été coiffées de dômes d'inspiration byzantine au XVIIe siècle.

9. NEW ARMOURIES
L'ancien entrepôt maritime (1680) abrite des pièces d'artillerie.

10. ROYAL FUSILIERS MUSEUM
Le musée des Fusiliers évoque le corps créé en 1685, qui devint également, en 1881, régiment de la Cité de Londres avant d'intégrer, en 1968, les autres régiments de Fusiliers.

11. WATERLOO BARRACKS
La caserne Waterloo abrite, dans l'Oriental Gallery, une collection d'armes d'Orient et d'Afrique du Nord.

12 HERALD'S MUSEUM
Le Musée héraldique évoque l'histoire des armoiries.

13. ST PETER AD VINCULA
Les corps suppliciés de Thomas More et d'Anne Boleyn furent déposés dans la chapelle Saint-Pierre-aux-Liens, érigée au XIIe siècle.

14. TRAITOR'S GATE
Les prisoniers entraient dans la tour par cette porte qui ouvre sur la Tamise

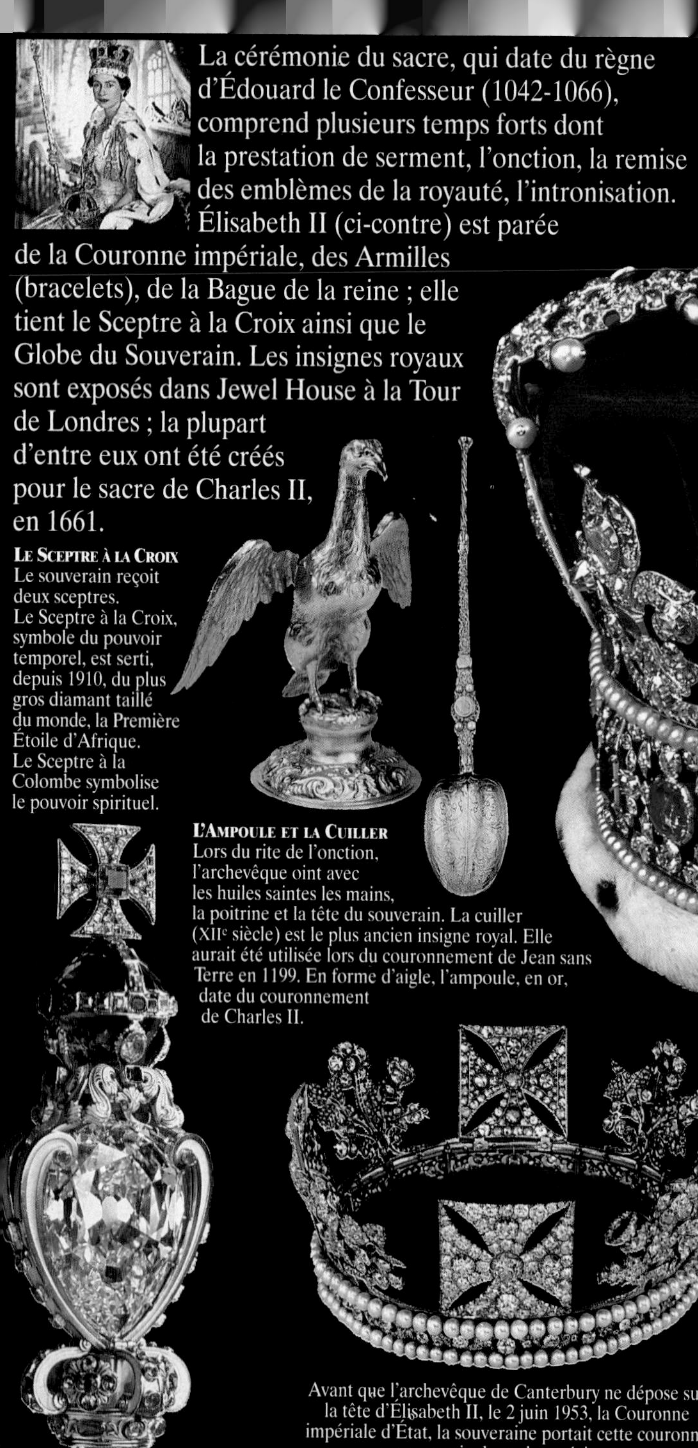

La cérémonie du sacre, qui date du règne d'Édouard le Confesseur (1042-1066), comprend plusieurs temps forts dont la prestation de serment, l'onction, la remise des emblèmes de la royauté, l'intronisation. Élisabeth II (ci-contre) est parée de la Couronne impériale, des Armilles (bracelets), de la Bague de la reine ; elle tient le Sceptre à la Croix ainsi que le Globe du Souverain. Les insignes royaux sont exposés dans Jewel House à la Tour de Londres ; la plupart d'entre eux ont été créés pour le sacre de Charles II, en 1661.

Le Sceptre à la Croix
Le souverain reçoit deux sceptres. Le Sceptre à la Croix, symbole du pouvoir temporel, est serti, depuis 1910, du plus gros diamant taillé du monde, la Première Étoile d'Afrique. Le Sceptre à la Colombe symbolise le pouvoir spirituel.

L'Ampoule et la Cuiller
Lors du rite de l'onction, l'archevêque oint avec les huiles saintes les mains, la poitrine et la tête du souverain. La cuiller (XIIe siècle) est le plus ancien insigne royal. Elle aurait été utilisée lors du couronnement de Jean sans Terre en 1199. En forme d'aigle, l'ampoule, en or, date du couronnement de Charles II.

Avant que l'archevêque de Canterbury ne dépose sur la tête d'Élisabeth II, le 2 juin 1953, la Couronne impériale d'État, la souveraine portait cette couronne en or garnie de perles précieuses.

La Couronne impériale des Indes (1911) et la Couronne de la reine mère Élisabeth (1937)
Près de six mille pierres précieuses, venant des Indes, sont incrustées dans la première (1), mais George V ne la porta qu'une fois, à l'occasion du Delhi Durbar. La seconde (2), unique couronne en platine, est ornée du célèbre diamant Koh-i-Noor (Montagne de Lumière).

1

2

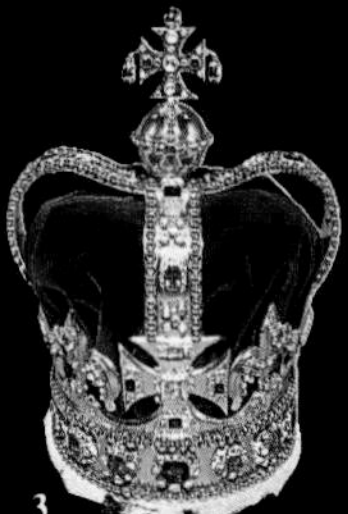

3

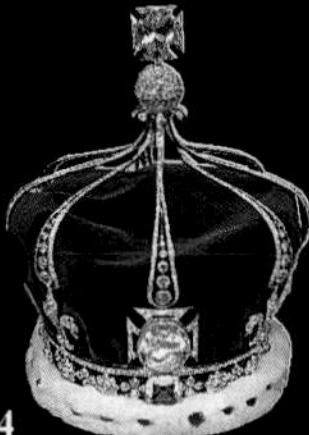

4

La Couronne impériale d'État (vue de face)
La couronne actuelle (ci-dessus) fut conçue, en 1837, pour le sacre de Victoria et modifiée pour George VI, en 1937. Sertie de plus de 2 800 diamants et ornée d'un saphir, elle est surmontée de la Croix de Malte. Le souverain la porte lors des grandes cérémonies officielles.

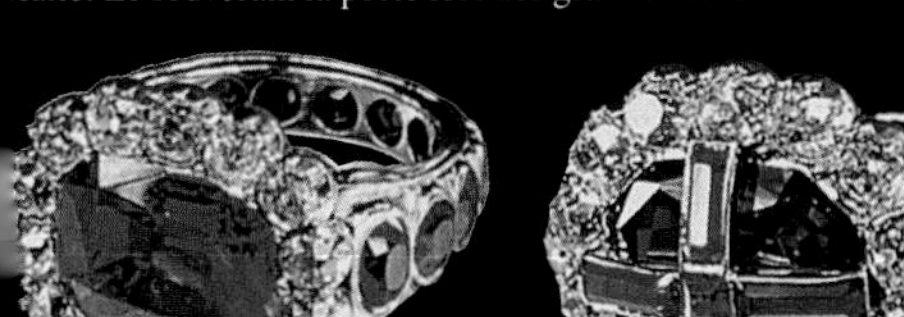

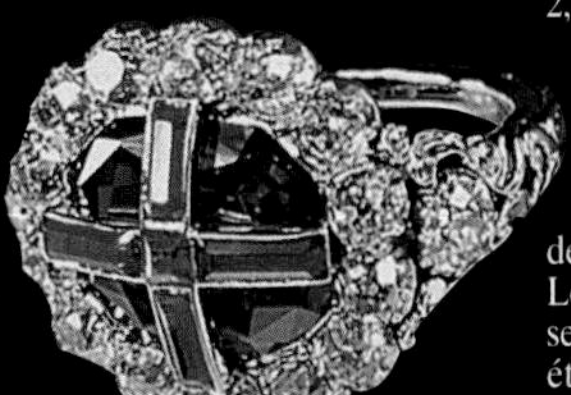

La Bague du Souverain et la Bague de la Reine Elles furent réalisées en 1831 pour Guillaume IV et Adélaïde. Lors du couronnement, l'archevêque la passe à l'annulaire droit du souverain.

La Couronne de saint Édouard et la Couronne de la reine Marie
La première (3) pèse 2,3 kg et date du sacre de Charles II. Elle était, à chaque couronnement, ornée de pierres précieuses louées à des joailliers.
Les pierres actuelles, semi-précieuses, ont été serties en 1910 pour le sacre de George V.
La seconde (4) fut créée pour la reine Marie, son épouse.

▲ La Tour de Londres et Tower Bridge

Carton d'invitation
Le prince de Galles posa sur le pont une plaque commémorative le lundi 21 juin 1886.

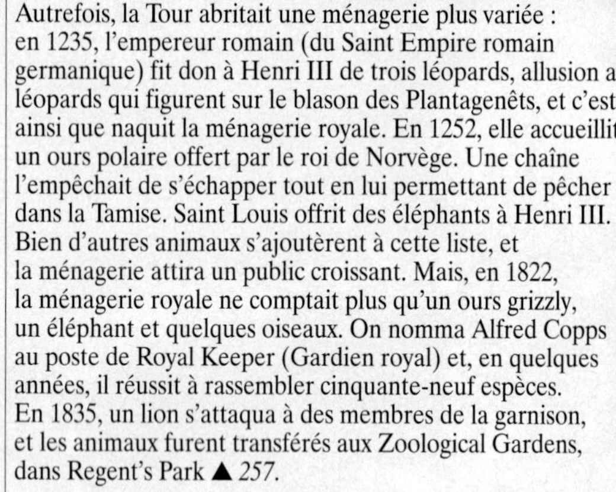

Autrefois, la Tour abritait une ménagerie plus variée : en 1235, l'empereur romain (du Saint Empire romain germanique) fit don à Henri III de trois léopards, allusion au léopards qui figurent sur le blason des Plantagenêts, et c'est ainsi que naquit la ménagerie royale. En 1252, elle accueillit un ours polaire offert par le roi de Norvège. Une chaîne l'empêchait de s'échapper tout en lui permettant de pêcher dans la Tamise. Saint Louis offrit des éléphants à Henri III. Bien d'autres animaux s'ajoutèrent à cette liste, et la ménagerie attira un public croissant. Mais, en 1822, la ménagerie royale ne comptait plus qu'un ours grizzly, un éléphant et quelques oiseaux. On nomma Alfred Copps au poste de Royal Keeper (Gardien royal) et, en quelques années, il réussit à rassembler cinquante-neuf espèces. En 1835, un lion s'attaqua à des membres de la garnison, et les animaux furent transférés aux Zoological Gardens, dans Regent's Park ▲ *257*.

Tower Bridge ♥

Le Tower Bridge est là pour témoigner que, sans le fleuve, il n'y aurait pas eu de ville. Voilà sans doute pourquoi il est devenu le premier symbole de Londres. De ce point de vue-là comme le montre son architecture unique, il appartient au passé. Mais ce colosse de Rhodes articulé continue de montrer, en déplaçant voitures, bateaux et piétons, que l'eau et la terre sont toujours nécessaires à la croissance de la capitale. À ce titre, son ingénierie et son côté pratique l'ancrent dans le présent.

La construction. La saturation de la circulation routière sur les ponts londoniens, en particulier sur le pont de Londres, imposa, à la fin des années 1880, la construction d'un nouveau pont, en aval. Bien que le pont soit situé légèrement au-delà des limites de la Cité, les travaux furent confiés à son architecte, sir Horace Jones, qui, inspiré par les travaux d'art des Pays-Bas, proposa le projet audacieux d'un pont à tablier relativement bas

Les Yeomen Warders et la cérémonie des clés
Créés vers 1485, les Yeomen of the Guard formaient la garde royale. Ils escortèrent Henri VII lors de son sacre. Depuis près de sept cents ans, la cérémonie des clés, au cours de laquelle la forteresse est fermée à clé pour la nuit, se déroule tous les soirs, pendant sept minutes, dans l'enceinte de la Tour de Londres.

À 9 h 53, le Chief Yeoman Warder, revêtu du costume Tudor rouge et noir, quitte la Byward Tower. Il tient les clés de la forteresse et une lanterne. Devant la Traitor's Gate, il est rejoint par quatre soldats à bonnet à poil qui se mettent au pas derrière lui. Tous les cinq, ils franchissent la porte de la Byward Tower jusqu'au portail extérieur qu'ils ferment. Puis, c'est le tour du portail de Byward Tower et de la Middle Tower. Au retour, un dialogue s'engage entre une sentinelle postée sur la Bloody Tower et le Chief Warder : "Qui va là ? – Les clés ! – Les clés de qui ? – Les clés de la reine Élisabeth ! Que Dieu préserve Élisabeth !" La garde dit «Amen». Le Chief Yeoman rapporte les clés à la Queen's Tower.

Le Tower Bridge, a-t-on écrit, est «un squelette d'acier recouvert d'un manteau de pierre».

à 9 m du fleuve), mais à double bascule, de manière que es bateaux puissent accéder à Upper Pool, le bassin situé ntre Tower Bridge et London Bridge, le pont suivant. Les éritables maîtres d'œuvre furent sir John Wolfe Barry, fils u célèbre architecte sir Charles Barry, et G. D. Stevenson, ui apporta des modifications au projet de Jones après a mort de ce dernier, en 1887.

?ARCHITECTURE DU PONT. Le Parlement t la Cité imposèrent le style éo-gothique (demandé par la reine /ictoria et le War Office) aux deux tours ui devaient cacher l'appareillage ydraulique de levage afin d'assurer 'harmonie avec la Tour voisine, mais ussi parce que l'architecture urbaine 'inspirait alors de cette source. L'influence le l'Écosse, d'où était originaire tevenson, est également sensible tant dans l'architecture t la décoration des tours que dans l'utilisation de l'acier pour es superstructures du pont. Les murs de pierre qui ecouvrent la structure métallique sont destinés à assurer une neilleure résistance au poids des deux tabliers. La première ierre de cette «porte fluviale de la Cité» de 805 m de long ut posée par le prince de Galles en 1886. Si, aujourd'hui, e Tower Bridge est l'un des symboles de Londres, lors le son inauguration, en 1894, l'ouvrage fut très critiqué par ıne large partie de l'opinion publique.

LE PASSAGE DES BATEAUX. À tout moment, de nuit comme le jour, tout bateau ayant une superstructure (château ou nât) d'une hauteur de 10 m ou plus doit, à la hauteur de Cherry Garden Pier, transmettre un signal au Tower Bridge pour pouvoir le dépasser. À l'inverse, tout vaisseau de même importance qui quitte le bassin supérieur doit demander l'ouverture du pont. Il s'écoule entre sept et dix minutes entre la réception du signal et l'ouverture. Il n'est pas question de faire attendre les bateaux, c'est à la circulation routière de s'adapter au trafic fluvial.

UN PONT SUR L'EAU
Faciliter la navigation fluviale a été un facteur déterminant dans la conception du Tower Bridge.

DÉTAIL DU PARAPET
Les parties métalliques du pont, peintes en bleu, blanc et rouge, sont ornées de différents motifs : insignes royaux et entrelacs.

TOWER BRIDGE, AVRIL 1892
Tower Bridge illustre parfaitement le mélange, propre à l'ère victorienne, entre l'architecture et l'ingénierie, l'imitation historique et la technologie. À l'époque de sa construction, beaucoup de voix s'élevèrent contre le projet de recouvrir la structure métallique de murs de pierre.

Plusieurs projets architecturaux avaien
le jour avant que ne soit retenu celui de
sir Horace Jones. C'est ainsi que, en
sir Joseph Bazalgette présenta les pl
pont à une seule arche, mais le prog
fut rejeté à cause d'une hauteur de ta
insuffisante. La configuration définiti
tours fut décidée après la mort de Jor
simplifiée après la construction du p
lendemain de la Seconde Guerre m

PROJETS ET RÉALISATI
Les deux pla
faisaient pa
projet q
rete
rev
de
d
f
l
r
l
l
a

Détails du parapet et du revêtement en pierre (niche vue de face et de profil)
Stevenson modifia la structure du pont dessiné par Jones : allongement des tourelles et renforcement des bandes horizontales.

“Aujourd’hui, les ponts sont au nombre de onze (et pendant la guerre, ils étaient vingt, car on en avait doublé trois par des ponts de bois) : ce sont le Tower Bridge, le London Bridge, les ponts de Southwark, Blackfriars, Waterloo, Westminster, Lambeth, Vauxhall, Albert, Chelsea et Battersea. Ils s’échelonnent à partir de Tower Bridge, à l’entrée du Pool, ce bassin étal que gonflent les cent quarante kilomètres d’eau salée ou saumâtre de la Tamise maritime[…].”
Paul Morand, *Londres*

L'usage piéton
Les tours enferment également chacune un ascenseur qui permettait aux piétons, quand les ponts-levis étaient levés, d'emprunter le tablier supérieur. Il dut être fermé dès 1911 à cause du trop grand nombre de suicides enregistrés. Aujourd'hui, cette passerelle, d'où la vue sur Londres et la Tamise est exceptionnelle, est ouverte au public, mais protégée par des vitres.

Ambiance londonienne
«La brume flottait sur le fleuve, accentuant l'éclat rougeâtre des feux allumés sur les petits navires mouillés en face des divers appontements et rendant plus sombres et plus indistincts les bâtiments qui se dessinaient vaguement sur les rives.»
Charles Dickens, *Les Aventures d'Olivier Twist*

Un remorqueur, prêt à intervenir, stationne en permanenc sur le côté nord-ouest du pont afin de faciliter le passage de voiliers.

La manœuvre du pont. Quatre-vingts hommes en tout travaillent au pont, dont quatorze à la surveillance. Quand le pont doit s'ouvrir, le vigile de service prévient le policema qui règle la circulation sur le pont. Des feux interrompent alors celle-ci. La synchronisation des circulations terrestre e fluviale donna lieu, par le passé, à quelques incidents. L'un d'entre eux est resté dans les annales : on raconte que le chauffeur d'un bus à impériale brûla le feu interdisant de traverser le pont et réussit à franchir le tablier qui était déjà en train de se lever. Une fois devant le pont, les bateau n'attendent qu'une minute et demie pour passer. À Londre on est fier que l'appareillage de levage, fabriqué par la firm de Newcastle, Armstrong, Mitchel & Cie, ne soit jamais tombé en panne. En 1970, on constata une rapide mais prévisible chute de la circulation fluviale dans Upper Pool due à la fermeture des quais de ce bassin. Il n'y avait presqu plus aucun navire, sinon de faible tonnage, venant de la me franchir le Tower Bridge. Cela remettait en cause l'utilité du

pont dont le fonctionnement devenait coûteux. On se demanda alors s'il fallait le fermer définitivement ou opter pour une nouvelle machinerie, plus moderne et plus économique. Le Tower Bridge, dont l'usage naval était devenu bien inférieur à l'usage routier et dont la mécanique victorienne, révolutionnaire en son temps, était dépassée, risquait d'être relégué au rayon des souvenirs… Finalement en 1976, les machines hydrauliques furent remplacées par u système hydroélectrique.

Le musée du Pont et le «HMS Belfast». En 1982, un musée a été ouvert. Il est consacré à l'histoire du pont et montre notamment les dessins et les plans de Stevenson. Au pied du pont, sur la rive sud, les machineries d'origine sont exposées et leur fonctionnement est bien expliqué. Depuis 1971, le croiseur *Belfast*, transformé en musée, est ancré en amont d Tower Bridge, sur la rive sud. *Her Majesty Ship Belfast* (11 000 t) est le plus grand croiseu construit par la Roy Navy. Il participa à la Seconde Guerr mondiale.

«VILLAGES» ET MUSÉES

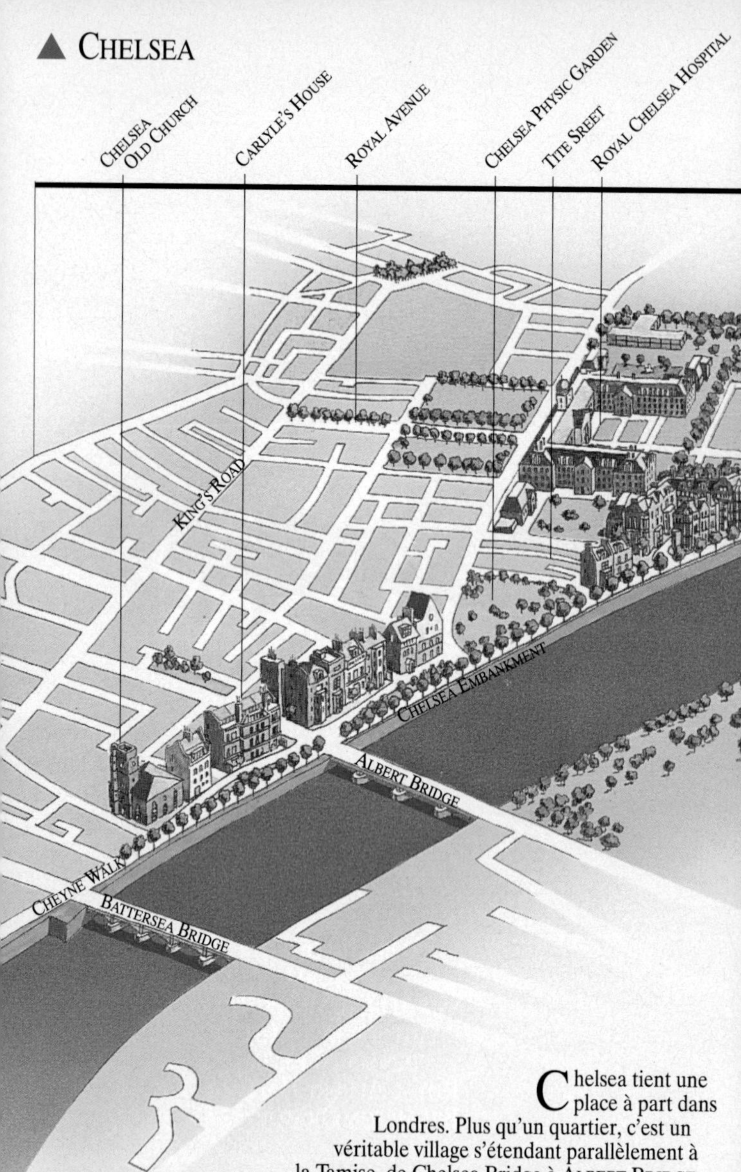

Chelsea tient une place à part dans Londres. Plus qu'un quartier, c'est un véritable village s'étendant parallèlement à la Tamise, de Chelsea Bridge à ALBERT BRIDGE (pont suspendu datant de 1873). Il offre au promeneur le charme indéniable de son architecture : ruelles étroites, maisons basses de style georgien et victorien ● *80*, et places tranquilles. Mais Chelsea, c'est aussi l'histoire fascinante de ses habitants qui, depuis quatre siècles, ont marqué la vie intellectuelle et artistique du pays.

CHELSEA FLOWER SHOW
Ces floralies occupent les jardins entourant le Royal Hospital.

CHELSEA FLOWER SHOW
MAY 22-23-24
Station SLOANE SQUARE
BUS ROUTES 11 · 39 · 46

HISTOIRE

À l'origine simple village de pêcheurs, Chelsea devint, au XVIe siècle, un lieu de résidence pour les personnalités de la cour. C'est ainsi que sir Thomas More, humaniste et chancelier du royaume, y élut domicile, de 1524 à sa mort, à l'emplacement de Beaufort Street. Il y reçut Érasme (1469-1536)

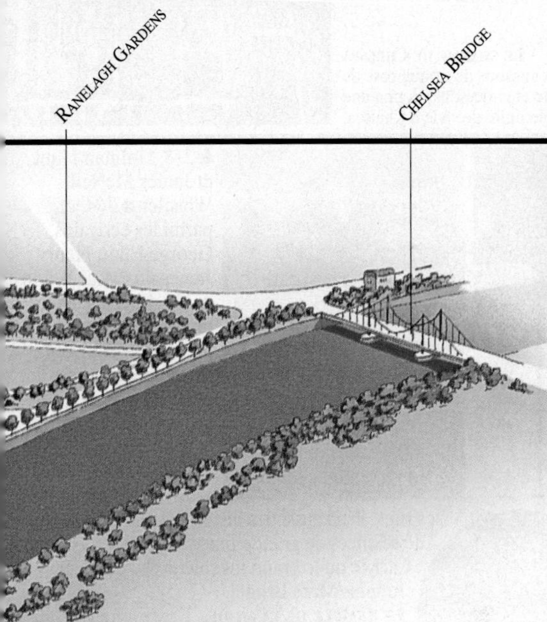

Ranelagh Gardens

Chelsea Bridge

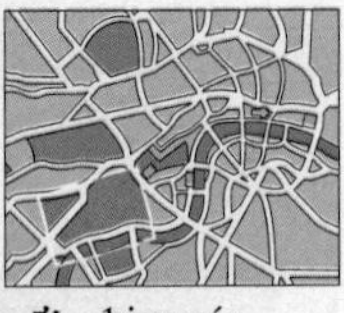

1 journée

Plus d'un siècle de tradition Les floralies de Chelsea ont toujours lieu en mai, durent quatre jours et reçoivent la visite de la famille royale.

et le peintre allemand Hans Holbein (1497-1543) qui influença les portraitistes anglais. En 1537, Henri VIII ● *35* fit construire un manoir au bord de la Tamise, The New Manor House. Ce manoir, devenu, au XVIIe siècle, propriété de la famille Cheyne, fut racheté, en 1712, par un célèbre médecin, sir Hans Sloane ▲ *301*, qui y entreposa ses collections de minéraux.

La retraite des soldats. Chelsea se modifia beaucoup et acquit définitivement sa renommée quand, au XVIIe siècle, on construisit le Royal Hospital. Les militaires à la retraite, pensionnaires de l'hôpital, contribuèrent sans doute à vanter sa tranquillité et son air pur qui contrastait avec le brouillard et les fumées de la capitale. Aussi, à partir de 1742, les Londoniens, toutes origines sociales confondues, firent de Chelsea leur lieu de promenade préféré. Ils envahirent notamment les Ranelagh Gardens, situés à l'est du Royal Hospital, où se tinrent concerts, bals, banquets et feux d'artifice.

Le refuge des artistes. Au début du XIXe siècle, de nombreux intellectuels et artistes, britanniques ou étrangers, choisirent de vivre dans ce havre de paix. Le poète Percy Bysshe Shelley ou le peintre paysagiste J.M.W. Turner ● *102*, ▲ *214, 216* furent parmi les premiers. Ce mouvement s'amplifia encore dans la seconde moitié du XIXe siècle. Parmi les peintres, on trouve alors Dante Gabriel Rossetti

LE CHARME DE CHELSEA
L'alignement de ses maisons de brique rose de style flamand (à droite et ci-dessous) donne une incontestable unité de style à Chelsea.

▲ *218*, Holman Hunt et James McNeill Whistler ● *104*, et, parmi les écrivains, George Eliot, Henry James ou Oscar Wilde ● *115*. Chelsea acquit rapidement une réputation équivoque de refuge d'artistes critiqués pour leur art et, surtout, pour leurs mœurs. Il n'y eut d'ailleurs pas que des artistes à venir habiter ses rues, mais aussi des historiens et des hommes de sciences de grande renommée, dont Thomas Carlyle ou le grand ingénieur des ponts et tunnels Marc Brunel.

LE TEMPLE DE LA MODE. L'après-guerre contribua à faire évoluer, une nouvelle fois, le quartier, quand l'avant-garde y élit de nouveau domicile. Dans les années cinquante, les pièces de John Osborne et d'Arnold Wesker, les «jeunes gens en colère» (*angry young men*), hostiles à l'Establishment, enflammèrent le public du ROYAL COURT THEATRE. Puis, sous la poussée de l'explosion musicale des années soixante, Chelsea devint une sorte de Mecque de la jeunesse anglaise chantée par les Rolling Stones, le rendez-vous consacré de la Pop music et un haut lieu de la mode grâce surtout à la styliste Mary Quant. Aujourd'hui, si les vedettes des médias ou les musiciens «branchés» ont tendance à remplacer les écrivains d'hier, Chelsea demeure un quartier très vivant qui conserve la beauté de son architecture et de ses sites sans se complaire dans un passéisme un peu guindé. Ainsi sa tradition de quartier mondain s'est-elle prolongée jusqu'à nos jours. La romancière Agatha Christie, le philosophe Bertrand Russell, le comédien Peter Ustinov, le milliardaire Paul Getty ou le Premier ministre Margaret Thatcher ont habité à Chelsea.

MÉMORANDUM
Sur certaines façades, une plaque de céramique bleue rappelle le passage d'une personnalité ■ 361.

SIR CAROL-REED FILM DIRECTOR LIVED HERE 1948-1978

VISITER CHELSEA

Largement investi, depuis trente ans, par les boutiques de mode et les extravagances d'une jeunesse dorée, Chelsea s'est peu à peu transformé, sans pour autant renier complètement son passé. Il est aujourd'hui un étrange mélange où, au hasard de la promenade, alternent boutiques de luxe et demeures célèbres, pubs typiques et monuments

UNE PLÉIADE DE CÉLÉBRITÉS
Parmi les nombreuses personnalités qui habitèrent Chelsea, on trouve notamment (de gauche à droite) : James Abbot McNeill Whistler (1834-1903), peintre américain, paysagiste de la Tamise ; George Eliot (1819-1880), journaliste et romancière ; Oscar Wilde (1854-1900), écrivain et dramaturge, et Algernon Charles Swinburne (1837-1909), poète érudit, héritier de la tradition romantique.

BRIQUE ROUGE ET STUC BLANC Maison du XIXe siècle à Chelsea.

ısolites, magasins d'antiquités et jardins historiques.
LOANE SQUARE. Ce carrefour, animé par le Royal Court heatre et les grands magasins Peter Jones, marque, au nord, limite entre Chelsea et Belgravia. Il doit son nom à r Hans Sloane ▲ *301*, médecin et bienfaiteur de Chelsea la fin du XVIIIe siècle.
ING'S ROAD. King's Road désignait, à l'origine, l'allée royale ue Charles II avait fait aménager, à la fin du XVIIe siècle, ntre le palais de Whitehall ▲ *142* et celui de Hampton Court *348*. Jusqu'en 1830, King's Road demeura une voie privée u'on ne pouvait emprunter que muni d'un laissez-passer pécial. Aujourd'hui, c'est l'une des rues les plus vivantes de helsea, tant par le nombre de boutiques, de restaurants et e pubs qui s'y trouvent, que par la foule bariolée qui s'y romène. Grande artère commerçante, King's Road est aussi lieu de rencontre de la jeunesse fortunée de Londres. lippie autrefois, punk hier, elle s'y donne rendez-vous ou n spectacle selon les modes et les saisons. Le samedi otamment, la rue fourmille de monde et de jeunes gens iches qui défilent, qui dans une Jaguar, qui dans une oadster Morgan, qui sur une Harley Davidson rutilante et étaradante. De nombreux magasins d'antiquités parsèment ing's Road, les plus fameux endroits tant Antiquarius Center, au n° 135, n passage rassemblant plusieurs ntiquaires, au n° 185, et le Chelsea ntique Market, aux n°s 245-253.
LD TOWN HALL. L'hôtel de ville, onstruit entre 1885 et 1907 dans le style aroque anglais, abrite tous les ans une oire d'antiquités très prisée, surtout par es acheteurs étrangers.
° 152 KING'S ROAD. On peut y admirer HE PHEASANTRY, dont la façade et le portique surmonté d'un uadrige ont été réalisés en 1881 pour l'artiste A. Joubert.
RGYL HOUSE. Face à la nouvelle école des Beaux-Arts de helsea a été conservé un groupe de maisons du XVIIIe siècle lont, au n° 211 King's Road, Argyl House, bâtie en 1723 par Vénitien Giacomo Leoni. Le compositeur Thomas ugustine Arne (1710-1778), auteur de *Rule Britannia*, t le comédien Peter Ustinov y ont habité.
HE ROYAL AVENUE. Cet espace bordé de tilleuls et de belles angées de maisons est ce qu'il reste d'un projet ambitieux le Guillaume III, qui voulait ouvrir une longue avenue entre a Tamise et son palais de Kensington. La Royal Avenue, oupant les pelouses verdoyantes de Burton's Court, lébouche sur le bâtiment central du Royal Hospital.

ROYAL HOSPITAL ♥

Cet hôpital, créé en 1682 par Charles II, fut réalisé l'après l'hôtel des Invalides, construit à Paris à partir le 1670 sous Louis XIV. Comme son homologue parisien, il était destiné à servir d'hospice aux anciens oldats de l'armée royale nouvellement reconstituée. Sir Stephen Fox, le trésorier général des armées, fut chargé le collecter les fonds. Le chroniqueur John Evelyn raça le plan général de l'hôpital. Christopher Wren ● *68*, ▲ *171*, *349*, dessina le bâtiment et en

STENDHAL À CHELSEA
«Londres me toucha beaucoup à cause des promenades le long de la Tamise vers Little Chelsea. Il y avait là de petites maisons garnies de rosiers qui furent pour moi la véritable élégie.»
Souvenirs d'égotisme, 1821-1830.

SIR THOMAS MORE
Cette statue de l'ancien chancelier a été érigée en 1970, en face de Chelsea Old Church, dans Cheyne Walk.

UNE RETRAITE TRANQUILLE
Sur ce tableau de Peter Tillemans (1684-1734), les bâtiments du Royal Hospital, encadrés de pelouses et des jardins du Ranelagh – à droite – dressent au-dessus de la Tamise la somptueuse sévérité de leur architecture, qui faisait dire à l'historien britannique Thomas Carlyle : «Calme et majestueux, l'œuvre d'un gentleman».

dirigea la construction. Elle ne fut achevée qu'en 1692, sous le règne de Guillaume III. En 1689, le Royal Hospital accueillit ses premiers pensionnaires, au nombre de 476. Ce chiffre a peu varié jusqu'à nos jours. Entre 1765 et 1782, l'architecte Robert Adam ● *76*, ▲ *263, 267* opéra sur l'hôpita quelques modifications. Entre 1819 et 1822, des bâtiments annexes, construits dans le style sévère néo-classique, furent ajoutés à l'est et à l'ouest, sur des plans de sir John Soane ▲ *150*. Durement éprouvé par les bombardements allemands de la Seconde Guerre mondiale, le Royal Hospital dut être sérieusement restauré.

VISITER LE ROYAL HOSPITAL. Bâti en brique rouge et en pierre blanche de Portland, le Royal Hospital est constitué d'un bâtiment central surmonté d'une tour-lanterne. Les deux longues ailes de ce bâtiment, qui abritent les chambres des pensionnaires, forment, avec d'autres ailes situées de chaque côté, des cours. Au centre de la cour d'entrée, on peut admirer la statue de Charles II en empereur romain, œuvre de Grinling Gibbons ▲ *173, 329*. Le portique central aux colonnes doriques sépare la chapelle du Great Hall. La chapelle de l'hôpital fut consacrée en 1692. Ses magnifiques boiseries furent sculptées par William Emmett et Renatus Harris, tandis que la voûte de l'apside fut décorée en 1710-1715 d'une fresque due au Vénitien Sebastiano Ricci. C'est dans cette chapelle que, tous les dimanches, pensionnaires et visiteurs assistent à l'office. Le Great Hall, situé de l'autre côté du portique, fut utilisé comme réfectoire jusqu'à la fin du XVIIIe siècle. En 1852, il servit d'ossuaire lorsque, en attendant l'hommage des Londoniens, y fut déposée la dépouille du duc de Wellington ▲ *244*. Les répliques des drapeaux enlevés aux Français lors des guerres de la Révolution et de l'Empire sont pendues aux murs du réfectoire. Sur le mur frontal, une fresque allégorique du peintre italien Antonio Verrio, commencée vers 1667, représente le roi Charles II. À l'est, dans les bâtiments annexes situés près du cimetière du Royal Hospital, on peut visiter un petit musée qui retrace l'histoire de l'institution. Il comporte également une riche collection de médailles et de décorations ayant appartenu aux pensionnaires.

UNE CONSTRUCTION HARMONIEUSE
Cette toile d'Edward Haytley, qui date de 1746, traduit bien l'harmonie du Royal Hospital. La simplicité géométrique des bâtiments est rehaussée par la brique rouge vif bordée de blanc. Au premier plan les jardins, qui descendaient jusqu'à la Tamise avant la création de Chelsea Embankment, forment la limite de l'hôpital.

JOUR DE FÊTE À L'HÔPITAL
Les pensionnaires revêtent, durant l'été ainsi qu'à l'occasion de fêtes, un tricorne noir galonné d'or et un uniforme écarlate sur lequel ils arborent leurs décorations.

Les pensionnaires. Ils sont facilement reconnaissables à leur uniforme qui n'a pas changé depuis la fin du XVIIIe siècle. Cet uniforme est rouge en été, pour les sorties et les jours de fête, et bleu le reste de l'année. Au Royal Hospital, l'été commence le 29 mai, jour anniversaire de la naissance de Charles II. Les pensionnaires doivent être âgés de plus de soixante-cinq ans. Ils reçoivent une allocation «de bière et de tabac», de l'argent de poche, sont nourris, logés et blanchis aux frais du gouvernement. En contrepartie, ils sont tenus d'assister aux offices religieux militaires ainsi qu'aux parades. La coutume, respectueuse, veut que les pensionnaires qui sont d'anciens soldats du rang soient, au réfectoire, servis avant les officiers. Il n'est pas rare de croiser ces Chelsea Pensioners dans King's Road ou dans les nombreux pubs d'alentour.

Chelsea Flower Show. Les jardins du Royal Hospital descendent en pente douce vers les rives du fleuve. C'est là que, tous les ans, au mois de mai, se tient le Chelsea Flower Show, inauguré par la reine elle-même. Ces floralies sont organisées par la Royal Horticultural Society, qui expose les compositions florales de ses membres. Le concours, qui s'étale sur quatre jours, consacre la victoire d'un professionnel dont la photo paraîtra, dès le lendemain, dans le *Times*. Ces floralies attirent généralement beaucoup de gens, venant de tout le Royaume-Uni.

Ranelagh Gardens. Réaménagés vers 1860, les jardins du Ranelagh se trouvent à l'est des jardins du Royal Hospital. Ils occupent la plus grande partie de l'ancien domaine de lord Ranelagh qui fut, jusqu'à sa mort en 1712, le trésorier du Royal Hospital. Pendant près d'un demi-siècle, de 1742 à 1804, ces jardins furent un lieu de promenade et de divertissement à la mode pour tous les Londoniens.

National Army Museum. Il a ouvert ses portes en 1971, à l'ouest de l'hospice, dans un bâtiment moderne de Royal Hospital Road. Il retrace l'histoire de l'armée britannique et de ses régiments, de 1485 à 1915.

Autour de Cheyne Walk

En quittant King's Road et le Royal Hospital, le promeneur part à la découverte d'un autre Chelsea, plus discret, mais peut-être plus séduisant encore. C'est en effet dans le dédale de ses petites rues, telles Oakley Street, Old Church Street, Upper Cheyne Row, ou dans l'harmonie des maisons georgiennes ● *76* de Cheyne Walk, au

Un hospice militaire en activité
Aujourd'hui encore, le Royal Hospital sert d'hospice à quelque quatre cents pensionnaires de l'armée britannique, notamment des vétérans de la Seconde Guerre mondiale. On ne visite donc qu'une partie de l'établissement : la chapelle, un petit musée qui retrace l'histoire de l'hôpital, le Great Hall, qui servait autrefois de réfectoire, et les vastes jardins (ci-dessous).

L'uniforme d'hiver
La couleur bleue donne à l'uniforme un air à la fois plus moderne et plus austère.

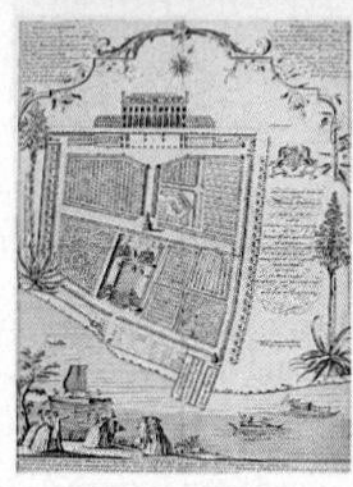

Le «Physic Garden» Les deux illustrations ci-dessus le représentent tel qu'il était au XIXe siècle.

Plaque de céramique Ce genre de décoration (à droite) orne souvent les maisons de Chelsea.

Le monument de Sloane Dans le cimetière de Chelsea Old Church, une urne marque l'emplacement du tombeau de sir Hans Sloane (1660-1753), médecin à Chelsea, qui fut également l'un de ses bienfaiteurs. Sa collection de minéraux constitua le premier fonds du British Museum.

bord de la Tamise, que se trouve son charme le plus subtil. Les petites plaques de céramique bleue ■ *361* fixées sur les façades, qui résument en quelques mots la vie de l'une des nombreuses célébrités qui ont habité le quartier, permettent au visiteur de satisfaire sa curiosité.

Chelsea Physic Garden ♥. C'est le plus vieux jardin botanique d'Angleterre après celui d'Oxford. Fondé en 1673, il fut aménagé en jardin de plantes médicinales par la Société des apothicaires, dans un but éducatif et scientifique. Le bienfaiteur des lieux, sir Hans Sloane, devenu propriétaire du manoir de Chelsea, présenta le terrain en 1772 à la Société. Philip Miller devint alors responsable du jardin et l'un des plus grands horticulteurs de tous les temps. Il fit du Chelsea Physic Garden le jardin botanique le plus envié. Les premiers cèdres d'Angleterre y furent plantés en 1683, et c'est notamment dans ce jardin que furent élevés les premiers plants de coton provenant des mers du Sud et qui partirent pour la Géorgie, en 1732. Aujourd'hui, derrière ses hautes grilles en fer forgé, le jardin demeure un centre d'études horticoles et botaniques de premier plan. On y trouve des arbres centenaires et plus de sept mille espèces d'aromates, de fruits et de légumes. Il est ouvert au public en été, et les visiteurs peuvent bénéficier de l'aide d'un personnel particulièrement dévoué, ainsi que de nombreux livres et brochures mis à leur disposition au bureau d'informations. Depuis la grille d'entrée, une allée principale conduit à l'imposante statue de sir Hans Sloane, copie de celle que Rysbrack exécuta en 1737. De là, on a une vue magnifique sur la flore du jardin.

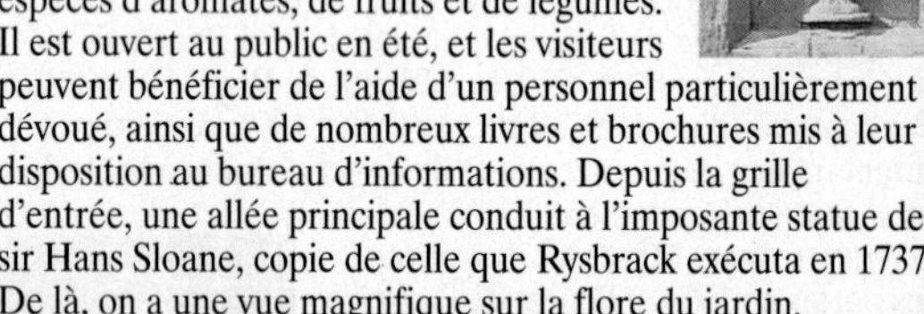

Cheyne Walk ♥. En descendant vers la Tamise, on découvre Cheyne Walk qui, longeant le fleuve, est agréablement ombragée et présente un ensemble remarquable d'immeubles de brique datant de l'époque georgienne ● *76*. Les plus belles maisons se trouvent au début de la rue. Crosby Hall en est la plus remarquable ; elle fut construite entre 1466 et 1475 par le marchand de laine sir John Crosby. Cheyne Walk évoque irrésistiblement la peinture et la littérature : c'est ici que fut fondée la confrérie préraphaélite et que vécurent nombre de ses adeptes.

Des résidents célèbres. Mary Ann Evans qui, sous le pseudonyme de George Eliot, fut l'une des plus importantes romancières réalistes du XIXe siècle, mourut en 1880 au n° 4

«ILS ME DONNÈRENT DES SANDWICHS ET DE L'ARGENT ET JE REPARTIS DANS LONDRES, ASPIRANT AVEC DÉLICES LE BROUILLARD DE CHELSEA...»

JACK KEROUAC

de Cheyne Walk. Au n° 16 vécut Dante Gabriel Rossetti (1828-1882). Ce peintre-poète, fils d'un professeur italien émigré, fut surtout le chef de file des préraphaélites. Il habita de 1862 jusqu'à sa mort sa maison de Chelsea, construite en 1717, que fréquentèrent le poète Algernon Charles Swinburne (1837-1909), le romancier George Meredith (1828-1909) et le critique et dessinateur John Ruskin (1819-1900). Au n° 21 de CARLYLE MANSIONS, dans Cheyne Walk, mourut Henry James (1843-1916), romancier américain, naturalisé britannique en 1915. Dans les années vingt, l'historien Arnold Toynbee (1889-1975), auteur d'ouvrages sur les civilisations, et le poète Thomas Stearns Eliot (1888-1965), prix Nobel en 1948, vécurent ici quelque temps.

LINDSEY HOUSE. Aux nos 95-100 de Cheyne Walk se tient Lindsey House, construite vers 1674, par le comte de Lindsey. Elle fut divisée en appartements au XVIIIe siècle. Le peintre américain James Abbot McNeill Whistler (1834-1903) vécut quelque temps au n° 96. S'opposant aux préraphaélites et à leur peinture «littéraire», il insista au contraire sur l'art pour l'art. On connaît surtout de lui plusieurs tableaux représentant Battersea Bridge et le portrait qu'il fit de Thomas Carlyle. Joseph Turner (1775-1851) passa les dix dernières années de sa vie, sous le pseudonyme de Mr. Booth, aux nos 118-119 de Cheyne Walk. Ce peintre paysagiste anglais fut fortement inspiré par la Tamise et il passe pour être l'un des précurseurs de l'impressionnisme. La Clore Gallery, à la Tate Gallery, lui est entièrement consacrée.

LES PRÉRAPHAÉLITES ▲ *218*. The Pre-Raphaelite Brotherhood fut créé en 1848 par des artistes de la Royal Academy. William Holman Hunt (1827-1910), John Everett Millais (1829-1896) et Dante Gabriel Rossetti en furent les principaux animateurs. Ces peintres, en réaction contre la peinture académique, croyaient à la fonction sociale et

UN STYLE GEORGIEN
Les maisons de Cheyne Walk, dont beaucoup datent du début du XVIIIe siècle, constituent un bel exemple de style georgien.

CARLYLE SQUARE
Typique des squares des années 1830-1840, ses maisons de brique jaune sont ornées de stuc blanc. Curieusement, le charme de Chelsea, tel qu'il transparaît dans Carlyle Square, n'était pas du goût de Charles Dickens qui opposait, dans *Nicholas Nickleby* (1839), le pavé aristocratique de Belgrave Square et «le chaos barbare de Chelsea».

religieuse de l'art. Leur technique alliait le symbolisme à un naturalisme qui les poussait à représenter chaque détail avec minutie. Leur influence s'exerça jusque dans les années 1870. Le mouvement préraphaélite est à l'origine du symbolisme de la seconde moitié du XXe siècle.

Chelsea Old Church. C'est l'ancienne église du village de Chelsea. En partie médiévale, revêtue de brique rose au XVIIe siècle, elle dut être restaurée après les bombardements de 1941. Dans la chapelle sud, ou More Chapel, remodelée en 1528 par sir Thomas More, se trouve son monument funéraire à longue épitaphe. Selon la tradition, c'est dans cette église qu'aurait eu lieu, en 1536, le mariage morganatique d'Henri VIII avec Jane Seymour, sa troisième épouse.

Sir Thomas More à Chelsea. Old Church Street était la grande rue de Chelsea bordée de cottages avant l'ouverture de King's Road. Sir Thomas More (1478-1535) ▲ *173*, *320*, y vécut. L'auteur de *L'Utopie* (1516), philosophe et écrivain, fut lord chancelier sous le règne d'Henri VIII. Après le divorce du roi et sa séparation de l'Église catholique, More refusa de le reconnaître comme chef de la nouvelle Église anglicane. Il fut jugé coupable de haute trahison et exécuté à la tour de Londres. Béatifié en 1886, il fut canonisé en 1935. L'écrivain irlandais Jonathan Swift (1667-1745), auteur des *Voyages de Gulliver* (1726), habita Old Church Street où il recevait ses confrères John Gay (1688-1732), William Congreve (1670-1729) et Alexander Pope (1688-1744).

Cheyne Row ♥. C'est au n° 24 Cheyne Row qu'habita, de 1834 jusqu'à sa mort, l'écrivain et historien écossais Thomas Carlyle (1795-1881), auteur de *L'Histoire de la Révolution française* (1837) et de *Frédéric le Grand* (1857-1865). Carlyle aimait beaucoup Chelsea qu'il trouvait «sale et désordonné en bien des lieux, ailleurs si fascinant, riche en particularités et en souvenirs de grands hommes». Son ancienne demeure, conservée en l'état, abrite désormais le Carlyle Museum.

Paultons Square
Cette petite place qui date des années 1840, située sur King's Road, à la limite du quartier de World's End, forme un ensemble charmant.

Cheyne Walk
Cette rue passe pour l'une des plus belles de Londres : située au bord de la Tamise, elle conserve nombre de maisons du XVIIIe siècle.

Les Pubs de Cheyne Walk
Chelsea a la réputation d'un quartier où les pubs ont su garder un certain cachet. C'est le cas du *King's Arms* (au n° 114), à l'atmosphère villageoise, et du *King's Head and Eight Bells* (n° 50). Les artistes et écrivains qui, autrefois, fréquentaient ce pub construit dans le style georgien ont cédé le pas aux vedettes de la télévision.

Tite Street. Au n° 3 de Tite Street s'installa, en 1880, l'écrivain Oscar Wilde (1854-1900) ● *115*. Il devait déménager quelques années plus tard pour s'établir dans une autre maison de la même rue, au n° 34. Né à Dublin, Wilde était l'ami de McNeill Whistler ● *95*, du sociologue et critique d'art John Ruskin (1819-1900), de Stéphane Mallarmé (1842-1898), de Sarah Bernhardt (1844-1923), de Mark Twain (1835-1910). Il devint très vite la coqueluche de la société huppée de Londres grâce à la finesse de son style et à son élégance de dandy qu'il cultivait avec soin. C'est dans sa maison de Tite Street qu'Oscar Wilde écrivit son unique roman *Le Portrait de Dorian Gray*, qui évoque une amitié virile et qui fit scandale lors de sa parution, en 1891. Accusé d'entretenir des relations homosexuelles avec le jeune lord Alfred Douglas, fils du marquis de Queensberry, Wilde fut arrêté en avril 1895, au Cadogan Hotel, dans Sloane Street. Il fut condamné à deux ans d'emprisonnement, passés à Reading, et dut ensuite s'exiler en France où il mourut. Au n° 31 de Tite Street, le peintre américain John Singer Sargent (1856-1925) vécut de 1885 à 1925. Il était l'ami de Monet et de Whistler et était influencé par leur art. Très critiqué après sa mort, il est aujourd'hui considéré comme un grand portraitiste de l'époque édouardienne. Enfin, il faut signaler deux maisons de style Art nouveau signées par l'architecte E.W. Godwin. Toutes les deux ont de belles verrières. Celle du n° 44 (1878) fut réalisée pour l'artiste Frank Miles, ami d'Oscar Wilde ; celle du n° 46 (vers 1884) est constituée de quatre ateliers superposés.

Chelsea Embankment ♥. Le quai de Chelsea, qui fut achevé en 1874, s'étend parallèlement à Cheyne Walk. De nombreux bateaux et péniches habités, véritables maisons flottantes, s'y trouvent amarrés toute l'année, éveillant la curiosité des touristes.

De Cheyne Walk, on domine bateaux et péniches habités.

Thomas Carlyle
Cette statue de l'historien se trouve dans le jardin de Cheyne Walk.

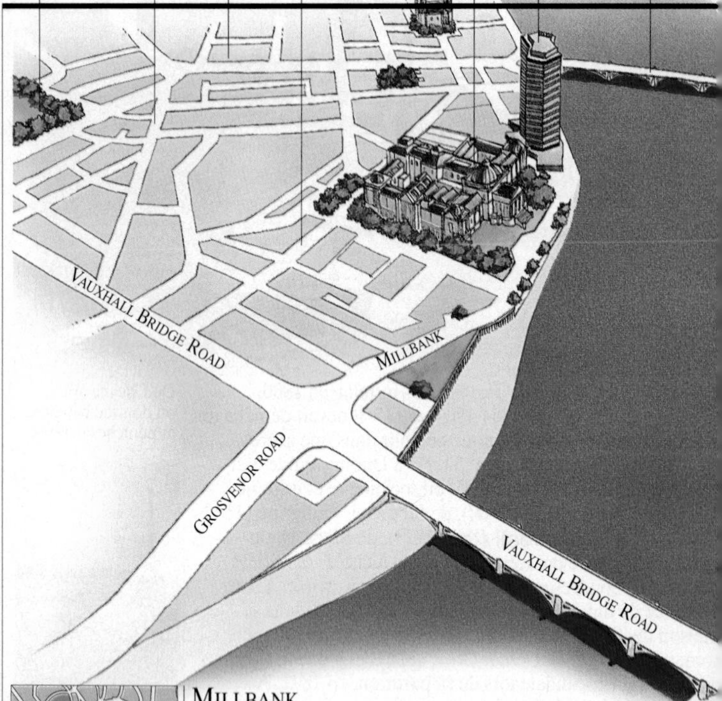

VINCENT SQUARE
REGENCY STREET
HORSEFERRY ROAD
JOHN ISLIP STREET
ST JOHNS'S CHURCH
TATE GALLERY
VICKERS BUILDING
LAMBETH BRID
VAUXHALL BRIDGE ROAD
MILLBANK
GROSVENOR ROAD
VAUXHALL BRIDGE ROAD

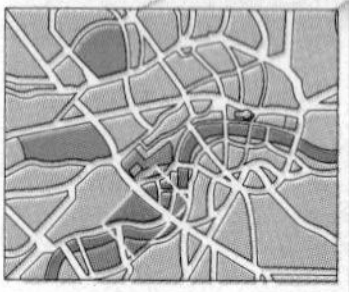

1/2 journée

MILLBANK

Millbank était, jusqu'au début du XVIIIe siècle, une simple route qui, à travers des terres marécageuses et des potagers, reliait les quartiers de Westminster et de Chelsea. L'endroit tient son nom du moulin (*mill*) de l'abbaye de Westminster qui se trouvait au bout de l'actuelle Great College Street avant que sir Robert Grosvenor ne le détruise, en 1736, pour édifier un manoir.

MILLBANK PENITENTIARY. En 1809, ce fut au tour de la demeure de Grosvenor d'être détruite et remplacée par le Millbank Penitentiary, qui était la plus grande prison de Londres au XIXe siècle. Les idées réformatrices de Jeremy Bentham présidèrent à sa construction. Ce dernier pensait que la prison devait avoir une forme circulaire, avec les surveillants postés au centre. Les prisonniers devaient apprendre à aimer le travail en partageant le bénéfice de ce

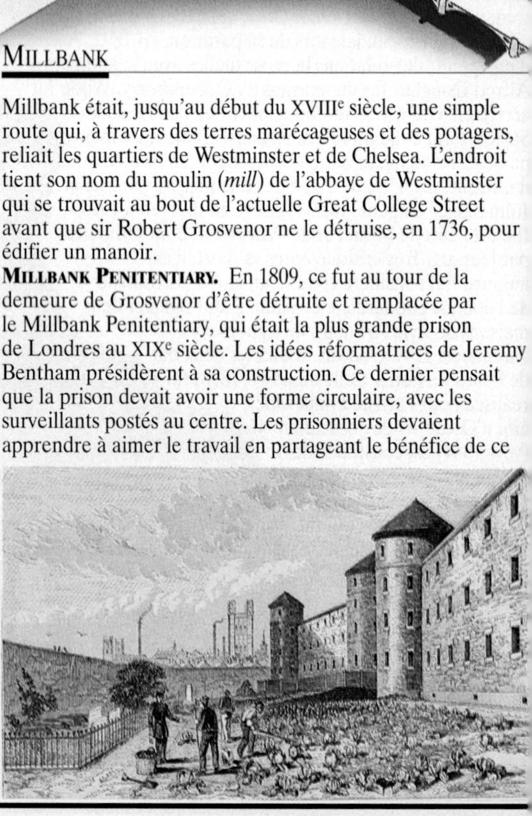

LES MURS DU PÉNITENCIER
Derrière ces murs, trois miles de couloirs labyrinthiques ! On raconte qu'un gardien marquait encore son chemin à l'aide d'une craie après sept ans de service !

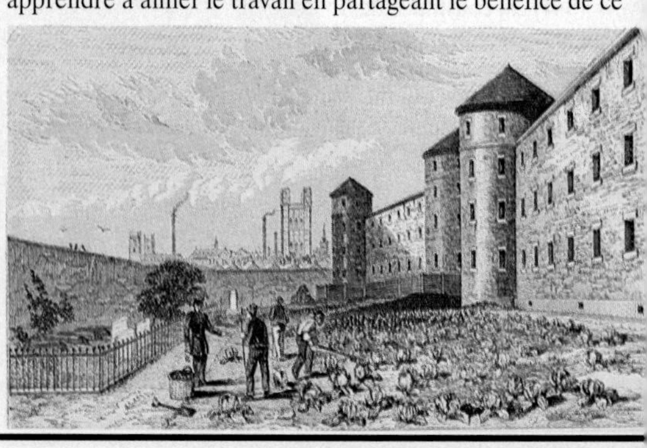

«Du Londres que Martin avait aimé, tant de choses avaient disparu ! Un Londres limité au West End [...] Parfois il se promenait à Pimlico pour flairer les boutiques de revendeurs» Michel Mohrt

qu'ils produisaient (chaussures, sacs postaux). Dès 1794, Bentham persuada le gouvernement de financer la construction d'une prison modèle et apporta personnellement une partie des fonds. Cette prison, terminée en 1821, avait alors la forme d'une étoile à six branches et s'étendait sur sept acres de terres marécageuses au bord de la rivière.En 1843, ce pénitencier devint une prison ordinaire. Il fut fermé en 1890 et démoli peu de temps après. La Tate Gallery fut construite sur ce site.

Bagnards de Millbank
Les prisonniers avaient leur propre cellule, et fabriquaient des chaussures et des sacs postaux. Toute communication entre eux leur était formellement interdite pendant la première moitié de leur peine.

Pimlico

Le quartier de Pimlico est délimité par Vauxhall Bridge Road à l'est, Chelsea Bridge Road à l'ouest et Ebury Street au nord.
Origines d'un nom. Les origines exactes du nom de ce très paisible quartier de Londres restent inconnues. Certains disent que Pimlico vient d'une boisson dont on aurait depuis longtemps perdu la recette, d'autres des Pamlicos, tribu d'Indiens d'Amérique du Nord qui exportait du bois au XVIIe siècle vers Londres ; d'autres encore hésitent entre le nom d'un oiseau que l'on avait l'habitude de voir dans les environs et Ben Pimlico, un *publican* (tenancier de pub) du XVIe siècle. Les premières traces d'occupation de ces terres datent de 1626. Il s'agissait de quelques cottages, appelés les Neat Houses, construits sur le domaine appartenant à l'abbé de Westminster. Ce qui allait devenir le quartier de Pimlico était alors constitué de jardins potagers, de plantations d'osier et de terres inoccupées appartenant en 1830 à la famille Grosvenor. Celle-ci les afferma à Thomas Cubitt (1777-1855) qui poursuivit à Pimlico la politique d'aménagement qu'il avait commencée à Bloomsbury et à Belgravia.

Le pénitencier en 1876
“Il (le pénitencier de Millbank) ne couvre pas moins de sept hectares de terrains, et sa disposition générale est celle d'une roue, dont six corps de bâtiments, partant d'un même centre et terminés par une tour, représenteraient les rayons. La maison du gouverneur occupe, au centre, la place du moyeu. [...] On a été obligé de se relâcher quelque peu des rigueurs du système cellulaire appliqué tout d'abord dans la maison, à cause des nombreux cas de folie provoqués par l'isolement complet. L'homme, né sociable, a besoin de ses semblables alors même que ses semblables sont des coquins.”
Louis Enault, *Londres*

Thomas Cubitt. Il commença sa carrière comme simple charpentier avant de devenir entrepreneur de travaux publics et d'influencer l'urbanisation de Londres au même titre que le firent Chistopher Wren ▲ *171-174* et John Nash ▲ *257*. Il construisit des habitations sur les terres des Russells, à Bloomsbury, et devint rapidement, promoteur de Belgravia. Cependant, Pimlico ne fut jamais aussi chic que Belgravia et fut même longtemps considéré avec un certain dédain. S'il est vrai que Pimlico n'est pas aussi élégant que d'autres quartiers conçus par Cubitt,il n'en possède pas moins de très belles *terraces* recouvertes de stuc peint en blanc, constituées de maisons datant du début du XIXe siècle.
Eccleston Square. Commencé en 1835 par Thomas Cubitt, ce square porte le nom de la propriété du duc de Westminster à Eccleston, dans le Cheshire. Winston Churchill habita au n° 33 de 1908 à 1911. Cette même maison fut le quartier général du Parti travailliste lors de la grève générale de 1926.
Ebury Street. Elle croise de très agréables rues résidentielles juste au sud de Belgravia. Au n° 180, Mozart composa sa première symphonie en 1764, à l'âge de huit ans. De l'autre côté on peut voir un très bel exemple de logements

«VAUXHALL GARDENS, THE GRAND WALK ABOUT 1751»
Canaletto ● *97* peignit plusieurs tableaux des jardins de Vauxhall, de l'autre côté de la Tamise, alors qu'ils s'appelaient New Spring Gardens. Ouverts en 1660, ils ne furent accessibles que par bateau jusqu'à la construction de Westminster Bridge. Samuel Pepys ● *40* et John Evelyn aimaient s'y promener. Ces jardins devinrent au cours du XVIIIe siècle, un lieu de rendez-vous très apprécié. Ils furent décorés de statues, de fausses ruines et même d'une cascade. En outre, on y aménagea des pavillons chinois, des rotondes, des salles de spectacle et de concert.

SIR HENRY TATE
Ce magnat du sucre, amateur d'art, fut le mécène qui donna son nom à la Tate Gallery.

sociaux datant de 1871, les COLESHILL FLATS.

PIMLICO ROAD. C'est la principale rue commerçante de ce quartier, et de très beaux magasins d'antiquités y sont installés. St Barnabas, petite église de style gothique, fut construite entre 1847 et 1850 par Thomas Cundy. L'église St Saviour est bâtie sur St George Square, un long square situé entre Grosvenor Place et Lupus Street. Elle fut construite en 1864 sur les instructions de Thomas Cundy Le Jeune.

CHURCHILL GARDENS. Cet ensemble d'appartements sur Grosvenor Road fut construit pour loger 6 500 personnes entre les années 1952 et 1960. Le Conseil de Westminster demanda aux architectes A.J.P. Powell et J.H. Moya de réaliser ce projet, par ailleurs primé.

TATE GALLERY ♥

La Gallery of Modern British Art (Galerie d'art moderne britannique), qui allait devenir, sous le nom de Tate Gallery, un des musées les plus célèbres du monde, s'ouvrit en 1897, sur Millbank, face à la Tamise.

SIR HENRY TATE. La Tate Gallery porte le nom d'un homme d'affaires, négociant en sucre et également collectionneur, sir Henry Tate. Il fit

Ce livre sur Londres
appartient à
Mr. Riley mais
peut être utilisé
par d'autres partis
à la découverte
de Londres

Pavlina's not before 10.30

07836254835

« Ils avaient pris Vauxhall Bridge Road, mais la circulation était dense et ils n'avançaient pas vite. [...] Il devait déjà être en train d'avaler sa chope du soir dans un pub de Pimlico» P. D. James

“La Tate fut très arrosée de bombes. En 1951, tout était réparé. Elle est devenue une incomparable collection d'art moderne.”

Paul Morand, *Londres*

Un bâtiment néo-baroque
Les plans du musée furent dessinés par Sydney Smith (architecte choisi par Henry Tate) dans un style néo-baroque : l'imposante façade est ainsi formée d'un portique à colonnes corinthiennes précédé d'un escalier ouvrant sur la Tamise.

don à l'État de sa collection personnelle d'œuvres anglaises (une soixantaine de toiles et trois sculptures), qui constitue le noyau initial du fonds du musée, et finança l'édification d'un bâtiment pour l'exposer.

Premières évolutions. Lord Duveen, autre bienfaiteur du musée, finança l'aile qui accueillit la collection que Turner avait léguée à l'État, collection auparavant exposée à la National Gallery. Dès 1926 eut lieu une première extension destinée à loger les collections étrangères, suivie en 1937 d'un troisième aménagement, le tout financé par le fils de lord Duveen.
Une quatrième extension débuta en 1971, puis une autre en 1979, avant l'ouverture de la Clore Gallery en 1987. Cependant, les transformations de ce musée, qui n'expose toujours que le dixième de son fonds, ne sont toujours pas achevées. De nouveaux bâtiments devraient accroître bientôt la surface et faire face à l'enrichissement constant des collections.

The Clore Gallery. Inauguré par la reine, cet espace (ci-contre) fut conçu pour accueillir la collection des œuvres de Turner, soit 300 peintures à l'huile et plus de 19 000 dessins et aquarelles qui sont la fierté de la Tate Gallery.

Trois collections constituent aujourd'hui le fonds de la Tate Gallery. Par leur qualité et leur richesse, elles ont forgé la réputation mondiale de ce musée : il s'agit d'une part, de la plus grande collection de peinture anglaise du XVIe siècle à nos jours (*Historic British*), d'autre part, de la plus vaste collection d'Angleterre d'art moderne depuis l'époque des impressionnistes (*Modern Collection*). Enfin, la Tate Gallery rassemble un ensemble important d'œuvres d'art contemporain *(Contemporary Collection)*. Si la première collection est relativement stable, les deux autres s'accroissent régulièrement en raison de nouvelles acquisitions.

«Pompei»
Hans Hofmann (1880-1946), peintre allemand installé aux U.S.A. à partir de 1931, fonde une école d'art à New York en 1933. Son œuvre est figurative dans la tradition expressionniste jusqu'en 1940. Puis, il développe une peinture abstraite que l'on retrouve dans cette toile de 1959.

Tous les ans au 1er janvier, le nom des salles d'expositions de la Tate Gallery change ainsi que leur contenu.

1. Peintres de l'époque Tudor et Stuart
2. Dix ans d'essor : Londres et les arts dans les années 1740
3. Le portrait de groupe à la fin du XVIIIe siècle
4. Le paysage néo-classique (1740-1840)
5. Fuseli et les premiers romantiques
6. William Blake et son école
7. William Blake et le paysage
8. Constable et le paysage au début du XIXe siècle
9. Préraphaélites et symbolistes.

«Autoportrait» (1797), Joseph Mallord William Turner.

10. Le portrait à la fin de l'époque victorienne et à l'époque édouardienne
11. New English Art Club (1890-1910)
12. Degas, Renoir et Bonnard
13. Matisse et le cubisme
14. Post-impressionnisme, fauvisme et art anglais 1910-1920
15. Récentes acquisitions : allégorie et figuratif
16. Carel Weight
17. Le constructivisme 1910-1950
18. Surréalisme anglais Mondrian et l'art abstrait
19. Ivon Hitchens
20. L'art dans les années de guerre (1939-1945)
21. Henry Moore 1938-1952
22. «La Géométrie de la Peur»
23. Réalisme anglais de l'après-guerre
24. Peter Blake
25. Mark Rothko
26. Matisse, dernière période
27. Barbara Hepworth
28. Maîtres contemporains
29 et 30. Nouvelles acquisitions

«Faa Iheihe»
Cette œuvre, dont le titre tahitien a été traduit par *Symphonie Pastorale*, fut peinte par Paul Gauguin (1848-1903) lors de son dernier séjour à Tahiti. Ce panneau décoratif, vision de Paradis, est, après une période de création pessimiste, un hymne à l'harmonie entre l'homme et la nature. C'est l'un des jalons de la collection d'art moderne européen et américain –de l'impressionnisme à la nouvelle avant-garde des années 1970-1980– que la Tate Gallery a constituée dès 1910-1920.

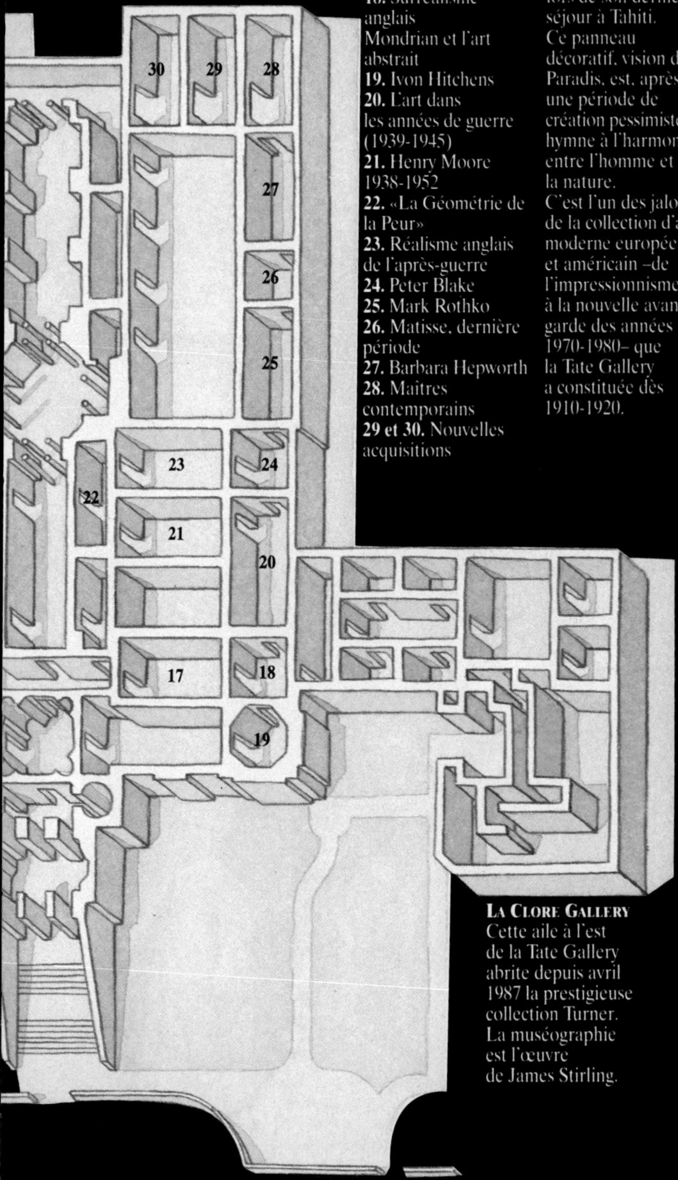

La Clore Gallery
Cette aile à l'est de la Tate Gallery abrite depuis avril 1987 la prestigieuse collection Turner. La muséographie est l'œuvre de James Stirling.

«THE FORGE» Joseph Wright (1734-1797), dit Wright de Derby, apparaît d'abord comme le peintre de la Révolution industrielle dans les Midlands. Dans un style monumental inspiré par le Caravage, il mêle réalisme et sentiment en jouant sur les effets de la lumière.

«LE PEINTRE ET SON CHIEN» Cet autoportrait de 1745 de William Hogarth (1697-1764) repose sur les œuvres de Shakespeare, Swift et Milton : désormais, la peinture est un art aussi noble que la littérature. L'examen de la toile aux rayons X a révélé que, à l'origine, Hogarth s'était peint en gentleman. En 1745, il assume le statut d'artiste.

«Comme un vrai génie, Hogarth a inventé une nouvelle école de peinture à son propre usage [...] il a montré d'une main magistrale les faiblesses les plus ridicules de l'âme humaine.» A. Murphy

«Le Capitaine Thomas Lee»
Le capitaine Lee, officier du comte d'Essex, participe à la conquête de l'Irlande. Jugeant qu'il n'a pas les moyens de partir en guerre, il rentre en 1594 en Angleterre pour plaider sa cause auprès d'Élisabeth Ire et fait réaliser son portrait par le peintre flamand Marcus Gheeraedts le Jeune (1561-1636). Lee est richement vêtu, mais il a les jambes nues tel un pauvre soldat. Il se tient dans un paysage irlandais, sous un chêne, symbole de courage. Lee, compromis dans le complot de 1601, fut exécuté pour trahison à Tyburn.

«La Famille Saltonstall»
Ce tableau de David Des Granges (1611 ?-1675) fournit un bel exemple des formes de représentation de la famille au XVIIe siècle. Une première vision laisse croire à une scène simple : un époux félicite sa femme qui vient de mettre au monde un troisième enfant. En réalité, comme souvent à l'époque élisabéthaine, vivants et morts sont peints ensemble, sans souci chronologique. Saltonstall est ici en compagnie de ses deux épouses : la première, morte, tend la main vers ses deux enfants. La seconde porte son bébé.

«TROIS FILLES DE SIR WILLIAM MONTGOMERY EN GRÂCES ORNANT UNE STATUE DE L'HYMEN»
Joshua Reynolds (1723-1792), premier président de la Royal Academy, éleva les genres mineurs comme le portrait en y introduisant des éléments du «Grand Genre». Sa représentation des trois sœurs Montgomery, en 1773, témoigne de cette recherche. Il utilisa, à la demande du commanditaire du tableau, le fiancé d'Élisabeth Montgomery, des attributs symboliques rappelant l'Antiquité classique et les maîtres anciens. Les trois sœurs louent le dieu du Mariage, dans des attitudes empruntées à Poussin et à Rubens. À droite d'Élisabeth, Anne, en blanc, était déjà mariée ; à gauche, Barbara devait se marier l'année suivante.

«LES MOISSONNEURS»
Autodidacte, George Stubbs (1724-1806) devint de son vivant le peintre animalier le plus célèbre d'Angleterre, travaillant pour des aristocrates, et adaptant le Grand Style à la peinture animalière. Il fut le peintre des chevaux. Ce fut aussi un peintre de la vie rurale anglaise. À une époque où les paysans jouaient des rôles de figurants et servaient au décor, Stubbs leur montre sa sympathie en donnant un caractère propre à ses personnages sur cette peinture de 1785, composée par ailleurs de façon très classique. Au centre se trouve la jeune fille, tandis que le cavalier, à droite, est le pendant du couple dressant les gerbes. Ces deux groupes sont reliés par les hommes pliés sous l'effort.

«HOGARTH EST LE PROPHÈTE DE L'ANCIENNE LOI. ENTRE LUI ET LA TRÈS RADICALE RÉFORMATION REPRÉSENTÉE PAR REYNOLDS, IL FAUT PLACER UN MODESTE ANNONCIATEUR, RAMSAY.»

JEAN-JACQUES MAYOUX

«GIOVANNA BACCELLI»
Thomas Gainsborough (1727-1788), l'un des rares peintres de son temps à n'avoir jamais quitté l'Angleterre, s'installe à Londres tardivement, en 1774. C'est vers la fin de cette période que le duc de Dorset, ambassadeur à Paris, commande au peintre le portrait de sa maîtresse, Giovanna Baccelli. Principale ballerine du théâtre du Haymarket, elle fait alors ses débuts à l'Opéra de Paris et est représentée ici en costume de scène, esquissant un pas de danse. Le peintre rend dans ce tableau, par la vivacité de son dessin et son extrême habileté, la légèreté et la grâce du mouvement tout en évoquant, par les éclairages et la fraîcheur des couleurs, une atmosphère de douceur. Le tableau fut présenté à la Royal Academy de Londres en 1782.

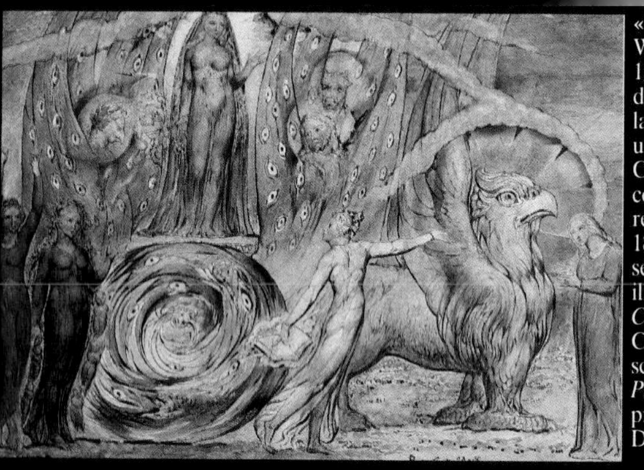

«BÉATRICE SUR LE CH William Blake (1757-1827) se pensait inve de la mission de «gar la Vision Divine dan une époque troublée Cette aquarelle aux couleurs fraîches, réalisée entre 1824 e 1827, fait partie d'un série de cent aquarel illustrant la *Divine Comédie* de Dante. Cette évocation d'un scène décrite dans le *Purgatoire* montre la première vision que Dante eut de Béatric

«VIOLONEUX AVEUGLE» David Wilkie (1785-1841) connut un immense succès en Angleterre au début du XIXe siècle. Cet Écossais commença sa carrière en se consacrant à la peinture villageoise, et en s'inspirant des modèles hollandais et flamands. Il eut une grande influence à travers l'Europe.

«L'INAUGURATION DU PONT DE WATERLOO» Peintre de la campagne anglaise, John Constab (1776-1837) évoque ici l'inauguration du pont, le 18 juin 1817. Le tableau fait référence à l'u des œuvres de Canaletto et symbolise la supériorité de l'Angleterre sur les autres nations.

«La Dogana, San Giorgio, Zitelle vue des marches de l'Europa» Cette toile de 1842, postérieure au troisième voyage de Turner à Venise, résume la palette du peintre, et témoigne de la vision qu'il a de l'écroulement du dernier des grands empires.

«Petworth. Coucher de soleil dans le parc» Cette aquarelle fut réalisée vers 1830. Turner, familier du comte d'Egremont, possédait un atelier à Petworth, résidence du comte, et en peignait souvent le parc. Il réalisa ainsi plus d'une centaine d'aquarelles.

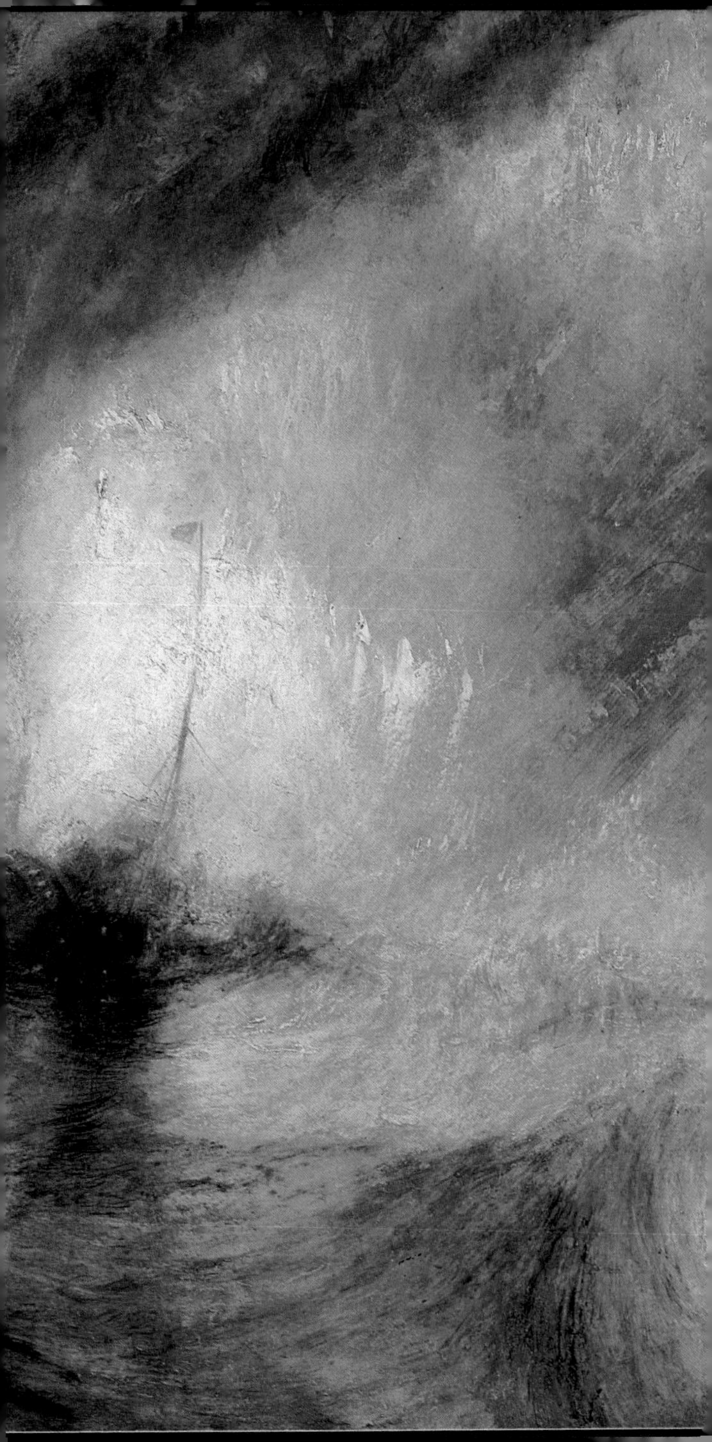

BEATA BEATRICE» Dante Gabriel Rossetti (1828-1882) est, avec Hunt et Millais, l'un des fondateurs du mouvement préraphaélite. Leur principe initial : ne peindre que des sujets sérieux, dans le réalisme le plus absolu. Le titre de cette œuvre, réalisée en 1863, fait référence à la mort de la Béatrice de Dante. Rossetti, plutôt que de peindre cette mort, idéalise le sujet symbolisé dans une soudaine transfiguration spirituelle. En fait, par cette œuvre, Rossetti rend ici hommage à sa femme, Elizabeth Siddal, disparue en février 1863, dont il prêta le visage au personnage de Béatrice.

«L'ÉVEIL DE LA CONSCIENCE» La jeune maîtresse d'un homme fortuné se rappelle son enfance innocente et se tourne vers la lumière du jardin que réfléchit un miroir. Sur ce tableau de 1854, Holman Hunt (1827-1910) joue sur la réflexion de la lumière et associe le décor à l'état d'esprit de la jeune femme.

«L'ESCALIER D'OR» Edward Burne-Jone (1833-1898), figure essentielle de la dernière période du préraphaélisme, fut influencé par Rossetti, puis par la peinture italienne Ce tableau, de 1880, est un exemple des rythmes linéaire sinueux caractérisan le style du peintre dans ses dernières années.

«OPHÉLIE» John Millais (1829-1896) s'est inspiré, pour ce tableau, de la mort d'Ophéli dans *Hamlet*, acte IV. Il peignit, de juillet à octobre 1851, le paysage en extérieur, lors d'un séjour à Ewell, dans le Surrey. Puis, de retour à Londres, en hiver, selon une technique habituelle aux préraphaélites, il ajouta le personnage d'Ophélie pour leque Elizabeth Siddal, la femme de Rossetti, servi de modèle. La végétation, scrupuleusement observée, est composée d'une douzaine de plantes et de fleurs chargées de significations symboliques : le coquelicot est, par exemple, symbole de mort.

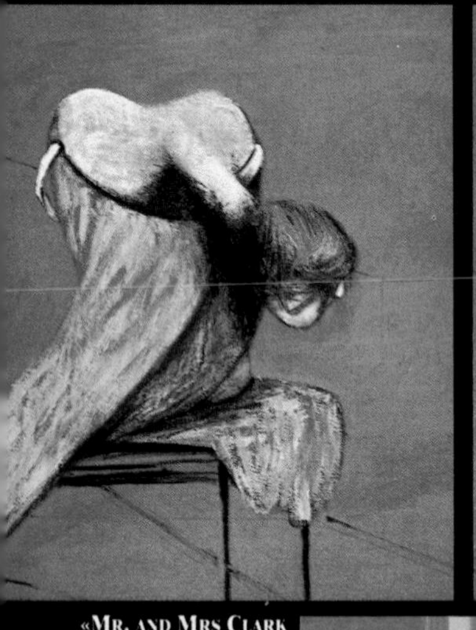

«Mr. and Mrs Clark and Percy»
David Hockney, né en 1937, est entré au Collège royal des arts en 1959, puis exposa à la Whitechapel Art Gallery. Il subit d'abord l'influence de Francis Bacon et de Jean Dubuffet. Puis, après une période abstraite, il évolua, à partir de 1965, vers le naturalisme. Les sujets représentés sur cette toile réalisée entre 1970 et 1971 sont Ossie Clark et Celia Birtwell, de célèbres couturiers de l'époque.

«Whaam»
L'Américain Roy Lichtenstein, l'un des maître du pop art, né en 1923, a peint, au début des anr 1960, de nombreuses toiles inspirées de la ban dessinée. Cette toile de 1963 est un exemple du recours de l'artiste aux couleurs violentes et formes extraordinaires qui tendent vers l'abstrac

«Rouge et noir»
Peintre américain d'origine russe, Mark Rothko (1903-1970) subit d'abord l'influence des surréali Dans les années 1950, il développe un style origin peignant des bandes de couleurs rectangulaires. Jusqu'au milieu des années 1950, il utilise une pa lumineuse avant d'adopter une palette plus somb dominée par le noir ou le marron foncé sur fond rouge (ci-contre, œuvre de 1957).

«LOIN DE N'AGIR QU'À FLEUR DE PEAU ET PAR LEUR SEUL PITTORESQUE, LES ŒUVRES DE FRANCIS BACON NE LAISSENT PAS DE PRÉOCCUPER, D'IMPRÉGNER EN BIEN OU EN MAL.»

MICHEL LEIRI

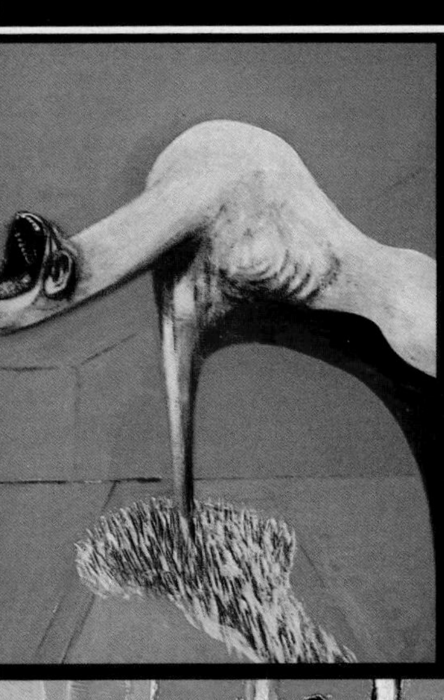

«TROIS ÉTUDES DE PERSONNAGES À LA BASE D'UNE CRUCIFIXION» (1944) Ces trois études de Francis Bacon (1909-1992), exposées en 1945 après huit ans de silence, sont influencées par l'œuvre de Picasso des années 1920. Les personnages sont devenus les Euménides, les Furies, qui, dans l'*Orestie* d'Eschyle, poursuivent Oreste. Les corps, zoomorphes, ont des bouches humaines, ouvertes et hurlantes, thème qui allait devenir obsessionnel chez Bacon.

«FEMME PLEURANT» Durant la guerre d'Espagne, le 26 avril 1937, des avions allemands bombardent Guernica. Deux jours plus tard, Pablo Picasso (1881-1973) commence sa célèbre toile, *Guernica*, sur laquelle figurera une femme pleurant, son enfant mort dans les bras. Picasso reprend ce thème en juin 1937, faisant d'abord treize études, puis quatre toiles. Celle-ci est la dernière de la série. Le modèle de cette œuvre fut la photographe Dora Maar, alors maîtresse de Picasso.

«LE MATADOR» Cette œuvre de la dernière période de Miró témoigne des permanences et des changements intervenus dans la technique du peintre. Si les formes continuent d'être schématisées jusqu'aux limites de l'abstraction, le peintre introduit un épais trait noir pour délimiter la figure.

«FIGURE, NANJIZAL» Cette sculpture sur bois de Barbara Hepworth (1903-1975), réalisée en 1958, est inspirée par les paysages de Cornouailles. C'est un exemple de la théorie de la «vérité des matières», où les formes données à la matière sont les expressions de l'âme de cette dernière.

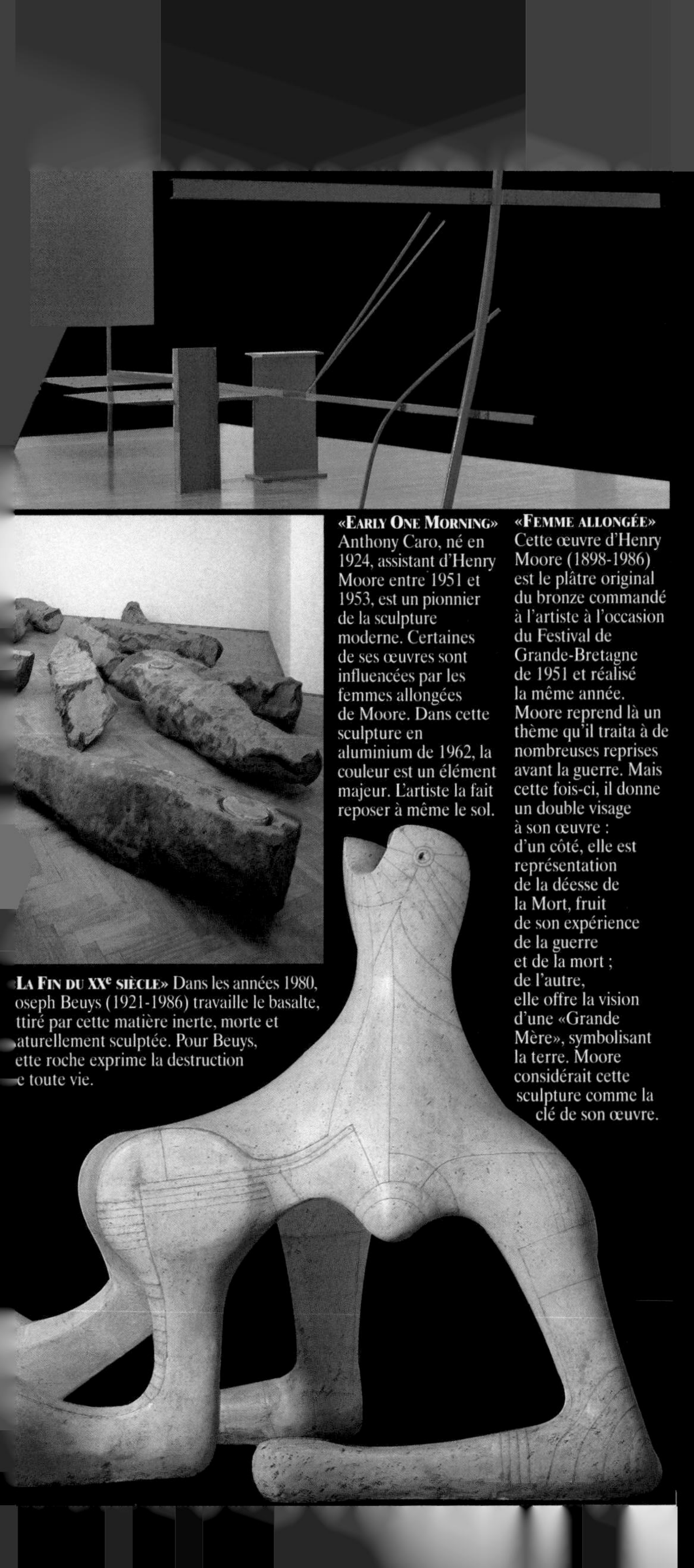

«Early One Morning» Anthony Caro, né en 1924, assistant d'Henry Moore entre 1951 et 1953, est un pionnier de la sculpture moderne. Certaines de ses œuvres sont influencées par les femmes allongées de Moore. Dans cette sculpture en aluminium de 1962, la couleur est un élément majeur. L'artiste la fait reposer à même le sol.

«Femme allongée» Cette œuvre d'Henry Moore (1898-1986) est le plâtre original du bronze commandé à l'artiste à l'occasion du Festival de Grande-Bretagne de 1951 et réalisé la même année. Moore reprend là un thème qu'il traita à de nombreuses reprises avant la guerre. Mais cette fois-ci, il donne un double visage à son œuvre : d'un côté, elle est représentation de la déesse de la Mort, fruit de son expérience de la guerre et de la mort ; de l'autre, elle offre la vision d'une «Grande Mère», symbolisant la terre. Moore considérait cette sculpture comme la clé de son œuvre.

«La Fin du XXe siècle» Dans les années 1980, oseph Beuys (1921-1986) travaille le basalte, ttiré par cette matière inerte, morte et aturellement sculptée. Pour Beuys, ette roche exprime la destruction e toute vie.

1 journée

LA «TERRACE» VICTORIENNE
Stuc peint en bas et brique jaune en haut caractérisent les *terraces* victoriennes de Belgravia (Caroline Terrace, à gauche) et celles du quartier voisin d'Islington (Gibson Square, à droite). Les *terraces* d'Islington se distinguent par leurs baies cintrées encadrées de stuc.

BELGRAVIA

Jadis, la famille Grosvenor possédait un terrain appelé Five Fields, correspondant à l'actuel Belgravia et Pimlico. En 1726, George III, installé au palais de Buckingham, décida d'y faire construire de belles demeures. Ce premier noyau immobilier, à l'est du quartier actuel, correspond à Grosvenor Place, mais l'urbanisation ne se développa réellement qu'à partir des années 1820, quand lord Grosvenor entreprit de mettre son domaine en valeur, avec l'aide de l'entrepeneur de travaux publics Thomas Cubitt (1777-1855). Ce dernier, qui avait fait excavé St Katherine's Dock ▲ *334*, près de la Tour de Londres, utilisa les décombres afin de surélever le terrain marécageux de Belgravia. Puis il y fit construire des *squares* et des *terraces* de maisons nobles et bourgeoises, dont le fleuron est BELGRAVE SQUARE (dû à l'architecte George

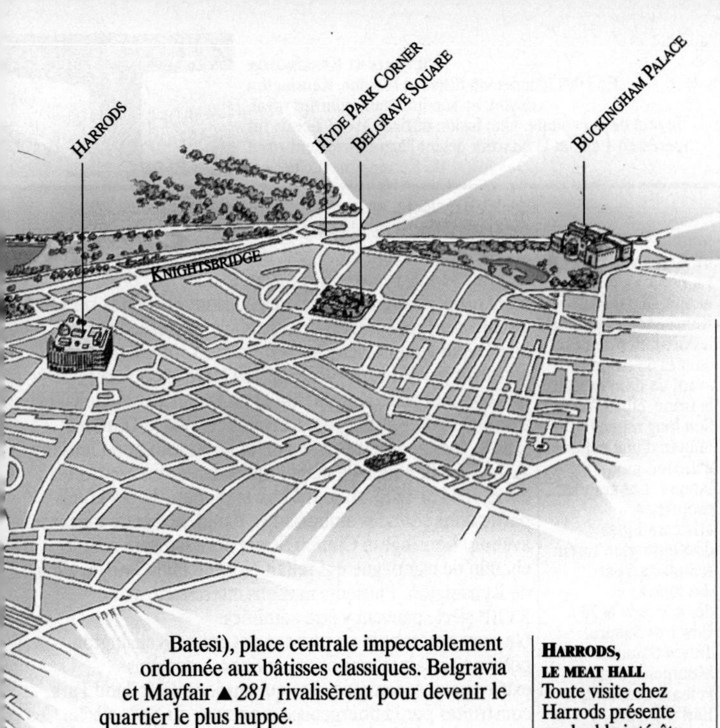

Batesi), place centrale impeccablement ordonnée aux bâtisses classiques. Belgravia et Mayfair ▲ *281* rivalisèrent pour devenir le quartier le plus huppé.

KNIGHTSBRIDGE

«HARRODS». Le grand magasin *Harrods*, sur Brompton Road, n'est pas tout à fait dans Belgravia, mais appartient au quartier voisin de Knightsbridge. En 1849, Henry Charles Harrod ouvrit une petite épicerie à Knightsbridge. L'affaire familiale marcha si bien qu'entre 1894 et 1903 la majeure partie du bâtiment actuel était construite. Le magasin fut achevé en 1939. La façade, ocre brun, n'est vraiment séduisante qu'à la tombée du jour, lorsque des milliers d'ampoules l'illuminent.

HARRODS, LE MEAT HALL
Toute visite chez Harrods présente un double intérêt : d'une part, les décors intérieurs qui valent à eux seuls le détour et rivalisent de beauté – les rayons d'alimentations (food halls) sont absolument magnifiques (celui de la viande, par exemple, est entièrement décoré de carreaux de céramique avec des motifs Art nouveau et des scènes de chasse réalisées par W. J. Neatby) d'autre part, les produits sont d'une très grande qualité et d'une étonnante variété.

KENSINGTON

Jusqu'au XVIIe siècle, Kensington était un bourg de la périphérie de Londres. En 1689, Guillaume III acheta Nottingham House, dans Kensington, et confia à Christopher Wren ● *68*, ▲ *171, 250, 349,* le soin de la transformer en résidence royale : Kensington Palace ▲ *250*. Nottingham House et Holland House firent alors de Kensington un endroit très à la mode.

SQUARES DE KENSINGTON. Réalisé par Thomas Young en 1681, Kensington Square fut la première place du quartier. King's Square, tel qu'il se nommait à la fin du XVIIe siècle, en l'honneur de James II, resta jusqu'en 1840 entièrement entouré de champs. La population de Londres doubla durant la première moitié

En 1901, l'année où disparut la reine, Kensington devint, en son honneur, quartier royal, le seul de la capitale. Une fusion difficile avec Chelsea fut opérée en 1965, et le quartier devint l'arrondissement royal de Kensington et Chelsea.

MAISONS DE KENSINGTON
La reine Victoria naquit au palais de Kensington et y passa les dix-huit premières années de sa vie avant de monter sur le trône, en 1837. Son long règne fut le témoin d'une période d'urbanisation intense. Les grandes propriétés aristocratiques de Kensington furent remplacées par des *squares* et des *crescents* ● *76* : Edwards Square, Trevor Square, Montpelier Place, Pelham Crescent, Earl's Terrace…

du XVIIIe siècle, entraînant l'expansion de Kensington : ONSLOW GARDENS et ONSLOW SQUARE, typiques du premier style victorien, sont construits aux environs de 1846 par Charles James Freake. Ils portent le nom du comte d'Onslow, alors propriétaire des lieux. Les maisons élégantes sur Onslow Square sont recouvertes de stuc blanc. Hereford Square, lui aussi typiquement victorien, est un petit square tranquille, construit par Edward Blore, en 1847. De chaque côté de la très commerçante Kensington High Street s'étend le village résidentiel de Kensington. Kensington Palace Gardens (1843), longue route privée qui longe Kensington Gardens ▲ *247*, est flanquée de magnifiques demeures contruites entre 1844 et 1870. Aujourd'hui, la plupart de ces hôtels particuliers sont des ambassades. Parallèle à cette élégante avenue, Kensington Church Street était jadis un simple chemin de campagne qui reliait Notting Hill Gate au village de Kensington. Plusieurs maisons intéressantes du XVIIIe siècle peuvent y être admirées.

GRANDS BOURGEOIS ET GRANDS ARTISTES. Kensington possède certaines maisons victoriennes des plus extravagantes, comme celles qui entourent Holland Park, construites par la bourgeoisie montante du XIXe siècle. Ces nouveaux riches investissaient dans l'art, le plus souvent sans discernement. Le peintre Frederick Leighton (1830-1896) remporta un tel succès qu'il amassa une énorme fortune et décida de faire élever une maison-studio, LEIGHTON HOUSE, au n° 12, Holland Park Road. Ce «palais» comprend un salon arabe qui donne un aperçu du goût pour l'orientalisme en vogue au XIXe siècle. Arab Hall, conçu par George Aitchison en 1879, est un savant mélange d'éléments décoratifs de bon et de mauvais goût. D'autres salles abritent les tableaux de Leighton ainsi que ceux de ses amis. Non loin de Leighton House, dans la direction de Holland Park, se trouve TOWER HOUSE, au n° 29 de Melbury Road. Cette étrange demeure de style médiéval fut construite entre 1876 et 1881 par l'architecte William Burges.

SOUTH KENSINGTON

Au sud de Kensington Village se trouve South Kensington, quartier résidentiel et intellectuel qui présente de superbes *mews*, terme qui désigne à la fois les écuries qui se trouvaient derrière les maisons, et les allées sur lesquelles elles débouchaient. Ces passages ont été transformés en adorables ruelles et les écuries en ravissantes petites maisons. Les bénéfices de l'Exposition universelle de 1851 permirent l'édification des musées et des écoles, projet dont le prince Albert fut le promoteur ; en témoignent l'ALBERT MEMORIAL et le ROYAL ALBERT HALL. Que l'on se balade sur la très victorienne CROMWELL ROAD, devant ses maisons aux imposantes colonnes, ou que l'on descende dans «South Ken», on ne peut manquer de s'apercevoir que South Kensington est un quartier… français. Rien d'étonnant à cela : le lycée Charles-de-Gaulle, l'Institut, le consulat et le service culturel de l'ambassade y sont réunis. Boulangeries, librairies, pâtisseries et boucheries françaises s'y sont installées pour subvenir aux besoins des expatriés.

Sur Queen's Gate (qui auparavant s'appelait Albert's Road), on construisit, à partir de 1870, des maisons de style italianisant. Bien que certaines maisons aient été divisées en appartements ou transformées en hôtels, et que d'autres aient disparu, l'atmosphère propre à la seconde moitié de l'ère victorienne baigne cette rue.

Au début du XXe siècle, la bourgeoisie affiche moins d'ostentation et s'attache davantage au confort. La décoration intérieure devient plus sobre, et pour revenir au style georgien, on lance le néo-georgien, simple imitation. De moins en moins de gens ont des domestiques, petit à petit les maisons sont divisées en appartements. Et il devient plus fréquent de voir aux portes des maisons une quinzaine

de sonnettes, là où il n'y en avait qu'une quelques années auparavant.

« Avant d'atteindre Knightsbridge, M. Verloc, tournant à gauche, quitta l'animation de l'artère principale, […] M. Verloc […] marchait donc à présent dans une rue qu'on eût pu, de façon tout à fait appropriée, qualifier de privée. […] Le seul rappel de la condition mortelle était le coupé d'un médecin, immobilisé dans une auguste solitude, tout contre le trottoir. Les marteaux bien astiqués des portes luisaient à perte de vue, les fenêtres propres brillaient d'un éclat sombre et opaque. Et tout était calme. »

Joseph Conrad, *L'Agent secret*

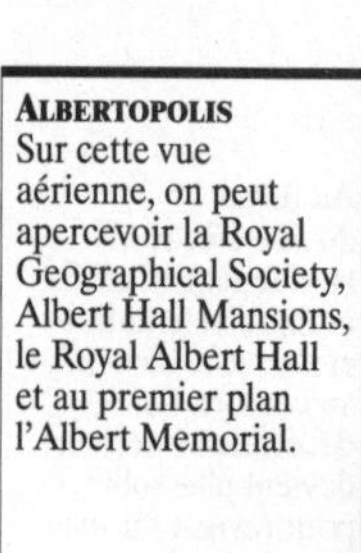

ALBERTOPOLIS
Sur cette vue aérienne, on peut apercevoir la Royal Geographical Society, Albert Hall Mansions, le Royal Albert Hall et au premier plan l'Albert Memorial.

ALBERTOPOLIS

Entre Chelsea et Kensington Gardens, la partie sud de Kensington se présente comme une véritable Cité des sciences et des arts. Elle regroupe en un espace restreint une concentratio de musées, de grandes écoles et d'institutions culturelles qui n'existe nulle part ailleurs. Cet ensemble d'urbanisme volontaire, que l'on appelle, aujourd'hui, Albertopolis, est l'image type de cette foi dans l'accomplissement intellectuel si chère à la bourgeoisie anglaise du XIXe siècle et que partageaien la reine Victoria et son mari, le prince Albert.

L'APOGÉE DE L'ÈRE VICTORIENNE. La première Exposition universelle de Londres ▲ *38*, en 1851, connut un succès considérable, avec 6 millions de visiteurs, et symbolisa l'apogée de la période victorienne. L'immense Crystal Palace, construit dans Hyde Park par Joseph Paxton pour l'Exposition, attira l'attention du gouvernement et du prince Albert sur la nécessité d'un centre culture dans l'ouest de Londres, alors en plein essor. Dès 1856, des musées, des établissements d'enseignement scientifique et artistique surgirent au nord de Cromwell Road, la nouvelle artère ouverte en 1855 dans l'esprit qui présida aux grandes percées parisiennes de Napoléon III.

LE RÔLE DU PRINCE ALBERT. Longtemps enfermé dans un rôle de pure représentation, le prince Albert (ci-contre) se consacra d'abord à l'éducation des neuf enfants qu'il eut avec Victoria. Puis il se prit de passion pour tout ce qui se rapportait à l'éducation, à la culture et aux sciences. Il insistait, en particulier, sur la nécessité de rapprocher institutions éducatives et

ollections. Sir Henry Cole, ami du prince Albert et principal artisan du développement de South Kensington, partageait e point de vue. Une collection d'objets achetés à l'Exposition niverselle de 1851 fut présentée à MARLBOROUGH HOUSE. événement remporta un tel succès que le prince et Cole écidèrent d'accroître la collection et de faire construire n musée à cet effet. De 1852 à 1856, plusieurs bâtiments rovisoires abritèrent un musée des Arts et des Sciences, mais faudra attendre 1859 pour que des bâtiments permanents oient enfin édifiés, formant le noyau de ce qui allait devenir Victoria and Albert Museum. La mort du prince Albert, n 1861, accéléra, paradoxalement, la réalisation de son rêve.

'UNIVERS DES MUSÉES. Deux monuments furent érigés la gloire du prince Albert : l'Albert Memorial, entre 1863 t 1872, et l'Albert Hall, entre 1867 et 1871. De nombreux utres musées et établissements d'éducation, d'institutions ientifiques ou technologiques s'élevèrent, serrés les ns contre les autres, formant alors une sorte d'encyclopédie ivante des sciences et des arts. C'est ainsi que, à partir e 1873, et jusqu'au milieu du XXe siècle, vont être construits accessivement le NATURAL HISTORY MUSEUM, la ROYAL GEOGRAPHICAL SOCIETY, le ROYAL COLLEGE OF ORGANISTS, ROYAL COLLEGE OF MUSIC, le SCIENCE MUSEUM et GEOLOGICAL MUSEUM. Enfin, plus récemment, l'IMPERIAL COLLEGE OF SCIENCE AND TECHNOLOGY et le ROYAL COLLEGE OF ART sont venus compléter cet ensemble unique au monde, éritable paradis pour les amateurs de musées.

VICTORIA AND ALBERT MUSEUM ♥

C'est la pièce maîtresse de l'Albertopolis. Sa fondation date e 1852. Initialement Museum of Manufactures, devenu outh Kensington Museum en 1859, il est baptisé Victoria nd Albert Museum en 1899.

CINQUANTE ANS DE CONSTRUCTION. Le musée résulte e la combinaison, sans unité ni coordination, de six projets rchitecturaux successifs, menés tour à tour par Francis Fowke, puis, après sa mort en 1866, par Henry Young Darracott Scott et enfin par Aston Webb ▲ *241*. Cela explique incohérence de son plan et le fait que la décoration soit concentrée uniquement sur certaines parties de l'édifice. Le musée s'est agrandi, de façon anarchique, autour d'une cour rectangulaire, le QUADRANGLE, inspirée de la Renaissance ombarde. L'aile est du Quadrangle, la plus ancienne, ut construite entre 1856 et 1858 pour exposer la collection le peintures anglaises offerte par John Sheepshanks, un riche ndustriel du Yorkshire ; la façade actuelle date de 1901. L'aile occidentale, œuvre de Godfrey Sykes, puis de ses assistants, construite en 1864, fixe le style architectural utilisé pour e reste du musée et de nombreux édifices de l'Albertopolis, alliant à la brique des décorations en terre cuite et n mosaïque. Le bâtiment nord, conçu comme l'entrée principale du musée, fut bâti entre 1865 et 1869. Entre 1877 t 1884, le Quadrangle est clos, au sud, par une aile destinée accueillir la Bibliothèque nationale d'art. Enfin, la façade principale actuelle est ajoutée par Aston Webb entre 1899 t 1909. Les portes de bronze rappellent par leur décoration que le musée, à l'origine, n'était pas seulement le musée le l'Art mais aussi celui de la Science.

LE V & A
En 1899, la reine Victoria posa la première pierre d'un nouvel édifice complétant le Victoria and Albert Museum. Ce devait être sa dernière apparition publique. La construction du musée se poursuivit jusqu'en 1909, où il fut inauguré par le roi Edouard VII. Le Victoria and Albert Museum est dénommé, plus communément, par les Londoniens le «V and A».

L'ŒUVRE D'ASTON WEBB
C'est au futur auteur de la façade de Buckingham Palace, Aston Webb, que l'on doit celle, haute de 210 m du Victoria and Albert Museum, sur Cromwell Road. D'inspiration principalement franco-flamande du début du XVIe siècle, elle est décorée d'un ensemble de statues dues au sculpteur Alfred Drury.

«La Remise des clefs» Raphaël (1483-1520) s'inspire ici de l'Évangile selon Saint-Jean. Pierre, qui reçoit les clefs, se tient à genoux devant le Christ. Ce carton confirme le thème de la primauté de saint Pierre et l'allusion à la suprématie du Pape est transparente.

«Moulin de Flatford depuis une écluse sur la Stour» John Constable (1776-1837) fut l'un des plus grands paysagistes anglais, avec Turner. On retrouve dans cette peinture le «clair-obscur de la nature» et le rôle primordial du ciel, «organe principal du sentiment».

Miniature élizabéthaine Ce médaillon d'un courtisan fut réalisé au XVIe siècle par Nicholas Hilliard.

Un musée des Beaux-Arts et des Arts appliqués. Extraordinaire musée dont les collections proviennent du monde entier, il compte 145 salles dont la visite représentera une promenade de plus de 10 km. Trois d'entre elles reflètent le goût et l'art victorien : la «salle à manger verte », décorée par William Morris ; la Gamble Room, ou salle à manger centrale, revêtue de céramique ; enfin, le Grill-Room, décoré par Edward Poynter. Ensuite, le visiteur ne peut manquer l'escalier de céramique, terminé en 1871 par des étudiants d'après les dessins de F. W. Moody.

Les collections du musée

Les cartons de Raphaël ♥. Ces cartons sont les plus importants spécimens d'art de la Renaissance de grandes dimensions qui se trouvent actuellement en Angleterre. En 1623, le futur Charles Ier, alors à Gênes, achète sept des dix cartons de Raphaël (les trois cartons manquants n'ont toujours pas été retrouvés) représentant des scènes des vies de saint Pierre et saint Paul. Ils avaient servi à exécuter une suite de tapisseries commandées à Rome en 1515 par le pape Léon X pour décorer la chapelle Sixtine lors des grandes occasions. De Rome, ils avaient été expédiés à Bruxelles, où ils furent découpés en bandes et copiés dans les ateliers chargés d'exécuter la commande. Lorsque le prince Charles les achète, il les destine à l'une des grandes manufactures royales de tapisseries, celle de Mortlake, fondée en 1619 par Jacques Ier Stuart. Après avoir été reconstitués, les cartons restaurés furent prêtés par la reine Victoria au V & A. Les tapisseries se tissant par l'arrière, les cartons sont dessinés en sens inverse de l'œuvre réalisée : il faut donc les lire de droite à gauche. Ils sont présentés selon l'ordre chronologique en commençant par *La Pêche miraculeuse*. Dans la même salle se trouve une tapisserie réalisée à Mortlake d'après cette œuvre

Les collections indiennes ♥. La présence des collections d'art indien dans les galeries du V & A est liée à la démolition, en 1956, de l'Indian Museum implanté de l'autre côté d'Exhibition Road. Dès la fin du XVIIIe siècle, l'Inde

«POUR MOI, ADMIRATEUR AUTANT QUE PERSONNE DE CETTE GRANDE ÉCOLE QU'ON NOMME RAPHAËL (…), JE SUIS ÉTONNÉ DE SA QUIÉTUDE, DE SA SÉRÉNITÉ ÉTRANGE AU MILIEU DES PLUS TRAGIQUES ÉVÉNEMENTS.» JULES MICHELET

«SAINT PAUL PRÊCHANT À ATHÈNES» Dans cet autre tableau de Raphaël, tiré des *Actes des apôtres*, saint Paul annonce la parole divine.

«YAMUNA, DÉESSE DE LA RIVIÈRE» Le V & A présente des sculptures indiennes du XXe siècle avant J.-C. au XIXe siècle représentant des divinités de la terre, de la nature et des scènes de la vie du Bouddha. Ci-dessous, sculpture hindoue, d'Inde centrale, vers 900 ap. J-.C.

«PRINCE À CHEVAL» Gouache sur papier, art moghol, vers 1720.

tait devenue pour les chercheurs et les érudits britanniques n sujet d'étude. En 1801, la Compagnie anglaise des Indes rientales fonda un musée privé à Londres pour y exposer les bjets envoyés par ses agents : antiquités, curiosités, souvenirs istoriques. Lors de la disparition de la Compagnie, au ndemain de la révolte des Cipayes, en 1858, et du passage ous administration directe de l'Inde par la Couronne, collection fut transférée à l'India Office. L'intérêt du public our la civilisation et l'art indien, déjà éveillé lors de Exposition universelle de 1851 où la galerie de l'Inde avait uscité l'enthousiasme, s'accentua fortement. Dès 1880, South Kensington Museum reçut l'essentiel des collections e l'India Office. Leur contenu évolua, dans la seconde oitié du XIXe siècle, au profit des objets manufacturés ue les industriels britanniques entreprirent de copier pour épondre à une demande intérieure croissante et pour nvahir le marché indien. Un parcours didactique conçu travers ses collections permet d'explorer les formes d'art, vie religieuse, la vie de cour et la vie domestique, et de saisir ussi l'extrême importance des échanges entre civilisations.

ES COLLECTIONS ANGLAISES ♥. Le V & A est le seul musée ù il soit possible d'avoir une vue d'ensemble de cinq siècles 'art britannique. Deux domaines, largement représentés, ermettent de suivre les spécificités nationales de l'art anglais : elui des arts décoratifs et celui de la peinture. Deux écorateurs incarnant deux mouvements originaux sont emarquablement représentés ici : Robert Adam ▲ 257, un des initiateurs du néo-classicisme, et William Morris,

«LE TIGRE DE TIPOO» Fabriqué en 1790 en Inde pour le sultan Tipoo Sahib, ce tigre qui déchire un Européen contient un mécanisme qui émet rugissements et gémissements. Les Anglais s'en emparèrent lors de la défaite du sultan, au siège de Seringapatam.

Le V & A possède aussi des collections de vêtements. Ici, robe du soir, réalisée par les sœurs Callot vers 1922.

LA GALERIE DES SCULPTURES
Elle présente des pièces du XVIIe au XIXe siècle, parmi lesquelles des œuvres des Français David et Roubilliac. et des Anglais Stone et Cibber.

LA SALLE DES MOULAGES
Elle expose des moulages de sculptures ou des bas-reliefs. Ci-contre, moulage de la colonne romaine de l'empereur Trajan.

propagateur du mouvement «Arts et artisanats». Ces deux artistes, voulant à la fois créer un style moderne (dans la seconde moitié du XVIIIe siècle pour l'un, du XIXe siècle pour l'autre, et recréer un style historique, firent œuvre d'expérimentateurs par l'emploi de nouvelles techniques industrielles, tout en attachant une grande importance aux valeurs des métiers d'art traditionnels. Le V & A, conçu e partie comme un musée des produits industriels et artisanau fut également chargé d'une mission didactique auprès des artistes et décorateurs anglais, mission qui apparaît clairemen lors de la visite des salles. Enfin, l'école anglaise de peinture est, elle aussi, amplement représentée grâce aux nombreux legs et dons effectués de 1857 à 1908. Celui de l'industriel John Sheepshanks comprend deux ensembles remarquables d'une part, 233 peintures à l'huile, dont des œuvres de Mulready, de Landseer, d'Etty, de Turner, de Gainsborough et de Reynolds, et, d'autre part, une vaste collection d'aquarelles, enrichie par la suite d'œuvres de préraphaélites, puis de celles d'artistes du XXe siècle. Le V & A abrite aussi la plus importante collection d'œuvres de John Constable : pas moins de 95 toiles et 297 dessins et aquarelles provenant du legs de sa fille Isabel, des dons de Sheepshanks et de Henry Vaughan. Ce dernier légua en particulier *La Charette à foin* et *Le Cheval sautant*. L'œuvre de Constable est présentée dans le cadre de l'école paysagiste anglaise.

LES PORTRAITS MINIATURES ♥. Le V & A possède la collection la plus importante de portraits miniatures anglais. Complète, elle permet de suivre l'évolution d'une technique qui débute avec Hans Holbein le Jeune et Nichola Hilliard et se poursuit jusqu'aux miniaturistes du début de l'ère victorienne.

LA JONES COLLECTION ♥. La Jones Collection comprend plusieurs départements. En 1882, un ancien tailleur militaire, John Jones (1799-1882), lègue au V & A une collection d'œuvres d'art commencée vers 1850 lorsque, fortune faite, il se retira des affaires. Cet ensemble se compose essentiellement de pièces représentatives des arts décoratifs français de Louis XIV à Louis XVI. Jones est l'un de ceux qui a su profiter de la dispersion et de la mise en vente des meubles et œuvres d'art des châteaux et hôtels de l'aristocratie, lors de la Révolution française, pour acquérir des pièces admirables. Cette collection est un excellent témoignage du goût des collectionneurs de la période victorienne et de leur démarche. Jones a acquis un ensemble de meubles français du XVIIIe siècle dont des œuvres signées

«On y trouve un miroir à côté d'un livre, et une statuette du plus fin travail à côté d'une grille de jardin.» Louis Énault

Tabatière (1775-1777)
Tabatière de Pierre-François Drais, décorée de portraits miniatures de la famille royale française : Louis XVI, Marie-Antoinette et les enfants royaux (Jones Collection).

«L'Alarme, ou la Gouvernante fidèle» (vers 1785)
D'abord attribué à Watteau, ce tableau de la Jones Collection est considéré comme le chef-d'œuvre de Jean-François de Troy (1679-1752).

Le vase de Tippoo
Ce vase de Sèvres aurait été envoyé par Louis XVI au sultan de Mysore, Tippoo, en remerciement de son alliance contre les Anglais.

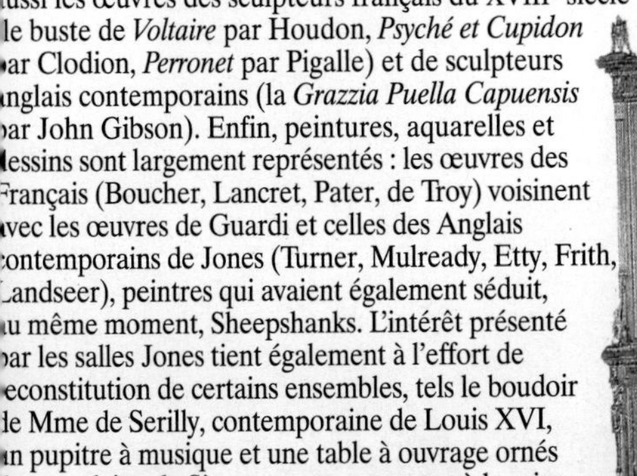

André-Charles Boulle (1642-1732), des œuvres de Martin Carlin, ainsi que des meubles anglais tel ce cabinet, dessiné par M. Crosse et fabriqué par la maison Wright et Mansfield de Londres pour l'Exposition de Paris de 1867 (ci-contre, en bas). Ces derniers témoignent des limites de la connaissance de Jones en ce domaine puisqu'il acquit ces meubles, croyant qu'ils étaient du XVIIIe siècle, alors qu'en réalité il s'agissait de pièces du XIXe siècle. Jones a rassemblé une importante collection de porcelaines en provenance surtout de la manufacture de Sèvres et, pour quelques pièces rares, de celles de Vincennes et de Chelsea. Les miniatures occupent une place particulière dans le legs de Jones, à la fois par leur nombre (plus de cent soixante ont été rassemblées dont un intéressant ensemble réalisé au XVIIe siècle par Jean Petitot) et par la diversité des périodes représentées : les plus anciennes datent de la Renaissance. John Jones accumula aussi les œuvres des sculpteurs français du XVIIIe siècle (le buste de *Voltaire* par Houdon, *Psyché et Cupidon* par Clodion, *Perronet* par Pigalle) et de sculpteurs anglais contemporains (la *Grazzia Puella Capuensis* par John Gibson). Enfin, peintures, aquarelles et dessins sont largement représentés : les œuvres des Français (Boucher, Lancret, Pater, de Troy) voisinent avec les œuvres de Guardi et celles des Anglais contemporains de Jones (Turner, Mulready, Etty, Frith, Landseer), peintres qui avaient également séduit, au même moment, Sheepshanks. L'intérêt présenté par les salles Jones tient également à l'effort de reconstitution de certains ensembles, tels le boudoir de Mme de Serilly, contemporaine de Louis XVI, un pupitre à musique et une table à ouvrage ornés de porcelaine de Sèvres, ayant appartenu à la reine Marie-Antoinette, et le salon ovale italien.

La galerie des dinosaures ♥
Le Natural History Museum fut construit avec une remarquable symétrie, de part et d'autre du hall où étaient exposés les squelettes des dinosaures. Ce hall ressemble à une nef de cathédrale, coiffée d'une voûte de métal et de verre, décorée de panneaux de terre cuite.

Rénovation de l'après-guerre
Plusieurs galeries du Natural History Museum furent détruites pendant la Seconde Guerre mondiale. Elles ont été reconstruites à la fin des années cinquante et au début des années soixante, tandis qu'une nouvelle aile, abritant des laboratoires, était

ajoutée, entre 1971 et 1975, du côté d'Exhibition Road.

Autour de la Cité des sciences

Natural History Museum ♥ ● *82*. Dès 1860, la décision était prise de transférer à Kensington la section d'histoire naturelle du British Museum, qui avait été constituée à partir de la collection du physicien sir Hans Sloane (1660-1753) ▲ *200, 301,* président de la Royal Society. À sa mort, Sloane laissa au Parlement sa collection d'environ 80 000 pièces en échange d'une confortable pension à ses filles. Du milieu du XVIIIe siècle au milieu du XIXe siècle, cette collection s'enrichit de nombreux dons, en particulier ceux du capitaine Cook. L'édification du nouveau musée fut confiée en 1866 à Alfred Waterhouse. Commencés en 1872, les premiers départements furent inaugurés en 1881. L'aménagement intérieur du musée fut décidé, dès 1859, par le premier directeur, le zoologue Richard Owen. Cinq sections furent alors créées : paléontologie, zoologie, entomologie, botanique et minéralogie. Les halls ouest et est étaient consacrés aux oiseaux, aux fossiles et à la géologie. En 1990, la galerie est a été réaménagée pour accueillir une exposition consacrée à l'écologie.

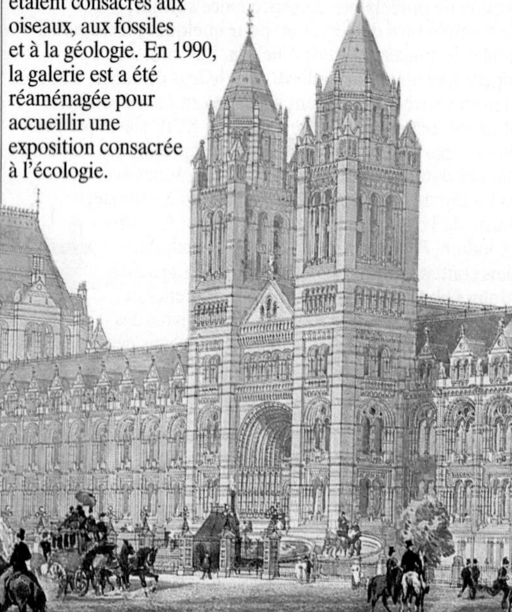

«RASSEMBLEZ-VOUS, Ô NATIONS, RASSEMBLEZ-VOUS !
ET DE LA FORGE ET DE LA MINE
ACCOUREZ SCIENCE, INVENTION, TALENT, ACTION !...»

POÉSIE DE MACKAY POUR L'EXPOSITION UNIVERSELLE DE 1851

.e Natural History Museum est à la fois musée et centre de echerche, doté d'une exceptionnelle bibliothèque.

;CIENCE MUSEUM. Les collections rassemblées depuis 1852, nrichies par les collections Woodcroft (qui possédaient a Puffing Billy, l'une des plus vieilles locomotives, fabriquée n 1813) et Maudsley, qui avait collecté un grand nombre de nachines-outils et d'engins de navires, ont été installées dans 'actuel bâtiment commencé en 1913 par Allison et achevé en 977. Sur cinq étages, disposés en un parcours pédagogique, nstruments, maquettes et animations donnent ıne vue d'ensemble des découvertes qui, dès le XVIIIe siècle, ıssurèrent la prééminence industrielle ·t scientifique de la Grande-Bretagne :t présentent également les grandes nventions réalisées de nos jours dans e monde et leurs applications pratiques.

;EOLOGICAL MUSEUM. Ce musée, dont 'origine remonte à 1835 et qui alors était nstallé à Craig's Court, à Whitehall, ı'occupe les locaux actuels que depuis 1933. l communique avec le Science Museum ɔar une passerelle couverte. À l'origine, l devait être consacré à la géologie et aux richesses minières ɔritanniques. L'exploitation des houillères et celle les gisements pétroliers de la mer du Nord sont d'ailleurs ·voquées. Le musée possède une collection d'environ ın million de pierres, dont des pierres précieuses et des fossiles.

MPERIAL COLLEGE OF SCIENCE AND TECHNOLOGY. L'actuel :ollège date de 1953, lorsqu'il fut décidé de doubler e nombre des étudiants. Avant 1953, le collège comprenait rois institutions dont le Royal College of Chemistry, fondé en 1845 par le prince Albert. Les projets de 1953 entraînèrent a démolition d'anciens bâtiments, comme 'Imperial Institute, dont il ne reste que a tour centrale au décor Renaissance. Aujourd'hui, l'Imperial College, qui regroupe plusieurs écoles d'ingénieurs, :st l'une des écoles les plus renommées du monde.

UN MONSTRE NOIR
Il y a quelques années, le ravalement de la façade du Natural History Museum, jusque-là monstre noir de suie, a permis de remettre en valeur son élégance et de redécouvrir la finesse de ses décorations en terre cuite.

ENTRE PALAIS ET CATHÉDRALE
Ce tableau d'Alfred Waterhouse restitue bien l'ampleur des dimensions du Natural History Museum. Il présente une façade romane d'inspiration rhénane, longue de 205 m, percée en son centre d'un porche monumental encadré de deux tours. Elle se termine, à chaque extrémité, par un pavillon, donnant au musée l'aspect d'un édifice mi-palais, mi-cathédrale.

L'AMPHITHÉÂTRE
L'Albert Hall peut accueillir 8 000 personnes dans son amphithéâtre de 224 m de circonférence, coiffé d'une coupole de verre.

L'ALBERT MEMORIAL
Il fallut douze ans, de 1861 à 1872, pour terminer ce monument, situé en face du Royal Albert Hall, dessiné par l'architecte Georges Gilbert Scott. La construction fut décidée par la reine Victoria.

BROMPTON ORATORY
Ce tableau de Herbert Gribble (1847-1894) traduit parfaitement le caractère imposant et la décoration surchargée que l'on trouve à l'intérieur de cette église de style baroque italien avec, notamment, des revêtements de marbres polychromes.

ROYAL ALBERT HALL♥ ●8

Le désir d'édifier un centre culturel et un hall de concerts sur les terres de Gore House remontait à 1853, mais ce n'est qu'au lendemain de la mort du prince Albert que le proje se réalisa. Pour le financer, son instigateur, sir Henry Cole, proposa de vendre, par souscription, des sièges perpétuels, assurant à leurs propriétaires l'entrée gratuite aux concerts. L'architecte Henri Scot réalisa l'actuel bâtiment, appelé parfois ironiquement le «couvercle de soupière en Wedgwood». En 1867, Victoria posa la première pierre du Royal Albert Hall, qui fut inauguré le 29 mars 1871 en présence du prince de Galles. L'extérieur est en brique rouge et la façade, rompue par un balcon circulaire, est décorée d'une frise de terracotta sur le thème du triomphe des Arts et des Lettres. Presque tous les grands chefs ont dirigé dans ce temple de la musique qu'est l'Albert Hall. Mais sa popularité musicale remonte à 1941. Jusqu'à cette date, les célèbres «proms» londoniennes (les Henry Wood Promenade Concerts), représentations classiques populaires inaugurées en août 1895, se déroulaient au Queen's Hall. La salle détruite par un bombardement en 1941, les Proms furent transférées à l'Albert Hall. Elles s'y poursuivent depuis, durant les huit semaines d'été.

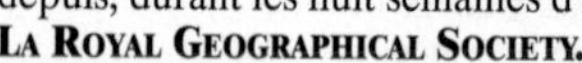

LA ROYAL GEOGRAPHICAL SOCIETY. Fondée en 1830, ce n'est qu'en 1913 qu'elle s'installa à LOWTHER LODGE, une grande maison construite entre 1873 et 1875 par Norman Shaw. La Royal Geographical Society organisa et finança des expéditions comme celles de Livingstone en Afrique ou de Scott vers le pôle Sud. La bibliothèque de la société contient environ 130 000 livres, accessibles à ses 7 500 membres.

L'ALBERT MEMORIAL. Ce gigantesque reliquaire médiéval de 53 m de haut, avec sa débauche ostentatoire de matériaux (marbres, pierres de Portland, mosaïques, bronze) et le réalisme de ses symboles et allégories, illustre bien le divorce entre l'art victorien et les réalisations industrielles de l'époque

BROMPTON ORATORY ♥

Après s'être converti au catholicisme, en 1845, le cardinal Newman (1801-1890) introduisit en Angleterre la Congrégation de l'Oratoire fondée à Rome par saint Philippe Neri au XVIe siècle. La Congrégation s'installe à Brompton en 1847. L'église baroque a été construite entre 1878 et 1884 sur les plans de Herbert Gribble. À l'intérieur, le visiteur est surpris par l'immensité de la nef dont les bas-côtés sont constitués d'une suite de chapelles. Les statues grandeur nature des douze apôtres, de Guido Mazzuoli (1644-1725), furent achetées à Sienne en 1895. Un monument à la mémoire du cardinal Newman fut érigé en 1896 devant l'oratoire.

Parcours verts

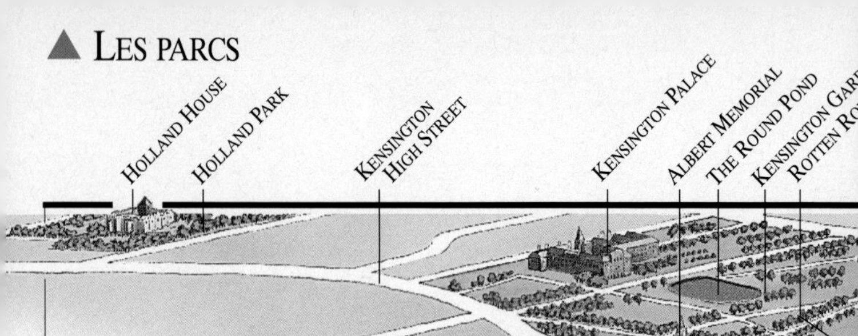

LE PARC EN ÉTÉ
Les chaises longues rayées vert et blanc, idéales pour sommeiller au soleil, sont payantes.

«Tous les jours en sortant de l'Athenæum, je vais m'asseoir une heure dans Saint-James-Park. Le lac miroite doucement sous la brume qui l'enveloppe, pendant que les feuillages obscurs se penchent sur les eaux tranquilles.»
Hippolyte Taine

ST JAMES'S
Aquarelle de Benjamin Read, vers 1838.

Vue du ciel, Londres offre le spectacle magnifique d'une ville spacieuse émaillée de multiples espaces verts (parcs, terrains de rugby et de cricket, sans oublier les jardinets des maisons) autour d'un fleuve tout en courbes. Ce goût très prononcé pour les jardins fit dire à Emerson, dans *L'Âme anglaise* : «L'Angleterre est un jardin. Sous le ciel de cendres, les champs, peignés et passés au rouleau, semblent avoir été finis au pinceau plutôt qu'à la charrue.» Par Whitehall, on entre dans le quartier des Horse Guards, à l'est de St James's Park, excellent point de départ pour qui veut aller à la découverte des célèbres parcs londoniens : St James's Park, Green Park, Hyde Park, Kensington Gardens et Holland Park.

ST JAMES'S PARK

Le plus ancien des parcs royaux est également le plus petit et le moins sauvage des parcs londoniens. Il est séparé du quartier St James's par le Mall.

RÉHABILITATION D'UN MARAIS. En 1536, Henri VIII, qui souhaitait voir un nouveau lieu d'agrément entre les palais de St James's et de Whitehall, fit assécher un marais et amener des cervidés, animaux d'ornement plus que gibier. Le parc (couvert d'arbres et strié d'avenues, dont *The Mall*, l'allée réservée aux voitures) fut ouvert au public en 1662, sous le règne de Charles II, qui en fit un jardin à la française,

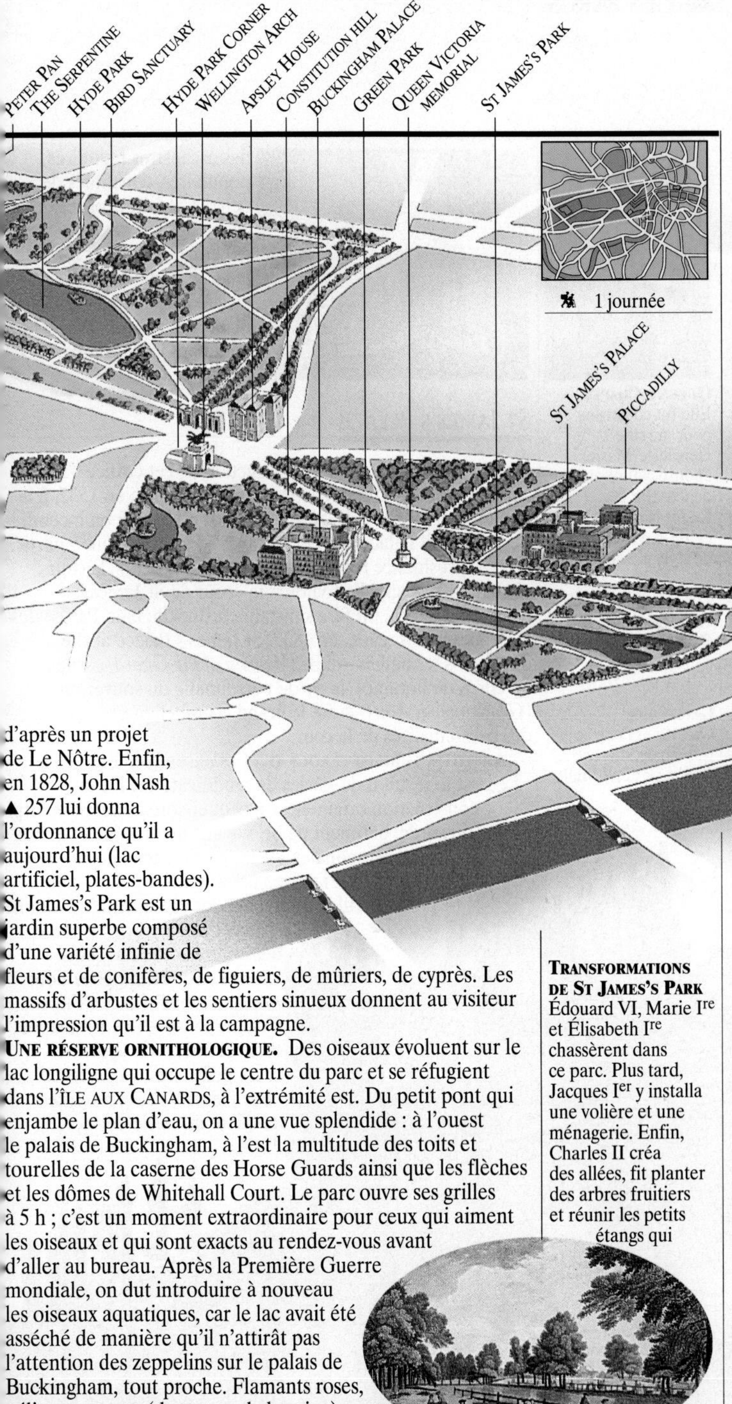

d'après un projet de Le Nôtre. Enfin, en 1828, John Nash ▲ *257* lui donna l'ordonnance qu'il a aujourd'hui (lac artificiel, plates-bandes). St James's Park est un jardin superbe composé d'une variété infinie de fleurs et de conifères, de figuiers, de mûriers, de cyprès. Les massifs d'arbustes et les sentiers sinueux donnent au visiteur l'impression qu'il est à la campagne.

Une réserve ornithologique. Des oiseaux évoluent sur le lac longiligne qui occupe le centre du parc et se réfugient dans l'Île aux Canards, à l'extrémité est. Du petit pont qui enjambe le plan d'eau, on a une vue splendide : à l'ouest le palais de Buckingham, à l'est la multitude des toits et tourelles de la caserne des Horse Guards ainsi que les flèches et les dômes de Whitehall Court. Le parc ouvre ses grilles à 5 h ; c'est un moment extraordinaire pour ceux qui aiment les oiseaux et qui sont exacts au rendez-vous avant d'aller au bureau. Après la Première Guerre mondiale, on dut introduire à nouveau les oiseaux aquatiques, car le lac avait été asséché de manière qu'il n'attirât pas l'attention des zeppelins sur le palais de Buckingham, tout proche. Flamants roses, pélicans, cygnes (dont ceux de la reine), mouettes, oies, canards – en tout une trentaine de variétés d'oiseaux – se promènent autour du lac. Birdcage Walk, qui borde le parc au sud, rappelle que Charles II avait fait installer une volière à proximité de cette grande allée ombragée. À la belle saison, le kiosque à musique (*bandstand*) accueille des formations, surtout

Transformations de St James's Park
Édouard VI, Marie Ire et Élisabeth Ire chassèrent dans ce parc. Plus tard, Jacques Ier y installa une volière et une ménagerie. Enfin, Charles II créa des allées, fit planter des arbres fruitiers et réunir les petits étangs qui formèrent le Canal. Il laissa intact le romantique étang de Rosamond (ci-dessus).

des orchestres militaires populaires, constitués de cuivres. Il faut profiter du calme des soirées qu'offre le parc, qui ferme à minuit : le lac est éclairé et le jardin exhale les parfums des plantes et des arbres. Au loin scintillent les lumières de la ville.

Queen's Chapel
Elle fut construite pour la reine Henriette-Marie, épouse catholique de Charles Ier. Ce fut la première église d'Angleterre de style classique.

Les cuisines
Représentation du XIXe siècle (ci-dessus à droite).

Gatehouse
On atteint l'entrée principale, de style Tudor, par Pall Mall ou St James's Street.

St James's Palace

Ancien palais royal. La construction de cet édifice Tudor, sur l'emplacement d'une léproserie, commença en 1532, à la demande d'Henri VIII. Après la destruction, par un incendie, de Whitehall Palace ▲ *142*, St James's Palace devint, à partir de 1698, résidence royale permanente. D'ailleurs, la cour d'Angleterre s'appelle toujours la «cour de St James».
La reine Victoria préféra s'installer à Buckingham Palace dès le début de son règne, en 1837. St James's Palace abrite désormais les hallebardiers (*Yeomen of the Guard*, gardes du corps de la reine), la garde personnelle du souverain (*Gentlemen at Arms*) ● *50*, le grand chambellan et des personnalités de la cour.

Architecture hétérogène. Cet ensemble hétéroclite est le résultat de siècles de modifications. De la construction originelle, on peut encore admirer le corps de garde, bâtiment de brique aux murs crénelés et aux tours octogonales. Autre partie ancienne, la Gatehouse, l'entrée principale du palais, belle porte fortifiée de style Tudor également, qui donne accès à Colour Court, l'une des quatre cours du palais. Les trois autres ont pour nom : Ambassadors' Court, Friary Court, Engine Court. Depuis cette dernière, on accède à la chapelle royale, construite pour Henri VIII, et modifiée au début du siècle dernier.

«ST JAMES PARK EST UNE VRAIE CAMPAGNE ANGLAISE : VIEUX RBRES ÉNORMES, PRAIRIES VÉRITABLES, LARGE ÉTANG PEUPLÉ DE CANARDS ET D'OISEAUX NAGEURS, DES VACHES, DES MOUTONS PARQUÉS BROUTENT L'HERBE TOUJOURS FRAÎCHE.» H. TAINE

riary Court, reconstruite après l'incendie de 1809, est un bel xemple du style néo-Tudor. L'accession au trône du souverain st proclamée du balcon qui surplombe cette cour.

E CORPS DE GARDE. Ce bâtiment d'origine est facilement epérable depuis Pall Mall grâce à ses tours octogonales. Il brite notamment la SALLE DU TRÔNE (cheminée au manteau igné Grinling Gibbons) et es SALLES DES TAPISSERIES t DES ARMES, œuvres e William Morris (1867).

ROYAL CHAPEL. La chapelle oyale, où chante la maîtrise de a reine, se trouve entre Colour Court et Ambassadors' Court. Y ont été célébrés les mariages e George IV, de George V t de Victoria.

QUEEN'S CHAPEL ET CLARENCE HOUSE. La chapelle de la Reine, construite en pierre de Portland de 1623 à 1635 par Inigo Jones ● *274, 325*, faisait partie du palais avant la percée de Marlborough Road. A l'intérieur, on peut admirer des œuvres baroques, dont une sculpture de Grinling Gibbons. Clarence House, située à l'ouest de la chapelle, fut construite par John Nash (achevée en 1827). C'est la résidence de la reine mère.

LA CASERNE DES HORSE GUARDS. Son architecture, de style palladien, donne à cette caserne construite au milieu du XVIIIe siècle des allures de palais. L'édifice, en forme de U, conçu par William Kent juste avant sa mort, en 1748, et construit par John Vardy, est fait d'un curieux mélange de voûtes, de frontons et d'avancées. Le peintre William Hogarth dénonça cette architecture qu'il estimait dépourvue de vie. Le U enserre une cour du côté de Whitehall et, du côté de St James's Park, un ensemble de trois arches permet d'accéder à l'esplanade appelée HORSE GUARDS PARADE. Le bâtiment central est surmonté d'une imposante tour-horloge qui rythme les tours de garde toutes les heures, entre 10 h et 16 h. Deux vigiles à pied sont postés devant Horse Guards Parade et deux sentinelles à cheval, imperturbables devant les appareils photographiques des touristes, montent la garde du côté de Whitehall. La caserne abrite la quarantaine de gardes à cheval appartenant à la Garde Royale ● *50*, chargée de veiller sur les palais royaux londoniens. Les Horses Guards forment deux régiments : les *Life Guards* (tunique rouge, casque à crinière blanche, chevaux à chabraque noire ou blanche) et les *Blues and Royals* (tunique bleue et casque à crinière rouge, chevaux à chabraque noire).

HORSE GUARDS PARADE
Depuis l'entrée de la caserne, un passage voûté conduit à un vaste terre-plein où se déroule la relève de la Garde (Changing of the Guard), l'été ; l'hiver, elle se déroule dans la cour intérieure. Cette esplanade, appelée Horse Guards Parade, est flanquée de deux statues équestres des maréchaux Wolseley et Roberts, ainsi que de deux canons.

BUCKINGHAM PALACE VU DE ST JAMES'S PARK
Le palais occupe le site de Buckingham House, construite aux portes de Londres au début du XVIIIe siècle pour John Sheffield, premier duc de Buckingham et Mulgrave, là où Jacques Ier avait fait planter dix mille mûriers.

The Picture Gallery, Buckingham Palace
L'aspect actuel de la galerie de Peinture doit beaucoup à la reine Marie, l'épouse de George V. Elle modifia l'éclairage, réduisit le nombre de tableaux exposés et remplaça l'unique tapis cramoisi par des petit tapis très colorés.

The Green Drawing Room, Buckingham Palace
On l'appelle le salon Vert en raison de la couleur de la soie recouvrant les chaises et les fauteuils qui l'ornent et des brocarts tendus sur les murs. Les invités à une réception royale traversent le salon Vert avant toute autre salle et franchissent la porte donnant sur la galerie de Peinture.

The Music Room, Buckingham Palace
La salle de Musique est restée pratiquement en l'état depuis le règne de Victoria. D'ailleurs, on y a laissé un magnifique clavecin, même si la pièce ne sert plus désormais de cadre qu'aux baptêmes royaux et de salon d'accueil pour les visiteurs officiels.

Buckingham Palace

En 1762, le roi George III, qui n'aimait guère le palais voisin de St James's, acheta la propriété qui devint, en 1775, la maison de la reine Charlotte.

Transformations de John Nash. Lors de son accession au trône, en 1820, George IV, régent depuis 1811, chargea John Nash ▲ *257* de transformer le manoir en palais royal. Mais le montant des travaux dépassant le budget alloué par les Communes et le gouvernement, à la mort du roi, en 1830, le palais, qui comprenait le vieux manoir, resta inachevé. John Nash fut renvoyé et remplacé par Edward Blore. Les travaux reprirent en 1837, à l'avènement de Victoria. Blore modifia la construction de Nash : il remplaça le dôme par un attique et ferma en 1847 la cour d'honneur par une aile italianisante, déplaçant Marble Arch qu'il transféra au nord de Park Lane. En 1913, Aston Webb construisit l'actuelle façade en pierre de Portland. Entre le rez-de-chaussée et les deux étages du quadrangle, 590 pièces sont reliées par des kilomètres de couloirs ! Les plus beaux éléments de Buckingham Palace sont dus à Nash.

Grande Salle. C'est de là que s'envole le grand escalier (Grand Staircase) de marbre blanc orné de bas-reliefs, vers le premier étage, qui regroupe les appartements d'État. La cage de l'escalier, œuvre de Nash, est couronnée d'un dôme. Les balustrades en acajou richement doré sont le plus bel exemple de ferronnerie de la Régence. L'aile nord du quadrangle, qui abrite les appartements de la reine, donne sur Constitution Hill. Les appartements d'État, œuvre de Nash, occupent les ailes sud et ouest et s'ordonnent de part et d'autre de la galerie de Peinture.

Picture Gallery. La galerie de Peinture fut achevée en 1914 et décorée par les quelque cinq mille toiles de la collection royale commencée sous Henri VIII, qui en avait passé commande à Holbein le Jeune. Charles Ier l'enrichit de toiles du Titien et de Raphaël, George III de Canaletto et de Gainsborough, George IV d'œuvres de Van Dyck, de Rembrandt et de Vermeer. Victoria fit entrer dans la collection royale Constable, Turner, Hogarth et Reynolds.

Salle à manger d'État. Elle est ouverte lors des bals officiels, des réceptions diplomatiques et des mariages royaux. L'architecture intérieure d'origine, toujours de John Nash, a été remplacée par celle d'Edward Blore qui créa les trois coupoles. La table en acajou peut accueillir soixante convives. De l'autre côté de

Buckingham Palace au XIXe siècle et Buckingham House
L'aquarelle (en haut) réalisée par John Nash en 1846 montre Marble Arch à sa place originelle, c'est-à-dire à l'entrée de l'avant-cour de Buckingham Palace. Le même John Nash la fit transférer au nord de Park Lane. C'est encore à Nash que l'on doit la façade actuelle de Buckingham House (ci-dessus).

Musique au palais
Voilà le carton que reçurent les invités de la soirée du vendredi 13 juin 1890.

Le roi est malade
En 1902, alors que le roi Édouard VII était alité, une foule anxieuse s'était massée devant Buckingham Palace.

«Summer Day in Hyde Park
Dans ce tableau de John Ritchie, peintre de genre qui expos
à la Royal Academy de 1858 à 1875, on regarde en directio
du nord, depuis la Serpentine jusqu'à Marble Arc

«Le dimanche, parfois, j'écoutais les prêcheurs en plein vent de Hyde Park, médusé par l'éclipse complète de respect humain qui se faisait chez ces missionnés pour le témoignage ; le sérieux du public qui les écoutait inlassablement me déconcertait plus encore.»

Julien Gracq,
Carnets du grand chemin

Green Park
A l'est du parc, entre Piccadilly et le Mall, s'étend Queen's Walk. Parmi les immeubles qui bordent le Mall, il faut citer Spencer House, somptueuse demeure palladienne conçue par John Vardy, située approximativement au milieu du Mall.

la galerie de Peinture, voisine du salon Vert (Green Drawing Room, l'ancien salon de la reine Charlotte) s'ouvre la salle du Trône. À l'opposé de cette aile, celle donnant sur le Mall est célèbre par son balcon, inauguré en 1854 par Victoria où, à chaque grande occasion, apparaît la famille royale ● *48*. Du palais, on ne peut visiter ni la galerie de la Reine ni les écuries Royales.

Queen's Gallery. La galerie de la Reine, inaugurée en 1962, est située à l'emplacement de la chapelle qu'avait fait construire John Nash et qui fut soufflée par une bombe en 1940. Une partie des toiles des collections royales y est exposée.

Royal Mews. Jusqu'à la construction de National Gallery, les écuries Royales se situaient près de Charing Cross. Les bâtiments de John Nash, véritable petit village dans le palais de Buckingham, furent achevés en 1826. Le nom de Royal Mews vient des bâtiments qui abritaient les faucons pendant leur mue. Les écuries Royales sont sous la responsabilité du *master of the horse*, titre qui remonte à 1391. La maison de l'écuyer de la Couronne, chargé de la gestion des écuries Royales, se trouve à l'entrée des bâtiments. Autrefois, les écuries Royales abritaient uniquement les carrosses d'apparat (Gold State Coach, de 1762, utilisé lors des couronnements et Irish State Coach, de 1851, utilisé le jour

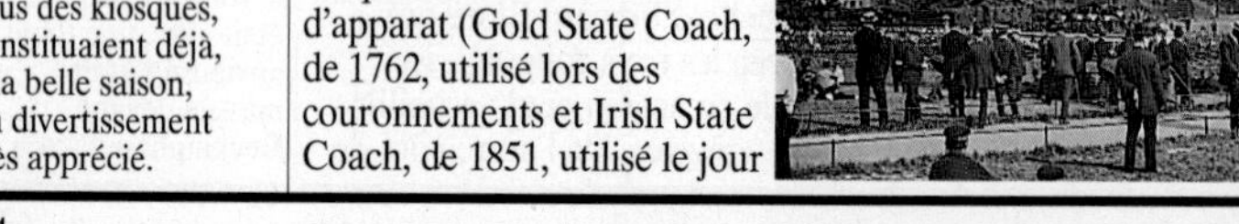

Bandstand, à Green Park
Au début du siècle, les orchestres, abrités sous des kiosques, constituaient déjà, à la belle saison, un divertissement très apprécié.

«Nous allons au Green Park, à côté de Piccadilly. Nous y écrivons le journal de la veille, au grand étonnement de plusieurs Anglais qui nous regardent et nous écoutent faire.» Stendhal

"Il verrouilla soigneusement la porte de sa maison et alla à Hyde Park en perdre la clef dans l'herbe. Le printemps était tout à fait venu. Le ciel était bleu, les feuilles naissaient dans tous les arbres, et des couples d'amoureux, la main dans la main, se promenaient le long de la Serpentine. Dowds regardait autour de lui intensément. Il souriait. Puis toujours à pied, il traversa le carrefour de Hyde Park Corner en direction de la gare de Victoria où il prit le premier train pour la France."

Pierre-Jean Rémy, *La Vie d'Adrian Putney*

«Envolez-vous vers la Grande-Bretagne grâce à B.O.A.C. » La British Overseas Airways Corporation est l'ancêtre de la British Airways. Sur cette carte postale publicitaire, on voit Constitution Arch (1846), ou Wellington Arch, située à Hyde Park Corner.

de l'ouverture du Parlement), le State Landau, utilisé pour les visites des chefs d'État, les calèches et les chevaux royaux.

Palace Gardens. Le palais est entouré d'un parc de 20 ha dont les jardins ont été dessinés au XIXe siècle par W. T. Aiton, qui a donné son nom à l'étang situé à l'ouest du parc. En février 1841, le prince Albert, habile patineur, s'aventura sur la glace trop mince et y prit un bain forcé !

Green Park

Il suffit, pour entrer dans ce parc orné de réverbères et de bancs en fonte, de traverser le Mall. On peut marcher sur les grandes étendues d'herbe, où flotte le parfum des tilleuls. L'allée appelée Broad Walk est recouverte d'herbe et bordée, de chaque côté, d'une rangée de platanes. Les pique-niques sont très populaires à Green Park et, à la belle saison, les employés du quartier de Piccadilly et les écoliers profitent, à l'heure du déjeuner, de l'ombre des arbres.

Hyde Park

On traverse Piccadilly pour entrer dans le plus vaste des parcs royaux. Hyde Park et Kensington Gardens, mitoyens, totalisant 310 ha de verdure au cœur de la capitale,

ROTTEN ROW
Hyde Park est, de tous les parcs londoniens, celui qui s'apparente le plus au jardin anglais

constituent un véritable poumon. Hyde Park fut ouvert au public au XVIIe siècle par Charles Ier et bénéficia tout de suite d'une grande popularité. Les gens aimaient venir se promener dans les allées tandis que des duels se déroulaient dans des recoins discrets. La place des exécutions, dans l'angle de Tyburn, attirait également de nombreux spectateurs en quête de sensations fortes. Hyde Park devint vite un lieu mondain ; on s'y promenait en portant un masque, pratique qui, provoquant des excès, dut être proscrite en 1695 par édit royal. Georges II fit ajouter l'étang de la Serpentine en 1730 et la fameuse Rotten Row en 1737.

SERPENTINE. Ce lac artificiel fut réalisé pour la reine Caroline qui était elle-même une paysagiste passionnée. Les travaux d'endiguement du Westbourne commencèrent en 1730. Une fois ceux-ci achevés, deux bateaux furent mis à flot sur la Serpentine à l'usage de la famille royale. Une grande foire eut lieu dans Hyde Park en 1814 durant laquelle le lac fut le cadre d'une reconstitution de la bataille de Trafalgar. La Serpentine est également associée à la mort mystérieuse de l'épouse de Shelley, Harriet Westbrook, qui, enceinte d'un mari qui venait de la quitter, s'y serait suicidée. On peut y louer des bateaux, voire s'y baigner. D'ailleurs, la tradition du bain le jour de Noël est bien ancrée, qu'il vente ou qu'il neige, même s'il faut casser la glace… La SERPENTINE GALLERY est une ancienne maison de thé construite en 1908 par sir Henry Tanner. Aujourd'hui, on l'utilise pour les expositions temporaires d'art contemporain qu'y organise the Arts Council.

SPEAKERS' CORNER. Dans le coin nord-est du parc, à côté de Marble Arch ▲ *252*, se trouve le célèbre Speakers' Corner. En 1855, 150 000 personnes se réunirent à cet endroit pour protester contre le *Sunday Trading Bill*, de lord Robert Grosvenor, décret qui autorisait le commerce le dimanche. Ce genre de regroupement étant illégal, la police accourut et voulut appréhender un orateur passionné et apprécié qui

LE DUC DE WELLINGTON (1769-1852)
On le connaît surtout pour la victoire qu'il conduisit à Waterloo, le 18 juin 1815, contre Napoléon. Grande figure du torysme britannique, il occupa sur les scènes politiques nationale et internationale un rôle de premier plan. Il fut Premier ministre de 1828 à 1830.

HYDE PARK CORNER
A gauche de la photographie, on voit l'ensemble de trois arcs reliés entre eux par des colonnes (Hyde Park Screen), dessiné en 1825 par Decimus Burton pour servir d'entrée (sud-est) au parc. A droite, se trouve la maison de Wellington, Apsley House, ouverte au public.

Promenade à cheval sur Rotten Row
Sa fréquentation était, au siècle dernier, un signe de distinction : à Rotten Row, il fallait rouler carrosse pour voir les gens en vue et être vu soi-même.

éussit à prendre la fuite. En 1872, à la suite 'autres manifestations de ce genre, le droit e réunion fut enfin reconnu, t cette partie du parc, ırnommée *Speakers' Corner*, le coin des Orateurs», put ccueillir toute personne ouhaitant exposer sa pensée, ourvu que sa parole ne fût i obscène ni diffamatoire.

PSLEY HOUSE. Elle fut onstruite en brique rouge, le 1771 à 1778, par les frères Adam, pour Henry Bathurst, grand hancelier d'Angleterre (baron Apsley est le second titre des omtes Bathurst) et fut également la demeure londonienne u duc de Wellington, dont l'adresse était : *Number One, ondon*. En 1829, il chargea Benjamin et Philipp Wyatt l'en couvrir les murs de pierre de Bath, d'ajouter le portique orinthien et la Waterloo Gallery. Jusqu'en 1852, tous les ans e 18 juin, un banquet était donné à Apsley House pour fêter a victoire de Waterloo. Il reste de cette ancienne tradition a table dressée (service portugais en argent et vermeil), xposée dans la Waterloo Gallery. Apsley House abrite le très iche WELLINGTON MUSEUM (peintures de Goya, Murillo, Vélasquez, Rubens, etc.).

ROTTEN ROW. A l'origine, elle s'appelait la route du Roi, lésignation qui, au fil du temps, a été déformée pour donner 'actuelle appellation. Reliant Kensington Palace à St James's, Rotten Row fut la première route éclairée d'Angleterre. Guillaume III, en effet, fit suspendre 300 lanternes aux arbres qui la bordaient, mesure qui tendait à éloigner les brigands qui infestaient le parc à cette époque. En 1687, l'un de ces nalfrats fut pendu pour avoir assassiné une femme qui avait avalé son alliance pour ne pas se la faire voler. Le parc resta cependant un repaire le coupe-jarrets : ainsi, en 1749, l'écrivain Horace Walpole, qui revenait de Holland House, fut attaqué par deux hommes qui, tout en le menaçant à l'aide d'un romblon, lui soutirèrent sa montre et huit guinées. Nombreux sont les cavaliers et les poneys du manège de la Serpentine à fréquenter Rotten Row. C'est également le chemin qu'empruntent, tous les matins, les Horse Guards ● *50*. Cette piste est également connue sous le nom de «Le Mile».

KENSINGTON GARDENS

Christopher Wren transforma ce jardin privé du palais de Kensington avant qu'il ne devienne la résidence de Guillaume III et Marie. La reine Anne, qui n'aimait pas la rigueur des jardins hollandais, en fit détruire une partie. Dans les années 1720, Henry Wise et Charles Bridgeman furent les artisans d'un nouveau projet d'aménagement.

«The Crinoline Equestrian»
«Ils ne peuvent être qu'admiratifs devant l'élégante simplicité de ma mise !» dit la légende de cette lithographie du milieu du XIXe siècle.

Crystal Palace
Joseph Paxton dessina les plans du bâtiment qui allait abriter l'Exposition universelle de 1851 : une charpente métallique soutenant de grandes verrières. En 1854, le Crystal Palace fut démonté et reconstruit à Sydenham. Une fois agrandi et compartimenté, ce palais de verre devint un parc d'attractions en tout genre : théâtre, concerts, expositions, cirque. Statues et jets d'eau agrémentaient le parc, dans lequel étaient régulièrement tirés des feux d'artifice. Enfin, les finales des rencontres de football se jouaient là. En 1936, le palais fut détruit par un incendie.

«AUTUMN IN KENSINGTON GARDENS»
Tableau du peintre paysagiste James Wallace (1872-1911). La reine Marie, épouse de Guillaume III, prit un grand intérêt à l'ordonnance du parc et fit appel aux jardiniers royaux, Henry Wise et George London, qui dessinèrent des jardins hollandais : parterres ornés de haies basses de buis et de bouquets d'ifs. George II ouvrit Kensington Gardens au public, à la bonne société s'entend, et son allée principale (Broad Walk) devint un lieu à la mode aussi fréquenté que le Mall ▲ *144* un siècle plus tôt.

SUNKEN GARDEN
Kensington Gardens est plus formel que Hyde Park. Ses jardins sont coupés de grandes avenues plantées d'arbres partant de ronds-points signalés par des obélisques ou des monuments.

LES MONUMENTS DU PARC. C'est probablement William Kent qui, en 1726-1727, construisit un petit temple à l'extrémité sud-est du parc. Plus tard, on l'inclut au Temple Lodge. Guillaume IV ouvrit le parc au public, et, en 1843, fut aménagée une allée fleurie. L'ALBERT MEMORIAL ▲ *236* fut érigé en 1863 et agrandi en 1872. En 1864, on éleva un obélisque de granite pour commémorer la découverte de la source du Nil par John Hanning Speke, puis, en 1893, la statue de Victoria et, en 1907, celle de Guillaume III. *Physical Energy*, l'œuvre de George Frederic Watts, date de 1904. *Elfin Oak* (*Le Chêne des lutins*), statue d'Ivor Innes (1928) est un tronc sculpté d'animaux. Elle se trouve dans l'aire de jeux pour enfants située au nord du parc, près de Black Lion Gate.

«Y a-t-il à présent à Londres une seule femme convenable qui accepterait d'aller en voiture avec elle dans le Parc ?»

Oscar Wilde

.es biches et les faons de bronze qui ornent la Queen's Gate nt été réalisés par P. Rouillard (1919).

.a statue de Peter Pan. C'est la statue préférée des jeunes ondoniens. Depuis son installation, en 1912, lle est un pôle d'attraction pour les enfants. ieorge Frampton a signé cette œuvre en bronze eprésentant le personnage créé par James latthew Barrie pour *The Little White Bird*, istoire qui se déroulait dans Kensington ardens. Par la suite, le personnage de Peter Pan ıt immortalisé dans la pièce de théâtre que l'on etrouve régulièrement à l'affiche à Londres. 'ina Boucicault, qui jouait le rôle de Peter Pan, ervit de modèle au sculpteur. Il l'a représentée ouant de la flûte. À ses pieds, des anges volettent au-dessus e souris et de lapins.

ound Pond. Au centre du jardin se trouve l'étang qui attire es enfants londoniens, surtout le dimanche, qui y font aviguer de petits voiliers. Des retraités en costume bleu arine et casquette blanche sont, eux aussi, tout la manœuvre de leurs magnifiques modèles réduits.

unken Garden. Ce jardin, qui date de 1909, se trouve du

La chambre de la reine, à Kensington Palace Un des somptueux intérieurs créés vers 1690 par Christopher Wren, retouchés dans les années 1720 pour George II.

KENSINGTON GARDENS
Vue de la rive opposée de Round Pond.

“Si la feuille au contraire ne lui plaisait pas, elle se contentait de la rejeter et celle-ci allait à nouveau se perdre dans les millions d'autres feuilles plus ou moins semblables, sèches, craquantes déjà, qui envahissaient en ce milieu d'automne, presque trop froid pour la saison, les pelouses de Hyde Park et de tous les parcs de Londres, de tous les parcs entretenus avec soin, ratissés, parfaitement civilisés, de l'Angleterre tout entière.”

Pierre-Jean Remy, *La Vie d'Adrian Putney*

côté est. Des rangées de fleurs disposées sur trois étages formant un rectangle autour d'un bassin dessinent une promenade sous la voûte de tilleuls en arceaux. En sortant à gauche par la porte nord-ouest de Kensington Gardens. On descend sur Notting Hill, quartier vivant et cosmopolite, pour s'acheminer vers Holland Park. On dépasse sur la gauche le merveilleux Camden Square, tout en pente, illuminé à Noël quand tous les habitants de l'endroit mettent des bougies dans leurs *bow-windows* (fenêtres formant une avancée en arc de cercle), ce qui donne un aspect féerique à cette place victorienne.

KENSINGTON PALACE. Ce manoir, construit pour sir George Coppin, fut acheté par le comte Nottingham et prit le nom de Nottingham House. Après la révolution de 1689, il devint la demeure du couple royal Guillaume III et Marie, car le roi souffrait d'asthme et supportait de moins en moins la proximité de la Tamise. En outre, les terres de Kensington plaisaient énormément à Guillaume, paysagiste passionné. Ils chargèrent sir Christopher Wren ● *68*, ▲ *171, 349* d'agrandir et de transformer ce manoir en palais, et Nicholas Hawksmoor ▲ *311* de superviser les travaux. Wren modela une nouvelle façade, créa plusieurs appartements royaux, un superbe escalier (à rampe en fer forgé de Jean Tijou), et ajouta également des écuries. La reine Anne fit construire l'orangerie en 1704, probablement sur des plans de Hawksmoor modifiés par Vanbrugh. Sous George Ier, trois salons d'apparat furent reconstruits dans le style palladien. En 1727, George II et la reine Caroline y emménagèrent. Après la mort de George II, en 1760, son petit-fils, le roi George III, choisit de vivre à Buckingham House. Kensington Palace, qui commença alors à porter ce nom, fut délaissé quelque temps avant de devenir la résidence des princes. Au début du XIXe siècle, James Wyatt apporta de nouvelles modifications, dans le style néo-classique. La princesse Victoria naquit à Kensington Palace, en 1819, et c'est là qu'on vint lui apprendre qu'elle allait devenir reine. Aujourd'hui, la princesse Margaret possède encore des appartements dans le palais, et le prince de Galles y habite traditionnellement.

«MY LADY'S GARDEN»
Ce tableau de John Young Hunter, exécuté en 1899, montre très nettement, à l'arrière-plan, le jardin hollandais (Dutch Garden) entouré de murs, qui fut dessiné par Buonaiuti en 1812. Il est caractérisé par des parterres de fleurs aux formes géométriques bordés de haies basses de buis. Ce jardin, d'ailleurs, existe toujours. Un détail qui n'apparaît pas dans le tableau : l'anfractuosité pratiquée dans le mur du côté nord est connue sous le nom de ROGERS'S SEAT, au-dessus de laquelle on peut lire une inscription de lord Holland célébrant son ami le banquier et poète romantique Samuel Rogers.

Désormais ouvert au public, le palais abrite une très belle collection de toilettes portées à la cour à partir de 1750. Les appartements d'État sont décorés de boiseries et de tableaux des grands maîtres du XVIIe et du XVIIIe siècle. On peut admirer, dans les appartements de la reine, des miroirs encadrés de sculptures dorées de Grinling Gibbons ▲ *173*, *329*, la chambre à la coupole de William Kent, ou encore, dans les appartements du roi, la salle du conseil privé, du même artiste.

Holland Park

Entouré de magnifiques maisons victoriennes, véritable petite forêt avec ses écureuils, ses paons, ses émeus d'Australie et d'autres oiseaux moins exotiques, Holland Park est un endroit délicieux. Le parc faisait partie autrefois de la propriété de Holland House, construite en 1607, et presque entièrement détruite par un bombardement en 1941. Trois jardins l'entourent : Rose Garden, Dutch Garden et Iris Garden. La flore y est tantôt exotique, tantôt locale : catalpas, bambous, yuccas, tilleuls, houx, chênes, peupliers, frênes ■ *24*. Plusieurs statues ornent le parc : un monument dédié à lord Holland (1872), de Watts et Boehm, *The Boy and the Bear Cubs* (1902), de John MacAllan Swan, et une œuvre d'Eric Gill. La petite construction en forme de cône date du XVIIIe siècle et servait d'entrepôt à glace. On pourra se rafraîchir au café, véritable havre de paix au cœur de Londres. Enfin, la très belle orangerie, construite à partir des écuries de 1638-1640, abrite des copies de statues en bronze ; on y organise expositions et concerts.

Holland House. Aujourd'hui, il ne reste plus que des parties de la demeure originale, qui s'appelait alors Cope Castle, édifiée pour sir Walter Cope, chancelier de l'Échiquier sous Jacques Ier. Seuls subsistent l'aile orientale, quelques arcades dans la cour et un portail de 1629 attribué à Nicholas Stone et à Inigo Jones. Ce domaine fut très longtemps la propriété de la famille de Charles James Fox, célèbre pour avoir été député à dix-neuf ans, puis porte-parole des whigs. Dans les années 1790-1830, il accueillit un salon tenu par lady Holland, qui réunissait de nombreux hommes de lettres tels que Dickens, Wordsworth, lord Byron, Talleyrand, etc., et des politiciens whigs qui, contre la monarchie et l'anglicanisme, soutenaient les droits du Parlement et des groupes protestants. D'ailleurs, on appelait la maison *the Jacobean Holland House*. Après les bombardements de 1941, Holland House fut laissée à l'abandon jusqu'en 1952, date à laquelle le London County Council en prit possession.

Détente dans Holland Park
Comme les autres parcs de la ville, Holland Park est, en toute saison, un lieu de détente privilégié. Il est envahi l'été par les Londoniens qui fuient la chaleur. Côté sud, le parc s'incline en pente douce, ainsi le promeneur domine les toits de la ville.

Métamorphose de Holland House
La gravure ci-dessous montre Holland House telle qu'elle était à l'origine, tandis que l'ovale, au centre, la présente dans son aspect actuel.

En été, pièces de théâtre, ballets et opéras sont joués devant la façade du palais. Cette terrasse de plein air est connue sous le nom de Court Theatre.

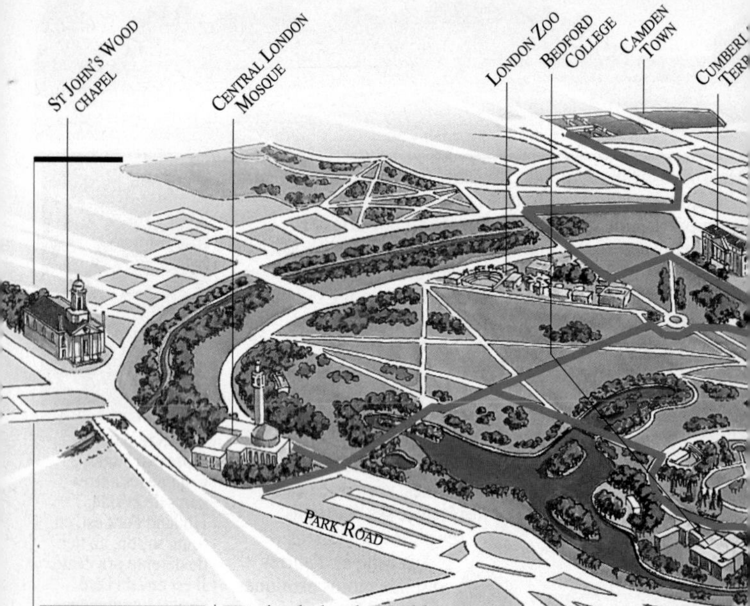

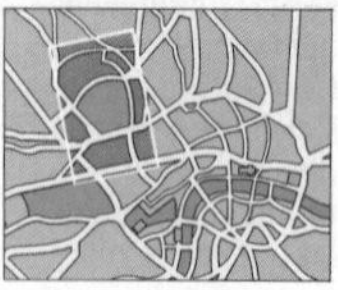

St John's Wood Chapel

Central London Mosque

London Zoo

Bedford College

Camden Town

Cumberl... Terr...

Park Road

1 journée

Déambuler de Marble Arch à Regent's Park, à travers le quartier de Marylebone, permet d'aller à la découverte d'un quartier bâti au début du XIXe siècle, à caractère résidentiel ponctué de places, de jardins et bordé de résidences fastueuses.

Autour de Marylebone

Marble Arch. En suivant Park Lane, qui marque la limite nord-est de Hyde Park, on arrive au rond-point de Marble Arch, arc de triomphe en marbre blanc italien. Il fut réalisé par l'architecte Decimus Burton en 1828. Prévu pour servir de porte d'honneur au palais de Buckingham ▲ *242*, Marble Arch fut transféré à son emplacement actuel en 1851, car ses portes en fer forgé, trop étroites, ne permettaient pas le passage du carrosse royal. Au début du XXe siècle, Marble Arch fut inclus dans un rond-point que la circulation contourne.

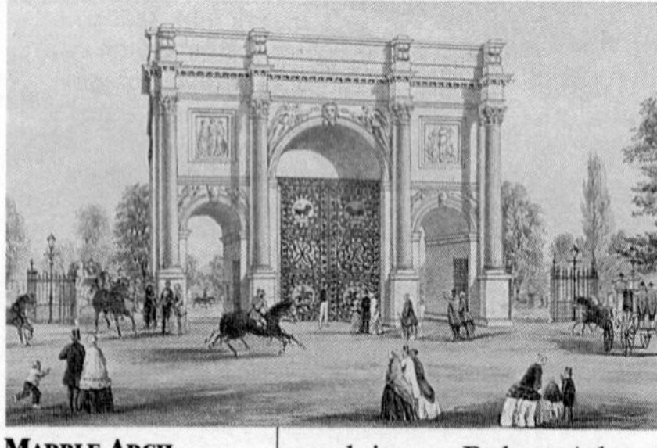

Marble Arch
À quelques pas de Marble Arch, un triangle de pierre, dans la chaussée, indique l'endroit du gibet de Tyburn où, pendant six siècles, les criminels et martyrs de la Tour de Londres furent exécutés.

Marylebone. Le quartier s'étend de part et d'autre de Marylebone Lane et Marylebone High Street. Dès le milieu du XVIIIe siècle, d'importants chantiers furent ouverts dans le village de Marylebone, bientôt rattaché à Londres et de nouvelles rues, des squares et d'importantes demeures y furent construits. Ces aménagements furent, en partie, conduits par Robert Adam (1728-1792), secondé par ses trois frères ▲ *269*. Adam introduisit liberté et mouvement dans l'architecture en réaction contre les règles formelles du palladianisme aristocratique, d'où la diversité des maisons privées, que l'on voit encore aujourd'hui.

Harley Street. Percée vers 1720, elle est depuis le milieu du XIXe siècle la grande rue des médecins. Maisons du XVIIIe siècle et constructions victoriennes et édouardiennes y voisinent. Aux n°s 43-49, est installé Queen's College, fondé en 1848, premier collège de jeunes filles à Londres,

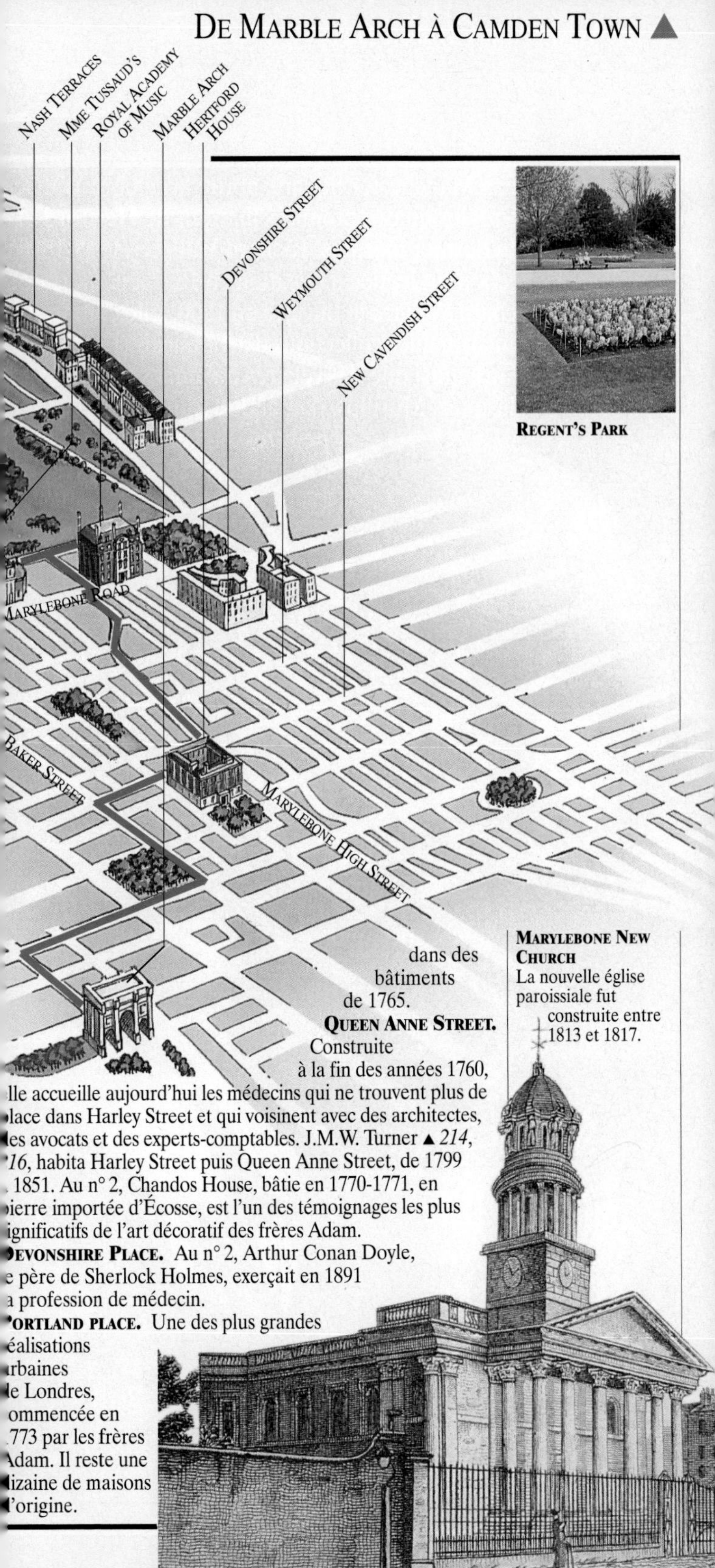

Regent's Park

Marylebone New Church
La nouvelle église paroissiale fut construite entre 1813 et 1817.

dans des bâtiments de 1765.

Queen Anne Street. Construite à la fin des années 1760, elle accueille aujourd'hui les médecins qui ne trouvent plus de place dans Harley Street et qui voisinent avec des architectes, les avocats et des experts-comptables. J.M.W. Turner ▲ *214, 216*, habita Harley Street puis Queen Anne Street, de 1799 à 1851. Au n° 2, Chandos House, bâtie en 1770-1771, en pierre importée d'Écosse, est l'un des témoignages les plus significatifs de l'art décoratif des frères Adam.

Devonshire Place. Au n° 2, Arthur Conan Doyle, le père de Sherlock Holmes, exerçait en 1891 la profession de médecin.

Portland place. Une des plus grandes réalisations urbaines de Londres, commencée en 1773 par les frères Adam. Il reste une dizaine de maisons d'origine.

Hertford House, à Manchester Square, abrite la célèbre Wallace Collection. Œuvre des quatre premiers marquis de Hertford et du fils naturel du dernier marquis, Richard Wallace (1818-1890), la Wallace Collection fut léguée à la nation en 1897 à la mort de la femme de Richard Wallace et ouverte en 1900. Elle comprend l'une des plus remarquables collections d'art français (Fragonard, Boucher, Watteau), ainsi que des œuvres italiennes (Guardi), espagnoles (Vélasquez, Murillo), flamandes, sans oublier les peintres anglais et la peinture française contemporaine. La galerie, réaménagée entre 1976 et 1981, présente aussi des collections de mobilier et d'objets insolites.

VÉNUS MARINE. Cette majolique (céramique vernissée italienne) de 1533 est l'œuvre de Francesco Xanto Avelli.

«LE CAVALIER RIANT» Ce célèbre portrait, peint en 1624, est dû au Néerlandais Frans Hals (vers 1585-1666). Sa liberté de touche a influencé des artistes du XIXe siècle, dont Manet.

L'HORLOGE À MOUVEMENT ASTRONOMIQUE Cette horloge en bronze doré patiné, réalisée par Michel Stollerweck (vers 1746-1775), fait partie d'une collection regroupant de nombreux ouvrages d'horlogerie.

«ON NE PEUT ASSEZ RÉPÉTER
QUE LES RÈGLES DU BEAU SONT ÉTERNELLES, IMMUABLES,
ET QUE LES FORMES EN SONT VARIABLES.»

EUGÈNE DELACROIX

«MADAME DE POMPADOUR»
Ce tableau de François Boucher (1703-1770), représentant la maîtresse de Louis XV, fait partie des œuvres françaises acquises par le marquis de Hertford durant la Révolution française.

GORGERINS MILANAIS (VERS 1610)
Ces pièces d'armure, couvrant la gorge et le cou des guerriers, font partie de la collection d'armures, achetée au comte de Nieuwekerke.

«Regent's Park» Ce tableau de John Knox (1778-1845) montre une vue générale de Londres et de Regent's Park depuis le parc de Primrose Hill.

Marylebone High Street et Thayer Street. Cette artère fut le cœur de l'ancien village de Marylebone. De nombreux petits commerces lui donnent encore aujourd'hui une atmosphère villageoise.

Squares et places. Portman square fut tracé entre 1764 et 1784 sur les terrains du domaine Portman. Située au n° 20 de Portman Square, Home House, construite en 1773-1776, est la plus exquise des demeures urbaines qu'ait réalisée Robert Adam et témoigne de son art de combiner des pièces de formes différentes. L'élégante enclave de Stratford Place date de 1774 tandis que Manchester Square, abrite la Wallace Collection.

Baker Street. Le locataire le plus illustre de Baker Street, l'une des rues les mieux conservées, habitait au n° 221B. Il s'agit bien sûr de Sherlock Holmes qui a son musée à côté.

Marylebone road

Marylebone New Church. Entre 1813 et 1817, sur une terre donnée par le duc de Portland, Thomas Hardwick construisit une nouvelle église paroissiale, la troisième, ornée d'un lourd portique corinthien et d'une tour surmontée d'un dôme soutenu par des caryatides.

Royal Academy of Music. Le bâtiment de brique rouge fut construit dans le style baroque anglais en 1910-1911. À l'ouverture, l'Académie ne comptait que 21 élèves, au nombre desquels la sœur de Dickens ● *106*, Fanny.

Madame Tussaud ◆ *374*. En 1802, venant de France, Marie Tussaud débarque à Londres avec 35 figures de cire, dont les masques de célèbres victimes de la Révolution. En 1884, son musée est riche de 400 figures. Aujourd'hui, il comporte, entre autres, une galerie des célébrités, une chambre des horreurs, quelques reliques des vieilles prisons de Londres et des tableaux historiques. C'est l'un des musées les plus populaires de Londres et, chaque année, il attire des millions de visiteurs.

London Planetarium and Laserium. Il est rattaché au musée de Mme Tussaud Il fut ouvert en 1958. Le ciel se projette sur sa grande coupole de cuivre vert. Certains soirs, il est utilisé comme lasérium pour des concerts.

Cumberland Terrace Cette sorte de palais somptueux est le plus grandiose des ensembles de Nash dans Regent's Park.

Le Planétarium Voisin du musée de Mme Tussaud, sa coupole forme un écran sur lequel on peut suivre le mouvement des étoiles et des planètes.

‹EGENT'S PARK ♥ ● 24

our l'historien Hippolyte Taine, venu à Londres en 1864, ɛegent's Park apparaissait comme «un quartier retiré : on n'y ntend plus le roulement des voitures, on y oublie Londres, 'est une solitude.» Le plus récent des parcs londoniens est ans doute le plus grandiose et le plus varié. Autrefois, et immense espace vert de près de 200 ha était le terrain e chasse du roi Henri VIII. En 1811, le prince régent, futur ɜeorge IV, confia à son architecte favori, John Nash, le soin e transformer le parc en propriétés de rapport. Le projet révoyait 56 villas, un palais d'été pour le régent et un anthéon pour les gloires nationales, tandis que le parc serait ntouré par des immeubles en terrasses. Nash rêvait de créer n nouveau paysage anglais idéal de cité-jardin. Faute 'argent ou de clients, le projet ne fut pas retenu dans sa ɔtalité et se transforma, au gré des années, en un parc public original et harmonieux. La réalisation de l'ensemble, commencée par Nash, en 1812, ne sera achevée, avec son assistant, Decimus Burton, qu'en 1827. Mais Regent's Park ne sera ouvert au public qu'en 1838.

LA VISITE DU PARC. À l'exception du nord, occupé par le zoo, et des ɪelouses du centre, la majeure partie du parc est consacrée ıux sports, dont le cricket ● *56*. On peut s'y promener le long 'allées boisées, reprendre souffle dans des recoins plantés le saules, se rafraîchir au bord des nombreux bassins et ontempler d'innombrables parterres de fleurs. Pour visiter 'ensemble du parc et des terrasses, le mieux est de partir de ARK CRESCENT, un hémicycle à colonnade ionique des plus ɴajestueux. Si l'ouest du parc s'organise autour du BOATING ʟAKE, bordé de frênes pleureurs, le centre, THE INNER CIRCLE, n est le plus bel endroit. Il abrite le QUEEN MARY'S GARDENS t ses roseraies (rivales de celles de Bagatelle, à Paris) et l'OPEN ᴀIR THEATRE, où chaque été est présenté rituellement, dans n cadre naturel, *Le Songe d'une nuit d'été* de Shakespeare.

ʂT JOHN'S LODGE. Au sud-ouest de Regent's Park, cette villa lu XVIIIe siècle (ci-dessus, en médaillon), agrandie d'une aile u XXe siècle, est entourée d'un beau jardin au charme secret, ncore méconnu bien qu'ouvert au public.

ʟES NASH TERRACES ♥ ● *76*. Elles sont issues directement lu projet urbanistique initial de Nash. Il s'agit de plusieurs lemeures de la haute bourgeoisie, de style Regency, formant ın immense palais à la longue façade recouverte de stuc.

"Arbres
grands arbres de
Londres
comme les derniers
bisons vous êtes
relégués
très loin derrière les
grilles
de vos grands parcs
réservés [...]"

Jacques Prévert,
in *Le Grand bal du printemps*

LES NASH TERRACES
Ces façades monumentales, de style Regency, bordent Regent's Park par l'est et par l'ouest.

Une mosquée dans le parc
À l'ouest de Regent's Park, la mosquée au dôme et au minaret de cuivre, fut construite de 1972 à 1978 par Frederick Gibberd.

Parmi les *terraces*, retenons, à l'ouest, York Terrace, Cornwall Terrace, (la première à avoir été construite en 1820-1821), ainsi que Sussex Place, ornée de colonnes corinthiennes et de tours coiffées de dômes. Deux *terraces* orientales retiennent l'attention : Chester Terrace longue de 300 m et décorée de colonnes corinthiennes, et Cumberland Terrace, l'œuvre la plus achevée de Nash, édifiée en 1825. Sa facade, la plus grandiose, comporte un ensemble de colonnes ioniques surmontées d'un fronton sculpté par G. H. Bubb, coiffé de trois statues. Après la Seconde Guerre mondiale, les *terraces*, délabrées, ont tenté des promoteurs immobiliers et ont été converties depuis en appartements de luxe.

St Katharine's Hospital. L'entrée nord-est du Park, par Gloucester Gate, fait face à l'ancien hôpital St Katharine. Ce groupe néo-gothique, composé de l'ancienne église St Katharine (qui accueille l'actuelle église danoise) et de maisons, fut construit en 1826 par Ambrose Poynter. C'est ici que fut transférée la fondation charitable St Katharine lorsque son site originel, près de la tour, fut réquisitionné pour la construction des docks de St Katharine ▲ *334*.

Central London Mosque. La nouvelle mosquée centrale de Londres se trouve à l'ouest de Regent's Park, près de Hanover Gate. Cet édifice imposant voisine avec Winfield House, résidence de l'ambassadeur des États-Unis, et témoigne de l'importance de la religion musulmane dans la capitale britannique.

Vie du Zoo
Chaque nouvelle naissance est affichée à Main Gate, l'entrée principale.

London Zoo

Il s'étend aujourd'hui sur une quinzaine d'hectares, au nord de Regent's Park. Le London Zoo fut créé sur l'initiative de sir Stamford Raffles qui, en 1826, avait fondé la société zoologique de Londres. Cette dernière décida en 1828 de créer pour ses membres un jardin zoologique. Mais ce n'est qu'en 1867 qu'il devint officiellement le zoo de Londres. Decimus Burton ▲ *257* dessina les plans initiaux du jardin, dont celui du pavillon des girafes (remanié en 1963) et celui des chameaux devenu Tour de l'Horloge.

Un zoo d'avant-garde. Le zoo de Londres innova en présentant, en 1913, pour la première fois au monde,

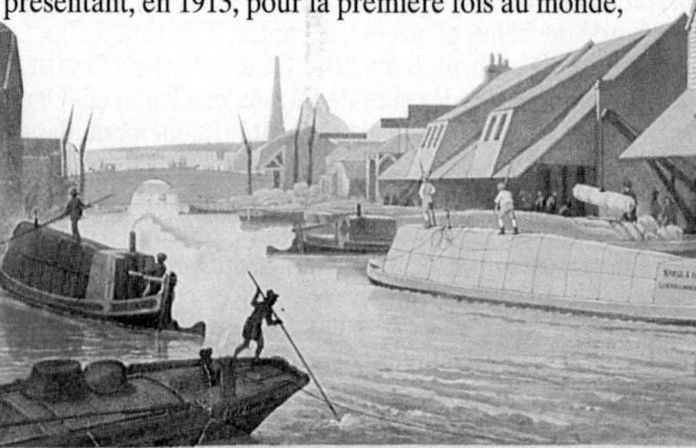

Le long du canal
Le long du zoo court le Regent's Canal, aujourd'hui désaffecté. Après avoir traversé ce quartier verdoyant, il se dirigeait autrefois dans le quartier de l'East End, comme le montre ce tableau.

Après-midi au zoo
Sur cette gravure du siècle dernier, les animaux du zoo de Londres sont encore en cage : les Mappin Terraces ne sont pas encore créées.

dans les Mappin Terraces, des animaux dans leur habitat naturel. En 1934 fut notamment créée la maison des pingouins, suivie en 1962-1965 de la maison des éléphants et des rhinocéros. Une restructuration plus générale des jardins s'opéra dans les années 1960 à partir du plan de sir Hugh Casson. Lord Snowdon, mari de la princesse Margaret, contribua, en 1967, à l'amélioration du zoo en imaginant pour les oiseaux une gigantesque volière. Enfin, en 1976, les New Lion Terraces permettaient aux grands fauves de disposer d'un abri et d'une aire de verdure à leur mesure. Le London Zoo possède également un institut de physiologie comparée, un hôpital pour animaux, une «zone crépusculaire» (le pavillon Charles-Clore) où l'on peut observer des mammifères nocturnes. Le zoo de Londres compte plusieurs milliers d'animaux, représentant 1 162 espèces. Une bibliothèque de plus de 100 000 ouvrages permet aux visiteurs de comprendre ou de mieux connaître les mœurs de tous ces pensionnaires.

Children's Zoo and Farm ◆ *374.* Il est aménagé au sud du zoo. Les enfants peuvent y jouer avec de petits animaux apprivoisés.

FOR THE ZOO, BOOK
TO REGENT'S PARK
OR CAMDEN TOWN

Camden Lock
Artistes, brocanteurs et vendeurs de fripes ont pris l'habitude, depuis bientôt vingt-cinq ans, de s'installer tous les week-ends sur les anciens quais et docks longeant les écluses du Regent's Canal.

Autour de Camden Lock

Regent's Park est limité au nord par Regent's Canal dont les écluses pittoresques servent de décor aux boutiques d'artisanat ou de brocante de Camden Lock.

Primrose Hill ♥. Au-delà du canal, elle domine la vallée de la Tamise et, du haut de ses 62 m, la vue sur Londres est splendide. Couverte de gazon et parsemée de bouquets de châtaigniers et de rares platanes, Primrose Hill («la colline des primevères») fut longtemps le lieu de prédilection des duellistes londoniens.

Regent's Canal ● *18.* Ses abords les plus charmants sont sans doute ceux du zoo et du pont de Macclesfield. Ouvert en 1820, le Regent's Canal reliait la Tamise à Paddington et de là, par le Grand Union Canal, à Birmingham. Loin de son activité passée, le canal est aujourd'hui désaffecté. Pêcheurs et promeneurs occupent désormais ses chemins de halage tandis que les péniches sont devenues des bateaux de plaisance.

Camden Lock. Ce marché aux puces ◆ *376* se tient près du Regent's Canal, dans les anciens bâtiments industriels (entrepôts ou écuries) qui desservaient le canal et le chemin de fer. C'est à Camden Town, ancien quartier populaire, que Verlaine ● *117* et Rimbaud séjournèrent, en juin 1873. Les deux poètes avaient alors, respectivement, vingt-neuf et dix-neuf ans. Pour gagner leur vie, ils firent passer une annonce dans *The Daily Telegraph,* où ils proposaient de donner des «leçons de français en français».

Les puces de Camden Lock.
Elles sont aujourd'hui en concurrence avec le marché aux puces de Portobello Road, ou les antiquaires de Camden Passage.

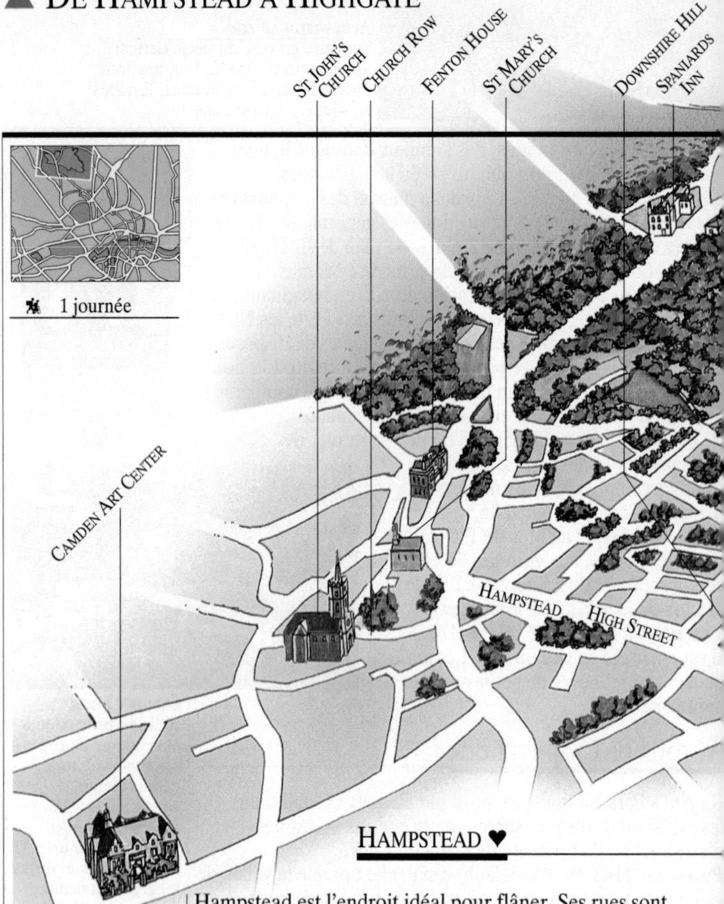

ST JOHN'S CHURCH
CHURCH ROW
FENTON HOUSE
ST MARY'S CHURCH
DOWNSHIRE HILL
SPANIARDS INN

1 journée

CAMDEN ART CENTER
HAMPSTEAD HIGH STREET

HAMPSTEAD ♥

HAMPSTEAD VU DE PARLIAMENT HILL ET, À GAUCHE, BATHING POND
Cette ancienne station thermale de style georgien et victorien, qui s'élève sur une colline, attira, outre les curistes, de nombreux intellectuels : Gainsborough, Keats, Shelley, Byron, Kipling, Lawrence, Wells et Freud.

Hampstead est l'endroit idéal pour flâner. Ses rues sont bordées d'alignements de maisons quasi rurales aux jardins propres. Musarder un jour de pluie le long de Hampstead High Street comblera les badauds, qui pourront y faire des achats même le dimanche. À la fin XVIIe siècle, une grande partie de la forêt qui recouvrait le quartier actuel de Hampstead servit à reconstruire Londres, après l'incendie de 1666 ● *40*. Au XVIIIe siècle, l'aristocratie londonienne établit ses résidences secondaires près de la lande de Hampstead, réputée pour son bon air et son excellente eau de source. D'ailleurs, dès 1700, cette eau minérale était vendue dans les tavernes ; la mise en bouteilles se faisait dans Flask Walk. Un établissement thermal fut créé dans la rue Well Walk. Dans cette même rue habitèrent John Keats et John Constable ▲ *214*, qui avait auparavant séjourné au n° 2 de Lower Terrace. Aujourd'hui encore des personnalités du monde des arts et du spectacle s'y côtoient. Pour en savoir plus sur

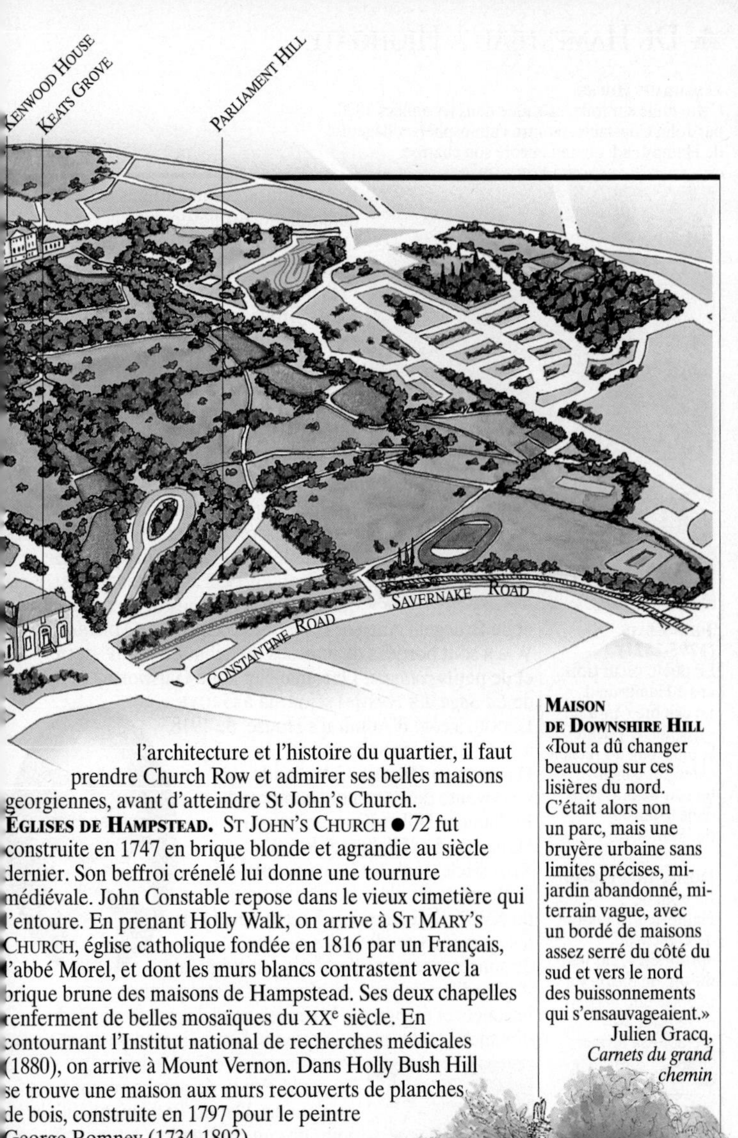

l'architecture et l'histoire du quartier, il faut prendre Church Row et admirer ses belles maisons georgiennes, avant d'atteindre St John's Church.

Églises de Hampstead. St John's Church ● 72 fut construite en 1747 en brique blonde et agrandie au siècle dernier. Son beffroi crénelé lui donne une tournure médiévale. John Constable repose dans le vieux cimetière qui l'entoure. En prenant Holly Walk, on arrive à St Mary's Church, église catholique fondée en 1816 par un Français, l'abbé Morel, et dont les murs blancs contrastent avec la brique brune des maisons de Hampstead. Ses deux chapelles renferment de belles mosaïques du XXe siècle. En contournant l'Institut national de recherches médicales (1880), on arrive à Mount Vernon. Dans Holly Bush Hill se trouve une maison aux murs recouverts de planches de bois, construite en 1797 pour le peintre George Romney (1734-1802).

Keats House, Keats Grove. John Keats vécut de 1818 à 1820 dans Wentworth Place (son nom à l'époque), maison double construite par ses amis Charles Armitage Brown et Charles Wentworth Dilke. En 1816, Keats vint à Hampstead pour rencontrer le journaliste et poète Leigh Hunt, qui habitait le Vale of Health. Et, grâce au cercle littéraire qu'animait ce dernier, il fit la connaissance de Percy Bysshe Shelley, William Hazlitt, William Wordsworth et Charles Lamb. En 1817, Keats s'installa dans Well Walk avec ses deux frères, George et Tom. Puis, une fois seul (George avait émigré en Amérique et Tom était mort d'une affection pulmonaire), il accepta l'invitation de Brown et alla vivre dans la moitié gauche de la maison. Dilke loua la seconde partie à Mme Brawne, dont la fille, Fanny, sera la fiancée de Keats.

Maison de Downshire Hill

«Tout a dû changer beaucoup sur ces lisières du nord. C'était alors non un parc, mais une bruyère urbaine sans limites précises, mi-jardin abandonné, mi-terrain vague, avec un bordé de maisons assez serré du côté du sud et vers le nord des buissonnements qui s'ensauvageaient.»

Julien Gracq, *Carnets du grand chemin*

«ADMIRAL'S HOUSE»
Cette huile sur toile, exécutée dans les années 1820 par John Constable, montre l'atmosphère villageoise de Hampstead, qui fait encore son charme.

Keats House, comme toutes les villas de banlieue, est noyée dans la verdure. Dans le musée qu'on y a ouvert sont exposés manuscrits et objets personnels. Près de Keats House, toujours dans Keats Grove, on peut voir la cour d'une ancienne brasserie cernée de maisons du XVIIe siècle, Old Brewery Mews.
FENTON HOUSE ● *74.* Cette demeure bâtie en 1693 porte le nom du marchand qui en fit l'acquisition en 1793. L'intérieur présente une collection d'instruments de musique comprenant un clavecin de 1612 sur lequel Haendel aurait joué. On peut y admirer également des porcelaines rassemblées par lady Binning, qui légua la maison en 1952 au National Trust, ainsi que quelques tableaux de John Constable et de Bruegel l'Ancien. HAMPSTEAD GROVE et ADMIRAL'S WALK sont bordées de maisons du début du XVIIIe siècle et de petits *cottages*. Le romancier John Galsworthy (auteur de *La Saga des Forsyte*) séjourna à GROVE LODGE, à côté d'Admiral's House, de 1918 à 1933, année de sa mort.
HAMPSTEAD HEATH. Cette lande verdoyante de 170 ha qui comprend Parliament Hill et Kenwood sépare Hampstead et Highgate. Jusqu'au XIIIe siècle, seuls les loups peuplaient le Heath et il fallut attendre la fin du XVIIe siècle, après qu'on eut découvert les propriétés médicinales de son eau de source, pour que l'endroit soit fréquenté. Aujourd'hui, le parc, où alternent vastes pelouses, bosquets et étangs, est le rendez-vous des promeneurs du dimanche et des pique-niqueurs. Les mélomanes seront ravis de savoir qu'en été on y donne, près du CONCERT POND, de nombreux concerts en plein air. Depuis Parliament Hill, le point de vue sur Londres est magnifique. Plusieurs pubs célèbres se trouvent dans les environs. Le Kit-Kat Club se réunissait dans *Upper Flask Inn*, sur Flask Walk. Cette société de patriotes whigs ▲ *251* comptait d'illustres membres : les écrivains Alexander Pope ▲ *155*, sir Richard Steele, Joseph Addison, le peintre Godfrey Kneller… Keats et Shelley furent également des clients coutumiers de cette auberge. Le nom du club aurait pour origine celui du fin pâtissier Christopher Katt, chez qui eurent lieu les premières réunions. Au sommet du Heath, près de Whitestone Pond, se trouve JACK STRAW'S CASTLE, pub historique que fréquenta Charles Dickens ● *106*, ▲ *299*. On peut rejoindre Kenwood House par Spaniards Road et s'arrêter à *Spaniards Inn*, auberge vieille

JOHN KEATS (1795-1821)
Le poète vécut trois ans à Hampstead. La célèbre *Ode à un rossignol*, le poème le plus long du recueil *Odes*, fut conçu un soir de mai 1819 dans le jardin de Wentworth Place.

HOME, SWEET HOME !
Le nom de Hampstead viendrait de *homestead*, «propriété», car jadis, dit-on, un Saxon y a déboisé une partie de la forêt afin d'établir sa ferme.

de quatre cents ans, qui fut sous le règne de Jacques II la résidence des ambassadeurs d'Espagne. En 1780, l'aubergiste enivra les émeutiers de Gordon et sauva ainsi Kenwood House de la destruction. Ce fut, en outre, un lieu de rencontre d'artistes dont Shelley, Keats, Byron, Dickens.

KENWOOD HOUSE ♥. En 1754, le procureur général lord Mansfield acheta le domaine de Kenwood. La bâtisse en brique, dont on trouve certaines parties dans la construction actuelle, avait alors une cinquantaine d'années. Lord Mansfield chargea Robert Adam de la transformer. L'ensemble des pièces que l'architecte fit construire du côté de la façade sud, qui regarde Hampstead Heath, constitue une part très inventive et très harmonieuse de son œuvre. La BIBLIOTHÈQUE en représente l'exemple le plus brillant. Après la mort de lord Mansfield, en 1793, son neveu fit ajouter les deux ailes qui partent d'un côté et de l'autre de la façade nord, celle de l'entrée principale, laquelle est ornée d'un portique d'Adam. Lord Iveagh fit l'acquisition de Kenwood en 1925, qu'il décora de sa magnifique collection de tableaux ♥ regroupant des chefs-d'œuvre signés Rembrandt, Vermeer, Gainsborough, Turner ● *102*, ▲ *214, 216…* Il légua sa maison et sa collection au pays avant de s'éteindre, en 1927.

HIGHGATE

Highgate Hill est traversée par Highgate High Street, construite en 1386 sur autorisation de l'évêque de Londres, car la route qui contournait la colline était impraticable en hiver. Un droit de péage était demandé aux voyageurs au sommet de la colline devant les énormes portes qui ont donné leur nom à la voie et à la colline. En bas, Whittington Stone commémore l'endroit où Richard Whittington, que la légende décrit comme un apprenti pauvre qui quittait Londres en compagnie de son chat, aurait entendu les cloches de St Mary-le-Bow ▲ *157*, les Bow Bells, lui demander de retourner sur ses pas pour devenir maire de Londres. Il fut lord-maire quatre fois et, à sa mort, en 1423, il laissa une

ADAM À KENWOOD
La façade sud de Kenwood House est décorée de pilastres ornés de stucs délicats à l'antique.

Chaque extrémité de la bibliothèque forme une abside défendue par deux colonnes corinthiennes. La courbure du plafond faisait la fierté de Robert Adam.

LE DOMAINE DE KENWOOD
Un jardin anglais l'ornait au XVIIIe siècle. Aujourd'hui, des concerts en plein air sont donnés à Kenwood, dans un cadre aussi champêtre.

AU ROYAUME DES OMBRES
De nombreuses personnalités reposent dans le cimetière de Highgate :

Karl Marx, Herbert Spencer, Michael Faraday, George Eliot, sir Ralph Richardson…

LE MUSÉE FREUD
En 1938, le père de la psychanalyse se réfugia à Londres, au n° 20 de Maresfield Gardens. Il devait y mourir l'année suivante. Sa fille Anna y vécut jusqu'à sa mort, en 1982. La maison est restée telle quelle (ci-dessous à droite).

CROMWELL HOUSE
Cet exemple brillant de construction en brique, élevé en 1637-1638, se dresse au sommet de Highgate Hill (ci-dessus).

fortune qui permit le financement de l'hôtel de ville de la City (Guildhall ▲ *148*).

LAUDERDALE HOUSE. Le village de Highgate, formé à l'origine par les résidences d'aristocrates qui tentaient d'échapper à l'activité croissante de Londres, a gardé son caractère champêtre, comme en témoigne Lauderdale House, construite au XVIe siècle et remaniée au milieu du siècle suivant par le duc de Lauderdale. Le philanthrope sir Sidney Waterlow l'acheta en 1871 et la loua à l'hôpital St Bartholomew, qui en fit une maison de repos. En 1889, il fit don de la maison et du parc au London County Council. Aujourd'hui, la maison est ouverte aux expositions et aux concerts, ainsi qu'à tous ceux qui visitent son musée ou s'attablent à son restaurant.

HIGHGATE SCHOOL. Elle se trouve sur North Road. En 1565, Élisabeth Ire autorisa sir Roger Cholmley à y ouvrir une école pour donner la meilleure éducation aux garçons de bonne famille et «pour le soutien des déshérités du susdit village ou lieu-dit». En 1980, elle accueillait 673 garçons. Les bâtiments actuels, de 1865-1868, sont de style gothique français. POND SQUARE, au centre du village, doit son nom aux mares (comblées en 1864) formées par le creusement du sol qui fournissait du gravier pour l'entretien des voies. Le poète Samuel Taylor Coleridge et le violoniste Yehudi Menuhin ont habité, respectivement au n° 3 et au n° 2 de THE GROVE, avenue réputée pour son élégance. SOUTH GROVE est très agréable pour son ensemble de maisons du XVIIIe siècle. Au pied de Swain's Lane se trouve HOLLY VILLAGE ♥, ensemble excentrique de *cottages* construits en 1865 par Henry Darbishire. Parmi les constructions modernes, il faut citer HIGHPOINT 1 & 2, édifiées sur North Hill en 1938 par Lubetkin et Tecton. Le Corbusier, admiratif, appelait l'ensemble la «cité-jardin à la verticale».

CIMETIÈRE DE HIGHGATE ♥.
ST MICHAEL'S CHURCH, de style néo-gothique, fut bâtie en 1830 par Lewis Vulliamy, à l'emplacement de l'ancienne demeure de sir William Ashurst, lord-maire de Londres en 1694. Peu après, le reste de la propriété fut vendu à Stephen Geary, qui fonda la London Cemetery Company et qui dessina le cimetière. Dès son inauguration, en 1839, il obtint un succès inouï : tout le monde voulait s'y faire enterrer, et les visiteurs ne se lassaient pas de parcourir ses allées. Le succès fut tel que, en 1857, on dut construire l'extension de Swain's Lane. Dans la partie ouest se trouvent Egyptian Avenue et les catacombes, qui renferment les caveaux de riches familles.

LE WEST END

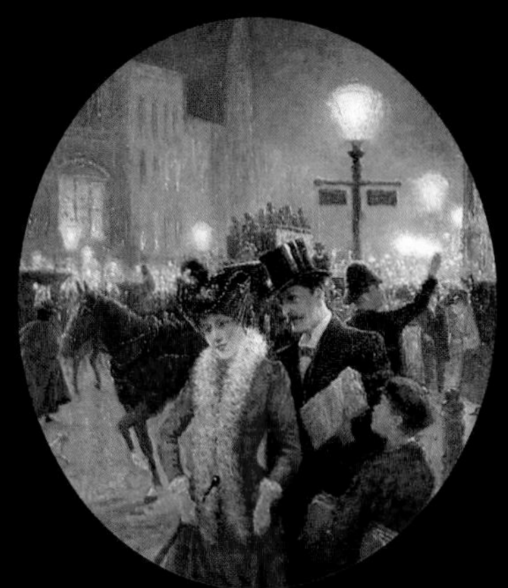

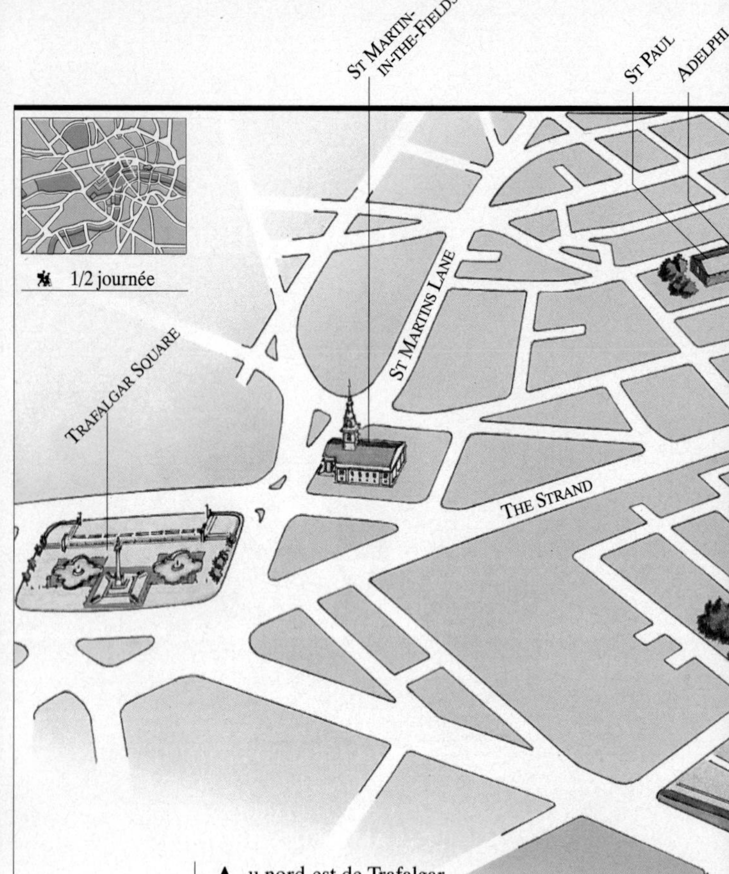

Au nord-est de Trafalgar Square, à deux pas de la City, le promeneur s'enfonce au cœur de Londres. Son parcours, le conduisant du Strand à Covent Garden, ondule entre Tamise et théâtres. C'est l'un des quartiers historiques de la capitale, malheureusement remanié en profondeur au XXe siècle.

ST MARY-LE-STRAND'S CHURCH
Cette église comme celle de St Clement-Danes a la curieuse particularité de se trouver sur le Strand, qui s'élargit alors pour former une petite place.

THE STRAND

Cette large artère, entre Fleet Street et Charing Cross Station, relie la City à Westminter. C'est l'une des avenues les plus vivantes de la capitale, animée par le flot des voitures et le grouillement des voyageurs autour de la gare. Déjà, au milieu du XIXe siècle, Charlotte Brontë notait : «J'allai dans le Strand et je montai Cornhill ; je me mêlai à la vie remuante ; je risquai les périls des traversées.»

HISTOIRE. Le Strand n'était autrefois qu'un chemin séparé du fleuve par des terrains vagues, d'où son nom qui signifie «grève» ou «rivage». Au XVIe siècle, les seigneurs de la cour, désireux de se rapprocher du palais royal de

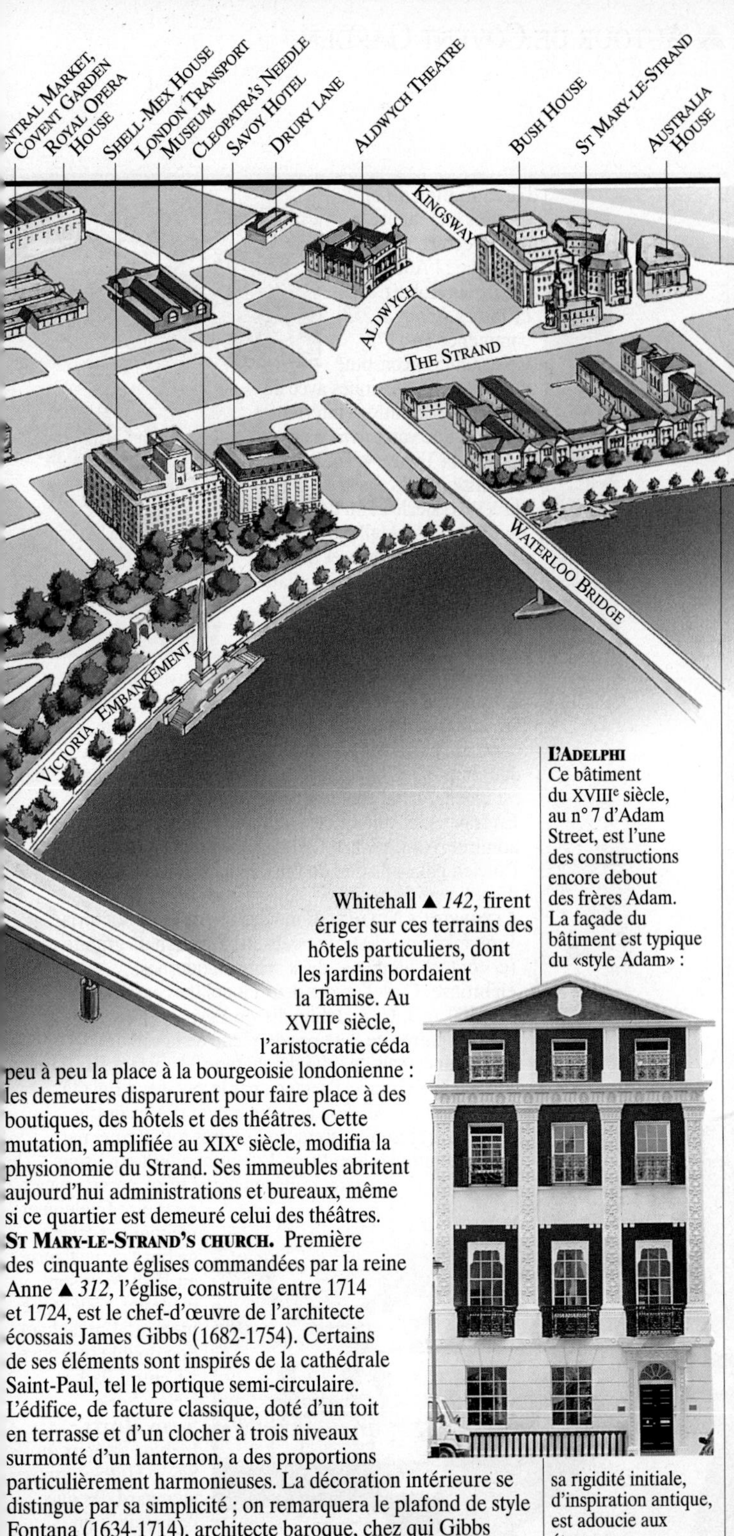

Whitehall ▲ *142*, firent ériger sur ces terrains des hôtels particuliers, dont les jardins bordaient la Tamise. Au XVIIIe siècle, l'aristocratie céda peu à peu la place à la bourgeoisie londonienne : les demeures disparurent pour faire place à des boutiques, des hôtels et des théâtres. Cette mutation, amplifiée au XIXe siècle, modifia la physionomie du Strand. Ses immeubles abritent aujourd'hui administrations et bureaux, même si ce quartier est demeuré celui des théâtres.

ST MARY-LE-STRAND'S CHURCH. Première des cinquante églises commandées par la reine Anne ▲ *312*, l'église, construite entre 1714 et 1724, est le chef-d'œuvre de l'architecte écossais James Gibbs (1682-1754). Certains de ses éléments sont inspirés de la cathédrale Saint-Paul, tel le portique semi-circulaire. L'édifice, de facture classique, doté d'un toit en terrasse et d'un clocher à trois niveaux surmonté d'un lanternon, a des proportions particulièrement harmonieuses. La décoration intérieure se distingue par sa simplicité ; on remarquera le plafond de style Fontana (1634-1714), architecte baroque, chez qui Gibbs avait étudié à Rome.

L'ADELPHI. Dans John Adam Street et Robert Street se trouvent les vestiges de l'un des plus ambitieux projets

L'ADELPHI
Ce bâtiment du XVIIIe siècle, au n° 7 d'Adam Street, est l'une des constructions encore debout des frères Adam. La façade du bâtiment est typique du «style Adam» : sa rigidité initiale, d'inspiration antique, est adoucie aux étages par de fines sculptures en stuc et des balcons en fonte.

d'urbanisation de Londres en matière d'architecture néo-classique : l'Adelphi des frères Robert, John et James Adam ▲ *253*, commencé en 1772. Ce secteur est constitué de bâtiments classiques avec de délicates décorations intérieures, formant une vaste *terrace* au bord de la Tamise ● *76*. Il fut très prisé par les artistes à la fin du XVIIIe siècle et au début du XIXe siècle. Malheureusement, la plupart des demeures devaient disparaître, et le quartier allait être définitivement dénaturé par les constructions modernes de 1936-1938.

VICTORIA EMBANKMENT. En descendant vers la Tamise, le visiteur découvre le quai Victoria, qui s'étire entre Westminster Bridge et Blackfriars Bridge. Le quai, construit entre 1864 et 1870, avec ses lampadaires à dauphins et ses bancs en fonte soutenus par des chameaux, est une agréable promenade le long de la Tamise. En traversant cette mince enfilade de jardins, on peut admirer YORK WATER GATE, seul vestige de York House, l'ancien palais du duc de Buckingham, bâti en 1625 et démoli vers 1675.

CLEOPATRA'S NEEDLE. L'une des surprises de Victoria Embankment, c'est son obélisque égyptien de granite rose (ci-contre), gardé par deux sphinx modernes, en bronze. C'est l'un des deux monolithes exécutés, en 1500 av. J.-C., à Héliopolis, en Égypte. «L'aiguille de Cléopâtre» ne date pas du règne de la célèbre souveraine, mais de celui du pharaon Thoutmès III. Il fut donné à la Grande-Bretagne par le vice-roi d'Égypte, Mohammed Ali. Son acheminement d'Alexandrie (en haut) jusqu'au cœur de Londres fut marqué par de multiples aventures. L'obélisque fut tour à tour égaré, brûlé, en partie brisé, perdu en mer, pour être finalement récupéré et érigé au bord de la Tamise, en 1878. Sans son piédestal, l'obélisque mesure 21 m de haut. Son double se trouve à Central Park, à New York.

SAVOY HOTEL. Le bloc luxueux du Savoy Hotel s'impose au regard dès que l'on revient sur le Strand. Il fut construit entre 1884 et 1910. L'hôtel

SOMERSET HOUSE
À l'origine, ce vaste palais néo-classique n'était pas séparé du fleuve par un quai.

élève à l'emplacement d'un palais bâti en 1245, le Savoy
lace. L'actuel bâtiment abrite également le Savoy Theatre,
tant de 1881, où fut créé un genre spécifiquement anglais :
s *operettas* de William Schwenk Gilbert et d'Arthur Sullivan,
rtes d'opérettes humoristiques et satiriques. Un des plus
ustres clients du Savoy Hotel fut Claude Monet, qui peignit
s plus belles toiles londoniennes de son balcon ● *96*.

HELL-MEX HOUSE. À côté du Savoy Hotel se dresse cet
meuble, édifié en 1885, dont la façade est surmontée
une énorme horloge, que l'on admire mieux de l'autre rive.
fut le plus grand hôtel d'Europe, le Cecil Hotel, avant de
venir en 1931, le siège de la compagnie SHELL-MEX. Le
intre autrichien Oskar Kokoshka obtint
permission de peindre depuis la plate-forme de cet hôtel.

HARING CROSS STATION. «Le déferlement de la condition
maine vient se briser à Charing Cross», disait l'écrivain
muel Johnson (1709-1784). Depuis, on a construit à Charing
ross l'une des principales gares de Londres, qui dessert
sud de la Grande-Bretagne. L'édifice, qui comprend l'hôtel
Charing Cross, fut inauguré en 1864. Dans l'avant-cour
la gare se trouve la croix d'Éléonore, érigée en 1865 par
dward Middleton Barry : c'est une reproduction de l'une
s douze croix que le roi Édouard Ier fit élever à la mémoire
sa femme, Éléonore de Castille, décédée en 1290.

OUTTS BANK. La très renommée Coutts Bank, bâtiment très
oderne encastré dans un ensemble rénové de Nash ▲ *257*,
tient de l'autre côté de l'esplanade : c'est cette banque qui
re la fortune de la famille royale d'Angleterre.

OMERSET HOUSE. Sur Waterloo Bridge, on peut avoir une vue
ensemble de Somerset House. Des palais de l'aristocratie
i bordaient autrefois le Strand, seul subsiste encore ce
gantesque palais de style georgien. Il fut élevé à
mplacement d'un palais Renaissance que le duc de Somerset,
rd-protecteur exerçant la régence au nom d'Édouard VI, fils
Henri VIII, fit construire à partir de 1547. L'édifice, modifié
ar Inigo Jones ▲ *322* et John Webb, fut peu à peu abandonné
uis démoli en 1775 sur ordre du roi George III. La nouvelle
omerset House, construite entre 1776 et 1786 par
architecte écossais sir William Chambers (1723-1796), devait
briter bon nombre de ministères ainsi que l'Amirauté, la
OYAL ACADEMY, la ROYAL SOCIETY et
SOCIETY OF ANTIQUARIES. Deux ailes
rent ajoutées au cours du XIXe siècle :
aile ouest, en 1856, par sir James
ennethorne, et l'aile est, destinée au
ing's College. Somerset House abrite
ne partie des Archives nationales et,
epuis 1990, l'institut Courtauld. Au
entre de la cour, entourée de quatre
iles aux soubassements en pierre de
ortland, se trouve un monument orné
'une statue de bronze représentant le
oi George III appuyé sur un gouvernail,
éalisé en 1778 par John Bacon.

ING'S COLLEGE. Le King's College de
université de Londres occupe l'aile
térale orientale de Somerset House,
onstruite à son intention en 1829-1835
ar sir Robert Smirke.

SHELL-MEX BUILDING ET SAVOY HOTEL
Ils surplombent le Victoria Embankment.

SOMERSET HOUSE
Ce tableau montre le porche fastueux de l'ancien palais.

«UN BAR AUX FOLIES BERGÈRE»
C'est sans doute la toile la plus célèbre d'Édouard Manet (1832-1883), l'un des pères de l'impressionnisme.

THE COURTAULD INSTITUTE GALLERIES ♥

Les collections de l'institut Courtauld, après avoir été reléguées pendant plus d'un demi-siècle dans les locaux exigus de Woburn Place, ont été transférées, en 1990, à Somerset House. Elles y occupent les salons élégants de l'Académie et des sociétés savantes : onze salles au premier étage de l'aile orientale, dans lesquelles sont réparties les principales collections de tableaux, de panneaux peints, d'orfèvrerie et de verreries vénitiennes, ainsi que de céramiques italiennes. La renommée de la collection de l'institut Courtauld, qui comprend de nombreuses œuvres de grands maîtres de la peinture européenne, est due essentiellement à ses tableaux de peintres impressionnistes et post-impressionnistes français.

SAMUEL COURTAULD. Le fonds de l'institut est principalement constitué par la collection réunie par Samuel Courtauld (1876-1947), descendant d'une famille de huguenots français émigrés à Londres, en 1685, au moment de la révocation de l'édit de Nantes. Courtauld, à la tête d'une puissante entreprise de fibres synthétiques, fit tout d'abord fortune dans l'industrie textile. Puis, pris de passion pour la peinture de la fin du XIXe siècle, il constitua rapidement une fantastique collection dont il fit don à l'université de Londres, en 1932.

ÉCOLES ITALIENNES ET HOLLANDAISES. La collection de lord Lee et Gambier Parry, ainsi que celle du prince de Galles, présente une majorité d'œuvres des maîtres flamands et italiens, de la Renaissance au XVIIe siècle. À noter tout spécialement un triptyque et un polyptyque italiens, du XIVe siècle, une Trinité avec Jean-Baptiste et Marie

«A QUACK ADRESSING A CROWD AT A FAIR»
Ce dessin à l'encre de Rembrandt (1606-1669) rappelle qu'il était aussi l'un des plus grands aquafortistes de son temps.

«ADAM ET ÈVE»
C'est à Lucas Cranach, dit l'Ancien (1472-1553), que l'on doit cette composition d'inspiration biblique, datée de 1526.

« [...] ILS S'EMBRASSÈRENT DANS LA NATIONAL GALLERY, DANS LE COURTAULD INSTITUTE ET DANS LE VICTORIA AND ALBERT MUSEUM, ILS ALLAIENT AU THÉÂTRE OU AU CONCERT PRESQUE CHAQUE SOIR...» IRIS MURDOCH

«LA CONVERSION DE SAINT PAUL»
Ce tableau, de Pierre-Paul Rubens (1577-1640), est caractéristique du style coloré du grand maître flamand. Son œuvre est exemplaire du courant baroque et réalise une synthèse entre le réalisme flamand et un certain maniérisme italien.

ıagdeleine, de Botticelli (XVe siècle) et une peinture ꜫ Bruegel l'Ancien (XVIe siècle). On peut aussi admirer ꜫs portraits du XVIIIe siècle, des peintres anglais Romney : Gainsborough ▲ *212*. La collection du comte Seilern offre particularité de présenter, dans les premières salles, ente-deux œuvres de Rubens, des XVIe et XVIIe siècles, ont trois esquisses pour *La Descente de la Croix* de ı cathédrale d'Anvers, une *Mise au Tombeau*, et six croquis our l'église jésuite d'Anvers. On découvrira également ertaines toiles de son élève Van Dyck.

'N PANORAMA DE L'IMPRESSIONNISME FRANÇAIS. Les toiles ıssemblées par Samuel Courtauld sont signées de presque ous les grands noms de l'impressionnisme français : on ouve des tableaux d'Édouard Manet (*Un Bar aux Folies-ergère*), de Claude Monet (*Automne à Argenteuil*), d'Auguste enoir (*La Loge*), de Camille Pissarro *'La Gare de Lordship Lane*), deux toiles eintes à Tahiti par Paul Gauguin ainsi ue deux toiles de Vincent Van Gogh, ont le fameux *Autoportrait à l'oreille oupée*. Il faut ajouter à cet ensemble restigieux des toiles de Sisley, de Boudin, e Degas, de Berthe Morisot…
'une des salles est également consacrée ux post-impressionnistes français.)n y découvre, notamment, des œuvres e Seurat (*Jeune femme se poudrant*), d'Utrillo (*Rue à Sannois*), e Cézanne (*La Montagne Sainte-Victoire*), de Toulouse-autrec (*Jeanne Avril*) et de Modigliani (*Nu*).

'ART CONTEMPORAIN. Les collections de l'institut Courtauld nt été complétées et enrichies par divers legs et donations rivés dont la collection de Roger Fry (1866-1934), peintre t critique d'art anglais, amateur de peinture contemporaine, ui compte, parmi d'autres, des toiles de Bonnard, Browse,)erain, Hunter et Roger Fry lui-même, ainsi que des ouaches de Rouault, des sculptures africaines et des créations u groupe Omega, créé par Fry en 1913.

«LA MONTAGNE SAINTE VICTOIRE»
Peinte vers 1886-1888, cette montagne de l'arrière-pays d'Aix-en-Provence, en France, inspira à de nombreuses reprises le peintre Paul Cézanne (1839-1906).

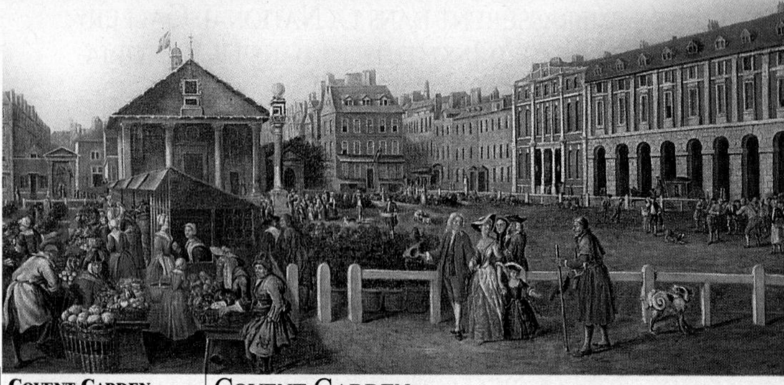

Covent Garden au XVIIIe siècle
Balthazar Nebot, dans ce tableau de 1735-1737, montre les arcades de la piazza et la façade de l'église St Paul, d'Inigo Jones ▲ *327*.

Covent Garden

Marchés et théâtres sont les deux pôles qui, durant près de trois siècles, ont structuré ce quartier. La réussite de sa rénovation, en 1980, lui a donné un second souffle.

Le jardin du couvent. Covent Garden, autrefois jardin potager des moines de l'abbaye de Westminster ▲ *138*, devint propriété des Russell, comtes de Bedford, lors de la suppression des ordres monastiques sous le règne d'Édouard VI ● *35*. Le quatrième comte de Bedford décida, en 1631, d'y faire construire une piazza et confia ce projet à l'architecte royal Inigo Jones ▲ *327*. S'inspirant à la fois de la place des Vosges, à Paris, et de la piazza de Livourne, en Italie, ce dernier créa, entre 1631 et 1635, une place rectangulaire adossée au domaine des Russell ▲ *298*, Bedfo House. Pour des raisons budgétaires, la place ne fut bordée d'arcades que sur deux côtés seulement, le côté sud étant limité par les jardins de Bedford House, le côté ouest par l'église St Paul. Avec ces rangées de maisons aux façades homogènes et ses belles rues rectilignes, Covent Garden était le premier «square» de Londres. Devenu un quartier résidentiel, habité par des personnalités de la Cour, il retrou sa vocation d'origine quand, en 1661, la famille Russell déci de créer un marché aux fruits, légumes et fleurs. La rapidité de son développement en fit bientôt le plus important d'Angleterre. Pour tenter d'enrayer les débordements de ce marché, coloré mais chaotique, l'architecte John Fowle

“M'éloignant de la porte du Temple (...) je montai dans un fiacre attardé et me fis conduire aux Hummums dans Covent Garden. À cette époque, on pouvait toujours y trouver un lit à n'importe quelle heure de la nuit.”
Charles Dickens, *Les Grandes Espérances* (1861)

Covent Garden au XIXe siècle
Cette aquarelle de John Wykeham Archer restitue l'atmosphère du marché de Covent Garden au XIXe siècle. Dans le roman *Pygmalion* (1913) de George Bernard Shaw (1856-1950), c'est sous le portique de l'église St Paul que le professeur Higgins rencontre la petite marchande de fleurs, Eliza Doolittle, qu'il transformera en femme du monde pour gagner le pari engagé avec son ami Pickering. L'adaptation la plus connue du roman de Shaw est le film de Cukor, *My Fair Lady* (1963).

onstruisit, entre 1829 et 1833, e véritables halles. Il édifia trois longs âtiments parallèles au milieu e la piazza, divisés en stands ıdividuels et entourés de colonnades e fonte, couverts d'un toit de verre. ien ne subsiste de l'ancienne piazza 'Inigo Jones, mais les arcades du côté ord de la place évoquent le projet 'origine et en donnent une nouvelle ersion, plus imposante.

NE VOCATION ARTISTIQUE. a fondation du Théâtre Royal, Drury Lane, en 1663, puis création du Covent Garden Theatre, en 1732, modifièrent physionomie du quartier et y attirèrent nombre d'amateurs e spectacles. Mais c'est surtout à partir de 1843, avec la levée u monopole royal en matière de théâtre, que Covent Garden éveloppa sa vocation théâtrale : au cours du XIXe siècle, s'enrichit ainsi de quarante nouvelles scènes, ajoutant ncore un peu plus de vie à ce quartier déjà très gai.

NE RÉNOVATION RÉUSSIE. Covent Garden gardera cette nage colorée et désordonnée jusqu'en 1974. Le départ e son marché à Nine Elms Lane, au sud de la Tamise, faillit ntraîner la disparition du quartier, menacé d'être transformé n bureaux. L'acharnement de ses habitants, d'artistes et 'architectes, amena les autorités à choisir la voie d'une énovation adaptée. La restructuration de Covent Garden, erminée en 1980, est considérée comme une réussite. e quartier, centré autour d'une zone piétonnière l'animation permanente et de NEAL'S YARD, regroupant ifférentes boutiques, a retrouvé une nouvelle jeunesse.

LOWER MARKET. En face des halles, le JUBILEE MARKET, atant de 1904, abrite toujours des marchés, dont celui aux ıces du lundi. Juste à côté, l'ancien Flower Market (marché ıx fleurs), construit en 1891, héberge désormais le THEATRE IUSEUM et le LONDON TRANSPORT MUSEUM, où l'on peut écouvrir les ancêtres des fameux bus rouges londoniens, tirés l'époque par des chevaux. Un ensemble d'omnibus, de tramways, de locomotives à vapeur et de wagons de la Belle Époque vient compléter la collection de photos, gravures, tickets et affiches, illustrant l'évolution des transports en commun.

L'ÉGLISE ST PAUL. Une anecdote évoque la légende de la création de St Paul. Le comte de Bedford avait jugé nécessaire, pour le succès du projet immobilier de Covent Garden, d'y édifier une église. Peu désireux d'engager une forte dépense, il aurait

LE MARCHÉ DE COVENT GARDEN EN 1950
Jusqu'au début des années soixante-dix, le fameux marché, partie intégrante du folklore londonien, était toujours installé dans la Grande Halle, construite par le duc de Bedford en 1829.

LE MARCHÉ DE COVENT GARDEN AUJOURD'HUI
À la différence des Halles de Paris, le transfert du marché de Covent Garden au sud de la Tamise en 1974 ne conduisit pas à la destruction des anciens pavillons qui furent restaurés et transformés. Depuis juin 1980, ils abritent antiquaires, boutiques de mode et restaurants.

St Paul, l'église des acteurs
St Paul's Church est l'église des artistes et des gens de théâtre. L'écrivain Samuel Butler, le sculpteur sur bois Grinling Gibbons, le compositeur Thomas Arne, le portraitiste de cour sir Peter Lely, le dramaturge William Wycherley furent enterrés dans ses caveaux et le cimetière voisin. Le peintre Turner y fut baptisé.

ordonné à Inigo Jones, en 1613, de bâtir quelque chose de très simple, «dans le style d'une grange». À la suite de quoi l'architecte lui aurait alors promis «la plus belle grange d'Europe». Un édifice très simple, inspiré d'un modèle de Palladio, fut édifié : rectangulaire, comportant un toit plat à pignon et un porche à colonnes, ainsi qu'une façade aveugle donnant sur la piazza. L'église, réalisée en 1633, brûla en 1795. L'édifice actuel, œuvre de Thomas Hardwick, en est l'exacte reproduction.

Le quartier des théâtres ● *54*

Avec les théâtres créés autour du Strand, tels le Savoy Theatre, le Vaudeville Theatre, l'Adelphi Theatre, le Strand Theatre et l'Aldwych Theatre et les deux grands théâtres de Covent Garden, le Théâtre Royal Drury Lane et le Royal Opera House, ce quartier est devenu, depuis le milieu du XVIIe siècle, le royaume londonien de la scène.

The Royal Drury Lane Theatre. Œuvre de Benjamin Dean Wyatt (1755-1850), c'est le quatrième théâtre bâti sur ce site depuis 1663. Il date de 1812. Le deuxième avait été dessiné par Wren ▲ *171* en 1674. Le comédien Edmund Kean (1789-1833) y interpréta tous les grands rôles du répertoire shakespearien. La salle actuelle, refaite en 1922, est la plus grande de Londres et peut accueillir 3 000 spectateurs.

The Royal Opera House. Ce théâtre, lorsqu'il ouvrit ses portes en 1732, était connu sous le nom de Covent Garden Theatre. L'actuel Opéra, édifié par Edward Barry, entre 1856 et 1858, est le troisième théâtre bâti sur ce lieu, les deux premiers ayant brûlé. Sa façade est ornée d'un portique corinthien protégeant une frise et des panneaux néo-classiques, sculptés par John Flaxman (1755-1826). La qualité acoustique de la salle (contenant plus de 2 000 places) est mondialement reconnue. Une nouvelle aile ouest fut ajoutée en 1982. La création de la Royal Opera Company, en 1946, et celle du Royal Ballet, en 1956, accentuèrent la renommée de ce théâtre qui compte au nombre des trois meilleurs Opéras du monde.

Le royaume du théâtre
Dès le XVIIIe siècle, la vocation artistique de Covent Garden s'affirme avec la création, en 1732, du Royal Opera House, plus connu sous le nom de Covent Garden Theatre. Cette gravure de 1809 en montre l'intérieur.

«IL S'AGISSAIT DE BESS SEDGWICK QU'ELLE SE SERAIT PLUTÔT ATTENDUE À VOIR ÉMERGER D'UNE BOÎTE DE SOHO OU DESCENDANT LES MARCHES DU COVENT GARDEN OPERA.»

AGATHA CHRISTIE

C'est) une rue intéressante pour qui veut étudier les femmes "faisant" leurs

ourses, car les magasins et autres établissements sont proches les uns des autres,

l'étalage d'articles dans les vitrines est tel que les émotions propres au sexe

imable s'en trouvent constamment sollicitées.» Henry Mayhew, *The Shops and*

ompanies of London and the Trade and Manufactures of Great Britain, 1865.

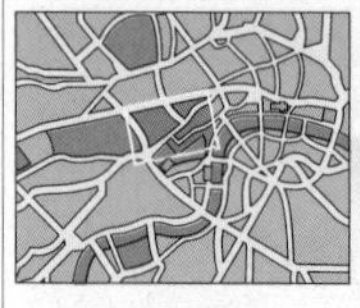

1/2 journée

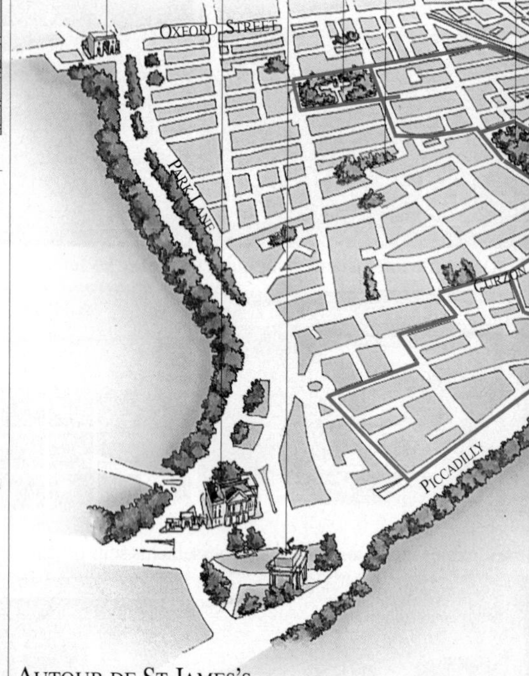

St James's Piccadilly Church
L'église, en brique et en pierre de Portland, fut construite en 1674 par Christopher Wren ▲ *171* et restaurée, après la Seconde Guerre mondiale, par sir Albert Richardson. L'édifice, constitué d'une pièce unique à galeries, possède un plafond voûté, orné de moulures de plâtre. Il abrite un orgue du XVIIe siècle, provenant de la chapelle royale de Whitehall, surmonté de figures dorées, œuvre de Grinling Gibbons ▲ *176, 329*. Les fonts baptismaux en marbre ainsi que le retable de bois furent également décorés par ce dernier.

Autour de St James's

Intimité, tranquillité et inaccessibilité font toujours l'agrément du décor feutré de St James's, quartier délimité par Piccadilly, Haymarket et St James's Park, qui a gardé ses cercles fermés et une image «royale» née au XVIIe siècle. La plupart des maisons d'époque ont disparu, remplacées par de immeubles de bureaux et de commerces aux XIXe et XXe siècle

Un quartier royal. Depuis l'installation, au XVIIe siècle, du souverain Charles II au palais de St James's ▲ *240*, les alentours jouissent d'un prestige royal. Henry Jermyn, comte de Saint-Albans, est à l'origine de leur développement : il profita de la venue du souverain pour faire bâtir un quartie

ANOVER SQUARE
RITZ HOTEL
PICCADILLY CIRCUS
THE LONDON PAVILION
ST JAME'S SQUARE
REGENT STREET
PICCADILLY
HAYMARKET
REGENT STREET
DUKE OF YORK'S COLUMN
ADMIRALTY ARCH
ST JAMES'S PLACE
PALL MALL

ır les terrains qu'il avait reçus en paiement de ses services ıprès de Charles II. Ensuite, il revendit les hôtels particuliers ui bordaient St James's Square aux riches aristocrates ésireux de se rapprocher de la cour. Au XVIIIe siècle, quartier connut un nouvel essor avec l'installation de grands ıinistères. Afin de subvenir aux besoins de cette clientèle e luxe, de nombreux cafés ouvrirent leurs portes et une ıultitude de commerces s'établirent, notamment dans t James's Street. Malgré le départ de la reine Victoria our Buckingham Palace, en 1837, St James's allait demeurer un des hauts lieux de la «high society» londonienne.

E TEMPS DES DANDYS. Le dandysme nacquit en Angleterre u début du XIXe siècle. Les dandys étaient des jeunes gens e la haute société qui entendaient, par le raffinement t la singularité de leur costume, de leurs manières et e leurs goûts, affirmer leur non-conformisme et leur mépris e la démocratisation de la vie politique et sociale. Richard rinsley Sheridan (1751-1816), auteur dramatique, et lord yron (1788-1824), poète et écrivain romantique, sont l'origine de ce mouvement. La figure emblématique du andy est sans aucun doute George Brummel (1778-1840), it Beau Brummel. L'amitié du Prince de Galles, le futur ieorge IV, lui ouvrit la porte de la haute société où il acquit ne réputation d'arbitre des élégances : qualifié de roi de ı mode, il poussait même le raffinement jusqu'à faire porter es vêtements par son valet de chambre, le temps de es «décrasser de la vulgarité du neuf». Une brouille avec prince en 1813 et des dettes de jeu l'obligèrent à se réfugier Caen, en France, où il mourut dans la misère et la folie.

A SOCIÉTÉ DES CLUBS. C'est à St James's que sont nés les ameux clubs qui sont l'un des piliers de la tradition anglaise.

«EN ALLANT AU WHITE'S CLUB»
Cette silhouette de William Archer se rendant à son club – par Richard Dighton, en 1819 – évoque la description du dandy que faisait Chateaubriand, en 1836 : «Le dandy doit avoir un air conquérant, léger, insolent ; il doit soigner sa toilette…»

NEUF CENTS CLUBS Au XIXe siècle, Londres comptait jusqu'à neuf cents clubs. Billard ou conversation (ci-dessous le salon du *Brook's Club*) sont les activités du club.

Le Marquis d'Hertford, en 1818.

Ils sont les descendants directs des cafés (*coffee houses*) où l'o venait alors déguster une boisson nouvelle venue d'Arabie, le café, ou encore le chocolat venu d'Amérique. Petit à petit, ces *coffee houses* se transformèrent en lieux de rencontres où l'on aimait discuter politique, littérature, affaires. Les clubs, régis par des règles strictes, accueillant un nombre restreint de membres, offrent à ces derniers la possibilité de s'y rencontrer (à condition toutefois de ne pas parler affaires), d'y boire, d'y déjeuner, d'y coucher parfois. Leurs membres acceptent les mêmes règles, respectent les mêmes traditions et sont aujourd'hui encore, pour la plupart, exclusivement masculin

PALL MALL

Si l'on tourne dans Cockspur Street ou dans Pall Mall East, on parvient à l'extrémité de l'austère Pall Mall qui tient son nom du jeu de «paille maille», sorte de croquet que l'on pratiquait autrefois. C'est le lieu où des maisons, le plus souvent discrètes, abritent nombre de clubs renommés.

ATHENAEUM. C'est le plus célèbre des clubs. Il fut fondé en 1823. Depuis, il passe pour être le point de rencontre de l'élite culturelle du pays. Les naturalistes Charles Darwin (1809-1882) et Thomas Huxley (1825-1895), les romancie Charles Dickens (1812-1870) ▲ *29*, ● *106*, Joseph Conra (1857-1924) et Rudyard Kipling (1865-1936), mais aussi des hommes politiques et des évêques, comptèrent parm ses membres. Devenir membre de l'Athenaeum est une épreuve en soi. L'admission se fait sur présentation d postulant, suivi d'un scrutin à l'unanimité où l'on vote avec des boules blanches ou noires ; si l'un des membres utilise son veto en mettant une boule noire le candidat est *blackballed*, c'est-à-dire refusé. Bertrand Russell ▲ *308* dut ainsi attendre quarante ans avant de faire à nouveau acte de candidatur et d'y être admis. L'Athenaeum, édifice d'inspiration grecque, construit en 1828-1830 par l'architecte Decimus Burto ▲ *257*, est tout à fait spectaculaire. Il dispose d'un hall majestueux, dominé par une statue d'Apollon, et possède un cabinet de lecture, une salle à manger, une salle de jeux et une imposante bibliothèque, longue d'environ 40 m, dont les murs sont tapissés d'ouvrages rares. Les appartements privés des membres se trouvent aux étages. Certaines règles ne doivent pas être transgressées. Ainsi, il est interdit de faire du *business* dans la salle à manger, donc de sorti la moindre feuille de papier. Une dame venue déjeuner avec son mari s'est vue rappeler à l'ordre par le maître d'hôtel parce qu'elle venait de sortir un échantillon de papier peint pour le montrer à son époux.

AVELLER'S CLUB. Fondé en 1819 et destiné aux voyageurs, occupe au n° 106 de Pall Mall un bâtiment construit par ıarles Barry ▲ *132* en 1829-1832. Pour être membre, il faut oir été à 1 000 miles de Londres, soit environ 1 600 km.

FORM CLUB. Aux n°s 104-105 de Pall Mall, se trouve un alais italien», œuvre de Charles Barry, lieu de rencontre vilégié depuis 1841 des sympathisants du parti libéral.

YAL AUTOMOBILE CLUB. Il fut édifié au n° 80 de Pall Mall 1908-1911 par les architectes du *Ritz Hotel* ▲ *280* et compte ourd'hui 15 000 membres dans tout le royaume. Le R.A.C. ncorporé au club la Schomberg House, bâtie en 1698, qui cueillit le peintre Gainsborough ▲ *212* de 1774 à 1778.

XFORD AND CAMBRIDGE CLUB. Fondé par lord Palmerston 1830, l'édifice, situé au n° 71 de Pall Mall, est l'œuvre des :res Smirke, architectes du British Museum ▲ *300*, et reçoit anciens étudiants des deux universités.

JAMES'S STREET

ll Mall débouche sur l'élégante James's Street, l'une des rues les plus stinguées de Londres, où règne une mosphère de raffinement et de luxe comparable. Les plus vieilles maisons mmerçantes de la capitale connues ns le monde entier s'y trouvent.

S CLUBS DE ST JAMES'S. *Boodle's* ° 28) et surtout les deux clubs litiques rivaux (ci-contre) : *Brook's* ° 60) et *White's* (n° 37) font partie des us anciens clubs de St James's Street. *Carlton Club*, occupe aux n°s 69-70 un meuble de 1827, ce club des Tories fut ndé en 1832 par le duc de Wellington.

ERRY BROTHERS & RUDD. Cette treprise familiale, fondée au n° 3 St James's Street, au XVIIe siècle, t connue pour ses excellents vins de Bordeaux et son whisky. epuis 1765, la balance dans le hall du magasin sert à peser s personnalités dont le poids est consigné dans un des neuf lumes reliés de cuir.

OCK'S. Ce chapelier est installé au n° 6 de St James's Street puis 1759. La haute société vient toujours s'y fournir en elons et hauts-de-forme. Il confectionna le chapeau à œillère corporée de Nelson juste avant sa victoire à Trafalgar ▲ *284*.

OBB'S BESPOKE BOOTMAKERS. Le «meilleur bottier du onde» – dit-on – est situé au n° 9 de St James's Street. C'est non seulement le fournisseur officiel de la Reine, mais il compte également au nombre de ses clients Winston Churchill, Katherine Hepburn, Frank Sinatra.

BYRON HOUSE. Cet immeuble fut bâti en 1960 sur le site de la maison qu'occupait lord Byron lorsque, selon la légende, par un beau matin de 1811, il «s'éveilla célèbre», après la parution de son recueil de poèmes *Pèlerinage de Childe Harold*.

BROOKS'S CLUB,
Situé au n° 60 de St James's Street, à l'angle de Park Place, le *Brooks's Club* (ci-dessus, en 1825) fut fondé en 1764 par Charles James Fox et le duc de Portland, chefs du parti whig. Le bâtiment, de 1778, est dû à l'architecte Henry Holland.

JOHN LOBB
Les formes en bois de chaque client sont conservées dans cette boutique-musée.

Le magasin *Hugh Johnson*, sur St James's Street, vend du vin ainsi que tout objet, neuf ou ancien, se rapportant à l'œnologie.

WHITE'S CLUB
Rival du *Brooks's Club*, il fut fondé en 1693 au *White's Chocolate House*. C'est le fief des conservateurs tories. Beau Brummel et maints Premiers ministres en firent partie. C'est au *White's* que le prince Charles a choisi d'enterrer sa vie de garçon.

Prestige du «Ritz»
Le *Ritz* est réputé, entre autres, pour ses arcades semblables à celles de la rue de Rivoli, ainsi que pour sa décoration de style Louis XV et pour son *afternoon tea*.

Regent Street en 1820
Sur cette vue de Regent Street, depuis Oxford Circus, les toilettes des passants et les calèches traduisent l'atmosphère luxueuse et délicate du quartier de Mayfair au début du siècle dernier.

Jermyn Street

On y trouve le parfumeur *Floris* (ci-dessus). La boutique fut fondée en 1730 et se rendit célèbre pour ses pots-pourris, son parfum de stephanotis et ses sels de bains de géranium rose. Parmi les clients illustres figuraient la reine Victoria, le duc de Windsor, Oscar Wilde, Élisabeth II et le prince Charles. Plus loin, on flânera devant la boutique du célèbre marchand de fromages et de produits écossais, *Paxton & Whitfield*, devant *Davidoff*, spécialisé dans les cigares, et l'orfèvre *Grima*.

Piccadilly

Cette grande avenue, tracée au XVIIIe siècle entre Hyde Park Corner et Piccadilly Circus, sépare St James's de Mayfair. Aujourd'hui, hôtels de prestige, magasins de grand luxe, anciens hôtels particuliers et belles demeures converties en clubs s'y succèdent.

Ritz Hotel. C'est le plus grand hôtel de Londres. Il est constitué d'une armature d'acier, renforcée d'un parement de granite rose norvégien et fut construit en 1906, par Mewès & Davis, à l'angle de Green Park.

Burlington Arcade. Cette galerie de style Regency, ouverte en 1819, regroupe 41 magasins qui proposent des articles de luxe, notamment de beaux cachemires et de la joaillerie.

The Royal Academy of Arts. Burlington House, en face de Shepherd's Market, abrite la Royal Academy of Arts depuis plus d'un siècle. L'actuel bâtiment, remanié et agrandi entre 1867 et 1874 par Banks & Barry et, plus récemment, par Norman Foster, conserve un intérieur de style palladien. L'académie, fondée en 1768, enseigne les beaux-arts et tient une exposition chaque été. Chaque nouvel académicien est tenu de faire don de l'une de ses œuvres. On compte ainsi parmi les donateurs : Gainsborough ▲ 212, Benjamin West, sir William Chambers, Turner ▲ 216, 218 et Constable ▲ 214. Des acquisitions viennent également enrichir la collection permanente qui comprend notamment une sculpture de Michel-Ange : *Madonne à l'enfant avec saint Jean enfant*.

Fortnum and Mason's. Cette épicerie fine, réhaussée des armoiries royales, est réputée pour ses marmelades d'orange, ses *pickles* et son thé.

La Librairie Hatchard. Fondée en 1797 par John Hatchard, c'était un club littéraire fréquenté par lord Byron et le duc de Wellington.

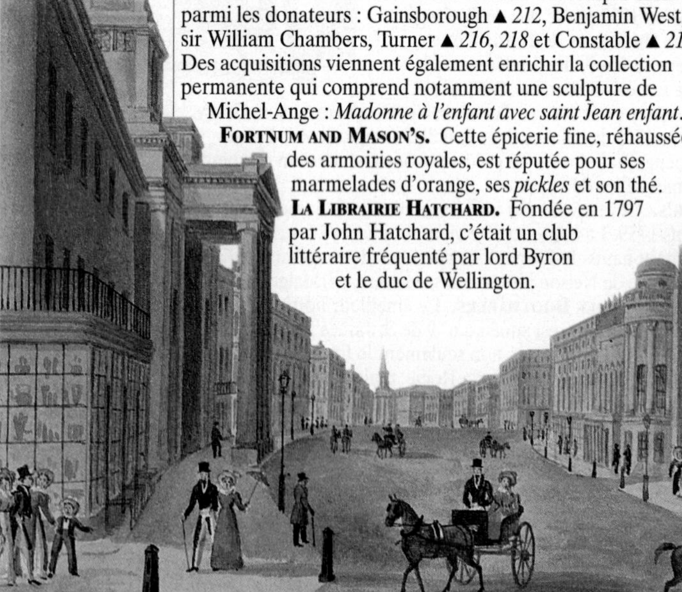

«MAYFAIR EST LA PLUS GRANDE CONCENTRATION D'INTELLIGENCE ET DE SAVOIR-FAIRE, SANS PARLER DE RICHESSE ET DE BEAUTÉ, QUE LE MONDE AIT JAMAIS RÉUNIS AUPARAVANT AU SEIN D'UNE TELLE ZONE GÉOGRAPHIQUE.» SYDNEY SMITH

LE QUARTIER DE MAYFAIR

Le petit quartier de Mayfair, situé à l'orée de Hyde Park, est délimité par Oxford Street, Regent Street et Piccadilly. Mayfair tire son nom des «Foires de mai», marchés au bétail et aux céréales qui, depuis 1688, se déroulaient durant la première semaine de mai. Au XVIIIe siècle, il fut aménagé par la famille Grosvenor, celle des ducs de Westminster, puis de riches demeures s'y construisirent et plusieurs squares furent aménagés. Mayfair est aujourd'hui le quartier le plus riche et le plus coûteux de Londres. Il se divise en deux grands secteurs : autour de Bond Street se tiennent les commerces de luxe, tandis que, vers Hyde Park, les résidences les plus austères dominent. D'illustres personnalités y furent locataires : lord Byron, l'historien Macaulay, le Premier ministre Gladstone au XIXe siècle et, aujourd'hui, le romancier Graham Greene ou encore l'ancien leader conservateur Edward Heath.

CURZON STREET. Cette rue commerçante possède encore quelques résidences du XVIIIe siècle, telle Crew House (n° 15), bâtie en 1730 par Edward Shepherd. La boutique du parfumeur et coiffeur de la cour, *Geo. F. Trumper*, mérite le détour. Ses crèmes à raser aux parfums d'amandes, de bois de santal, de rose, sans oublier ses savons de lait de chèvre, sont un vrai bonheur.

SHEPHERD MARKET. Ce marché, conçu par Edward Shepherd en 1735 et remanié en 1860, était, au XVIIe siècle, le noyau de la Foire de mai. Dans ce petit marché au charme villageois, traversé de rues piétonnes et de cours pavées, se côtoient des magasins d'alimentation, comme *Bendicks Chocolate Shop*, des restaurants et des antiquaires.

BERKELEY SQUARE. Il fut aménagé de 1737 à 1747, sur des plans de William Kent (1685-1748), protégé de lord Burlington. La reine Élisabeth II est née au n° 17, Burton Street, dans l'actuelle Berkeley Square House, sur le côté est de la place.

GROSVENOR SQUARE. Il fut construit de 1720 à 1725 à l'extrémité d'Upper Brook Street. En 1785, le futur président des États-Unis, Adams, alors ambassadeur, s'installa au n° 9. Depuis, le quartier est surnommé «little America».

BROOK STREET. En suivant Brook Street, dans la direction de Hanover Square, on rencontre le *Savile Club* dont l'intérieur est décoré dans le style français du XVIIIe siècle. Le musicien Georg Friedrich Haendel (1685-1759) vécut au n° 25 de la rue, durant les trente dernières années de sa vie. Avant de rejoindre Bond Street, on passe devant le célèbre *Claridge's Hotel*,

THE ROYAL ACADEMY

BURLINGTON ARCADE est une voie privée placée sous la surveillance de *beadles* (bedeaux), portant redingote et chapeau haut-de-forme. Le jour, ils veillent au comportement des promeneurs. La nuit, ils sont chargés de fermer la porte.

DES NOMS EN OR
Les aristocrates qui transformèrent Mayfair, au XVIIIe siècle, édifiant leurs belles demeures, aménageant de paisibles squares, laissèrent leurs noms à de nombreuses rues. C'est le cas de Thomas Bond, lord Dover, sir Nathaniel Curzon, Hugh Audley, lord Chesterfield, lady Berkeley of Stratton et la famille Grosvenor.

LE CAFÉ ROYAL
Très réputé, il est placé dans la courbe du Quadrant. Il a été créé en 1865 et servit de quartier général à plusieurs artistes, dont l'écrivain Oscar Wilde (1854-1900), le dessinateur Aubrey Beardsley (1872-1898), les peintres James Whistler (1834-1903) et Augustus John (1878-1961).

LIBERTY'S
Ce grand magasin, réputé pour ses cotonnades et ses soieries, se tient à l'angle de Regent Street et de Great Marlborough. L'actuel bâtiment date de 1924-1925. L'autre partie, de style Tudor ▲ *69*, donne dans Great Marlborough Street.

qui avait la réputation, en 1860, d'être le meilleur hôtel de Londres, réputation qu'il soutient toujours.

SAVILE ROW. La fine fleur des tailleurs britanniques s'y trouve concentrée : *Henry Poole*, tailleur de Napoléon III, *H. Huntsman & Sons*, *J. Dege & Sons*, *Gieves & Hawkes*.

MUSEUM OF MANKIND. Ce bâtiment situé au n° 6 Burlington Gardens, construit entre 1866 et 1867, dans le style Renaissance, dépendait de l'université de Londres avant d'accueillir en 1972 les collections ethnographiques du British Museum. On y admire de belles pièces d'art primitif (objets précolombiens, sculptures africaines), de l'artisanat (tissage, poteries), ainsi que les pièces rapportées au XVIIIe siècle de l'Océanie par le Capitaine Cook.

BOND STREET

C'est la plus grande artère de Mayfair. Elle débute à Piccadilly, sous le nom d'Old Bond Street, pour se jeter dans Oxford Street où elle devient New Bond Street. Ici vécurent lord Nelson ▲ *274* et sa maîtresse lady Hamilton, le dandy Beau Brummel ainsi que lord Byron.

FOURNISSEURS DE LA COUR. C'est aussi la rue des boutiques de luxe tels *Beal & Inman*, *Herbie* pour les vêtements, *Church & Co* pour les chaussures et *Aprey's* qui propose des articles de maroquinerie et de bijouterie, mais aussi des antiquités. Au-dessus de ces boutiques prestigieuses brille l'enseigne *By Appointement to her Majesty*, des fournisseurs de la cour, qui garantit une qualité unique et un savoir-faire inimitable.

«CEPENDANT DES RUMEURS SE MIRENT TOUT DE SUITE À CIRCULER DE BOND STREET JUSQU'À OXFORD STREET […] PASSANT INVISIBLES, SILENCIEUSES, COMME UN NUAGE»

VIRGINIA WOOLF

EGENT STREET

egent Street, s'étirant de l'*Athenaeum* jusqu'au ord d'Oxford Circus, fut construite sur les plans e John Nash ▲ *257* entre 1813 et 1823. Cette voie rincière, bordée de gracieuses maisons de stuc, eliait la résidence du prince régent à Carlton louse, dans St James's Park, à Regent's Park. ans cette rue, qui fut entièrement reconstruite ntre 1898 et 1928, se côtoient de grands magasins e luxe, tel *Liberty's*, *Aquascutum* et *Hamley's* *374*, l'un des plus grands magasins de jouets.

IBERTY'S. La première boutique *Liberty's* ut fondée en 1875 par Arthur Liberty. Tissus t mobilier *Liberty* firent fureur à l'époque rt nouveau. Aujourd'hui, les imprimés, devenus es classiques du style anglais, conservent leur exclusivité t peuvent être commandés en réassortiment pendant des nnées. *Liberty's* est également un grand magasin et propose ne mode féminine et masculine ainsi que des articles our la maison.

HE QUADRANT. C'est le nom donné à la longue t majestueuse courbe décrite par Regent Street n approchant de Piccadilly Circus. Les façades, refaites u XXe siècle, ne trahissent pas l'œuvre de Nash.

ICCADILLY CIRCUS. Cette place, la plus célèbre de Londres, 'est en définitive rien d'autre qu'un carrefour très fréquenté. a place offre la nuit le scintillement des néons géants e ses enseignes lumineuses, dont la première apparut n 1890. La petite fontaine, au centre de la place, est urmontée d'une statue qui ne représente pas le dieu Éros, nais l'ange de la Charité chrétienne. Elle fut élevée en 1893 la mémoire du comte de Shaftesbury, un philanthrope ictorien.

REGENT CIRCUS ET OXFORD STREET
Oxford Circus, désigné au XIXe siècle sous le nom de Regent Circus, est situé au croisement d'Oxford Street et de Regent Street.

«OLD REGENT STREET»
Toute l'animation des commerces de vêtements de Regent Street, à la hauteur du Quadrant, avant sa reconstruction, apparaît dans ce tableau de J. Kynnersley Kirby.

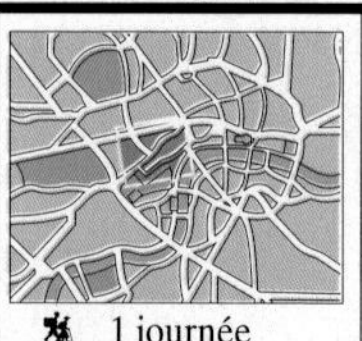

1 journée

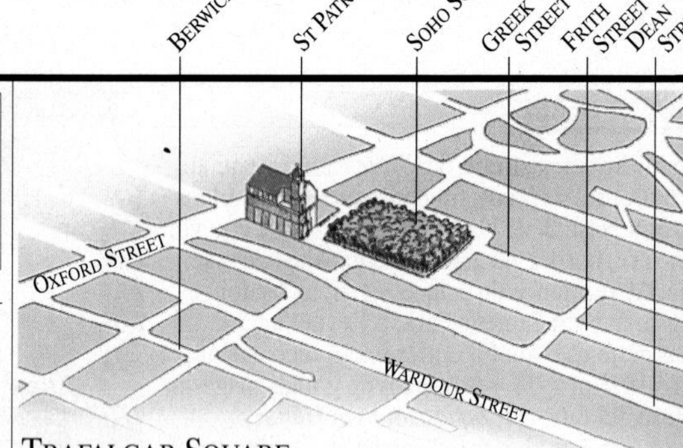

TRAFALGAR SQUARE

CHANTS DE NOËL DANS TRAFALGAR SQUARE
Le sapin est décoré de lumières blanches et devient le point de ralliement de chorales qui chantent au profit de bonnes œuvres.

NOËL À TRAFALGAR SQUARE
Depuis 1947, un majestueux sapin de Noël est érigé sur la place. La ville d'Oslo marque ainsi par ce don symbolique sa reconnaissance à la Grande-Bretagne, qui protégea la famille royale de Norvège durant la Seconde Guerre mondiale.

Jusque dans les années 1820, ce qui allait devenir Trafalgar Square était occupé par les écuries Royales (Royal Mews). La statue équestre de Charles Ier, du Français Hubert Le Sueur (1633), et l'église St Martin-in-the-Fields existaient déjà. John Nash avait décidé de remodeler la place, et les écuries furent sacrifiées à la mémoire de l'amiral Nelson, mort à la bataille de Trafalgar, dont la victoire avait ouvert à la Grande-Bretagne la suprématie navale pour un siècle. Les travaux d'aménagement de la place furent exécutés entre 1830 et 1850. Les statues de George IV, des généraux Havelock et Napier occupent trois angles de la place. Enfin, les fontaines, dues à sir Edwin Lutyens, datent de 1939.

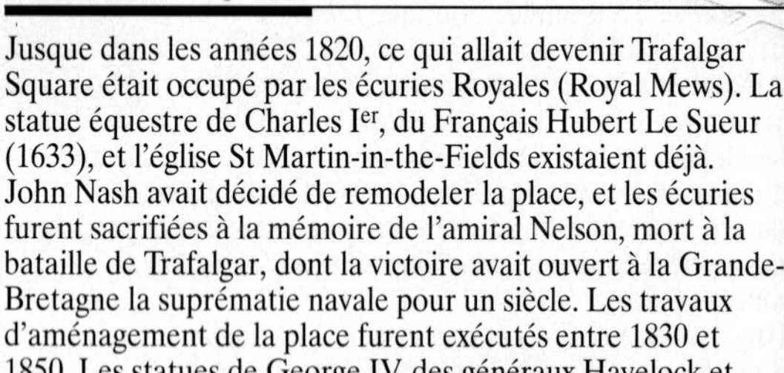

LA COLONNE NELSON. Depuis 1843, la statue de l'amiral Nelson (6 m) domine les lieux du haut des 44 m de sa colonne de granit. Le piédestal du monument, orné de quatre bas-reliefs travaillés dans le bronze refondu des canons pris à l'armée française, évoque les victoires de l'illustre amiral, principalement celle qu'il remporta au cap Trafalgar, le 21 octobre 1805, contre la flotte franco-espagnole. Depuis 1867, quatre lions couchés (de 6 m de long) défendent la colonne. Ils ont été réalisés par sir Edwin Landseer, peintre animalier et artiste de la Cour.

RENDEZ-VOUS À TRAFALGAR. Trafalgar Square joue à plein le rôle traditionnel d'une place, à savoir celui d'un lieu de rassemblement. D'ailleurs, la colonne Nelson a toujours été le point de départ ou d'arrivée de toutes sortes de manifestations, qu'elles soient traditionnelles ou politiques. Tous les ans, à Noël, un énorme sapin offert par la Norvège est dressé sur la place. Cinq jours plus tard, à la Saint-Sylvestre, des milliers de personnes s'y massent et attendent le douzième coup de minuit sonné par Big Ben pour se souhaiter une *«Happy new year !»*. La tradition veut également que l'année commence par un bain pris dans les fontaines. À ces regroupements s'ajoute le joyeux rassemblement des *Pearlies* (ainsi dénommés à cause de leur costume couvert de boutons de nacre), au début

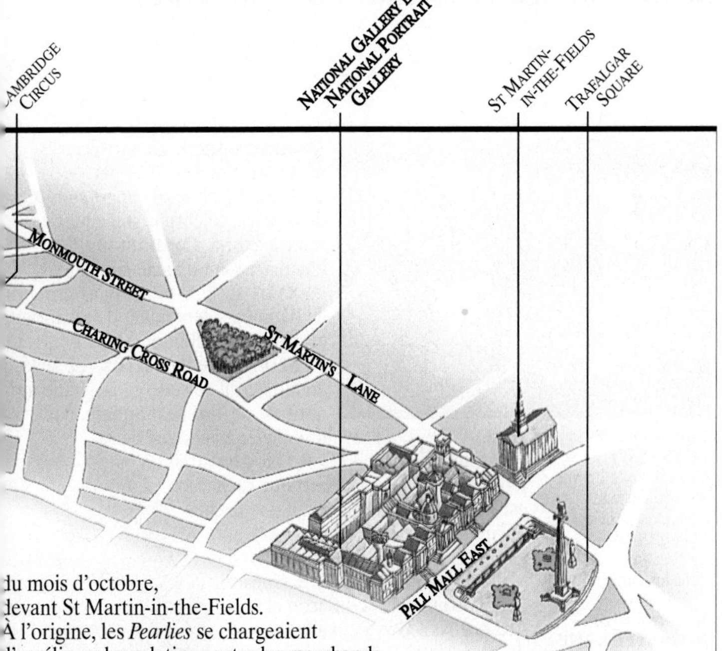

Cambridge Circus

National Gallery et National Portrait Gallery

St Martin-in-the-Fields

Trafalgar Square

Monmouth Street

Charing Cross Road

St Martin's Lane

Pall Mall East

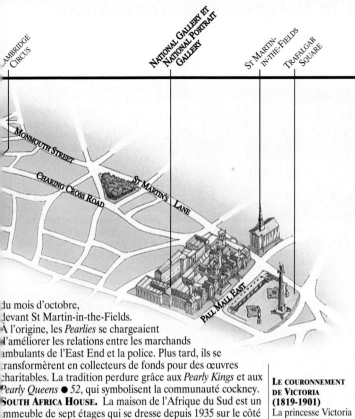

du mois d'octobre, devant St Martin-in-the-Fields. À l'origine, les *Pearlies* se chargeaient d'améliorer les relations entre les marchands ambulants de l'East End et la police. Plus tard, ils se transformèrent en collecteurs de fonds pour des œuvres charitables. La tradition perdure grâce aux *Pearly Kings* et aux *Pearly Queens* ● *52*, qui symbolisent la communauté cockney.

South Africa House. La maison de l'Afrique du Sud est un immeuble de sept étages qui se dresse depuis 1935 sur le côté est de la place. Elle fut conçue par sir Herbert Baker (1862-1946) et occupe l'emplacement de l'ancien hôtel Morley. La statue d'une antilope *(springbok)*, célèbre pour avoir donné son nom à l'équipe des rugbymen sud-africains, orne l'entrée du bâtiment.

Canada House. Elle se tient à l'ouest de la place, en face de South Africa House, et comprend un immeuble construit par sir Robert Smirke, architecte du British Museum, entre 1824 et 1827. Cette partie était initialement prévue pour le Royal College of Physicians, qui se trouve actuellement dans Regent's Park.

Le couronnement de Victoria (1819-1901)
La princesse Victoria monta sur le trône le 20 juin 1837. Son couronnement, l'année suivante, et son jubilé de diamant, en 1897, furent célébrés avec faste. Son règne (1838-1901) a marqué l'apogée de la domination mondiale de la Grande-Bretagne.

EDWARD BAILY (1788-1867)
Ce tableau anonyme montre l'artiste travaillant à la statue monumentale de Nelson, dans les années 1840.

HORATIO, LORD NELSON (1758-1805)
Au début des années 1800, sir William Beechey fit le portrait du brillant amiral (à droite), image quelque peu idéalisée puisque Nelson avait perdu l'œil droit lors du siège de Calvi, en 1794.

“Avant le bombardement des forts danois de la Baltique, Nelson, monté lui-même à bord d'un canot, consacra des journées entières à sonder le chenal, besogne épuisante. La manœuvre célèbre de Clerk d'Eldin, la rupture de la ligne de bataille de la flotte ennemie, et ce tour de force de Nelson, le “doublage”, qui consistait à plaquer deux de ses vaisseaux contre le flanc extérieur du navire ennemi, l'un à la proue, l'autre à la hanche, ne faisaient que traduire dans la tactique navale le principe de concentration formulé par Bonaparte.”

Emerson, *L'Âme anglaise*

ADMIRALTY ARCH. Cet arc de triomphe, érigé en 1910 par sir Aston Webb dans l'angle sud-ouest de la place, célèbre le souvenir de la reine Victoria. Construit sur l'emplacement d'anciens jardins du XVIIe siècle, il réunit deux groupes de bâtiments dépendant de l'Amirauté et marque le début du Mall.

ST MARTIN-IN-THE-FIELDS. Le style architectural de cette église, bâtie au nord-est de Trafalgar Square, par James Gibbs était révolutionnaire à l'époque de sa construction, entre 1722 et 1726 : on dirait un temple romain dont le portique corinthien est surmonté d'une tour et d'une flèche. A l'intérieur, on remarquera les galeries latérales ainsi que le superbe plafond mouluré. Le peintre Hogarth, le philosophe Francis Bacon et l'actrice Nell Gwynn, maîtresse du roi Charles II, y sont enterrés. St Martin-in-the-Fields est l'église paroissiale des palais St James's et de Buckingham. En outre, cette église est l'une des plus vivantes de Londres : les vagabonds y trouvent refuge et son porche abrite fréquemment toutes sortes de manifestations. Mais St Martin-in-the-Fields est avant tout le lieu de rendez-vous des passionnés de musique et d'excellents concerts y sont donnés à l'heure du déjeuner plusieurs fois par semaine.

LES PIGEONS. Trafalgar Square ne serait pas tout à fait la même sans ses éternelles nuées de pigeons, qui polluent la place (on a enlevé, lors d'un récent nettoyage, plus d'une demi-tonne de fiente de la colonne Nelson...). Les autorités ont multiplié les tentatives de réduction du nombre de ces volatiles, en vain.

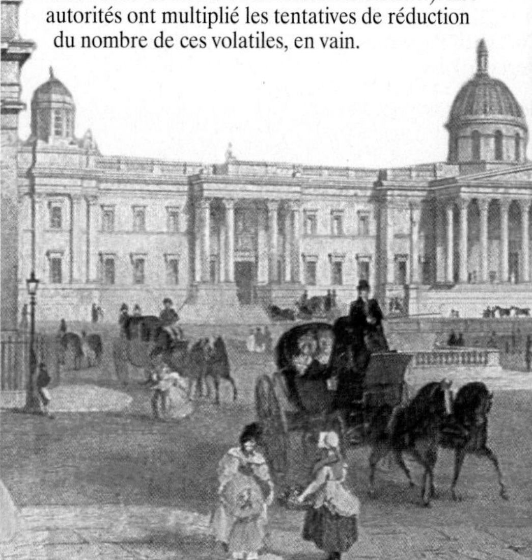

> «C'EN EST FAIT DE MOI, HARDI ! CETTE FOIS, ILS Y ONT RÉUSSI. J'AI L'ÉPINE DU DOS BRISÉE !»
>
> NELSON AU CAPITAINE DU *VICTORY*, À LA BATAILLE DE TRAFALGAR, LE 21 OCTOBRE 1805

NATIONAL GALLERY ♥

En 1824, le gouvernement acheta les trente-huit toiles (de Titien, de Raphaël, de Rembrandt, de Rubens) constituant la collection de John Julius Angerstein, banquier d'origine russe, mort l'année précédente. Elles furent exposées au domicile même du défunt, dans Pall Mall. La construction d'une nouvelle galerie de peinture fut confiée à l'architecte William Wilkins. C'était un long édifice étroit de style classique, de 140 m de long sur 17 m de large. Autour d'un portique à colonnades néo-grecques surmonté d'un dôme s'articulaient deux ailes, dont l'une abrita, jusqu'en 1869, l'Académie royale de peinture. Cette galerie fut inaugurée en 1838. Les agrandissements successifs ont été réalisés surtout dans le sens de la profondeur. La dernière aile, due à l'architecte Robert Venturi, abrite un service de consultation informatisé. En 1855, le Parlement vota un crédit régulier d'achat de tableaux. L'esprit dans lequel devaient être constituées les collections fut défini dès 1864 : «Si l'on veut comprendre les grands chefs-d'œuvre aussi bien anciens que modernes, il est nécessaire de pouvoir admirer le génie qui les a créés non seulement dans son accomplissement, dans sa perfection, mais aussi dans son développement… Le rôle que jouent Giotto et Masaccio dans l'école florentine est semblable à celui de Chaucer et Shakespeare dans la littérature anglaise. Une galerie nationale qui ne posséderait pas d'œuvres de l'un et de l'autre serait aussi incomplète qu'une bibliothèque nationale privée des œuvres de ces deux poètes.»

TRAFALGAR SQUARE HIER ET AUJOURD'HUI
Tout le nord de Trafalgar Square est occupé par la longue façade surélevée de la National Gallery. Ci-dessous, on peut voir, à droite, le clocher de St Martin-in-the-Fields. La photographie ci-dessus montre Nelson's Column, St Martin-in-the-Fields et South Africa House.

Les deux mille toiles réunies à la National Gallery en font l'un des plus merveilleux musées de peinture au monde. Il rassemble, entre autres, la plus belle collection de peintures italiennes hors d'Italie (Primitifs italiens et tableaux de l'époque Renaissance), et l'une des plus remarquable collection d'œuvres des Écoles flamandes et hollandaises.

«Vierge à l'Enfant»
Duccio di Buoninsegma (1260-1318) est l'un des plus grands peintres de l'école de Sienne. Ses œuvres, du début du XIVe siècle, sont parmi les plus anciennes que possède la National Gallery. Cette Vierge témoigne de l'influence qu'exerce encore l'école byzantine sur les Siennois. Cependant, par le jeu des couleurs, sur fond or, le peintre entreprend de s'en dégager, assurant une transition vers le style gothique.

«La Bataille de San Romano»
Ce tableau de Paolo Uccello (1397-1475) est l'une des trois versions connues, une quatrième aurait disparu.
Les panneaux, peints en 1456, commandés sans doute par les Médicis, illustrent la bataille de San Romano au cours de laquelle, en 1432, les Florentins battirent les Siennois. Le cavalier sans armure, au premier plan, serait le capitaine florentin Niccolo da Tolentino. Les couleurs sont sombres, à l'exception des deux chevaux blancs.
La perspective a plusieurs points de fuite.

«LA VIERGE, L'ENFANT, SAINTE ANNE ET LE PETIT SAINT JEAN»
Léonard de Vinci (1452-1519) a sans doute exécuté ce carton un an avant son départ de Milan. Une fois à Florence, il reprit ce thème pour le tableau d'autel de l'Annunziata commandé par les Servites. Le carton exposé en 1501, souleva l'enthousiasme des Florentins.

«LE DOGE LEONARDO LOREDAN»
Leonardo Loredan, qui fut doge de Venise de 1501 à 1521, a environ soixante-cinq ans au moment où Bellini fait son portrait, conçu comme un buste sculpté. Cette œuvre évoque Mantegna : atmosphère sévère et fond de toile neutre. Mais tout l'art de Bellini est de transfigurer le buste, de lui donner vie, créant cette impression par la diffusion de la lumière.

«LA VIERGE DANS LE PRÉ»
Vénitien, Giovanni Bellini (1430-1516) est un puissant coloriste. À partir de 1500, peintre officiel de la Sérénissime, il change de langage artistique tout en restant fidèle à ses propres thèmes. Cette Madone témoigne de la révolution «luministe» due au chef de file de l'école vénitienne. La Madone prie sur le corps nu du Christ enfant dont la pose rappelle celle des christs morts des pietàs.

LA DUALITÉ MATERNELLE
Freud, fasciné par ce tableau, tenta d'en donner une lecture psychanalytique, s'interrogeant sur la représentation de la mère dans l'œuvre du peintre. Léonard de Vinci était le fils naturel d'un notaire et d'une jeune paysanne. Son père, moins d'un an après la naissance de Léonard, épousait une jeune aristocrate, Albicia. L'enfant, élevé par son père, vouait une affection particulière à sa belle-mère, qui l'avait adopté. Freud pensait qu'en donnant à la Vierge et à sainte Anne le même âge, il exprimait sa vision de la dualité maternelle. À deux reprises, en 1962 et en 1987, ce carton fut abîmé par des vandales.

«Jeune Homme au crâne dans la main»
Frans Hals (vers 1580-1666) est un grand portraitiste pour lequel posèrent prédicateurs, théologiens, commerçants… Le modèle de cette Vanité, genre à la mode aux XVIe-XVIIe siècles, avec ses lèvres épaisses et sensuelles, son nez irrégulier, ressemble aux modèles d'autres œuvres du peintre.

Certains ont vu dans ce portrait, sous les traits d'Hamlet drapé dans un tissu, tenant un crâne dans une main, tendant les doigts de l'autre, semblant s'adresser à un interlocuteur invisible, un fils du peintre. À l'exemple des caravagistes, il essaie d'exploiter les possibilités dramatiques des effets du clair-obscur produits par la lumière artificielle.

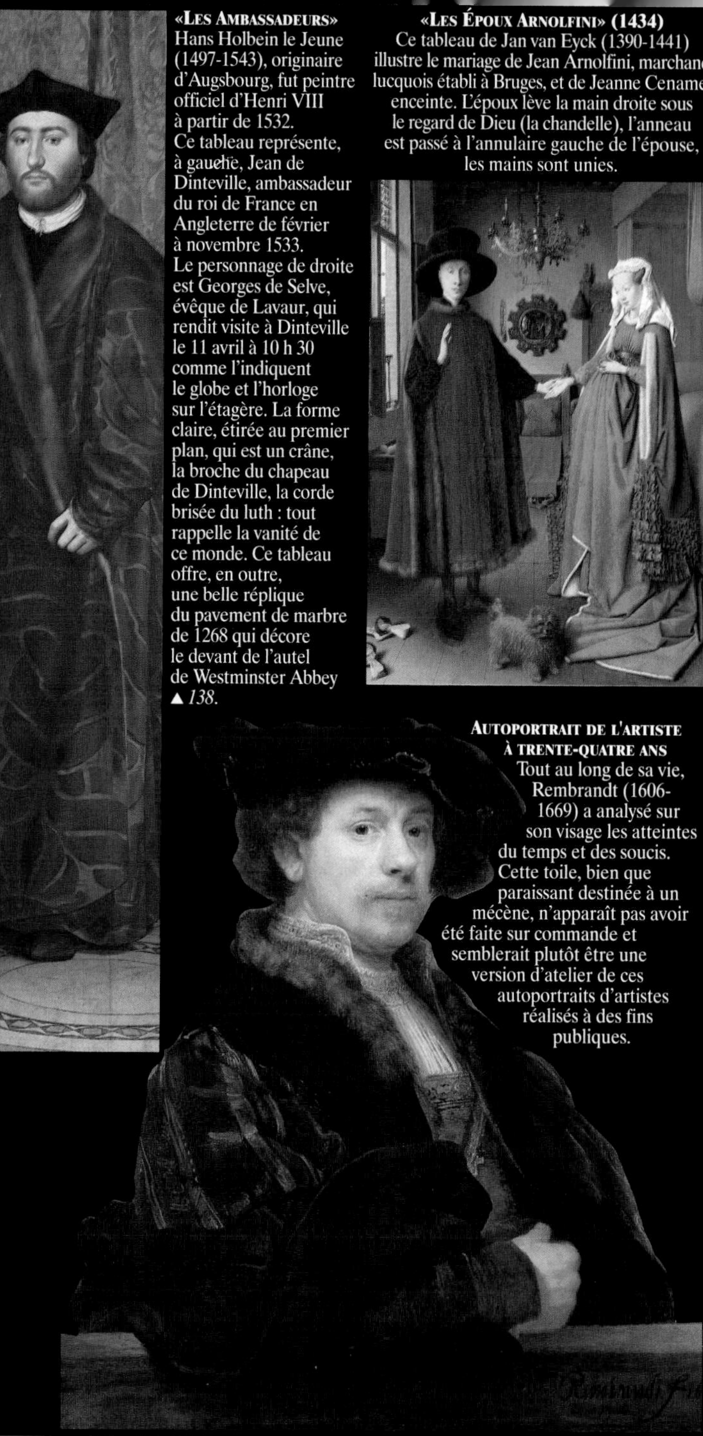

«Les Ambassadeurs»
Hans Holbein le Jeune (1497-1543), originaire d'Augsbourg, fut peintre officiel d'Henri VIII à partir de 1532. Ce tableau représente, à gauche, Jean de Dinteville, ambassadeur du roi de France en Angleterre de février à novembre 1533. Le personnage de droite est Georges de Selve, évêque de Lavaur, qui rendit visite à Dinteville le 11 avril à 10 h 30 comme l'indiquent le globe et l'horloge sur l'étagère. La forme claire, étirée au premier plan, qui est un crâne, la broche du chapeau de Dinteville, la corde brisée du luth : tout rappelle la vanité de ce monde. Ce tableau offre, en outre, une belle réplique du pavement de marbre de 1268 qui décore le devant de l'autel de Westminster Abbey ▲ *138*.

«Les Époux Arnolfini» (1434)
Ce tableau de Jan van Eyck (1390-1441) illustre le mariage de Jean Arnolfini, marchand lucquois établi à Bruges, et de Jeanne Cename, enceinte. L'époux lève la main droite sous le regard de Dieu (la chandelle), l'anneau est passé à l'annulaire gauche de l'épouse, les mains sont unies.

Autoportrait de l'artiste à trente-quatre ans
Tout au long de sa vie, Rembrandt (1606-1669) a analysé sur son visage les atteintes du temps et des soucis. Cette toile, bien que paraissant destinée à un mécène, n'apparaît pas avoir été faite sur commande et semblerait plutôt être une version d'atelier de ces autoportraits d'artistes réalisés à des fins publiques.

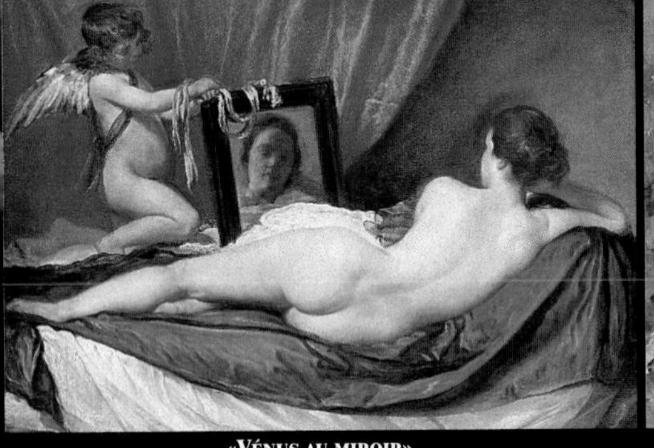

«VÉNUS AU MIROIR»
Ce tableau est le seul nu féminin connu de Vélasquez (1599-1660). Il associe deux traditions vénitiennes du XVIIe siècle : celle de Vénus assise et celle de Vénus allongée se contemplant dans un miroir. Avant d'être acquise par la National Gallery, la toile se trouvait à Rokeby Park dans le Yorkshire, d'où le nom de «Vénus de Rockeby» qu'on lui donne parfois.

«LES GRANDES BAIGNEUSES II» (1900-1905)
Le thème des baigneuses inspira Paul Cézanne (1839-1906). Le peintre se dégage ici

«LA ROUTE À MIDDELHARNIS»
Ce tableau, chef-d'œuvre du dernier des grands paysagistes hollandais, Meindert Hobbema (1638-1709), exerça une fascination extraordinaire sur les visiteurs du musée. La composition géométrique hardie tranche avec les paysages habituels de rivières et de moulins à eau du peintre. Middelharnis est un petit village sur une île, à l'embouchure de la Meuse.

«LE CONTRAT DE MARIAGE»
Ce tableau de Hogarth (1697-1764) est le premier d'une série de six qui forment *Le Mariage à la mode*, peints entre 1742 et 1744. Dans cette satire de la haute société, le peintre illustre le sort d'un mariage qui repose sur l'argent et la vanité. Ici, un noble désargenté arrange le mariage de son fils avec la fille d'un riche bourgeois.
Les gravures tirées du *Mariage à la mode* eurent un immense succès.

«MA PEINTURE EST MA SCÈNE ET MES PERSONNAGES SONT
ES ACTEURS QUI PAR LE MOYEN DE CERTAINS GESTES ET ACTIONS
Y DONNENT UNE PANTOMIME SILENCIEUSE»

WILLIAM HOGARTH

e l'Académisme de anatomie et utilise le leu et le vert pour traduire s formes. Cette toile, ondamentale dans histoire de la peinture, uvre la voie au cubisme.

«UNE BAIGNADE À ASNIÈRES»

Cette première grande composition (1883) de Georges Seurat (1859-1891) illustre une scène de la nouvelle banlieue parisienne : les sujets regardent vers l'île de Grande-Jatte, tandis qu'un léger vent chasse la fumée d'une usine de Gennevilliers. C'est un exemple précoce du pointillisme, technique qui décompose la lumière en petites touches de couleurs.

Samuel Cooper fit le portrait d'Oliver Cromwell (1599-1658), à gauche, Thomas Lawrence celui du jeune George IV (1762-1830), au centre, et Thomas Phillips celui de William Blake (1757-1827), à droite.

Les premiers conservateurs, libres d'acheter à leur guise, firent d'importantes acquisitions qui témoignaient du goût d'alors. Aujourd'hui, la National Gallery présente un choix équilibré de plus de deux mille œuvres couvrant cinq siècles de peinture, des primitifs italiens aux impressionnistes.

La National Portrait Gallery ♥

Ce musée est installé depuis 1896 sur le côté est de la National Gallery, entre St Martin's Place et Orange Street. La National Portrait Gallery est une véritable chronologie visuelle de l'histoire anglaise : elle renferme une collection de près de neuf mille portraits (peintures, eaux-fortes, dessins, photographies et sculptures) de rois, d'hommes politiques, de musiciens, d'écrivains, d'artistes, depuis Henri VIII jusqu'à nos jours. Le musée fut fondé en 1856 «pour acquérir des portraits de personnes s'étant distinguées dans l'histoire de l'Angleterre». Rapidement, la prédominance fut accordée aux hommes politiques et aux hommes de lettres, plutôt qu'aux scientifiques et aux industriels. Le résultat est une sorte de survol de l'histoire anglaise où la famille royale d'Angleterre tient une place importante, à travers des œuvres d'une qualité parfois inégale mais qui comportent quelques trésors dont le portrait

Sir Edwin Landseer (1802-1873)
John Ballantyne a représenté vers 1865 le sculpteur à l'œuvre devant le modèle d'un des lions de bronze qui seront placés, en 1867, au pied de la colonne de Nelson.

'Henri VIII par Hans Holbein (1497-1543), un autoportrait e George Stubbs (1724-1806), ou encore le «Chandos ortrait» de William Shakespeare.

A VISITE. La présentation des œuvres, très imaginative, les place dans leur époque grâce aux tissus et aux couleurs qui ecouvrent les murs. Le visiteur est accueilli par Margaret hatcher, dont le portrait a été réalisé par Rodrigo Moynihan, puis il emprunte l'ascenseur qui le mène au troisième étage, lequel commence à l'époque Tudor et va jusqu'au XVIIIe siècle. Un peu plus loin sont présentées les pièces les plus importantes : le portrait de sir Thomas More (copie de l'original de Holbein exposé à New York), les portraits d'Henri VIII, de Shakespeare (la première acquisition du musée) et de la toute jeune reine Élisabeth Ire.

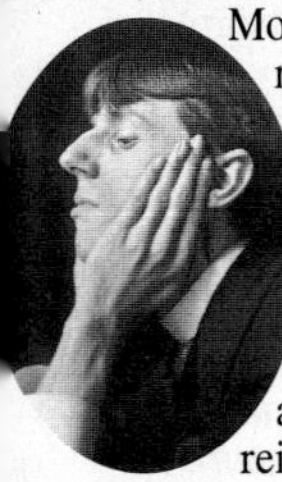

A DYNASTIE DES STUARTS. Ces salles abritent un portrait iniature d'Oliver Cromwell signé Samuel Cooper (1609-672), un des plus grands portraitistes britanniques, ainsi que elui de l'écrivain Samuel Pepys, peint par John Hayls n 1666. La Française Louise de Kerouaille est entrée dans histoire anglaise en tant que favorite du roi Charles II. lle est ici représentée en compagnie de sa servante noire, n 1682, par le peintre français Pierre Mignard (1612-1695).

ES VICTOIRES DE MARLBOROUGH. Elles occupent une salle ntière et représentent les protagonistes de la guerre de la uccession d'Espagne (1701-1714), qui opposa la France e Louis XIV au reste de l'Europe. Le duc de Marlborough, ncêtre de Winston Churchill, s'y distingua à la tête es armées alliées. Son portrait équestre est dû Godfrey Kneller (1646-1723).

E KIT KAT CLUB. Les membres du distingué club olitique et littéraire du XVIIIe siècle, le Kit Kat Club . *262*, sont immortalisés par Kneller.

E MOUVEMENT ROMANTIQUE. Il est représenté par es portraits d'hommes de lettres et d'artistes tels Villiam Wordsworth, Samuel Taylor Coleridge, Percy Bysshe Shelley, lord Byron, William Blake, John Constable, James Barry…

A PÉRIODE VICTORIENNE. Elle occupe la plus grande partie u premier étage. On remarquera le portrait de la reine Victoria, le jour de son couronnement, mais aussi des ortraits de Charles Dickens, des sœurs Brontë, de Florence Nightingale, etc.

Jerry Barrett a représenté Florence Nightingale (1820-1910) au milieu des gens qu'elle soignait à Scutari, en Turquie, vers 1856 (haut de page). Vanessa Bell, la sœur de Virginia Woolf, était peintre elle-même. Vers 1918, elle posa pour Duncan Grant (à gauche). Henri VIII fut souvent portraituré (au centre) ; l'artiste est resté ici anonyme. Vers 1675, sir Peter Lely peignit l'actrice Nell Gwynn (1650-1675) (à droite). Ci-contre, en médaillon, photographie du dessinateur Aubrey Beardsley (1872-1898) réalisée par Frederick Henry Evans (1894).

GEORGE BERNARD SHAW (1856-1950) Aquarelle signée Bernard Partridge (1925 environ).

LE NOUVEL AN CHINOIS, À SOHO
Naguère refuge des Français émigrés, Soho est aujourd'hui un quartier vraiment cosmopolite. Aussi les restaurants offrent-ils l'embarras du choix : cuisines grecque, italienne, hongroise, chypriote, etc. Les Chinois ont groupé leurs échoppes autour de Gerrard Street.

LEICESTER SQUARE

Depuis Trafalgar Square, Pall Mall conduit dans Haymarket, où se trouvent deux très beaux théâtres : le HAYMARKET et, en face, HER MAJESTY'S ● *54*. En tournant sur la droite dans Panton Street, on arrive directement sur Leicester Square, une place bruyante et animée (essentiellement fréquentée par les touristes). La place est parsemée de boutiques de souvenirs, de salles de jeu et de discothèques aux façades clinquantes. Les gens se pressent et font la queue d'une manière très ordonnée (comme toujours en Angleterre) devant un kiosque qui vend des places de théâtre à moitié prix. Autrefois simple jardin, Leicester Square devint, au XVIIIe siècle, très en vogue auprès des artistes. Il fait désormais partie du THEATERLAND, le quartier des théâtres, mais aussi des cinémas, avec St Martin's Lane, Monmouth Street, Shaftesbury Avenue, Haymarket, Charing Cross Road et le Strand. Les spectacles y sont variés : comédies musicales à l'américaine, pièces de boulevard ou d'avant-garde ou encore de grands classiques, tel *The Mousetrap (La Souricière)* d'Agatha Christie, à l'affiche depuis trente-cinq ans.

SOHO

Le petit quartier de Soho forme un dédale de ruelles coincées entre Oxford Street, Regent Street, Shaftesbury Avenue et Coventry Street. Jadis considéré comme le repaire des brigands… et des Français, il n'usurpe pas, aujourd'hui, sa réputation de quartier «chaud». C'est un quartier très cosmopolite où les restaurants de toutes nationalités, les établissements de strip-tease et les cabarets (comme l'incontournable *Mme Jojo*) plus ou moins licencieux font bon ménage. Le jour, Soho est un quartier animé et affairé autour de SOHO

SOHO, C'EST CHAUD
Soho a toujours eu une réputation de quartier licencieux. Or, après la dernière guerre, les habitants du quartier se sont mobilisés pour fermer le plus grand nombre de magasins érotiques possible. Depuis 1959, les prostituées ont dû abandonner le trottoir et pratiquer dans des studios.

«JE ME DEMANDAI UN INSTANT SI J'ÉTAIS TOMBÉ ENTRE LES MAINS D'UN DE CES ESCROCS AU REPAS, COMME ON DIT QU'IL EN ABONDE À SOHO.»

COLIN WILSON

QUARE et de WARDOUR STREET, hauts lieux de l'industrie ıdiovisuelle. En effet, ses studios de cinémas, ses agences artistes et ses sociétés de production ont une réputation ondiale. Au milieu de tout cela, un marché quotidien, dans erwick Street, constitue le lieu de rendez-vous des gourmets : des ménagères. À la nuit tombée, les rues s'emplissent : spectateurs sortis des théâtres et cinémas, qui déambulent ous les couleurs vives des enseignes lumineuses des ommerces érotiques. Si CARNABY TREET, parallèle à Regent Street, fait galement partie du folklore de Soho, les *vinging sixties* et la mode extravagante vec de jeunes créateurs, telle Mary uant, appartiennent maintenant au assé.

LE MARCHÉ DE BERWICK STREET
Ménagères et gourmets se retrouvent dans ce marché installé au cœur du quartier.

)XFORD STREET

'étirant sur 2,5 km, Oxford Street est ıns aucun doute la plus grande rue ommerçante de Londres. Elle ne se istingue pourtant pas par l'originalité : ses magasins. On y retrouve, en effet, ous les noms traditionnels de ı consommation britannique : Marks : Spencer, Boots, Body Shop, ittlewoods ; mais aussi dans le haut : gamme des grands magasins comme elfridges ● *88*, John Lewis, Debenhams *88* et House of Frasers. Il ne faut ependant pas manquer de faire un petit détour par les ıarmantes petites boutiques de ST CHRISTOPHER'S PLACE, ont le minuscule accès est signalé par une flèche à la hauteur u n° 350 environ. Le magasin *Liberty* ● *88* ▲ *283* célèbre our ses tissus et ses soieries, se trouve près d'Oxford Circus : occupe le coin de Great Marlborough Street (où se trouve : fameux bâtiment faux Tudor du magasin) et de Regent treet ▲ *283*.

OXFORD STREET

❝Nous ressortons, et sommes naturellement portés à l'Haymarket ; nous avons trois partis à prendre : aller à l'Opéra, dans la galerie de 5 shillings. On donnait *Don Juan* pour l'avant-dernière fois, et c'était le jour à la mode (le samedi). Essayer du spectacle à moitié prix, mais on est si mal au *Pit* de l'Haymarket et il y fait si étouffé que nous nous déterminons heureusement à flâner. Nous tombons dans l'admirable vue d'Oxford Street, illuminée à perte de vue des deux côtés et coupée sur la gauche par des rues magnifiques.❞

Stendhal, *Voyage à Londres*

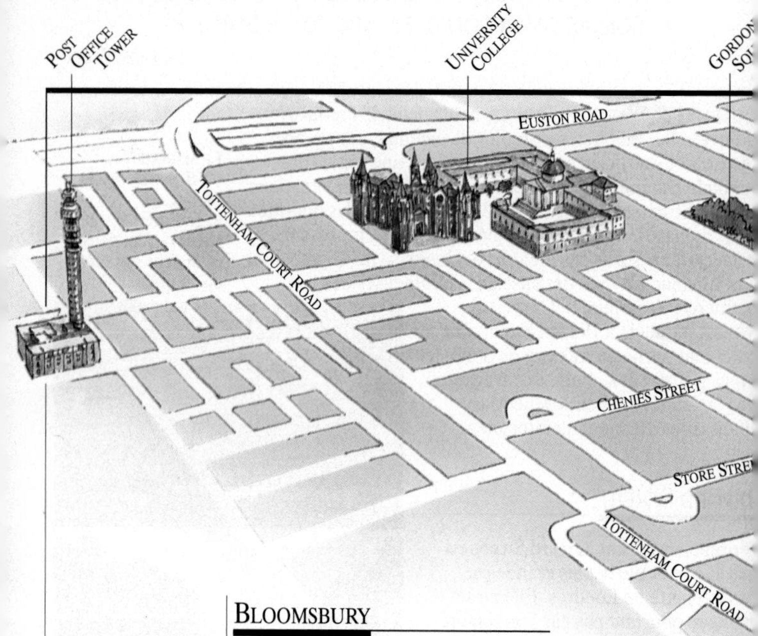

POST OFFICE TOWER
UNIVERSITY COLLEGE
GORDON SQ
EUSTON ROAD
TOTTENHAM COURT ROAD
CHENIES STREET
STORE STREET
TOTTENHAM COURT ROAD

BLOOMSBURY

LES PLACES DE BLOOMSBURY Très à la mode au XVIIIe siècle, Bloomsbury était un quartier résidentiel. Ses places, qui datent pour la plupart de cette époque, tels Russel Square (ci-dessous) ou Bedford Square (en bas de page), continuent d'en perpétuer le charme.

Reflet d'une architecture georgienne accomplie, Bloomsbury est un quartier homogène, aux rues paisibles et aux places discrètes. Ce quartier élégant, à forte tradition intellectuelle, vit dans l'ombre du British Museum. C'est par les petites rues qui l'entourent et par les squares que l'on peut véritablement apprécier ce quartier. Bloomsbury commença à se développer à la fin du XVIIe siècle, grâce à lord Southampton, et c'est à partir du XVIIIe siècle qu'il prit tout son essor, avec la présence de nombreux artistes : les peintres John Constable (1776-1837) ou Dante Gabriel Rossetti (1828-1882), les écrivains Charles Dickens (1812-1870) ou George Bernard Shaw (1856-1950). Au début du XXe siècle, Bloomsbury acquit définitivement sa réputation de quartier intellectuel, grâce à Vanessa Bell, dont la sœur, Virginia Stephen, devint la célèbre romancière Virginia Woolf ▲ *308*, et à leurs amis du Bloomsbury Group.

TAVISTOCK SQUARE. Cette longue place rectangulaire se compose d'un beau parc et d'élégantes façades de maisons des années 1806-1826. C'est là que se trouve le JEWISH MUSEUM, centre culturel juif, qui présente une collection d'objets de culte, d'antiquités et d'objets d'art.

DICKEN'S HOUSE ● *76***.** Charles Dickens ● *106* vécut de 1837 à 1839 au n°48 de Doughty Street. C'est là qu'il acheva *Les Aventures de M. Pickwick*, *Les Aventures d'Olivier Twist* et *Nicolas Nickleby*. La maison, transformée en musée Dickens, possède de nombreux souvenirs de l'écrivain (lettres, manuscrits, meubles), ainsi que les premières éditions de ses œuvres. Au sous-sol, la cuisine de Dingley Dell, décrite dans les *Papiers posthumes du Pickwick Club*, a été fidèlement reconstituée.

RUSSELL SQUARE. On arrive à cette vaste place en remontant Bedford Place. Elle fut aménagée en 1800 et devint le lieu de

ésidence favori des riches négociants du début du XXe siècle. .a place est aujourd'hui dominée par le RUSSELL HOTEL 1898-1900), de style victorien.

ONDON UNIVERSITY. C'est une université composée de ollèges pluridisciplinaires et d'instituts spécialisés disséminés ans Londres. Elle doit son origine à l'University College, tablissement laïc (Oxford et Cambridge lépendaient de l'Église d'Angleterre) fondé n 1826 dans Gower Street. Depuis, elle 'est étendue dans Bloomsbury aux dépens l'une grande partie des bâtiments eorgiens. Le centre administratif, édifié à artir de 1933 par Charles Holden, borde e côté ouest de Russell Square. Les autres lépartements qui se trouvent dans le uartier sont la SCHOOL OF ORIENTAL AND AFRICAN STUDIES et le WARBURG INSTITUTE.

BLOOMSBURY SQUARE. Cette place est le noyau iistorique et le centre actuel de Bloomsbury, c'est d'ailleurs 'une des plus anciennes places de Londres. Du palais que le omte de Southampton avait fait construire à partir de 1660, l ne reste rien si ce n'est les jardins, restés pratiquement ntacts, qui formaient alors Southampton Square. Vers 1670, ady Rachel, héritière du Southampton Estate, épousa lord William Russell, fils du comte de Bedford, dont la famille ivait contribué au succès de Covent Garden ▲ *272* quelques innées auparavant.

CHARLES DICKENS (1812-1870)
La maison dans laquelle il vécut entre 1837 et 1839, à Bloomsbury, est devenue le musée Dickens (ci-dessous).

UNIVERSITY COLLEGE L'aile nord de l'University College est actuellement occupée par la Slade School of Art.

Les deux plus grands propriétaires terriens de Londres réunis, Southampto House devint alors Bedford House, et Southampton Square fut rebaptisé Bloomsbury Square. Le nouveau quartier, rapidement occupé par la haut société londonienne, s'étendit au nord e direction de Hampstead ▲ *260*. Aujourd'hui, d'élégantes rangées de maisons georgiennes protégées par un réseau de rues étroite bordent le jardin de Bloomsbury Square.

ST GEORGE'S BLOOMSBURY. Cette église construite en 1716-1731 fut exécutée sur les plans de Nicholas Hawksmoor ▲ *312*. Son imposant portique est de style corinthien ; son clocher de forme pyramidale fut inspiré par une description antique du mausolée d'Halicarnasse, qui fut rapporté d'Asie mineure au XIXe siècle pour le British Museum. Couronné par une statue du roi George Ier vêtu à la romaine, ce cloche fut jugé sévèrement par les contemporains de Hawksmoor.

BEDFORD SQUARE. Bedford House fut détruite en 1800, par le cinquième duc de Bedford, à l'occasion d'une opération d'urbanisation qui prévoyait des rues et des squares au nord de Bloomsbury Square. Ces rangées de maisons, conçues par l'architecte James Burton, constituent un bel exemple de sty georgien ● *76*. La statue du célèbre homme d'État Charles James Fox (leader du parti whig au XVIIIe siècle), due à sir Richard Westmacott (1775-1856), trône depuis 1816 sur l côté nord du square. Au sud, sur SOUTHAMPTON PLACE, on peut admirer des maisons des années 1740 défendues par des portails classiques aux motifs variés.

“Nous nous engageâmes dans la porte tournante de l'entrée. Je me sentis vraiment confus en me trouvant à l'intérieur du British Museum, la demeure spirituelle de Karl Marx, de Samuel Butler, de Bernard Shaw, avec une barbe de deux jours et des vêtements poussiéreux.”
Colin Wilson, *Soho, à la dérive*

LE BRITISH MUSEUM ♥

Il faudrait plus d'une semaine pour visiter entièrement le British Museum, qui réunit des trésors disparates (six ou sept millions d'objets). Il fait partie des institutions britanniques mondialement connues. Le bâtiment actuel fut érigé à partir de 1823 pour remplacer MONTAGU HOUSE, devenue trop étroite pour accueillir les collections du roi George III. L'architecte Robert Smirke dirigea de 1823 à 1847 la construction de ce bâtiment de style néo-classique, orné d'un portique à colonnes ioniques.

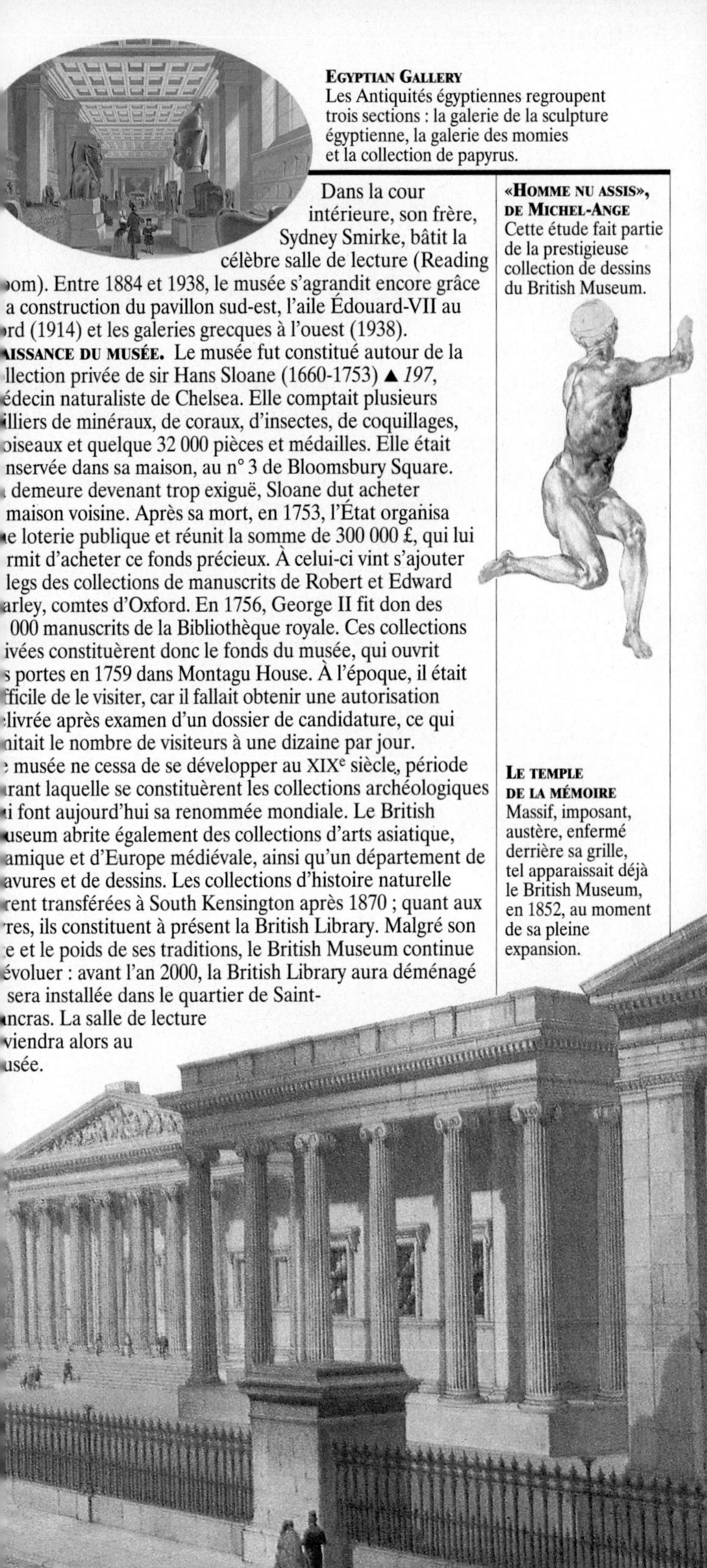

EGYPTIAN GALLERY
Les Antiquités égyptiennes regroupent trois sections : la galerie de la sculpture égyptienne, la galerie des momies et la collection de papyrus.

Dans la cour intérieure, son frère, Sydney Smirke, bâtit la célèbre salle de lecture (Reading ›om). Entre 1884 et 1938, le musée s'agrandit encore grâce a construction du pavillon sud-est, l'aile Édouard-VII au ›rd (1914) et les galeries grecques à l'ouest (1938).

AISSANCE DU MUSÉE. Le musée fut constitué autour de la llection privée de sir Hans Sloane (1660-1753) ▲ *197*, édecin naturaliste de Chelsea. Elle comptait plusieurs illiers de minéraux, de coraux, d'insectes, de coquillages, oiseaux et quelque 32 000 pièces et médailles. Elle était nservée dans sa maison, au n° 3 de Bloomsbury Square. demeure devenant trop exiguë, Sloane dut acheter maison voisine. Après sa mort, en 1753, l'État organisa e loterie publique et réunit la somme de 300 000 £, qui lui rmit d'acheter ce fonds précieux. À celui-ci vint s'ajouter legs des collections de manuscrits de Robert et Edward arley, comtes d'Oxford. En 1756, George II fit don des 000 manuscrits de la Bibliothèque royale. Ces collections ivées constituèrent donc le fonds du musée, qui ouvrit s portes en 1759 dans Montagu House. À l'époque, il était fficile de le visiter, car il fallait obtenir une autorisation livrée après examen d'un dossier de candidature, ce qui nitait le nombre de visiteurs à une dizaine par jour. musée ne cessa de se développer au XIXe siècle, période rant laquelle se constituèrent les collections archéologiques i font aujourd'hui sa renommée mondiale. Le British useum abrite également des collections d'arts asiatique, amique et d'Europe médiévale, ainsi qu'un département de avures et de dessins. Les collections d'histoire naturelle rent transférées à South Kensington après 1870 ; quant aux res, ils constituent à présent la British Library. Malgré son e et le poids de ses traditions, le British Museum continue évoluer : avant l'an 2000, la British Library aura déménagé sera installée dans le quartier de Saint-ncras. La salle de lecture viendra alors au usée.

«HOMME NU ASSIS», DE MICHEL-ANGE
Cette étude fait partie de la prestigieuse collection de dessins du British Museum.

LE TEMPLE DE LA MÉMOIRE
Massif, imposant, austère, enfermé derrière sa grille, tel apparaissait déjà le British Museum, en 1852, au moment de sa pleine expansion.

L'une des collections les plus renommées du British Museum est celle des antiquités grecques, qui commença par l'acquisition des «marbres d'Elgin». Au début du siècle, la Grèce était occupée par l'Empire ottoman, et le Parthénon d'Athènes, sérieusement endommagé par une bombe vénitienn en 1687, était laissé à l'abandon. Lord Elgin, passionné d'architecture, était alors ambassadeur d'Angleterre à Constantinople. Muni d'une autorisation du sultan turc, il enleva, entre 1802 et 1804, de nombreux fragments du Parthénon et les fit transporter à Londres. Au total : une douzaine de statues, une vingtaine de dalles de la frise ionique et quinze métopes. La légitimité de la possession de ces marbres est toujours contestée par les autorités grecques

«TÊTE D'APHRODITE» (ANTIQUITÉS GRECQU
Ce bronze du IIe-Ier siècle av. J.-C. fut trou à Sadagh, au nord-est de la Turquie.

«LE TOMBEAU DES NÉRÉIDES» (ANTIQUITÉS GRECQUES)
Cette façade reconstituée provient d'un monument funéraire, dit des Néréides, qui date environ de 400 av. J.-C. Il se trouvait à Xanthos, en Lycie, en Asie Mineure. À l'origine, des Néréides, nymphes marines accompagnant les âmes dans l'au-delà, se dressaient entre les colonnes ioniques.

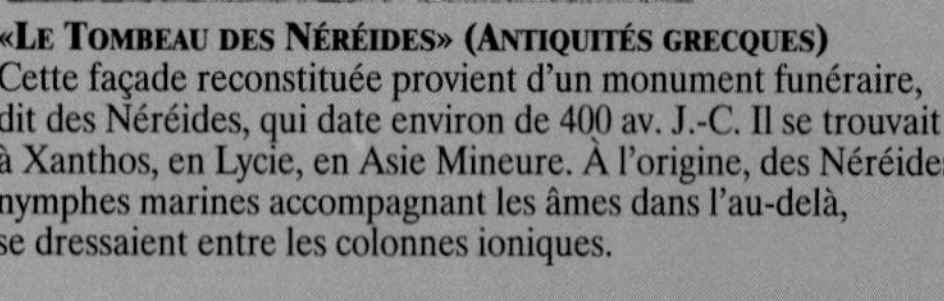

«LE CHEVAL DE SÉLÉNÉ» (ANTIQUITÉS GRECQUES)
Cette tête de cheval faisait partie du quadrige de Séléné, qui se trouvait sur le fronton est du Parthénon.

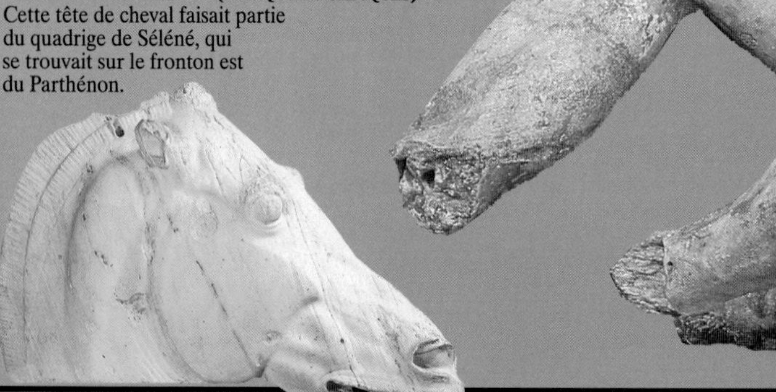

«Les marbres d'Elgin»
Enlevés au temple d'Athéna Parthénos, ils comprennent une ingtaine de dalles de la frise qui entouraient la cella du Parthénon, et qui représentent la procession des grandes panathénées (fêtes en l'honneur d'Athéna).

Boxeurs et lutteurs (Grèce)
Cette amphore date de 550-525 av. J.-C. Sur le col, des instructeurs ou des juges observent les lutteurs. Le corps de l'amphore présente des boxeurs entre lesquels le peintre, Nikosthenes, a apposé sa signature.
La technique des figures noires (comme ici) fut mise au point au Xe siècle av. J.-C. ; celle des figures rouges au VIe siècle av. J.-C.

A Leçon de musique»
ntiquités romaines)
ette fresque du Ier siècle apr. J.-C. t rapportée de la ville d'Herculanum, Italie.

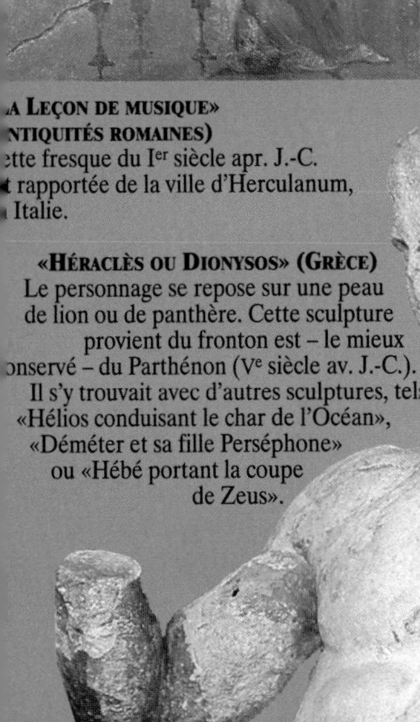

«Héraclès ou Dionysos» (Grèce)
Le personnage se repose sur une peau de lion ou de panthère. Cette sculpture provient du fronton est – le mieux onservé – du Parthénon (Ve siècle av. J.-C.). Il s'y trouvait avec d'autres sculptures, tels «Hélios conduisant le char de l'Océan», «Déméter et sa fille Perséphone» ou «Hébé portant la coupe de Zeus».

LA COLLECTION ÉGYPTIENNE
C'est l'une des plus importantes au monde, hors l'Égypte, et sans nul doute la plus spectaculaire du British Museum. Elle fut constituée, au départ, par les pièces trouvées lors de l'expédition française d'Égypte de 1798 et abandonnées à l'Angleterre après le traité d'Alexandrie de 1801. Elle s'est largement enrichie, à partir de 1882, grâce aux recherches de l'Egypt Exploration Fund.

«LA CHASSE DANS LE MARAIS» (ÉGYPTE)
Cette scène fait partie des peintures de la tombe du scribe Nebam (XVIIIe dynastie, vers 1400 av. J.-C.). À bord d'une nacelle en papyrus, le défunt, entouré des siens, chasse les oiseaux à l'ai d'un boomerang. On remarquera, à l'avant du bateau, le chat dressé pour cette capture.

LA PIERRE DE ROSETTE (ÉGYPTE)
Cette pierre de 196 av. J.-C. fut découverte dans le delta du Nil, à Rachid (Rosette), en 1799. Elle porte un décret de Ptolémée V, rédigé en égyptien, version hiéroglyphique (écriture des prêtres) et version démotique (écriture du peuple), et en grec. Leur étude comparée permit au Français Jean-François Champollion (1790-1832) de percer en 1822, le secret des hiéroglyphes.

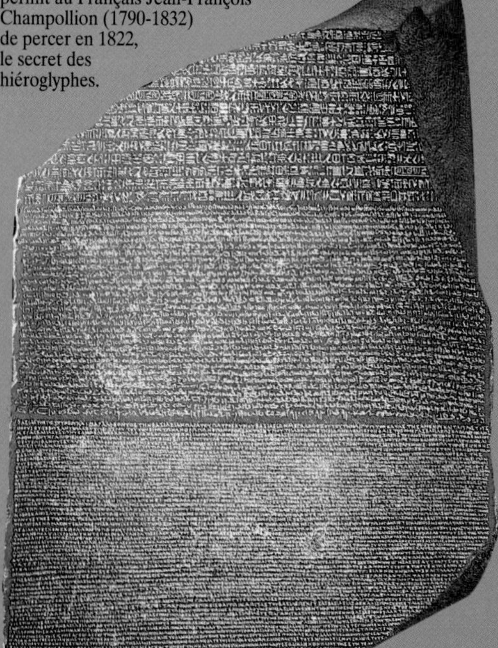

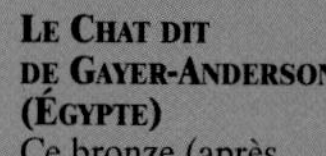

LE CHAT DIT DE GAYER-ANDERSON (ÉGYPTE)
Ce bronze (après 30 avant J.-C.) date d l'occupation romaine de l'Égypte. Il fut présenté par John Gayer-Anderson et Mary Stout. Le chat était vénéré dans l'ancienne Égypte comme l'incarnation de la déesse Bastet.

«Que signifie dans le grand temple, un bloc de maçonnerie, couvert d'inscriptions démotiques, entre le troisième et le quatrième colosse à gauche en entrant ?»

Gustave Flaubert

Les collections du Proche-Orient
Elles rivalisent avec celles de la Grèce, et concernent les civilisations sumérienne, perse, babylonienne, hittite, assyrienne et phénicienne. Au XIXe siècle, l'excellence des relations entre la Grande-Bretagne et la Turquie facilita les fouilles des archéologues britanniques.

«Assurbanipal achevant un lion blessé» (Assyrie)
Le dernier roi d'Assyrie (de 669 à 627 av. J.-C.) soumit Babylone et conquit l'Égypte. Ce bas-relief datant de 645 av. J.-C. provient de son palais de Ninive. C'est à sir Austen Henry Layard (1817-1894) que l'on doit les fouilles de Nimrud, de Ninive et d'Assur, en Irak. La découverte de la bibliothèque du roi Assurbanipal, à Ninive, devait donner ses bases à l'assyriologie.

«Le Lion de Nimrud»
La galerie de Nimrud est consacrée plus particulièrement au roi d'Assyrie Assurnazirpal II, qui régna au IXe siècle av. J.-C.

Aménophis III (Égypte)
Amenhotep, l'architecte favori d'Aménophis III (1408-1372 av. J.-C.), lui éleva un somptueux palais et un vaste temple funéraire à Thèbes. Le temple de Louxor date aussi de son règne.

Toutânhamon (Égypte)
Ce lion en granite rouge date du règne d'Aménophis III et porte le nom de Toutânhamon. Il provient du temple de la déesse d'Ishtar, à Nimrud, sur le Tigre.

DES COLLECTIONS VARIÉES
Les collections du British Museum ne se limitent ni à la seule Antiquité ni à un seul genre artistique : ses galeries présentent également des pièces et des médailles, une remarquable collection de gravures et d'estampes, voire des collections originales d'éventails, d'ex-libris et de cartes à jouer.

LA BODHISATTVA TARA (SRI LANKA)
Ce bronze doré du XIIe siècle a été trouvé près de Trincomalee, au Sri Lanka (l'ancienne île de Ceylan). Il fait partie des antiquités d'Orient du musée, présentant des pièces aussi bien de l'Asie du Sud-Est que de l'Extrême-Orient.

COUPE SAXONNE (ANTIQUITÉS ANGLAISES)
Ce gobelet de verre du IVe siècle, à reflets changea provient d'une tombe saxonne du cimetière de Mucking, dans l'Essex.

BRACELET (PERSE)
Ce bracelet d'or, formé de deux têtes de griffons affrontés, est l'un des nombreux témoins des splendeurs passées de l'Empire perse. Il fait partie – avec d'autres bijoux d'or finement ciselés, des ornements de coiffure et des pièces de monnaie – du trésor d'Oxus (vers 500-300 av. J.-C.), découvert près de la rivière du même nom, en Asie centrale. Oxus est l'ancien nom du fleuve Amou-Daria, qui se jette dans la mer d'Aral.

Bas-reliefs (Assyrie)
Ils montrent les exploits guerriers du roi Assurbanipal, vers 645 av. J.-C.

«Char d'Oxus» (Perse)
Ce modèle de char pour dignitaire perse, en or massif, faisait également partie du célèbre trésor trouvé près de la rivière Oxus.

«La Chèvre sur l'arbre» (Sumer)
Couverte de feuilles métalliques, parfois dorées, parfois en lapis-lazuli, qui lui donne cette teinte bleue, cette chèvre sumérienne, de 2500 av. J.-C., fut découverte à Ur, près de Babylone, dans le sud de l'Irak.

Porcelaine Ming (Chine)
Ce pot fleuri provient de la dynastie Ming, période de Ch'eng hua (1465-1487). C'est l'une des plus belles pièces de la grande collection de porcelaines chinoises du British Museum.

The Reading Room
“Les voix anglaises, ici, sont particulièrement apaisantes, sans heurts ni éclats. Par rapport au murmure londonien moyen, leur volume est d’un degré en dessous encore. Je peux m’absorber entièrement dans le spacieux espace bibliothécaire.”
Paul Morand

La British Library

Située dans le même bâtiment que le British Museum, la British Library est l’une des plus grandes bibliothèques du monde. Elle abrite plus de dix-huit millions de volumes et possède des pièces uniques (les Évangiles de Lindisfarne [vers 700], des manuscrits littéraires ou rares, la Magna Cart de 1215, charte des libertés anglaises, des éditions originales de Shakespeare [1623] et la Bible de Gutenberg [1453]). Sa fameuse salle de lecture, Reading Room, œuvre de Sidney Smirke, construite en 1857, est dotée d’un dôme imposant de 32 m de haut et de 42 m de diamètre. Elle compte 375 places et dispose de trente mille livres en libre accès. Ici, se sont succédé des visiteurs célèbres tels Marx et Lénine, le chef d’état chinois Sun Yat-Sen, les écrivains George Bernard Shaw ou Rudyard Kipling.

Le Bloomsbury Group. Ce surnom fut donné à un groupe d’amis, composé d’artistes, d’écrivains et d’intellectuels renommés, qui habitaient à Bloomsbury au début du siècle et qui se réunissaient chez la romancière Virginia Woolf. So mari, l’éditeur et écrivain Leonard Woolf, sa sœur, le peintre Vanessa Bell, le peintre Duncan Grant, l’économiste Mayna Keynes, le poète T. S. Eliot, les critiques d’art Quentin Bell et Roger Fry, l’écrivain E. M. Forster, firent partie du Bloomsbury Group. Même si leurs centres d’intérêt ne concordaient pas toujours, tous rejetaient le conformisme de leu époque. Leur manière de vivre eu sans doute autant d’influence qu leurs écrits. Un autre groupe d’intellectuels se retrouvai à la même époque dans le salon de lady Ottolin Morrell, près de Fitzroy Square, de l’autre côté de Tottenham Court Road. Il rassemblait l’écrivain Aldous Huxley, le peintre et décorateur Léon Bakst, le danseur Nijinski et le philosoph Bertrand Russell.

Fitzroy Square ● *76*
Cette place piétonne est l’une des plus belles de la capitale.

Virginia Woolf (1882-1941)
En 1917, elle fonda la Hogart Press et révéla K. Mansfield, T. S. Eliot, S. Freud… Elle y publia aussi ses écrits, dont le *Journal d’un écrivain*, qui permet de suivre la genèse d’une œuvre majeure de la littérature anglaise.

À travers l'East End

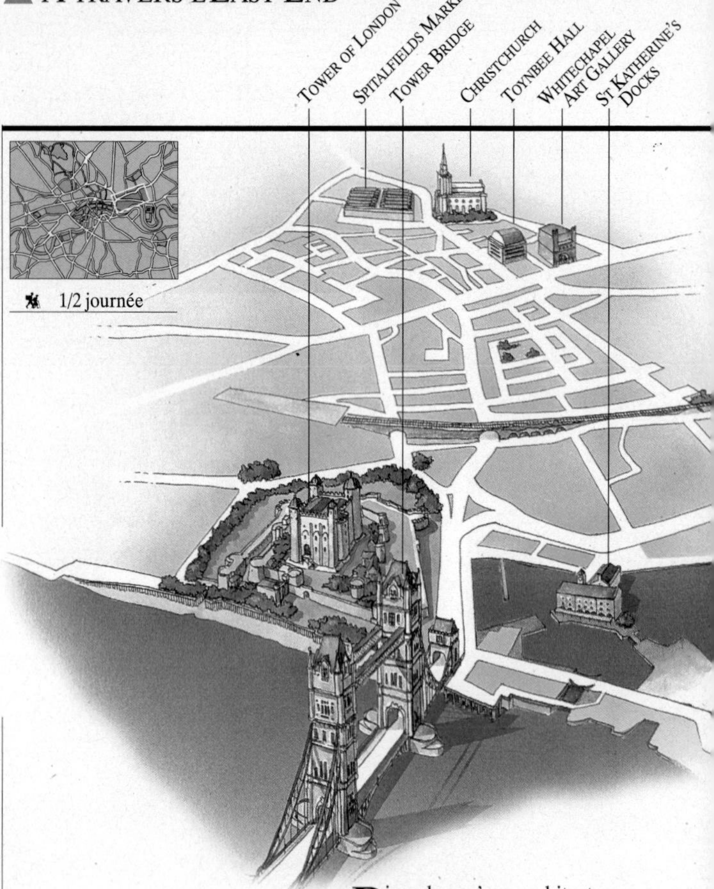

1/2 journée

Bien plus qu'une architecture souvent austère, c'est tout un pan de l'histoire de Londres, celle de la pauvreté et celle de l'immigration, qui donne son unité à l'East End.

HISTOIRE

Très tôt, cet ensemble de faubourgs à l'est de la ville n'a plus formé qu'un seul quartier comprenant Spitalfields, Stepney et Whitechapel. Avant tout, l'histoire de l'East End est liée aux vagues successives d'immigrants qui s'installèrent dans ses murs. **L'IMPLANTATION DES HUGUENOTS.** Dès le XVIe siècle, des calvinistes français trouvèrent refuge dans ce quartier puis, en 1685, 40 000 huguenots français vinrent les rejoindre après la révocation de l'édit de Nantes. Habiles artisans, tisserands pour la plupart, ils connurent une renommée rapide et émigrèrent ensuite vers l'ouest de Londres, fortune faite.

ÉGLISE DE L'EAST END
La grandiose et originale église de Christchurch à Spitalfields, conçue par Nicholas Hawksmoor, se trouve aujourd'hui en plein quartier bangladeshi de l'East End.

L'ARRIVÉE DES PAUVRES DU ROYAUME. Les huguenots furent remplacés, au XVIIIe siècle, par des immigrants de l'intérieur, venus des Midlands, du Connemara ou de Cardiff, quittant les terres trop pauvres et trop surpeuplées pour les nourrir. À cette époque, les conditions de vie dans l'East End sont déjà celles décrites par Dickens, Engels, Jules Vallès ou Gustave Doré : surpeuplement, alcoolisme, maladie,

« CETTE NUIT-LÀ, THOMAS NE PARVINT PAS À TROUVER LE SOMMEIL, EMPLI QU'IL ÉTAIT D'UN SENTIMENT CROISSANT DE PANIQUE, AU FUR ET À MESURE QUE LE CLOCHER DE SPITALFIELDS ÉGRENAIT LES HEURES ET LES DEMI-HEURES.» PETER ACKROYD

misère et prostitution sont le lot de ce sous-prolétariat agglutiné dans des maisons sordides et des ruelles sombres. La réputation de l'East End n'est bientôt plus à faire.

LES BOULEVERSEMENTS DU XIXe SIÈCLE. Au XIXe siècle, l'East End va connaître deux grandes vagues d'immigrants : celle de milliers d'Irlandais fuyant la famine après 1847, puis, vers 1880, celle des juifs d'Europe centrale fuyant les pogroms. Ces derniers, spécialisés dans la confection, vinrent naturellement s'adjoindre à leur communauté. Dans ce Londres misérable, des tentatives sont faites pour améliorer la vie et éliminer le paupérisme. En 1878, William Booth crée l'Armée du Salut.

LES IMMIGRÉS DE L'ANCIEN EMPIRE. Le XXe siècle verra, dans les années cinquante, l'immigration des «néo-Britanniques», habitants des anciennes colonies, notamment des Pakistanais, des Indiens, puis des Bangladeshi, eux aussi spécialisés dans la confection. Cet afflux de populations, si diverses sur le plan ethnique, a transformé l'East End, dont la pauvreté reste toujours un trait dominant. Aujourd'hui, l'extension de la City et l'arrivée des *yuppies* semblent représenter, pour les traditions de l'East End, une menace bien plus sérieuse que toutes les migrations des siècles passés.

"Mes promenades ne me menaient guère de ce côté-là, celui de Whitechapel le malfamé, Sodome et Gomorrhe de la respectable Mrs Biggs, ma logeuse."
Julien Gracq, *Carnets du grand chemin*

SPITALFIELDS

CHRISTCHURCH SPITALFLIEDS ♥
▲ *70.* Cette église, située à l'angle de Commercial Street et de Fournier Street, fut édifiée, de 1714 à 1729, par l'architecte Nicholas Hawksmoor. Elle doit son existence au désir de la reine Anne (1676-1725) de mettre un frein à ce qu'elle considérait comme la décadence morale de l'Angleterre. Pour contribuer à ce renouveau, elle leva, en 1710, un impôt pour donner «cinquante nouvelles églises aux cités de Londres et de Westminster et à leurs faubourgs». Seules douze d'entre elles furent réalisées (bâties pour l'essentiel par Hawksmoor) dont trois dans l'East End. Outre Christchurch, il s'agit de St Anne à Limehouse ▲ *336*, et St-George-in-the East ▲ *336*. L'église présente la particularité de posséder un porche à arche centrale à la romaine, une tour en arc de triomphe et une flèche d'un style proche du gothique.

NICHOLAS HAWKSMOOR. Christchurch est considérée comme le chef-d'œuvre de Nicholas Hawksmoor (1661-1736), l'un des grands génies de l'architecture anglaise et chef de file de l'école baroque anglaise. Maçon de formation, il s'installe à Londres à dix-huit ans et entre alors au service de Sir Christopher Wren ▲ *171, 174*, dont il sera l'assistant sur de prestigieux projets dont la construction de la cathédrale Saint-Paul ▲ *171*. À partir de 1699, Hawksmoor travaille à la

"À midi, ils se trouvèrent sur le parvis de l'église de Spitalfields.[...] Le vrombissement des camions sortant du marché face à l'église et le fracas des marteaux piqueurs qui, un peu plus loin, perforaient la chaussée de Commercial Road, secouaient tout le quartier : le sol semblait vibrer sous leurs pieds. "
Peter Ackroyd, *L'Architecte assassin*

ANCIENNE TRADITION
L'East End possède, depuis le XVIe siècle, une longue tradition de confection et de couture, comme le montrent cette veste de soie, de 1787, et ce prospectus concernant les métiers à tisser.

série d'églises commandées par la reine Anne et collabore avec deux autres architectes, sir John Vanbrugh (1664-1726) et Thomas Archer (1648-1743).

FOURNIER STREET ET ELDER STREET ♥. Parmi les protestants français qui s'installèrent à Spitalfields après la Saint-Barthélemy ou la révocation de l'édit de Nantes, au XVIIe siècle, se trouvaient un grand nombre de tisserands de la soie dont on peut toujours admirer les anciennes demeures de part et d'autre de ces deux rues. Ces habitations sur Fournier Street (dont le nom français est celui d'un huguenot) et Elder Street sont caractérisées par de très belles portes et, à l'étage supérieur, par de grandes fenêtres destinées à donner la meilleure lumière possible aux artisans travaillant sur les métiers à tisser. Ce quartier de maisons des années 1720-1750 forme un ensemble rare à Londres et a été récemment rénové.

SPITALFIELDS MARKET. Ce marché aux fruits et aux légumes, situé sur Commercial Street, fondé par le roi Charles II en 1682, fut déplacé en banlieue dans les années 1980. Les bâtiments, du début du siècle, qui l'abritaient sont aujourd'hui occupés par de petits vendeurs de fruits, de légumes «non traités» et de produits d'artisanat.

COLUMBIA ROAD. Le marché aux fleurs que l'on peut admirer chaque dimanche matin se trouve à proximité de Spitalfields Market. C'est sans doute là qu'il est encore possible d'assister aux interpellations en cockney ● *44* et à quelques échanges en *rhyming slang*, bien vivants. D'ailleurs, contrairement à ce que pourraient laisser croire les bouleversements de ces quartiers et leurs mutations ethniques, le cockney connaît un certain renouveau comme en témoigne le grand succès d'une série télévisée intitulée *Eastenders*, dont les héros évoluent et s'affrontent dans le cadre contemporain d'un quartier pauvre de l'East End.

LA BEAUTÉ DE L'EAST END
«Je ne sais quel pressentiment me fit sortir et marcher vers l'East End où je ne tardai guère à me perdre dans un labyrinthe de rues infectes et d'affreux squares [...]. Et pourtant, si je n'étais entré, j'aurais manqué le plus beau roman de ma vie.»
Oscar Wilde, *Le Portrait de Dorian Gray*

PETTICOAT LANE♥. On trouve de tout sur ce marché étrange de Middlesex Street, qui se tient le dimanche en plein air et ressemble à une sorte de souk oriental. Le nom de Petticoat Lane vient des jupons que commerçants et tailleurs juifs vendaient avec d'autres vêtements neufs ou usagers, vers 1900. Aujourd'hui, des centaines d'éventaires encombrent les rues, attirant les communautés bangladeshi, pakistanaise, indienne ou arabe. Au n° 90 de Whitechapel High Street, le célèbre restaurant casher *Blooms* rappelle l'ancienne tradition juive du quartier. Middlesex Street offre également un vaste choix de magasins et de restaurants, souvent ouverts le dimanche.

SARIS BENGALIS
Ces saris, exposés dans la devanture d'un magasin de Spitalfields, témoignent de l'implantation bangladeshi dans l'East End.

BRICK LANE. Dans cet ancien quartier, on produisait au XVIIIe siècle bière et briques. La brasserie *Truman* située au beau milieu des commerces et des ateliers de

SPITALFIELDS

vêtements de ce qui est devenu le quartier bangladeshi de Londres, est le seul vestige de cette époque. On trouve aujourd'hui, autour de Brick Lane, quelques-uns des meilleurs restaurants indiens de la capitale. Le marché de Brick Lane offre un grand choix de pâtisseries, de poissons, d'épices rares, aux côtés des sempiternels vêtements et, plus surprenant, d'ustensiles ménagers et de publications politiques. Mais, derrière ces couleurs, ces odeurs et le charme exotique, se dissimule la dure réalité des ateliers de confection clandestins. Installés dans des caves et des arrière-cours, ces ateliers font travailler, pour des boutiques européennes, plus de 30 000 membres du Commonwealth (Bangladeshi, Pakistanais ou Indiens) dans des conditions déplorables et à des salaires infimes. Pauvreté et agitation semblent donc perdurer au fil des siècles et former les deux piliers de la vie de ce quartier. Ainsi, eurent lieu, en 1978, des émeutes raciales qui durèrent plusieurs jours, les *Brick Lane Riots*, en réponse aux agressions répétées des militants racistes du National Front contre les communautés immigrées de Brick Lane.

Brune Street. C'est là que se tient une soupe populaire juive, fondée vers 1900, et qui, de nos jours encore, ouvre ses portes une fois par semaine.

Une spécialité cockney. À Bethnal Green, petit parc situé derrière Vallance Road, on peut encore déguster des anguilles gelées, ou *jellied eels*, l'une des plus anciennes traditions culinaires cockney. Les *jellied-eel experts* préparent chaque matin, dans de grandes bassines blanches en émail, les anguilles destinées à être revendues par les marchands de *whelk-and-cockle* (bulots et coques) ou bien les vendeurs de *eel-and-pie* (anguilles et viandes en croûte).

Le quartier des huguenots
On découvre encore dans Fournier Street (en haut) et Elder Street (en bas) les anciennes maisons aux portes ouvragées des tisserands huguenots français. Ces habitations, rénovées pour la plupart, sont à présent très recherchées.

Whitechapel

Situé au cœur de l'East End, aux limites de la City, ce quartier est l'un des plus populaires de Londres. Son nom rappelle les murs de pierres blanches de St Mary Matfelon, l'église construite au XIIIe siècle et devenue, vers 1338, l'église paroissiale de St Mary Whitechapel.

Sur la route de l'Essex. D'Aldgate, Whitechapel High Street est le point de départ de la route qui gagne les terres agricoles de l'Essex. L'importance de cette route, l'extraordinaire trafic de charrettes et de voitures tirées par des bœufs ou des chevaux expliquent la largeur de Whitechapel Road et de Mile End Road : les maisons ont été construites des deux côtés de la route, à distance respectable de la boue, de la bouse et du crottin. Mais que l'on ne s'y trompe pas, derrière

Spitalfields Market
Cette enseigne du marché aux fleurs ne doit pas faire illusion : l'un des plus anciens marchés de Londres vit peut-être ses derniers moments et pourrait, prochainement, être remplacé par un centre commercial.

LA MISÈRE
"La région où s'engageait ma voiture n'était qu'une misère sans fin. Nous roulions devant des milliers de maisons de brique, d'une saleté repoussante, et à chaque rue transversale apparaissaient de longues perspectives de murs et de misère."
Jack London,
Le Peuple de l'abîme
1903-1904

ces larges artères, Whitechapel était un véritable labyrinthe d'allées, de cours, de ruelles sombres.

UNE SINISTRE RÉPUTATION. Whitechapel est, depuis le XVIe siècle, l'un des plus dangereux quartiers de Londres. Haut lieu de l'agitation socialiste et anarchiste, au XIXe siècle, il devint le champ d'action de philanthropes après que Jack l'Éventreur y eut sévi en 1888, fait qui révéla l'ampleur de la pauvreté du quartier.

JACK L'ÉVENTREUR. Whitechapel est indissociable de Jack l'Éventreur. Le 3 août 1888, dans le plus épais des brouillards, au cœur de la fourmilière humaine de l'East End, une prostituée de trente-cinq ans était assassinée et mutilée, dans un escalier de George Yard. Le 8 septembre suivant, la police découvrit le cadavre d'une autre prostituée au 29, Hanbury Street, tuée dans les mêmes conditions. Une peur panique s'empara du quartier quand, dans une lettre envoyée à une agence de presse londonienne, le meurtrier signa ses crimes du sobriquet de Jack l'Éventreur («Jack the Ripper») et en annonça d'autres. Une enquête d'envergure de Scotland Yard, ne donna aucun résultat et n'empêcha pas le meurtre, le 30 septembre, de deux autres prostituées dans les rues de Whitechapel. Le dernier crime attribué à Jack l'Éventreur surpassa tous les autres dans l'horreur. La victime, une jeune et jolie prostituée nommée Mary Jane Kelly, fut découverte le 9 novembre suivant dans Hanbury Street entièrement dépecée. Pourtant, à partir de cette date, les crimes cessèrent brusquement. La police suspendit tout aussi précipitamment ses recherches, sans avoir réussi à identifier «Jack the Ripper»… ce qui ouvrit la porte à toutes sortes d'hypothèses et d'affabulations. Mais ces meurtres, s'inscrivant dans une période où la cohésion sociale britannique était

«JULIA A ÉTÉ TUÉE. STOP. CONTACTEZ ENTREPRISE POMPES FUNÈBRES MOORE LONDRES WHITECHAPEL ROAD POUR DISPOSITIONS À PRENDRE. STOP. REGRETS POUR VOUS DE NOUS TOUS.» LILLIAN HELLMAN

menacée, jouèrent un rôle de révélateur. La bourgeoisie londonienne découvrit qu'au cœur du plus grand empire, près d'un million d'Anglais vivaient dans la misère. Cela provoqua un choc en retour qui entraîna la rénovation du quartier et la mise en œuvre d'une aide sociale à ses habitants.

UNE TRADITION COMMERÇANTE. Whitechapel fut, à partir de 1708, l'un des trois grands marchés au foin de Londres, avec le marché de Smithfield ▲ *177* et Haymarket ▲ *281*. Les besoins de Londres en foin et en paille étaient immenses étant donné la place tenue par le cheval dans la vie londonienne. Chaque mardi, jeudi et samedi, d'énormes voitures chargées de foin arrivaient de l'Essex, du Suffolk, du Hertfordshire. Au début du siècle, le foin arrivait même par trains et camions. De 7 heures du matin au début de l'après-midi, Whitechapel Road et les rues avoisinantes étaient encombrées de charrettes et grouillaient de monde, dans l'odeur de foin. En 1927, ce marché est supprimé ; avec lui disparaît le dernier vestige de la vie rurale dans le centre de Londres. Cependant, certains marchés traditionnels subsistent encore : le WASTE MARKET, né au milieu du XIXe siècle, et, plus au nord le MILE END WASTE.

UN QUARTIER COSMOPOLITE. Whitechapel était également réputé pour son marché juif de viande et ses abattoirs rituels. Leur présence était liée à l'importance de la communauté juive dès le XVIIe siècle ; autour d'elle se développa aussi un important marché de la fripe. Aujourd'hui, Pakistanais et Bangladeshi ont peu à peu remplacé cette population juive, tout en poursuivant la tradition de la confection.

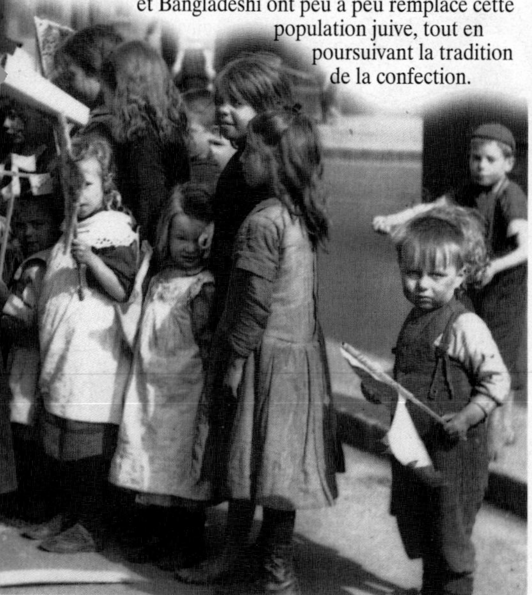

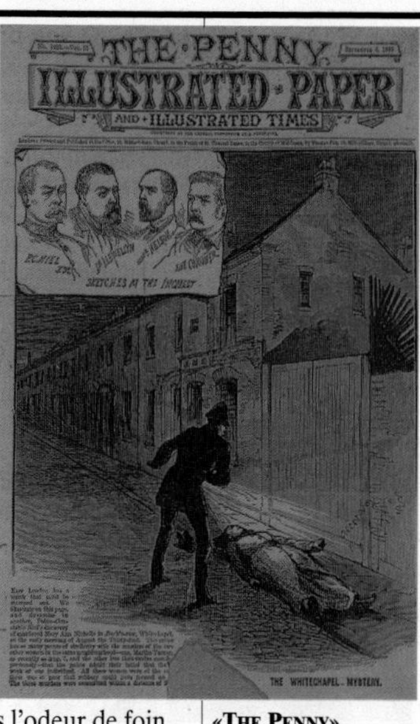
THE PENNY ILLUSTRATED PAPER
AND ILLUSTRATED TIMES

«THE PENNY»
Les articles sur les crimes de Whitechapel, comme ceux du *Penny Illustrated Paper*, créèrent une véritable psychose, non seulement parmi les habitants de l'East End, mais chez tous les Londoniens.

THE PENNY ILLUSTRATED PAPER

QUI EST L'ASSASSIN ?
Trois personnes furent soupçonnées : George Chapman, pendu à Londres en 1902 pour d'autres crimes ; Montague John Druitt, le coupable le plus plausible, qui se suicida en 1889 ; le duc de Clarence, petit-fils de la reine Victoria, dont les alibis restent indubitables.

Dans les bâtiments de l'ancienne Whitechapel Bell Foundry (en haut) se trouve entre autres une collection de diapasons vieux de quatre siècles.

LA RÉNOVATION DU QUARTIER. Des efforts furent entrepris dès le milieu du XIXe siècle, puis surtout après 1888, pour réhabiliter le quartier. Mais, malgré ses constructions modernes et ses nombreux commerces, il conserve son caractère marqué de cité ouvrière du XIXe siècle.

WHITECHAPEL BELL FOUNDRY. La fonderie s'installe en 1738 aux nos 32-34 de Whitechapel Road. C'est là qu'ont été fondues (ou refondues après la Seconde Guerre mondiale) les plus grandes cloches du monde : Big Ben ▲ 128, Liberty Bell, (la première cloche des États-Unis), les cloches de l'abbaye de Westminster, etc. Les bâtiments de la fonderie et la maison du XVIIIe siècle constituent l'un des plus remarquables témoignages de l'architecture pré-industrielle de Londres.

ST DUNSTAN AND ALL SAINTS. L'église est située au sud de Mile End Road. Elle fut probablement fondée sous l'épiscopat de Dunstan, à la fin du Xe siècle. Si sa partie la plus ancienne remonte au XIIIe siècle, l'église d'aujourd'hui a été restaurée au XXe siècle, après l'incendie de 1901 et les bombardements de 1944. L'immense nef et les bas-côtés sont éclairés par des vitraux modernes.

WHITECHAPEL ART GALLERY
Elle présente diverses collections d'art contemporain de haut niveau ainsi que des collections historiques.

WHITECHAPEL ART GALLERY ♥. La galerie fut fondée par un vicaire de St Jude, Canon Samuel Barnett, dont l'intention était «d'introduire le West End dans l'East End». Pour ce faire, Barnett créa en 1884, dans Commercial Street, le TOYNBEE HALL, première université populaire, donc accessible aux ouvriers. De là vint l'idée de la galerie, construite en 1897-1899 aux frais d'un groupe de philanthropes. Puis, dans les années 1890, après avoir organisé plusieurs expositions d'art pour sensibiliser les habitants du quartier aux belles œuvres, il ouvrit la Whitechapel Art Gallery, à l'angle de Commercial Street et de Whitechapel High Street. Ce bâtiment de style Art nouveau, conçu par C. H. Townsend, évoque un petit château avec son porche et ses tourelles d'angle. Des expositions consacrées à l'art d'avant-garde et à des sujets d'intérêts locaux, dont l'exposition annuelle d'octobre, y sont organisées.

IMMEUBLE DANS COMMERCIAL ROAD
Les fenêtres de cette façade sont décorées de fines moulures et surmontées d'un médaillon, le tout en stuc blanc.

LES MARCHÉS DE WHITECHAPEL. Le WASTE MARKET, en face du London Hospital, est né au milieu du XIXe siècle; il offre tous les jours, sauf le dimanche, fruits, légumes, bijoux. Le samedi, l'animation se prolonge plus au nord avec le MILE END WASTE. Une partie du Waste a été aménagée en jardins, où se dresse la statue de William Booth ▲ *311*.

ALDGATE. Cet ancien bourg de Londres avait déjà, dès le XVIIe siècle, une population composée de tailleurs et de couturières. Au n° 47 de Aldgate High Street, dans un bâtiment du XVIIe siècle, se tient l'un des plus anciens et des plus traditionnels pubs de Londres, le *Hoop & Grapes Pub*.

MIDDLETON STREET
Outre ses très nombreux magasins, Middleton Street accueille le célèbre *Tubby Isaacs Sea Food Kiosk*, où l'on peut déguster toutes sortes de poissons et de coquillages.

LE LONG DE LA TAMISE

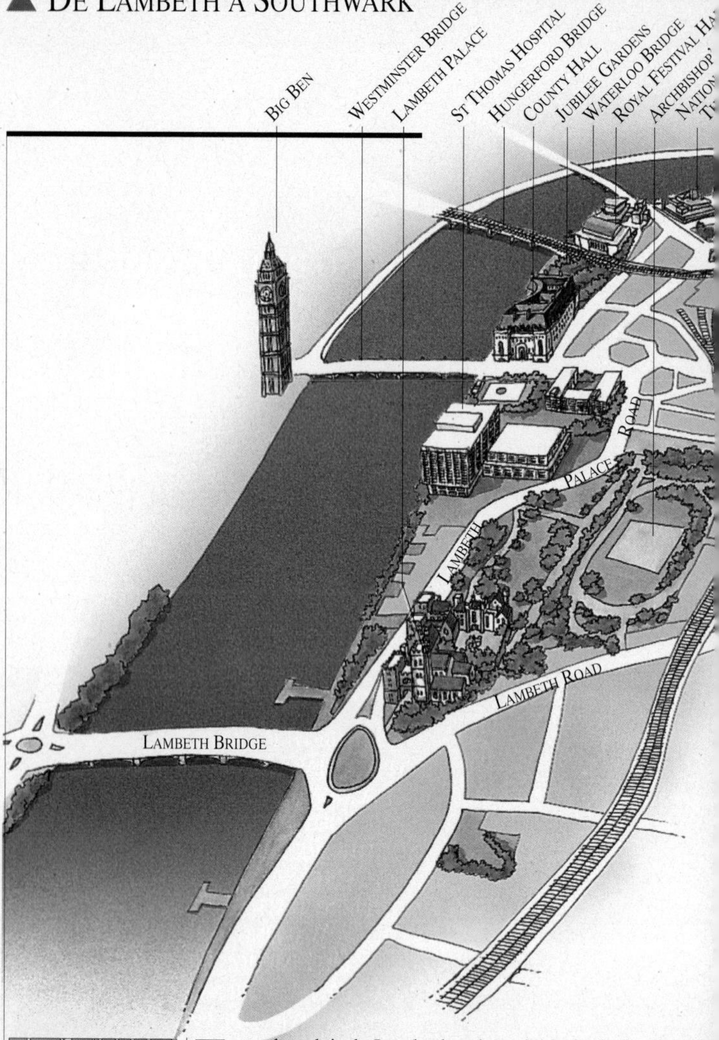

BIG BEN
WESTMINSTER BRIDGE
LAMBETH PALACE
ST THOMAS HOSPITAL
HUNGERFORD BRIDGE
COUNTY HALL
JUBILEE GARDENS
WATERLOO BRIDGE
ROYAL FESTIVAL HA
ARCHBISHOP'
NATION
LAMBETH PALACE ROAD
LAMBETH ROAD
LAMBETH BRIDGE

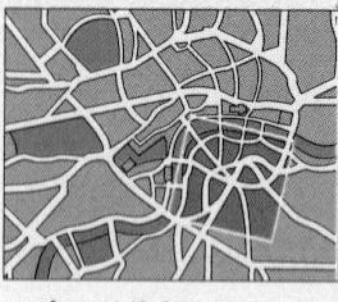

1/2 journée

Entre le palais de Lambeth et la cathédrale de Southwark, la rive sud de la Tamise est longée par une agréable promenade. Ce lieu de détente donne au passant le meilleur point de vue sur la rive opposée, celle de la City, et met en valeur certains bâtiments historiques. Autrefois, cette rive sud

«YACHTS OF THE CUMBERLAND FLEET STARTING AT BLACKFRIARS» Tableau de la fin du XVIIIe siècle. La circulation fluviale prit de l'importance après qu'Henri VIII eut fondé un chantier naval à Deptford, près du palais de Greenwich.

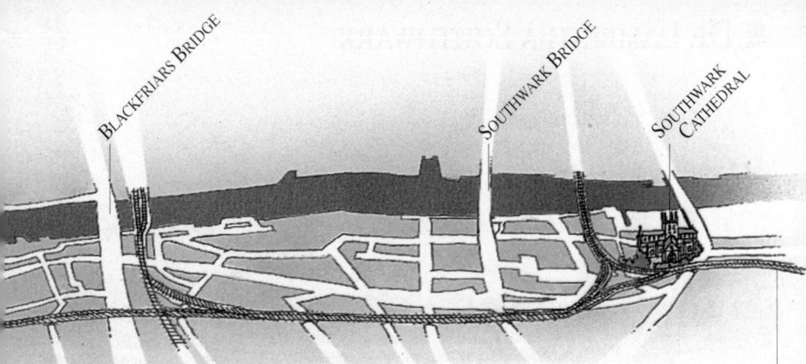

était un immense marécage qui s'étendait jusqu'à Blackfriars et qui porta longtemps le nom de Lambeth Marsh (marécage de Lambeth). Le nom de Lambeth viendrait de la déformation de *loamhithe*, «lieu d'accostage boueux»... D'ailleurs Llyn Din, le nom celte de Londres, signifie «le Fort du lac». Jusqu'au XVIIIe siècle, ce quartier du sud de la Tamise resta composé de marécages avec, ici et là, des champs et des digues. Le principal intérêt de Lambeth est son palais, Lambeth Palace, un des rares vestiges du XIIIe siècle. Jusqu'au siècle dernier, une navette faisait la liaison entre Lambeth Palace et Westminster Palace, sur la rive opposée de la Tamise. Ce bac, appelé *horse ferry*, était le seul autorisé à transporter des carrioles avec leurs chevaux.

ART ET INDUSTRIE. À partir de 1670 se développèrent des manufactures au nord de Lambeth, parmi lesquelles la fabrique de faïence de Doulton, connue pour ses motifs de scènes de chasse. En 1720, Richard Holt mit au point, sur le site de l'actuel County Hall, un minéral artificiel appelé pierre de Coade, d'après le nom de l'entreprise qui reprit le brevet en 1760. Très résistant, il était utilisé pour la sculpture. La Coade Artificial Stone Manufactory ferma en 1840, et la formule de composition de sa pierre disparut.

«LA TERRE»
«Les seuls pays, disait Alfieri, où il vaille la peine de vivre sont l'Italie et l'Angleterre : la première, parce que la nature y revendique ses droits et y triomphe des maux infligés par les gouvernements ; la seconde, parce que l'art y vainc la nature et d'une terre rude et inhospitalière, fait un paradis de bien-être et d'abondance.»
Emerson,
L'Âme anglaise

LAMBETH PALACE ♥

Le palais, construit de 1207 à 1229, est la résidence des archevêques de Canterbury depuis sept siècles et demi. Son architecture porte les marques des modifications apportées par les prélats qui s'y sont succédé.

CRYPTE ET CHAPELLE. La crypte voûtée située sous la chapelle est la plus ancienne partie du bâtiment et date du début du XIIIe siècle. La plupart des archevêques anglais furent sacrés dans la petite chapelle. En 1633, l'archevêque Laud la fit restaurer : il commanda un nouvel autel, des vitraux, une chaire et des stalles. Elle a été presque entièrement refaite après la Seconde Guerre mondiale.

LAMBETH PALACE ET ST MARY'S
Un musée consacré aux paysagistes du XVIIe siècle, John Tradescant et son fils occupe la tour de l'église, du XIVe siècle.

MORTON TOWER. Cette porte massive en brique rouge fut construite pour l'archevêque John Morton à la fin du XVe siècle.

GREAT HALL. Il fut reconstruit en 1663 dans le style gothique par l'archevêque Juxon. Son toit, décoré de pendentifs sculptés, s'élève à une hauteur de 21 m. En 1828, Edward Blore reconstruisit la partie résidentielle et convertit le Grand Hall en bibliothèque, dont le fonds fut constitué à partir du legs qu'avait fait l'archevêque Bancroft en 1610. La bibliothèque compte de merveilleux ouvrages, dont le missel d'Élisabeth Ire et des manuscrits enluminés.

SHELL CENTRE ET COUNTY HALL
La toute-puissance de l'industrie est inscrite dans la silhouette raide de Shell Centre, construit entre 1953 et 1963. L'hôtel de ville (County Hall), reconnaissable de loin grâce à ses toits de tuile rouge italienne, a été construit sur l'emplacement d'une brasserie.

GUARD ROOM. C'est ici que, en 1534, Thomas Cromwell et les lords du Council jugèrent sir Thomas More ▲ *173*, *197*, qui refusait de signer l'Oath of Supremacy (l'Acte de suprématie). Aujourd'hui on peut y voir une remarquable collection de portraits des archevêques depuis 1503 signés Holbein ▲ *290*, Reynolds ▲ *212*, Hogarth ▲ *210*, Van Dyck,..
JUGEMENTS ET RÉVOLTES. En 1378, le réformateur anglais John Wycliffe, accusé d'hérésie et de dépravation, fut jugé dans la chapelle. À plusieurs reprises on attaqua le palais. En 1381, les paysans révoltés, conduits par Wat Tyler ● *35*, le prirent d'assaut et le mirent à sac. LOLLARDS' TOWER, en réalité un château d'eau construit entre 1434 et 1435, porte le nom des partisans de Wycliffe qui auraient été emprisonnés à cet endroit. Pendant la guerre civile ● *36* et le protectorat de Cromwell, de 1646 à 1658, Lambeth Palace servit de prison. Le poète Richard Lovelace y fut enfermé en 1648.

IMPERIAL WAR MUSEUM
Le musée, situé dans Lambeth Road, évoque tous les conflits militaires auxquels ont pris part l'Angleterre et le Commonwealth depuis 1914.

ST THOMAS'S HOSPITAL

Fondé au début du XIIe siècle, l'hôpital Saint-Thomas faisait autrefois partie du prieuré St Mary-Overie à Southwark. Il fut baptisé Saint-Thomas-le-Martyr en mémoire de saint Thomas Becket, canonisé en 1173. Au XIIIe siècle, il fut transféré sur Borough High Street. Lors de la dissolution des couvents, en 1540, Henri VIII, brouillé avec l'Église, fit fermer l'hôpital. Édouard VI le rouvrit en 1551 sous le nom d'Hôpital Saint-Thomas-l'Apôtre. La compagnie ferroviaire de Charing Cross racheta le terrain en 1859 afin d'étendre le réseau ferré, ce qui provoqua un nouveau déménagement de Saint-Thomas, sur Lambeth Palace Road. Le 13 mai 1868, la reine Victoria posa la première pierre et, en 1871, le bâtiment était achevé. Sa structure en pavillons – inspirée de l'hôpital Lariboisière, à Paris – fut réalisée par Henry Currey. Après la Seconde Guerre mondiale, W. Fowler Howitt puis Yorke Rosenberg & Mardall furent chargés de reconstruire entièrement l'hôpital, projet qui dut finalement être abandonné. Il reste trois des sept pavillons et une chapelle décorée de scènes en faïence Doulton.

FLORENCE NIGHTINGALE
Les infirmières de Saint-Thomas sont appelées *nightingales*.

FLORENCE NIGHTINGALE MUSEUM. En 1854, avant de partir pour la Crimée, cette femme au tempérament exceptionnel, qui consacra sa vie à soigner les malades, apporta de nombreux changements dans l'organisation de l'hôpital. Nommée supérieure, elle ouvrit, en 1860, la première école d'infirmières. Les progrès rapides de la science entraînèrent l'ouverture d'une école de médecine en 1871, puis, en 1900, de onze départements spécialisés. Un musée (FLORENCE NIGHTINGALE MUSEUM) dédié à l'œuvre de Florence Nightingale se trouve au sein même de l'hôpital.

ʾOUNTY HALL

ʾhôtel de ville de Londres est une immense bâtisse qui ccupe l'un des endroits les plus beaux de la capitale, près u pont de Westminster d'où il regarde, de l'autre côté e la Tamise, un autre siège du pouvoir : le Parlement. .es fondations débutèrent en 1909, et la construction lle-même démarra en 1922 pour prendre fin en 1963. Ralph ːnott a dessiné le bâtiment central dans le style «Renaissance douardienne» ● *88*. La construction s'ordonne autour e cours intérieures. La façade a été réalisée en pierre e Portland à l'exception de la partie inférieure qui, comme le uai, est en granite. County Hall est constitué d'un bâtiment entral en arc de cercle concave surmonté d'une flèche et rolongé par deux pavillons rectilignes. À gauche, on peut oir un lion sculpté dans la fameuse pierre de Coade (1837), ui ornait l'ancienne brasserie du Lion et qui est devenu emblème du South Bank Centre. Le JUBILEE GARDEN, qui se rouve à côté de County Hall, a été créé en 1977, à l'occasion es vingt-cinq ans de règne d'Élisabeth II. Le County Hall est ide depuis 1986, date à laquelle le Greater London Council été aboli.

ʿOUTHWARK

Depuis l'occupation romaine jusqu'au milieu du XVIIIe siècle, outhwark fut le seul faubourg sur la rive sud de la Tamise. ʾroche de la City, à laquelle il était relié par un pont, il ne lépendait pas en totalité de sa juridiction. En effet, certaines ones appelées *liberties*, qui à l'origine appartenaient à la naison d'un abbé ou d'un prieur, restaient autonomes. Et cette indépendance favorisa l'éclosion de théâtres.

IEU DE PASSAGE. Southwark, principal accès à Londres orsqu'on vient du sud, se fit rapidement connaître pour es nombreuses tavernes et auberges, dont le *Tabard*, point de lépart pour Canterbury des vingt-neuf pèlerins des contes de

LES SCULPTURES DE COUNTY HALL
Les sculptures extérieures, qui surmontent le premier étage, sont signées Ernest Cole et Alfred Hardiman.

LA TAMISE À LAMBETH
Ce tableau de 1706 représente la traversée de la Tamise par le *horse ferry*, la seule navette autorisée à transporter des chevaux. Westminster Bridge fut construit en aval à partir de 1750, mais le bac continua ses allées et venues jusqu'au XIXe siècle.

Dock près de la cathédrale de Southwark
Ce vaisseau trois-mâts, perdu dans ses rêves et dans un décor anachronique, semble attendre le commandant qui l'arrachera à la terre…

Geoffrey Chaucer (1340-1400) en 1383. *Henry VI*, de William Shakespeare, et *Les Aventures de M. Pickwick*, de Charles Dickens, évoquent le *White Hart*. Seul le *George Inn*, construit en 1677 sur l'emplacement d'une auberge, est resté debout.

Théâtres. C'est à Southwark (surtout le quartier de Bankside, qui longe la Tamise) que s'installèrent les premiers théâtres fixes de Londres (après The Theatre et The Curtain, situés au nord de la ville). The Rose Theatre (théâtre de la Rose) fut construit en 1586. Ce bâtiment polygonal fait de bois et de plâtre, en partie couvert d'un toit de chaume, fut détruit vers 1605. Récemment, on en a retrouvé les fondations. Jusqu'en 1603, on y joua les pièces de Marlowe, de Kyd et de Shakespeare. Sur Bankside, il y avait surtout le fameux Globe Theatre (théâtre du Globe) et deux autres endroits de moindre renom, The Swan (théâtre du Cygne) et The Hope (théâtre de l'Espoir).

Globe Theatre et Shakespeare Globe Museum ♥. Shakespeare était à la fois propriétaire et acteur du Globe Theatre. Le nom de ce bâtiment rond, construit en bois en 1598, vient de son enseigne, qui représentait Atlas portant le monde. Au début d'*Henri V*, le chœur l'appelle *'this wooden O*, «ce cercle de bois». En 1613, un canon utilisé lors de la représentation d'*Henri VIII* mit le feu au théâtre et le détruisit. Reconstruit en 1614, il disparut définitivement en 1644. Le Shakespeare Globe Museum, installé dans un entrepôt du XVIIIe siècle, se trouve à quelques pas de l'endroit où s'élevait le Globe Theatre. Des dessins représentant des scènes et des personnages shakespeariens ainsi que des maquettes illustrent l'histoire du théâtre élisabéthain. Aujourd'hui, grâce au Royal Festival Hall, au National Theatre, au Museum of the Moving Image («Momi»), au National Film Theatre, à la Hayward Gallery…, en un mot au South Bank Arts Centre, le «South Bank» a perpétué cette vieille tradition. L'aménagement de ce quartier est amorcé en 1951 à l'occasion du Festival of Britain avec, en premier lieu, la construction du Royal Festival Hall (1951). Conçue par Robert Matthew et Leslie Martin, modifiée en 1962 par T. P. Bennet, la salle accueille jusqu'à trois mille personnes. En 1968 s'achevait la construction du Queen Elizabeth Hall, de Purcell Room et de Hayward Gallery (qui organise des expositions d'art). Rattaché au National Film Theatre (transféré là en 1958) se trouve, toujours sur les quais, le National Theatre (1977). Enfin, le musée du Cinéma, le «Momi», est situé un peu plus loin.

Le premier Southwark Bridge
Il y eut un premier pont, construit entre 1814 et 1819, formé de trois arches métalliques qui s'appuyaient sur une pile centrale. Dickens le mentionne dans *La Petite Dorrit*. L'architecte sir Ernest George fit construire le pont actuel, composé de cinq travées d'acier, entre 1912 et 1921.

SOUTHWARK CATHEDRAL ♥

En 1106, des moines augustiniens de la congrégation de Sainte-Marie-Overie élevèrent une église romane. Le prieuré, qui brûla en 1212, fut remplacé par une structure gothique. Après la Réforme, l'édifice devint l'église paroissiale de Saint-Saviour et fut déclaré cathédrale en 1905. La nef a été refaite au XIXe siècle par A. W. Blomfield. À l'intérieur, on peut voir l'effigie en chêne d'un chevalier (1275) et celle de John Gower, poète et ami de Geoffrey Chaucer. Le collatéral sud abrite un monument à Shakespeare (1912) dû à Henry McCarthy. Au-dessus, des vitraux signés Christopher Webb illustrent sa dramaturgie. Non loin de la cathédrale se trouve l'Operating Theatre of Old St Thomas's Hospital, ancien amphithéâtre (1821), qui a été restauré.

SOUTHWARK CATHEDRAL ET PICKFORD'S WHARF
Ici l'ancien et le moderne cohabitent. Cette promiscuité fragilise la silhouette du plus bel édifice de la rive sud, la cathédrale.

WINCHESTER HOUSE
Ce palais abrita les évêques de Winchester de 1109, année de sa construction, jusqu'en 1642, quand le Parlement supprima l'évêché. Il servit alors de prison pour les royalistes et, peu à peu, tomba en ruine. En 1814, un incendie mit en évidence la gigantesque rosace du XIVe siècle.

SOUTHWARK CATHEDRAL ET LONDON BRIDGE
Le quartier est mouvementé, car les banlieusards qui travaillent dans la City font la navette entre la la gare de London Bridge et leur bureau.

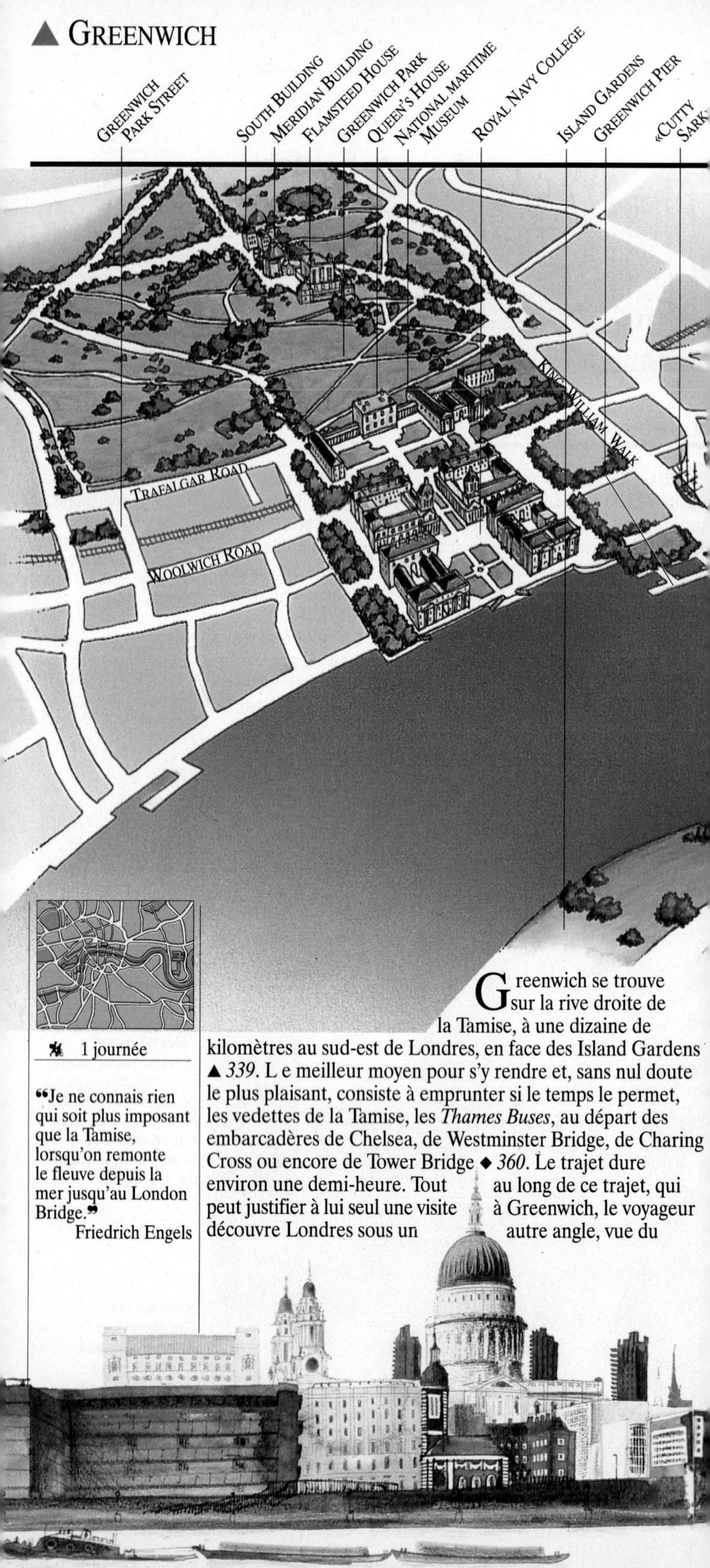

1 journée

“Je ne connais rien qui soit plus imposant que la Tamise, lorsqu'on remonte le fleuve depuis la mer jusqu'au London Bridge.”
Friedrich Engels

Greenwich se trouve sur la rive droite de la Tamise, à une dizaine de kilomètres au sud-est de Londres, en face des Island Gardens ▲ *339*. L e meilleur moyen pour s'y rendre et, sans nul doute le plus plaisant, consiste à emprunter si le temps le permet, les vedettes de la Tamise, les *Thames Buses*, au départ des embarcadères de Chelsea, de Westminster Bridge, de Charing Cross ou encore de Tower Bridge ◆ *360*. Le trajet dure environ une demi-heure. Tout au long de ce trajet, qui peut justifier à lui seul une visite à Greenwich, le voyageur découvre Londres sous un autre angle, vue du

«DANS LES BAS-FONDS DE LA TAMISE
ON PEUT ENTENDRE LES SIRÈNES
ELLES ONT TOUJOURS LEURS VOIX D'ENFANT»

JACQUES PRÉVERT

fleuve. Sur la rive sud défilent les façades des anciens entrepôts qui entourent la silhouette délicate de la cathédrale de Southwark ▲ *323* tandis que, sur la rive nord, la City ▲ *146* déroule un ruban de fins clochers de part et d'autre du dôme de Saint-Paul ▲ *171* émergeant entre les buildings. Puis, c'est la traversée des docklands ▲ *330*, jusqu'à la boucle de l'Ile des Chiens ▲ *336*.

«LE FERRY» EN 1784
Ce tableau illustre l'importance de la Tamise comme artère traditionnelle de communication de la capitale londonienne.

GREENWICH

Si ce village évoque avant tout le méridien qui l'a rendu célèbre et la référence universelle de son horaire (G.M.T. : Greenwich Mean Time), il demeure le site imposant et monumental où se dresse l'ensemble de Queen's House, du Royal Naval Hospital (désormais Royal Navy College), fleuron de l'architecture anglaise mêlant les noms d'Inigo Jones ▲ *274* et de sir Christopher Wren ▲ *171*. Enfin, Greenwich est devenu très rapidement un des lieux de prédilection des souverains anglais. Aujourd'hui encore, les yachts royaux y ont conservé leur poste d'amarrage.

HISTOIRE. À l'origine, Greenwich était un village peuplé de pêcheurs en raison de la proximité de la mer. Un premier château est érigé, en 1428, par le duc de Gloucester et porte le nom de «Bella Court». La première évolution du palais a lieu quelques années plus tard quand, en 1433, Henri VI décide de transformer 200 acres de terre en un parc digne du lieu. C'est à Greenwich que naît Henri VIII. Durant son règne, le château est transformé en palais, le parc agrandi, et l'Armurerie royale créée. Les productions de cette dernière rivaliseront rapidement avec celles des ateliers de Milan ou de Nuremberg. Nombre des enfants d'Henri VIII naîtront à Greenwich et c'est là également qu'auront lieu ses cinquièmes noces avec Anne de Clèves. En 1616, Jacques Ier décide de faire construire une résidence d'été dans le parc du château pour son épouse, Anne de Danemark. Il fait alors appel à l'architecte Inigo

“À partir de Greenwich, le fleuve n'est plus qu'une rue large d'un mille et davantage, où montent et descendent les navires entre deux files de bâtisses, interminables files d'un rouge sombre, en brique et en tuile, bordées de grands pieux fichés dans la vase pour amarrer les navires, qui viennent là se vider et s'emplir.”

H. Taine

Jones (1573-1652) ▲ *274*, qui signera là son chef-d'œuvre. Les travaux, interrompus en 1619, à la mort de la reine, reprendront quelques années plus tard sous Charles Ier. Son successeur, Charles II, fait démolir le vieux palais Tudor et charge le gendre d'Inigo Jones, John Webb, de la construction d'un nouveau palais. Mais il faut attendre 1694 pour que Guillaume d'Orange et la reine Marie relancent le projet, qui sera confié à Wren ▲ *171,* assisté de Hawksmoor ▲ *312,* et ne sera définitivement achevé qu'au XIXe siècle.

VISITE DU VILLAGE. Éclipsé par l'imposante stature du National Maritime Museum et du Royal Navy College, Greenwich réserve quelques bonnes surprises, on y découvre, en effet, de très belles maisons en brique, du XVIIe et du XVIIIe siècle, construites dans le plus pur style georgien, surtout dans la superbe rue appelée CROOM'S HILL, qui monte en forte pente. Dans le centre de Greenwich, on peut apercevoir de charmantes façades Regency, décorées de stuc.

ST ALFEGE. Cette église doit son nom à l'archevêque de Canterbury, Alphège, qui fut pris en otage par les Danois en 1012, puis exécuté à Greenwich après avoir refusé de monnayer sa liberté. C'est à cet endroit que le roi Henri VIII fut baptisé, le 28 juin 1491. L'église actuelle n'est pas le bâtiment d'origine. Elle fut édifiée en 1714 par le spécialiste des églises de l'époque, Hawksmoor. Le clocher surélevé est dû à John James (1730). À l'intérieur, les peintures murales, réalisées par James Thornhill ▲ *173* et les boiseries ont souffert pendant la Seconde Guerre mondiale.

FLAMSTEED HOUSE ET L'OBSERVATOIRE DE GREENWICH
Ce tableau donne une vue générale de la colline où furent construits, en 1675, les bâtiments du Nouvel Observatoire royal, destiné à l'astronome John Flamsteed.

LES QUAIS DE GREENWICH
Ce tableau de John O'Connor (1850-1889) reflète ce mélange de charme riverain et de caractère monumental que l'on rencontre à Greenwich.

«Greenwich Hospital, vu de la Tamise» Dans ce tableau de William Lionel Wyllie (1851-1931), on reconnaît, à l'arrière-plan, l'architecture imposante de Greenwich.

Le «Cutty Sark». Il s'agit là d'un des plus beaux et des plus rapides clippers ● *60* qui aient jamais été construits. Sa rapidité lui permettait de transporter des cargaisons précieuses et périssables comme les récoltes fraîches des thés de Chine. Ce navire fut lancé en 1869 des chantiers navals de Dumbarton, en Écosse. Mais, la concurrence du canal de Suez, ouvert la même année, lui porta un coup décisif. Il fut vendu à une compagnie portugaise en 1895, puis racheté par The Cutty-Sark Preservation Society en 1954, date à laquelle il fut ramené et mis en cale sèche à Greenwich. Il est aujourd'hui transformé en un petit musée naval qui permet d'apprécier la vie à bord des grands voiliers du XIXe siècle. À proximité, un petit ketch, également en cale sèche, mérite une visite. Il s'agit du *Gipsy Moth IV*, sur lequel sir Francis Chichester fit le tour du monde en solitaire, de 1966 à 1967. Il avait alors soixante-cinq ans.

«Cutty Sark» Un poème écossais de Robert Burnes – «Tam O'Shanter» – inspira le nom du *Cutty Sark*, qui signifie «chemise courte» comme celle dont sa figure de proue est revêtue.

Old Royal Observatory ou Flamsteed House ♥. Il doit sa célébrité au méridien de Greenwich. Celui-ci, adopté comme méridien zéro lors d'une réunion internationale d'astronomes à Washington, en 1884, devint alors l'axe de temps universel à partir duquel les méridiens de l'est et de l'ouest devaient être mesurés. C'est le roi Charles II qui fit édifier l'Observatoire, en 1675, à l'intention de son astronome John Flamsteed (1646-1719). L'architecte Christopher Wren en réalisa la construction «pour l'habitation de l'observateur et un peu pour la pompe». L'intérieur du bâtiment sert aujourd'hui de musée, car tout l'Observatoire a, depuis, été transféré dans le Sussex. Le tracé du méridien est indiqué sur le sol de la cour. Divers instruments d'observation, rappelant les difficiles étapes de l'astronomie, sont exposés à l'intérieur. Tous les jours, à 13 heures, une boule tombe du sommet de l'une des petites coupoles surmontant l'édifice. Elle indique l'heure moyenne permettant de définir l'heure exacte sur les 24 fuseaux horaires du globe. Si cette tradition se poursuit encore de nos jours, les moyens d'établir scientifiquement l'heure tiennent aujourd'hui d'une tout autre précision. De la terrasse de Flamsteed House, le panorama sur Londres est splendide.

Royal Naval Hospital. L'ancien hôpital réservé aux invalides de la marine se dresse sur les bords de la Tamise. L'ensemble comprend quatre bâtiments symétriques par rapport à un axe traversant une cour centrale, et dont la perspective des colonnades permet de voir l'arrière de Queen's House. La partie nord-est du bâtiment, destinée à être un palais pour Charles II, fut construite par John Webb entre 1662 and 1669 et servit de modèle pour tout le reste. Wren ▲ *171, 174* et Hawksmoor ▲ *312* conçurent la partie sud, qui abrite la pièce la plus remarquable de l'ensemble, The Painted Hall, dont les murs et le plafond somptueusement décorés par Thornhill chantent la gloire de Guillaume d'Orange et de la reine Marie. La pièce correspondante, à l'est, the Chapel, fut reconstruite après un incendie, entre 1779 et 1789, par l'architecte James

Plafond du Royal Navy College L'élément le plus remarquable du Royal Navy College en est le Painted Hall, l'ancien réfectoire des élèves et des cadres de l'école. Doté d'un plafond baroque, richement orné de scènes allégoriques à la gloire de la dynastie de Guillaume d'Orange, il est l'œuvre, exécutée entre 1708 et 1727, du peintre James Thornhill.

«Athenian» Stuart (1713-1788), créant un intérieur néo-classique d'un grand raffinement. En 1873, les bâtiments abandonnés furent affectés à l'École supérieure d'officiers de la marine.

QUEEN'S HOUSE. Le roi Jacques Ier décida, en 1616, de faire construire une résidence d'été pour la reine. Il en confia la réalisation à l'architecte Inigo Jones ▲ *274*, qui jusqu'alors ne s'était illustré que par des décors de théâtre et de fêtes somptueuses. Queen's House est conçue en pavillon double, enjambant la route de Londres à Rochester : les membres de la Cour devaient pouvoir facilement traverser la route afin d'accéder au parc Royal situé sur les collines. Achevé en 1637, ce «palais blanc», d'une sobre élégance, est la première construction d'inspiration palladienne en Grande-Bretagne. Son architecture rappelle celle des villas vénitiennes, avec un escalier à double volée côté cour, une loggia côté jardin, un toit en terrasse bordé de balustrades, le tout richement décoré par la collection de marbres du roi Charles Ier. La restauration dont il fit l'objet, il y a quelques années, a su lui redonner son aspect d'origine.

NATIONAL MARITIME MUSEUM. Ce musée fut aménagé, au XIXe siècle, dans Queen's House et dans les pavillons attenants. C'est l'un des plus prestigieux musées de Marine du monde. Il retrace l'histoire navale de la Grande-Bretagne grâce à de précieux souvenirs de grandes batailles navales, de nombreux documents, une riche collection de peintures ainsi que de superbes maquettes. Les salles de Queen's House sont ornées de nombreuses marines i-contre, à gauche) ainsi que de portraits de la famille royale ı de personnalités de l'époque. L'aile ouest (West Wing) ·ésente essentiellement l'histoire de la marine à voile. .usieurs salles sont consacrées à l'histoire navale de Angleterre, en particulier aux guerres de la Grande lliance (1689-1697) et de la Succession d'Espagne (1701-'14). Des objets liés aux techniques de navigation de :poque – cartes maritimes, mappemondes, chronomètres, c. – sont également exposés. Deux salles attirent plus ırticulièrement l'attention : celle rappelant s explorations du capitaine Cook et celle concernant les ctoires navales de l'amiral Nelson. L'aile est (East Wing) ›ursuit également un itinéraire historique. Elle retrace ·volution de la navigation, en commencant par la marine voile et s'arrêtant à la marine à vapeur. L'Arctic Gallery est ›nsacrée aux expéditions polaires du début du XXe siècle.

REENWICH PARK. C'est un ancien parc de chasse, situé ›rrière le musée. Ses longues allées, comme ses massifs :ométriques, ont été dessinées sous le règne de Charles II ır Le Nôtre, l'architecte paysagiste de Versailles, qui n'est ›urtant jamais venu sur place. On peut encore y admirer des ıâtaigniers tricentenaires, ainsi qu'une sculpture en bronze : Henry Moore ▲ *223*. La vue sur Londres et Tamise du haut de Greenwich Hill mérite ıe ascension.

L'AMIRAL NELSON
Horatio Nelson ▲ *236* (1758-1805) est l'une des gloires de la Grande-Bretagne. Il contrecarra les plans de Napoléon en remportant sur les Français deux victoires navales décisives, à Aboukir, en 1798, et à Trafalgar, en 1805, où il trouva la mort.

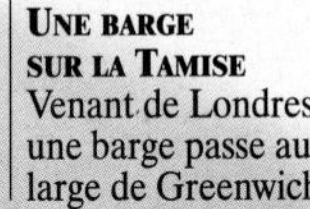

UNE BARGE SUR LA TAMISE
Venant de Londres, une barge passe au large de Greenwich.

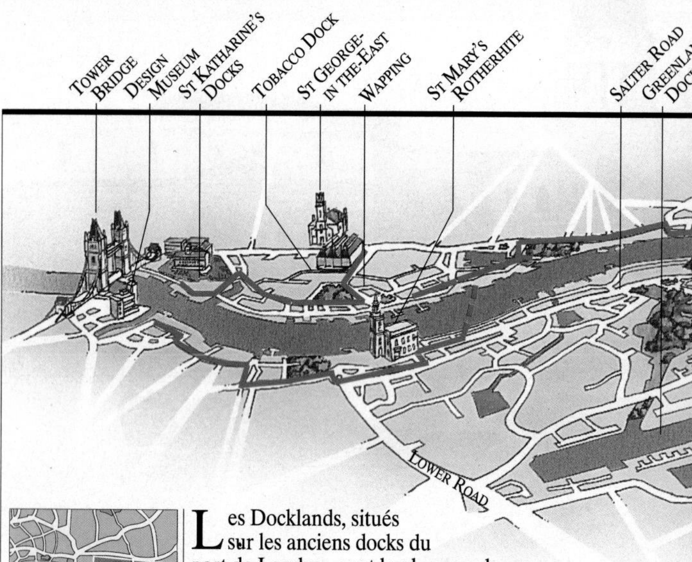

1 journée

«WEST INDIA DOCK» Les lois de 1799 et 1800 autorisent la West India Company à construire dans l'Ile des Chiens, deux bassins et un canal d'un peu plus d'un kilomètre qui coupe en deux le méandre du fleuve. Cette vue d'est en ouest de l'île des Chiens depuis Blackwall fut peinte en 1802 par William Daniell. C'est à cet endroit que se dresse aujourd'hui le Canary Wharf.

Les Docklands, situés sur les anciens docks du port de Londres, sont le plus grand chantier urbain européen de la fin du XXe siècle, en panne aujourd'hui. La naissance d'un nouvel espace, chargé de transformer l'image de cette partie de l'agglomération, est prévue sur ces 15 km^2 qui symbolisèren le triomphe commercial et industriel de la Grande-Bretagne et de son Empire. Avec la restructuration de l'ancien port d Londres disparaissent cent cinquante ans d'histoire dont se quelques vestiges demeureront, intégrés dans un nouveau paysage urbain fortement américanisé.

HISTOIRE

Dès le XVIIIe siècle, les anciens équipements portuaires de Londres ne répondaient plus à la croissance de la ville et à l'essor du commerce : le port est saturé, les navires doiven attendre de plus en plus longtemps et la nature saisonnière trafic aggrave la situation. Il y a certes des docks sur la Tamis ceux de Blackwall, construits vers 1660, et les Howland Gre West Docks, noyau des futurs Surrey Docks, créés en 1696 à Rotherhithe, sur la rive sud. Mais ils servent uniquement à l'entretien des navires. À la fin du siècle, cet état de chose était dramatique : chaque année, 10 000 caboteurs,

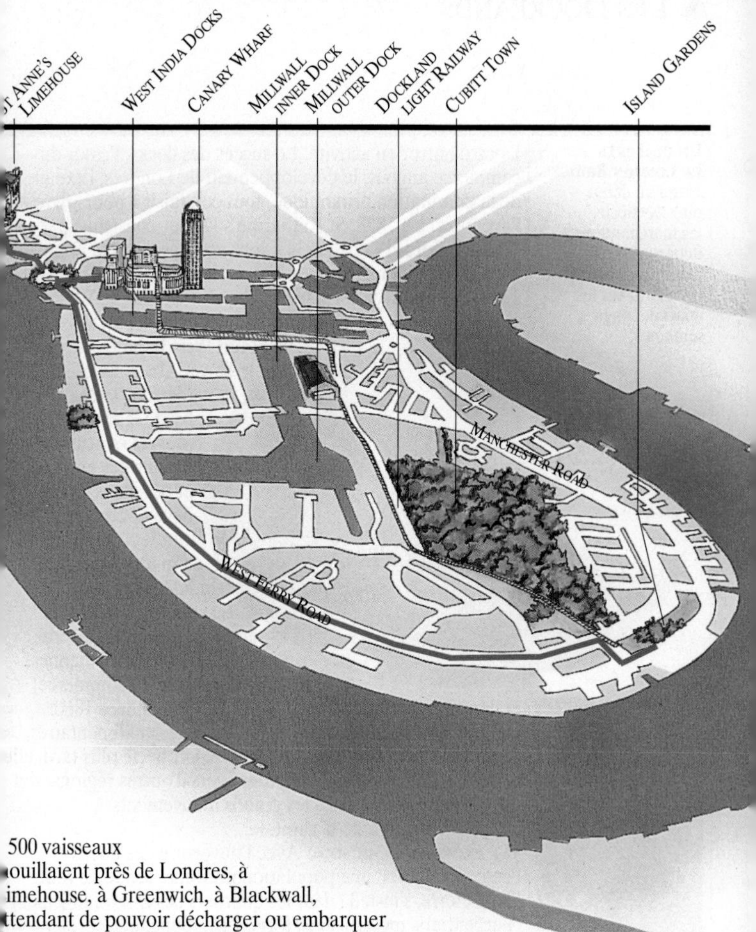

St Anne's Limehouse
West India Docks
Canary Wharf
Millwall Inner Dock
Millwall Outer Dock
Dockland Light Railway
Cubitt Town
Island Gardens
Manchester Road
West Ferry Road

500 vaisseaux ouillaient près de Londres, à imehouse, à Greenwich, à Blackwall, ttendant de pouvoir décharger ou embarquer harbon, bois, blé, laine. L'allongement des délais entretenait hausse des prix. Durant tout le XVIIIe siècle, les critiques es marchands ne cessèrent de s'amplifier. Et, en 1793, la oute-puissante West India Company menaça d'aller s'installer illeurs si des équipements nouveaux n'étaient pas construits.

ES PREMIERS DOCKS. La situation se débloqua brusquement partir de 1799. Le West-India Dock fut inauguré en 1802 Wapping, suivi, en 1805, du London Dock. Œuvre de D. A. Alexander et de John Rennie, le London Dock comprenait de multiples bassins pouvant accueillir plus de trois cents navires. Au milieu du XIXe siècle, il y entrait environ deux mille navires par an. Dans les entrepôts étaient stockés les produits tropicaux et, dans les salles voûtées, au-dessous du niveau des quais, le vin et le brandy. L'entrepôt des tabacs, affermé par le gouvernement (Queen's Warehouse), se trouvait sur l'un des quais. L'East India Dock fut mis en service en 1806 à Blackwall puis, en 1812, ce fut au tour du Regent's Canal

PUBS SUR LES DOCKS
De St Katharine à Bermondsey, l'itinéraire est jalonné de pubs chargés d'histoire. Ainsi, dans Wapping, on peut s'arrêter au *Town of Ramsgate*, où étaient enfermés les condamnés attendant leur embarquement pour l'Australie.

Un quai près de London Bridge Jusqu'au début du XIXe siècle, les marchandises débarquées des bateaux pouvaient demeurer sur les quais de longues semaines.

Dock d'entrer en activité. Le succès des docks, l'essor du commerce anglais, le développement de Londres, l'expansio de la domination britannique, tout conduisit à poursuivre l'aventure. En 1828, St Katharine's Docks, construits par Thomas Telford (1757-1834), sont achevés. Sous le règne de Victoria s'édifièrent successivement le Poplar Dock, en 1852, à l'est, le Royal Victoria Dock, en 1855, au sud, le West India Dock et Millwall Dock, en 1868, le South West India Dock, en 187 le Royal Albert Dock, en 188 complété en 1921 par le King George V Dock.

Nouvelles activités. Autour des entrepôts et des quais se développèrent durant tout le XIXe siècle de multiples activités industrielles. La construction navale en fut la principale, accrue par les guerres napoléoniennes, puis par l'expansion du commerce, et demeura florissante jusqu'au milieu des années 1860. Les industries métallurgiques, mécaniques et alimentaires connurent aussi une forte croissance. Un siècle plus tard, elle étaient en faillite, ayant soit migré vers d'autres régions, soit disparu, entraînées dans les grands mouvements de restructuration de la capitale.

«Le peuple de l'abîme». Avec l'ouverture des docks et l'essor industriel, une population nouvelle, venue de toute l'Angleterre, s'installa dans les quartiers des Docks. Ingénieur charpentiers, mécaniciens, forgerons, tonneliers, cordiers, arrimeurs, bateliers, éclusiers, marchands, ouvriers qualifiés ou non, arrivèrent avec leurs familles pour travailler sur les nouveaux chantiers, dans les nouvelles entreprises et sur les docks. Une société très composite s'y était formée au milieu du XIXe siècle où les plus pauvres, à la recherche d'un emplo voisinaient avec des gens aisés, à la recherche d'investissemen rentables. À partir des années 1870, patrons et classes moyennes quittèrent les quartiers des docks pour d'autres plu résidentiels. Ceux qui restèrent, dockers ou autres ouvriers, formèrent alors une communauté plus homogène, et le quartier devint le lieu d'ancrage : vie familiale, travail, école, loisirs se déroulaient dans un périmètre restreint où prédominaient les rapports de solidarité.

Isambard Kingdom Brunel (1806-1859) Fils de Marc Brunel (1769-1849), le créateur du Thames Tunnel, cet ingénieur conçut le *Great Eastern*, construit à Millwall et lancé en 1858. C'était, à l'époque, le plus grand paquebot du monde.

La perte de vitesse. La moitié des entrepôts furent touché par les bombardements, durant la Seconde Guerre mondiale en particulier les Docks de la West India Company et ceux de St Katharine. Ils furent activement reconstruits dans les années 1950, mais l'agrandissement des navires entraîna un glissement progressif des docks vers l'estuaire aux dépens des bassins les plus proches de la Cité. Les grands bénéficiaires en furent les Tilbury Docks, à 40 km de la Cité.

La reconversion. La fin des années 1960 marqua le début de la fermeture des docks, puis de leur réhabilitation en logements qui, commencée dès 1969 dans St Katharine's Docks, toucha l'ensemble des docks, sur les deux rives. Mais c'est en 1981, année de la fermeture des Royal Docks, que fu

«LONDINIUM ÉTAIT CÉLÈBRE POUR SON COMMERCE ET GROUILLAIT DE MARCHANDS»

CASSIODORE

elancé, par la London Docklands Development Corporation LDDC), le projet titanesque de reconversion des Docklands. Cette opération, de très grande envergure, s'est concrétisée u cœur de l'île des Chiens, avec Canary Wharf, gigantesque our prévue pour accueillir de nombreux bureaux. Ce lissement vers l'est du centre économique de Londres a ntraîné d'importants transferts d'activités. Ainsi les grands rganes de presse ont quitté Fleet Street et migré vers es Docklands : *The Times* à Wapping, *The Financial Times* Blackwall, *The Daily Telegraph* et *The Guardian* dans

VUE DES DOCKS EN 1964
Les docks commencent après Tower Bridge ; à gauche, St Katharine's Docks et London Dock à Wapping ; à droite, dans la boucle de la Tamise, Surrey Docks.

IVORY HOUSE SUR ST KATHARINE'S DOCKS
L'ingénieur Thomas Telford et l'architecte Philip Hardwick firent une grande innovation à la création de St Katharine's Docks, en 1828. Les entrepôts, énormes constructions de brique et de fer – pour éviter les risques d'incendie –, furent installés au bord des bassins, afin de permettre aux grues de décharger les navires et de stocker les marchandises dans les entrepôts en une seule manœuvre.

ENTRÉE DES DOCKS DE WAPPING

Millwall, *The Daily Mail* dans Rotherhithe. Au début des années 1990, les résidents des docklands étaient déjà au nombre de 65 000, et près de 70 000 salariés venaient y travailler chaque jour. Cependant, cet essor fantastique a été en partie stoppé par la récession qui a frappé la Grande-Bretagne. Nombre de bureaux et de logements restent vides, et le projet de Canary Wharf est en panne, faute d'argent. L'objectif de 110 000 résidents et de 200 000 salariés pour l'an 2000 semble aujourd'hui hors de portée.

DE ST KATHARINE'S À WAPPING ♥

ST KATHARINE'S DOCKS ♥ ● *78.* L'opération menée à St Katharine, en 1826, pour permettre la construction des docks, fut spectaculaire : tout un quartier, dont l'origine remontait au Moyen Âge, fut rasé et 1 250 maisons furent détruites. Le vieil hôpital et l'église St Katharine ▲ *258*, fondés en 1148 près de la Tour de Londres ▲ *182* par la reine Mathilde, en mémoire de ses deux fils morts en bas âge, figurent au nombre des disparitions à déplorer. Plus de 11 000 personnes vivant autour de la fondation royale et qui n'étaient ni propriétaires ni locataires, furent expulsés sans indemnité lors de cette démolition, malgré un vaste mouvement de protestation. Les autorités justifièrent l'opération au nom de l'assainissement des quartiers insalubres. Le Chapître de l'église obtint, lui, des compensations de la nouvelle Compagnie des Docks de St Katharine et reçut des terres à Regent's Park pour la construction de maisons, d'une école et d'une église. Cette dernière, depuis la Première Guerre mondiale, est devenue la principale église danoise de Londres. St Katharine's Docks, premier complexe à être désaffecté en 1969, a été transformé en un ensemble associant loisirs et affaires. Des bureaux, un grand hôtel, le Tower Thistle, diverses boutiques d'artisanat traditionnel ont été construits ainsi qu'un centre de commerce international, le WORLD TRADE CENTRE. THE IVORY HOUSE, entrepôt pour l'ivoire bâti en brique et fer, en 1854, a été aménagé en appartements. Un ancien entrepôt en bois, de trois étages, abrite le célèbre pub *Dickens' Inn*.

THE HISTORIC SHIP COLLECTION. L'un des bassins, transformé en marina, peut accueillir une centaine de yachts. Un autre, le bassin oriental, abrite le musée maritime des Vieux Gréements, ouvert en 1979. Une série d'anciens navires y est présentée parmi lesquels *Challenge*, un remorqueur à vapeur, *Nore*, un bateau-phare de 1931, *Cambria,* un navire de commerce à voiles de 1906. Le *H.M.S. Discovery* (qui signifie Her Majesty's Ship Discovery), vaisseau de la Marine royale, a été transformé en Musée maritime. C'est un trois-mâts mixte, à voiles et

«VOUS DÉCOUVREZ UNE PRODIGIEUSE ALLÉE DE MÂTS [...], UN INEXTRICABLE FOUILLIS D'AGRÈS, D'ÉPARS, DE CORDAGES, À FAIRE HONTE [...], AUX LIANES LES PLUS CHEVELUES D'UNE FORÊT VIERGE D'AMÉRIQUE.» THÉOPHILE GAUTIER

ı vapeur, construit en 1910, à Dundee, :n Écosse, et utilisé par le capitaine Robert Falcon Scott lors de la première xpédition polaire dans l'Antarctique, ui eut lieu de 1901 à 1904.

WAPPING. Voisin de St Katharine's Docks, Wapping avait une sinistre éputation : ses anciennes potences de ustice et la pauvreté de sa population ivalisaient avec les pires rues de Whitechapel. Jules Vallès trouvait ourtant, dans *La Rue à Londres*, en 876 ● *108*, que «le Wapping, avec ses rostituées est moins lamentable à voir ue les quartiers où sont seulement es pauvres et point les dépravées». Aujourd'hui, le secteur a été artiellement rénové, ce dont se plaint Claude Roy, en 1986, dans *Londres* : «Les vieilles marches de l'embarcadère le Wapping, où il y a deux cents ans des nilliers de sans-travail attendaient es paquebots pour soutirer un shilling aux passagers, étaient vermoulues lors de ma dernière visite. Elles ont disparu ujourd'hui.»

TOBACCO DOCK
L'ancien dock des tabacs abrite actuellement une galerie commerciale. De beaux trois-mâts que l'on peut visiter mouillent toujours le long des quais.

TOBACCO DOCK ● *78*. Le centre commercial de Tobacco Dock, ıne fois achevés les travaux sur The Highway, sera deux fois lus grand que celui de Covent Garden. Quelques bâtiments, conservés et restaurés, montrent encore ce que fut l'architecture les anciens entrepôts londoniens. Tel est le cas de SKIN FLOOR, sur The Highway, à l'angle de Wapping Lane. Il s'agit le halles soutenues par des structures métalliques, comportant es quatre acres de salles aux voûtes en brique, en arête ou en berceau, abritant désormais des boutiques et des cafés.

ST GEORGE-IN-THE-EAST. Cette église, située au nord le Tobacco Dock, dans Cannon Street Road, a été construite :n 1714-1729 par Nicolas Hawksmoor ▲ *311*, grâce à la axe, établie en 1711, sur le charbon. C'est l'une des églises voulues par la reine Anne ▲ *311*, qui n'entendait pas aisser sans direction spirituelle les quartiers ouvriers es plus pauvres de Londres. Si l'extérieur de St George et sa haute tour en pierre de Portland n'ont subi aucune ransformation, l'intérieur, détruit en 1941, a été rénové en 1960. La nef abrite maintenant une chapelle moderne.

WAPPING HIGH STREET. Elle offre un très bel alignement le maisons du XVIIIe siècle et d'entrepôts, et héberge a Metropolitan Special Constabulary. C'est le nom donné à la police fluviale de Londres qui fut créée en 1798. Sur Wapping Wall se tient le *Prospect of Whitby* (ci-contre). C'est le plus ancien pub situé en bordure de la Tamise, dont l'origine remonte à 1520. Autrefois repaire de contrebandiers et de voleurs, ce pub fut fréquenté, en leurs temps, par l'écrivain Samuel Pepys ● *40* et le peintre Joseph Turner ● *94*, ▲ *214, 216*, qui venaient y observer la vie du fleuve de la terrasse.

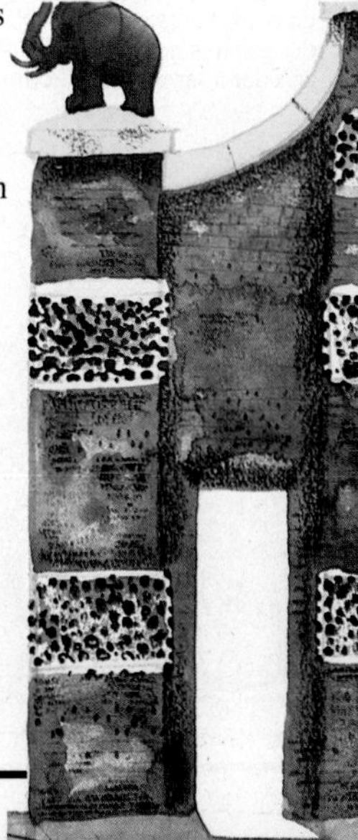

L'ENTRÉE DES DOCKS DE ST KATHARINE

DE LIMEHOUSE À L'ÎLE DES CHIENS

ÉGLISE DE HAWKSMOOR
Le cimetière entourant St Anne Limehouse (ci-dessus) lui confère une étrange atmosphère.

"...C'est là que l'on construit, que l'on radoube, que l'on remise cette innombrable armée de navires qui vont chercher les richesses du monde, pour les verser ensuite dans ce gouffre sans fond de misère et de luxe que l'on nomme Londres."
Théophile Gautier, *Caprices et Zig-Zag*

«QUEENHITHE»
Queenhithe est un des rares docks en amont de London Bridge ; seuls de petits bateaux et des gabares pouvaient accéder à ses quais.

LIMEHOUSE. En gagnant Limehouse, le quartier des docks où l'on débarquait le charbon au XVIIIe siècle, on découvre dans Commercial Road ▲ *312* St Anne, autre église construite par Hawksmoor ▲ *312*. Édifiée entre 1714 et 1730, dans un quartier de taudis, cette église à haute flèche est un monument typique du baroque protestant d'où les courbes sont quasi absentes. Dans Limehouse Reach, le pub *The Grapes* était apprécié par Charles Dickens ● *106*, qui le fait apparaître dans le premier chapitre de *Notre Ami commun*, en 1865.

POPLAR. La commune s'est développée grâce à l'ouverture des docks et des chantiers navals, passant de cinq cents habitants, en 1801, à 55 000, en 1881. Là vivaient, côte à côte, ouvriers hautement qualifiés et sous-prolétariat. Poplar joua un rôle pionnier dans l'essor du socialisme, sous la conduite d'hommes comme George Lansbury, qui dirigea le Labour Party, de 1931 à 1935, au moment où, en pleine dépression, Poplar était la commune la plus pauvre de Londres.

ST MATTHIAS'S CHURCH. Construite en 1654 dans Poplar Street, c'est l'une des plus vieilles constructions des Docklands. Chapelle privée de la Compagnie des Indes orientales, elle fut reconstruite en 1776, puis entièrement refaite, au milieu du XIXe siècle, en pierre de Kent. St Matthias's Church, fermée en 1977, a été endommagée par des vandales et l'intérieur ne se visite plus.

ISLE OF DOGS ♥. L'île des Chiens (en particulier Millwall et Cubitt Town) fut, au XIXe siècle, le bastion de la construction navale, à voiles puis à vapeur. Là s'installèrent les plus grands constructeurs. Au milieu des années 1860, Thomas Wright

décrivait l'île des Chiens comme le plus grand foyer de construction navale sur la Tamise : «Il y a plus d'une douzaine d'établissements. Parmi eux, les gigantesques Millwall Iron Works, qui emploient environ 4 000 hommes et enfants.» L'évolution de la population de l'île des Chiens atteste ce mouvement : presque déserte au début du XIXe siècle, elle abritait moins de 5 000 personnes en 1858, et plus de 21 000 de 1901 à 1939. En 1857, les chantiers Russell, installés au sud-ouest de la presqu'île, lancèrent le *Great Eastern*, conçu par Isambard Kingdom Brunel, qui était cinq fois plus grand que tout autre vapeur en service dans le monde.

LE CHANTIER ACTUEL. Depuis le milieu des années 1980, l'île des Chiens est à nouveau à la pointe de l'évolution des Docklands, au cœur de leur restructuration : les forêts de grues ne servent plus au déchargement des navires, mais à l'immense chantier où tous les matériaux sont employés pour la construction des complexes de bureaux et de résidences de luxe. L'ensemble, curieusement coloré, n'offre aucune unité architecturale. Si quelques-uns des plus beaux entrepôts ont malgré tout été conservés, les nouvelles constructions font voisiner les structures étagées en ziggourat avec les bâtiments de verre et d'acier ou encore les ensembles de bureaux en forme de paquebot. Quant aux plans d'eau, ils ont tous été aménagés en marina. Ce changement de décor s'accompagne d'une transformation des emplois. En effet, les nouvelles professions sont liées à la finance et aux entreprises de presse et inaccessibles aux anciens ouvriers et dockers trop peu qualifiés dont les emplois ont disparu. Faute de pouvoir se reconvertir sur place et n'ayant pas la possibilité d'acheter un appartement, l'ancien docker a dû partir, cédant la place au jeune yuppie en mesure, lui, de faire face à la flambée des prix née de l'intense spéculation engendrée par le libéralisme du gouvernement qui livra les Docklands aux promoteurs.

WEST INDIA DOCK
Deux de ses vastes entrepôts, reconstruits en 1824-1825, sont les seuls vestiges de l'âge des Docks.

«L'ILE DES CHIENS»

“Le fleuve sue
Le mazout et la poix
Les gabares dérivent
Avec le flot changeant
Leurs voiles rouges
Déployées sous le vent
Tournent de-ci de-là
(...)
Les gabares
repoussent
Des rondins
Vers le bras de
Greenwich, par-delà
l'île aux Chiens.”

T. S. Eliot,
The Waste Land
(1921-1922)

THE THAMES TUNNEL Il fut construit en 1843 par un émigré français, l'ingénieur Marc Brunel (1769-1849), et fut le premier tunnel pédestre creusé sous l'eau au monde. Il est long de 460 m.

BILLINGSGATE MARKET. Ce marché aux poissons qui a quitté Lower Thames Street, dans la City, est installé depuis janvier 1982 au nord de l'île des Chiens, sur le quai nord du West India Quay. Billingsgate Market a occupé un entrepôt moderne, converti en halle et équipé d'immenses chambres frigorifiques.

CANARY WHARF. Pour découvrir les nouveaux ensembles des Docklands, il faut se promener le long du Canary Wharf et gagner à pied Heron Quays par Westferry Road. Là, on découvre la plus haute tour d'Angleterre, conçue par l'Américain Cesar Pelli, de New Haven, qui a signé aussi le World Finance Center de Manhattan. La longue jetée est structurée par un axe qui conduit à Westferry Circus. Un immense centre commercial devrait, dans un avenir plus ou moins proche, voir le jour le long de galeries et colonnades. Si le lieu d'ancrage de ce futur centre londonien est l'île des Chiens, l'opération choc est la «Cité des affaires et de la finance» de Canary Wharf. L'opération, financée par le groupe nord-américain Olympia & York, devait porter sur un million de mètres carrés de bureaux, créer trois tours et offrir 55 000 emplois. Une partie des opérations a été menée à son terme, mais la récente faillite d'Olympia & York a gelé une fois de plus les opérations en cours. En contrepoint de cette effervescence financière et urbaine, il est plaisant de constater que les anciens bassins servent toujours à accueillir bateaux de plaisance et antiques navires marchands, aujourd'hui transformés en restaurants.

LA TOUR DE CANARY WHARF Ce complexe ne provoque pas l'enthousiasme des Londoniens. Ainsi, le prince Charles pouvait-il déclarer, en 1988 : «Les nouveaux Docklands des années 1980 sont le triomphe de l'opportunisme commercial au détriment des valeurs civiques. De trop nombreuses constructions médiocres et un train qui siérait à une ville miniature représentent une bien faible contribution à la reconstruction de la capitale.»

DOCKLANDS LIGHT RAILWAY. Ce train aérien, entièrement commandé par ordinateur, a été conçu spécialement pour mettre la City à quelques minutes seulement du cœur des Docklands. Il dessert toute la zone en traversant l'île des Chiens, depuis le sud de la presqu'île jusqu'à la Tour de Londres. Mais, loin de remplir ses promesses, ce train futuriste s'est avéré très vite incapable de transporter le flot des voyageurs.

MUDCHUTE PARK. Il est agréable de descendre à Mudchute Park avant d'atteindre Island Gardens, et d'aller visiter la ferme, ouverte en 1977 par Ted Johns. On y découvre avec stupéfaction une véritable colonie de vaches,

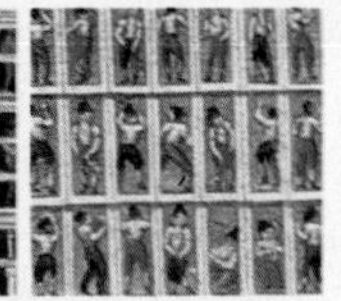

de cochons, de volailles et de poneys, ainsi qu'un lama. Un centre équestre y a été installé.

Island Gardens. De ce petit parc, au sud de l'île des Chiens, une belle perspective se dégage sur Greenwich et le Royal Naval Hospital (ci-dessous à gauche). Pour y accéder, il suffit d'emprunter le tunnel pédestre, creusé sous la Tamise en 1897-1902, le Greenwich Footway Tunnel.

La rive sud

D'Island Gardens, il est possible de gagner la rive sud et Rotherhithe en empruntant le tunnel sous la Tamise puis un autobus, ou encore une vedette. La rive sud de la Tamise n'a pas été épargnée par la mutation urbaine des Docklands : c'est ainsi que, dans les années 1980, est née London Bridge City, implantée entre London Bridge et Tower Bridge.

Surrey Docks. Ce sont les seuls docks qui étaient situés sur la rive sud ; ils couvraient près de 140 ha. Les premiers établissements des Surrey Docks, remontant à 1807, avaient le monopole du commerce des bois nordiques et traitaient également la pâte à papier et les grains. En 1864, les divers docks de la rive sud, face à la concurrence du cabotage et du rail fusionnent, à l'instar des autres compagnies de la rive nord, pour former la *Surrey Commercial Docks Company*. Les Surrey Docks furent déclassés en 1970. Depuis 1981, ils ont fait l'objet d'un profond aménagement, les transformant en un secteur commercial et récréatif.

Rotherhithe ♥. C'est de cet ancien petit port que le *Mayflower* partit, en 1620. Il avait à son bord les 102 premiers colons anglais, dont 41 puritains, qui fondèrent Plymouth, en Nouvelle-Angleterre. Le Howland Great Wet Dock, noyau des futurs Surrey Docks, fut créé en 1696 à Rotherhithe et servait uniquement à l'entretien des navires.

Surrey Docks Farm. Le long parcours de Rotherhithe à Bermondsey implique de prendre l'autobus et de s'arrêter d'abord à Surrey Docks Farm, créée en 1975, et qui ne fournit que les produits d'une agriculture biologique.

The Lavender Pond Nature Park a été créé en 1980-1981, à l'emplacement de St Saviour's Dock.

St Mary's Rotherhithe
L'église (ci-dessous à gauche) fut reconstruite en 1714. Sa tour, élevée en 1747, est l'œuvre de Lancelot Dowbiggin. À proximité de l'église se trouvent d'anciens entrepôts aménagés en appartements (ci-dessous à droite).

«Mayflower Pub»
Construit en 1550, le pub (en bas) prit il y a une vingtaine d'années le nom du navire qui mouilla au quai voisin avant d'emporter à son bord les premiers pèlerins en Amérique. L'auberge a le privilège de vendre des timbres américains.

«THE STEELYARD»
Ce tableau de 1811, peint par George Shepherd, rappelle les anciennes activités des docks.

LONDRES MÉCONNAISSABLE
Le peintre tchèque Oskar Kokoschka (1886-1980) n'aimait pas les mutations du Londres qu'il peignait si bien. «Si le visage de Londres est actuellement en train de changer, écrivait-il en 1972, au point de ne plus être reconnaissable, la faute en est non seulement aux deux guerres mondiales mais encore et surtout aux spéculateurs et aux constructeurs. À cause d'eux, les Londoniens seront bientôt entièrement dissociés de la croissance organique de leur métropole.»

BERMONDSEY. Deux vieux entrepôts victoriens, à la limite de Bermondsey et de Southwark, dans Tooley Street, construits en 1857 par Cubitt et rénovés depuis, abritent les commerces de la Hay's Galleria sous une voûte de verre et d'acier en berceau qui rappelle l'architecture du Crystal Palace. Au sud, autour de Bermondsey Square, se trouve BERMONDSEY MARKET, un secteur d'antiquités intéressant. Le pub *The Angel*, ouvert au XVe siècle par les moines de Bermondsey, est un ancien repaire de brigands fréquenté autrefois par l'écrivain Samuel Pepys (1633-1703) et le célèbre navigateur James Cook (1728-1779).

TOOLEY STREET. Le nom de la rue est en fait une déformation de «St Olav». De riches bourgeois vivaient dans Tooley Street au XIIIe siècle et au XIVe siècle. Des prélats y installèrent leur résidence londonienne, tels les abbés du prieuré de Saint Augustin de Canterbury. En 1560, fut fondée la Grammar School de St Olav, dont l'un des gouverneurs fut Robert Harvard, le père du fondateur de l'illustre université américaine. Au XIXe siècle, entre Tooley Street et la Tamise, une zone d'entrepôts, dont Butlers Wharf, fut construite. ST OLAVE'S HOUSE, remarquable bâtiment Art déco, fut élevé en 1831 sur le site de l'ancienne église. Aujourd'hui, Tooley Street est l'une des artères principales de London Bridge City.

SHAD THAMES ● *78*. Une vaste opération de rénovation a été menée dans cette zone : les vieux entrepôts ont été réhabilités, des façades sauvegardées, tandis que des constructions nouvelles y sont intégrées. D'où un étrange mélange d'architecture contemporaine et d'architecture industrielle du XIXe siècle, abritant lofts, restaurants, magasins et centres d'art contemporain.

DESIGN MUSEUM ♥. C'est entre Shad Thames et la Tamise qu'en juillet 1989 a été ouvert, par le styliste Conran, le premier musée mondial du Design (ci-dessus). Outre ses collections permanentes présentées de façon didactique, notamment une collection d'art mobilier allant du classicisme au postmodernisme, il abrite des expositions temporaires.

BRANAM TEA AND COFFEE MUSEUM. À côté du Design Museum vient d'ouvrir le Branam Tea and Coffee Museum qui retrace l'histoire des deux grands commerces londoniens et présente une collection d'objets liés au thé et au café ● *60*.

Tower Bridge vu des docks.

ÉCHAPPÉES

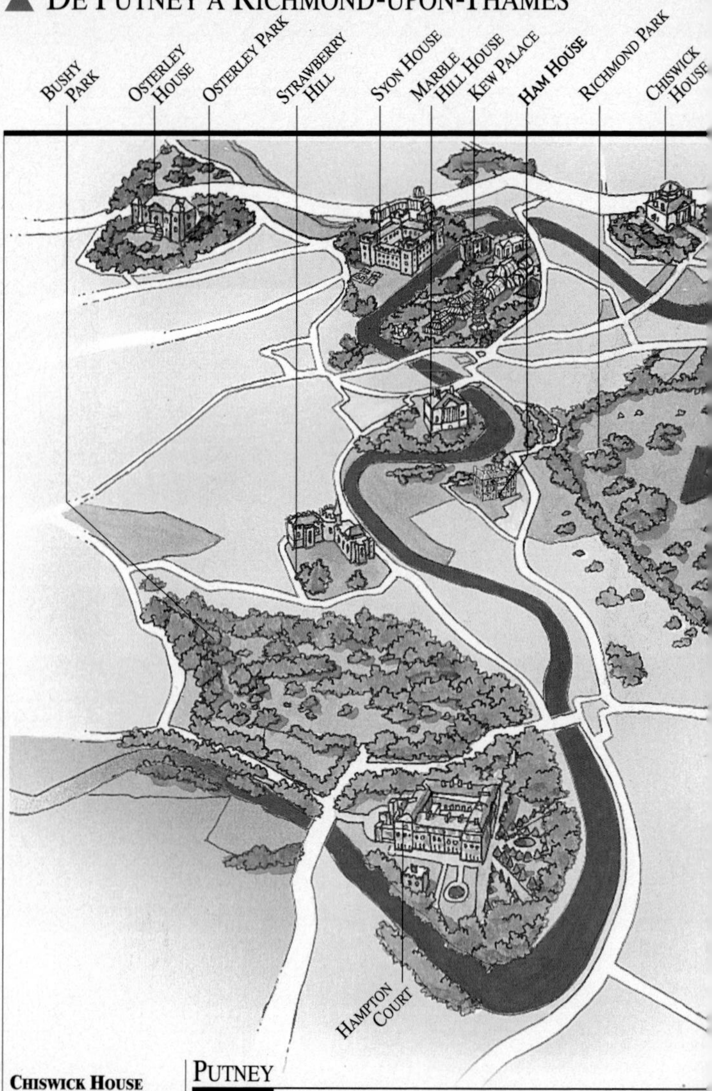

CHISWICK HOUSE
Le corps de bâtiment fut modifié en 1768 par l'architecte James Wyatt, qui fit ajouter l'aile droite. Au pied de son escalier monumental, on peut admirer des statues réalisées par Palladio et Inigo Jones.

PUTNEY

Lors des guerres civiles ● *36*, en 1647, Oliver Cromwell réun son conseil de guerre dans ce village. Aujourd'hui, Putney es un faubourg agréable situé le long de la rive droite de la Tamise et constitué de maisons victoriennes et édouardienne **PUTNEY BRIDGE.** Ce pont, reliant Putney à Fulham, est aussi le point de départ de la fameuse Boat Race : chaque année, en mars, cette course d'aviron oppose, entre Putney Bridge e Mortlake, sur 7 km environ, huit rameurs de l'université de Cambridge à huit autres de celle d'Oxford. La première cours eut lieu le 10 juin 1829, à Henley. Il n'y eut qu'un seul match nul entre les deux universités, en 1877. En 1912, les deux embarcations ayant chaviré, la course fut interrompue et un second départ fut donné.

FULHAM

Ce faubourg, situé sur la rive gauche de la Tamise, était considéré, au XIXe siècle, comme le «verger et le jardin potager du nord du fleuve». À partir du XIXe siècle, Fulham

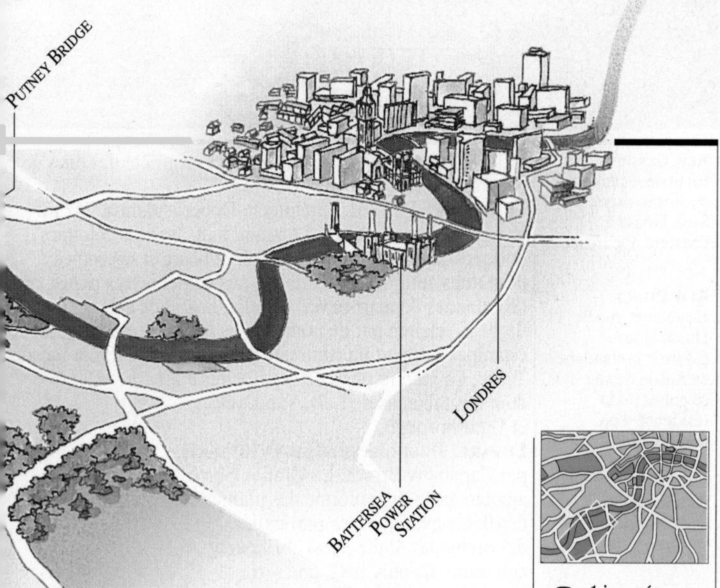

1 journée

devint un quartier ouvrier avant de se transformer, dans les années 1970, en une banlieue résidentielle.

ALL SAINTS CHURCH. Cette église possède une belle tour du XIVe siècle. L'intérieur abrite des tombeaux intéressants, pour la plupart du XVIIIe siècle. À l'extérieur, dans ce qu'on appelle CHURCHYARD, se trouvent d'autres monuments funéraires datant surtout des XVIIIe et XIXe siècles, perpétuant la mémoire des évêques qui y sont enterrés.

BISHOP'S PARK. Ce parc situé le long de la Tamise dépendait, du XVIIe siècle à 1868, de Fulham Palace, qui fut la résidence estivale des évêques de Londres de 704 jusqu'à 1973.

CHISWICK

HOGARTH'S HOUSE. En 1749, le peintre William Hogarth ● *210*, 292 acheta à Chiswick une petite maison qu'il aimait appeler «ma petite boîte au bord de la Tamise». Elle abrite aujourd'hui une importante collection d'œuvres graphiques.

CHISWICK HOUSE. Cette élégante demeure fut construite en 1727-1729 par le troisième comte de Burlington, qui en fit les plans en s'inspirant de villas qu'il avait pu admirer lors de ses voyages en Italie : la Rotonda de Palladio à Vicence, et la Rocca Pisana de Scamozzi. La décoration intérieure du bâtiment fut confiée à William Kent (1685-1748), disciple d'Inigo Jones ▲ *273*, *326*, comme Burlington. Des gravures se rapportant à la villa sont exposées au rez-de-chaussée. À l'étage, les magnifiques salons vert et rouge encadrent la pièce centrale octogonale, dont le plafond forme une coupole.

SYON HOUSE ♥

Situé sur la rive gauche de la Tamise, au milieu d'un vaste parc, le domaine appartenait, à l'origine, à un couvent. Offerte au duc de Somerset en

LA GRANDE GALERIE DE SYON HOUSE
Cette superbe enfilade impressionne par ses dimensions : 40,60 m de long sur 4,20 m de large. Elle est décorée de tableaux de paysages peints par Zuccarelli et une partie de son mobilier est l'œuvre de Robert Adam.

Kew Gardens
En arrière-plan des jardins se dresse Syon House à l'austère apparence.

1534, Syon House est, depuis 1604, la propriété des ducs de Northumberland.

Le manoir. En 1761, l'architecte Robert Adam ▲ *267* fut chargé de le moderniser. Le grand hall, avec ses colonnes doriques, ses dalles de marbre noir et blanc et ses copies de statues antiques, le vestibule, aux couleurs très riches, orné de colonnes de marbre vert d'Italie, la grande galerie, longue de 40 m, éclairée par de nombreuses fenêtres, et le cabinet des estampes forment un contraste marqué avec la sévère façade Tudor. Le manoir possède des œuvres d'art dont des tableaux de Lely, Van Dyck et Gainsborough.

Le parc. Il fut redessiné au XVIIIe siècle par Capability Brown. La Grande Serre, ajoutée en 1830, renferme des plantes et des fleurs exotiques, en particulier des orchidées. L'aile ouest abrite un aquarium. Depuis 1981, une serre tropicale, la London Butterfly House, permet d'observer des papillons vivants. Enfin, la roseraie compte plus de quatre cents variétés de roses.

Royal Botanic Gardens, Kew ♥

Face à Syon, sur l'autre rive de la Tamise, les jardins botaniques de Kew, célèbres dans le monde entier, s'étendent sur le terrain de trois anciennes propriétés, dont une seule subsiste aujourd'hui : Kew Palace. Ils doivent leur caractère unique à cette origine, puisqu'ils sont à la fois un parc orné de fabriques du XVIIIe siècle et l'un des plus vastes et des plus riches jardins botaniques. En outre, leur existence est liée à la passion qu'entretinrent certains membres de la famillle des Hanovre pour la botanique.

Une princesse herboriste. Augusta, princesse douairière de Galles, aimait «herboriser» et consacra à partir de 1759 une partie de son domaine de Kew à un petit jardin botanique. Puis, elle engagea William Aiton comme chef jardinier et fit appel à Sir William Chambers ● *37* ▲ *269* pour construire les bâtiments les jardins, dont l'Orangerie et la saisissante Pagode

Kew Palace
Également appelé Dutch House (Maison hollandaise) en raison de son style, ce palais fut la résidence d'été favorite du roi George III et de la reine Charlotte qui y menaient une existence simple.

La pagode
Malheureusement, elle a perdu depuis longtemps ses éléments décoratifs, dragons et tuiles peintes.

«Ce n'est pas faire preuve d'originalité bouleversante que d'admirer Kew Gardens. […]
La richesse végétale y est incomparable et exceptionnelle ; cela se voit, se sent....»

Paul Morand,
Le Grand Incendie de Londres

chinoise octogonale à dix étages (ci-dessous). A la mort de la Princesse douairière en 1772, son fils George III et sa belle-fille la Reine Charlotte rattachèrent le domaine avoisinant de Richmond à Kew. Ils encouragèrent le naturaliste Sir Joseph Banks à superviser le jardin botanique, et lui de son côté encouragea les collectionneurs à rechercher des plantes intéressantes sur toute la surface du globe. Ce fut Capability Brown qui, à la demande de George III, dirigea la conception du paysage.

Résidence estivale de la famille royale. Le roi et la reine passaient les étés à la Maison Blanche de Kew. Leurs treize enfants, accompagnés de leurs tuteurs et gouvernantes étaient logés dans des maisons tout autour, dont certaines sur la pelouse de Kew. La «maison hollandaise» ou palais de Kew, construite en 1631 par un marchand d'origine hollandaise, fut tout d'abord une annexe de la Maison Blanche, puis une des résidences favorites du Roi et de la Reine, lorsque la Maison Blanche fut détruite en 1802. Le jardin de la Reine, à l'arrière est maintenant planté à la manière du XVIIe siècle, de tulipes, de charmes, de lavande et de bergamote.

Queen Charlotte's Cottage. La reine Charlotte prenait souvent le thé dans son cottage situé dans les anciens jardins de Richmond. En 1805, dans la «salle du pique-nique» située à l'étage, la Princesse Elisabeth dessina une fresque décorative où volubilis, capucines et bambous s'enlacent sur un fond de feuilles vertes. La reine Victoria conserva ce cottage et les quelques hectares boisés environnants jusqu'en 1897, date à laquelle elle en fit don au public pour la commémoration de son jubilé de Diamant.

L'essor du jardin botanique. Il se développa en surface à partir de 1840 lorsque l'État en fit l'acquisition. Sir William Hooker fut le premier directeur nommé en 1841. En 1847, il établit les musées et sections d'Economie Botanique et en 1852 l'Herbier et la Bibliothèque. Son fils Joseph lui succéda et ouvrit le Laboratoire Jodrell en 1876.. Alors que le Jardin Botanique de la princesse douairière occupait 3,5 hectares, le jardin actuel en occupe 121, et la collection compte plus de 30 000 variétés de plantes. Ainsi, on peut faire le tour du monde à travers les plantes de Kew Gardens. Malheureusement la grande tempête de 1987 provoqua d'importants dégâts, détruisant un dixième des arbres.

Visite des jardins. Une visite des Jardins de Kew doit commencer par les portes principales en fer forgé, œuvre de Decimus Burton, datant de 1845. Le lion et la licorne qui les ornaient à l'origine ont été déplacés pour orner une grille latérale. Quelques uns des arbres qui bordent le Broad Walk, dont une fougère capillaire, datent du Jardin Botanique de la princesse douairière de Galles. On peut tout d'abord aller voir l'Orangerie de Chambers, puis au bord de la rivière, le palais de Kew. Le Vallon des Rhododendrons avec ses chênes, partie du projet de paysage de «Capability Brown», fut creusé par une compagnie de la Staffordshire Militia en 1773.

Le «petit Trianon» de la princesse Charlotte
C'est dans cette petite maison au toit de chaume, contruite vers 1772, que la reine Charlotte aimait venir pique-niquer. Des gravures de Hogarth ▲ 210 encadrées ornent les murs de la salle d'imprimerie en-dessous.

La pagode chinoise
Édifiée sans autre but que celui d'être admirée, elle fit même naître un certain engouement pour l'architecture chinoise : il semble qu'elle ait inspiré la pagode de Chanteloup, du duc de Choiseul, construite à la même époque près d'Amboise.

Les chemins herbeux passent le long du Lac artificiel et, à travers la pinède, mènent à un superbe point de vue sur l'autre rive de la Tamise, sur Isleworth et Syon. En quittant la berge, prendre chemin à travers les bois du Jubilé, au-delà du cottage, puis, avant de se perdre dans la série de magnifiques serres, visiter la galerie Marianne North. Ouverte en 1882, cette galerie recèle 832 tableaux de plantes, insectes et paysages exotiques, réalisés par miss North, lors des périples qu'elle effectua à travers le monde de 1871 à 1885 (Canada, Jamaïque, Brésil, Japon, Inde, Singapour, Indonésie, Australie et Nouvelle-Zélande) accompagnée de sa boîte de couleurs.

THE PALM HOUSE. Cette serre des Palmiers (ci-contre, en haut) émerveilla le public victorien , avec son architecture en fer forgé et son incomparable collection de plantes exotiques provenant du monde tropical. Caoutchoucs, bananiers et une incroyable variété de palmiers y sont encore cultivés, de même que des spécimens rares comme les cycads menacées d'extinction dans leur habitat naturel. Cette serre vit le jour entre 1844 et 1848, grâce à la collaboration de Decimus Burton ▲ *246*, *257* et de l'ingénieur Richard Turner, lequel réalisa également la Waterlily House voisine. Derrière la serre se trouvent les roseraies à la française.

THE PALM HOUSE POND. Situé juste devant la serre, il est doté d'une fontaine orné d'une statue d'Hercule et Achelous datant de 1826, qui le soir devient un perchoir de prédilection pour les hérons pêcheurs.

THE TEMPERATE HOUSE. Elle est la plus grande et la plus spectaculaire des serres de Kew. Dernière œuvre majeure de Decimus Burton, elle fut construite par étapes entre 1860 et 1899. Les plantes y sont classées par sections géographiques. L'aile nord abrite des plantes d'Asie, et l'octogone nord des plantes de Nouvelle-Zélande et

TEMPERATE HOUSE
Elle renferme des plantes des régions subtropicales du monde, parmi lesquelles un palmier chilien, issu de graines récoltées au Chili en 1846, qui menace sérieusement d'atteindre le plafond.

PALM HOUSE
Cette immense serre de verre est la plus ancienne palmeraie. Elle fut conçue par Decimus Burton et Richard Turner, en 1844, dans des dimensions impressionnantes : 110 m de long sur 30 m de large. Haute de 20 m, elle abrite une forêt tropicale miniature où prospèrent bananiers, gingembres et palmiers. De nombreuses espèces de plantes tropicales sont cultivées dans cette serre chauffée en permanence à 26 °C.

les îles pacifiques, l'octogone sud des bruyères d'Afrique lu Sud, l'aire centrale est une véritable forêt, que l'on ıppréciera mieux en montant vers les hauteurs 'ertigineuses des galeries de Burton.

OLLY WALK. Au nord de la Temperate, House se trouvent e ravissant Holly Walk, le Vallon Berberis et le temple du Roi William, dans lequel sont inscrits les noms des victoires nilitaires britanniques -curieusement d'ailleurs car William IV était connu sous le nom de "Roi Marin". Le mât ¡ui s'y trouve, réalisé en une seule pièce de sapin Douglas, est une donation de la British Columbia Loggers Association.

THE WATERLILY HOUSE. Au nord, la serre aux nénuphars, certainement la plus embuée de toutes, fut construite à l'origine en 1852 pour abriter le nénuphar d'Amazonie géant, qui maintenant continue de pousser dans le Conservatoire de la Princesse de Galles. On y trouve à présent le papyrus, le lotus sacré, ainsi que des curiosités appartenant à la famille des ucurbitacées, qui grimpent le long des parois intérieures.

'RINCESS OF WALES CONSERVATORY. Le Conservatoire le la princesse de Galles fut inauguré en 1987. Il utilise es dernières technologie en matière de serres, technologies ¡ui étudient la manière d'abriter sous le même toit les plantes provenant de climats différents.

)RDER BEDS. À côté du jardin aquatique et de la pelouse, e trouvent les «parterres ordonnés» où les étudiants, depuis 'époque de Sir Joseph Hooker, apprennent la taxonomie, ›u comment identifier, classifier et comprendre les plantes.

SIR JOSEPH BANKS BUILDING. Cette serre ouverte en 1990, st recouverte de terre et conserve ainsi l'énergie. L'intérieur omme l'extérieur du bâtiment sont consacrés à une pectaculaire démonstration de l'interdépendance le l'homme et de la flore, que les scientifiques et botanistes de Kew travaillent à promouvoir.

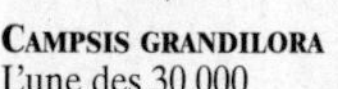

CAMPSIS GRANDILORA
L'une des 30 000 plantes conservées dans les jardins de Kew.

INTÉRIEUR DE LA TEMPERATE HOUSE
Cette serre est particulièrement visitée en hiver, à cause de son système de chauffage agréable et efficace.

SERRE TROPICALE
La condensation et la chaleur s'associèrent pour endommager sérieusement la structure de Palm House qui fut donc démontée et reconstituée avec succès entre 1984 et 1989. La série de réservoirs disposée sous la serre et contenant une exposition de végétation marine tropicale est une innovation.

ENTRÉE D'OSTERLEY HOUSE
En 1761, l'architecte Robert Adam réalisa l'un des plus beaux portiques qu'on puisse trouver en Angleterre, situé devant l'entrée de la maison.

OSTERLEY PARK HOUSE ♥

Délicieusement située au milieu de lacs, de chemins qui serpentent dans les bois et de terres cultivables, Osterley House est en elle-même un ornement (même s'il faut ignorer le bruit occasionné par la toute proche M4 et le vol des avions d'Heathrow juste au-dessus de nos têtes). Le bâtiment d'origine, flanqué de quatre tourelles fut réalisé en 1575 pour Sir Thomas Gresham fondateur du Royal Exchange ▲ *151*. Les écuries en brique Tudor, d'un rouge passé, sont toujours debout.

L'ŒUVRE DE ROBERT ADAM. En 1761, Robert Child (de la Child's Bank), autre grand marchand alors propriétaire d'Osterley House, fit appel à l'architecte Robert Adam pour modifier l'édifice. Robert Child mourut en 1763, mais Robert Adam poursuivit les travaux pour le compte de son frère, Francis Child : il installa une grande orangerie (détruite par le feu en 1950), ainsi que d'autres bâtiments dans les jardins. La villa de campagne ainsi obtenue, doit beaucoup à ses modèles classiques et se présente comme l'une des plus plaisantes réalisations d'Adam qui put y travailler avec son maître artisan préféré.

L'INTÉRIEUR D'OSTERLEY HOUSE. Pour Adam, la conception et l'exécution d'une serrure avait autant d'importance que celle d'un plafond. L'une des pièces maîtresses d'Osterley House est le lit d'État avec son dôme couronné de fleurs de soie. L'entrée possède un vestibule roman. C'est John Linnel qui sculpta les étagères de la Bibliothèque, et Pietro Borgnis peignit à la main les décorations arachnéennes de la salle étrusque. La Long Gallery donne sur la grande prairie où fleurissent les soucis, symboles de la Child's Bank, que l'on retrouve tissés dans la tapisserie d'un sofa. Francis Child, déçu par la fuïte de sa fille avec Lord Westmorland , légua la propriégé à la fille aînée de celle-ci, Sarah Sophia, qui épousa le comte de Jersey. En 1949, le neuvième comte du nom léga la maison et son mobilier à la National Trust, et depuis lors, Osterley, avec ses cèdres du Liban du XVIIIe siècle, ses promenades et ses lacs, est l'une des villégiatures préférées des Londoniens.

LES JARDINS. Robert Child prit conseil auprès de l'architecte Sir William Chambers ● *37* ▲ *269* sur l'aménagement des jardins que l'on peut admirer aujourd'hui, et fit ériger le Temple dorique de Pan.

TWICKENHAM ♥

Cette localité, séparée de Richmond par Richmond Bridge, offre l'éclat de quelques hôtels particuliers du XVIIe siècle. Twickenham fut également le refuge de la famille d'Orléans de 1800 à 1807, puis de 1815 à 1817 et, enfin, après 1948.

UN PARADIS D'ARTISTES. Dès le XVIIIe siècle, Twickenham a attiré les membres de la Cour. Cette «campagne» aux portes de Londres fut un lieu à la mode, réunissant de nombreux artistes et hommes de lettres, tels l'historien Horace Walpole, les peintres Godfrey Kneller et J.M.W. Turner ▲ 216, ou le poète Alexander Pope (1688-1744) ▲ 157, qui vécut au bord de la Tamise, dans Pope's Villa, de 1719 à sa mort. En outre, Twickenham est également connue pour son stade, considéré comme «La Mecque du rugby».

STRAWBERRY HILL. Cette construction, du XVIIIe siècle, ne ressemble pas aux demeures classiques de cette époque. Son propriétaire, Horace Walpole (1717-1797), quatrième comte d'Oxford, homme de lettres et historien, tenta, entre 1749 et 1766, de faire du modeste cottage originel un château miniature du Moyen Âge. L'ensemble, de style gothique rococo, a été conçu par un esprit fantaisiste qui s'inspira de gravures de cathédrales, de tombeaux de l'abbaye de Westminster… À l'intérieur du bâtiment, l'escalier à balustrade fut directement inspiré par celui de la cathédrale de Rouen. Les fenêtres sont richement décorées de vitraux flamands. Ce domaine est désormais occupé par l'école de formation des professeurs, le St Mary's Training College.

STRAWBERRY HILL
Vue générale de la demeure «gothique» de Horace Walpole.

THE GALLERY, STRAWBERRY HILL
Son propriétaire, Horace Walpole, l'occupa à partir de 1747. Il appelait Strawberry Hill «son petit jouet, le plus joli batifolage que l'on n'ait jamais vu …» La galerie de style néo-gothique a une voûte en papier mâché inspirée de la chapelle Henri-VII, à Westminster, et les niches ont été modelées d'après un tombeau de Canterbury, mais elles sont serties de glaces.

MARBLE HILL HOUSE

Sur des plans de l'architecte Roger Morris, en consultation avec l'amateur lord Herbert, cette maison (ci-dessous) fut édifiée à l'ouest de Twickenham, entre 1724 et 1729, pour la maîtresse du roi George II, Henriette Howard, qui, plus tard, devint la comtesse de Suffolk. Le bâtiment de trois étages, présente les caractéristiques d'une villa anglo-palladienne influencée par Inigo Jones ▲ *273, 326*.

HAM HOUSE

Cette demeure de brique, située à proximité de la Tamise, est un parfait exemple des villégiatures que se firent construire les nobles de Londres à l'extérieur de la capitale, à l'époque des Stuarts. La réouverture de Ham House le 2 avril 1994, après quatre ans de fermeture ravira tous ceux qui connaissent la "Maison de la Belle au Bois Dormant".

HISTOIRE. Ham House fut édifiée en 1610 pour Thomas Vasavour, conseiller de Jacques Ier. Puis, en 1637, la demeure

PORTE DE HAM HOUSE
«L'entrée, par un portail qui donne sur une cour désolée, avec des vieux arbres, un cadran solaire et une mangeoire pour les ânes.»
Augustus Hare, 1879

STATUE DES JARDINS
Tandis que le Victoria & Albert Museum ▲ 229 administre la maison et assure la présentation de certains éléments de l'intérieur, c'est la National Trust qui, en 1975, s'est occupée de la restauration des jardins de Ham House.

est acquise par William Murray, premier comte de Dysart et jusqu'en 1948, Ham House resta la propriété cette famille. La construction, les meubles, et la décoration ont été légèrement modifiés depuis 1670, date à laquelle Elisabeth, comtesse de Dysart, et son second mari, le duc de Lauderdale, apposèrent leur sceau luxueux à la maison.

UNE PLÉÏADE D'ARTISANS. Les Lauderdale s'assurèrent les services du menuisier Thomas Carter pour la réalisation du Grand Escalier (Great Stairwell). La balustrade, avec ses trophées d'armes, est une merveille de panneaux sculptés et dentelés. Il est probable que Franz Cleyn, qui dirigeait alors les ateliers de tapisserie de Mortlake, voisins de Ham House, ait été employé pour superviser la décoration des appartement de la façade nord. À la restauration de Charles II, les Lauderdale engagèrent l'architecte William Sanwell pour ajouter une façade sud au bâtiment, comprenant les appartement d'État de l'étage supérieur, (décorés pour la visite de la reine Catherine de Bragance, épouse de Charles II) ainsi que de somptueux appartements privés à leur usage personnel au rez-de-chaussée.

UN FABULEUX DÉCOR D'ORIGINE. Lyonel Tollemache, fils d'Elizabeth Lauderdale et comte de Dysart, connut des difficultés financières à la suite des frais occasionnés par les améliorations commandées par sa mère, si bien qu'il laissa la propriété en l'état. Les générations de Dysart suivantes en firent de même, pour le bonheur du visiteur de la fin du XXe siècle. La plupart des peintures, (dont les portraits de Lely et les paysages marins de Van der Velde), et le mobilier (dont les «chaises de repos ajustables», pour la goutte du duc) appartiennent à la maison. Dans le dressing-room en satin jaune, les tapisseries en velours de laine frappé ont traversé les anneées depuis 1630 environ ; dans le Cabinet bibliothèque Restauration, le damas bleu –à présent brunâtre –et les encadrements en velours bleu brodé datent des années 1670. Le contenu de la bibliothèque lui-même, comportant des œuvres imprimées par Caxton et Wynkyn de Worde ▲ *158*, fut vendu vers 1930. Dans la salle du musée, on peut voir un groupe de tentures en cuir doré ornées de fleurs et de chérubins. En 1948 la National Trust fit acquisition de la maison et de ses jardins. Parmi les quelques rares changements effectués, la suppression d'une avenue menant de l'entrée façade nord à un embarcadère sur la Tamise.

LES JARDINS. Ils ont retrouvés leur aspect initial, tel qu'il avait été conçus par les Lauderdale, avec des tonnelles de charme et des lits de lavande. Les maisons d'été qui forment une patte d'oie dans le paysage avant les portails sud sont la réplique exacte d'une gravure de 1737.

MÉDAILLON DE HAM HOUSE
De chaque côté de la porte d'entrée, un médaillon sculpté est apposé sur la façade.

“La maison meublée comme celle d'un Prince, les parterres, jardins de fleurs, orangeries, bosquets, avenues, cours, statues, perspectives, fontaines, volières, tout cela sur la berge de la plus jolie rivière du monde, est assez surprenant.”
John Evelyn 1678

RICHMOND-UPON-THAMES ♥

Le pont de Richmond en 1780, trois ans après son achèvement.

Cette charmante petite commune fut la résidence estivale des rois d'Angleterre depuis les Plantagenêts. Richmond est l'un des lieux de promenade préférés des Londoniens pour son aspect encore sauvage et sa tranquillité. Dans le parc, au bord de l'eau, se trouvent *The Three Pigeons*, pub datant de 1735 (n° 87 de Petersham Street) et *The Roebuck* (n° 130 de Richmond Hill), ancienne auberge de 1738 qui offre une vue superbe sur la vallée de la Tamise, et où l'on peut déguster des *maids of honour*. Cette spécialité locale, pâtisserie favorite d'Henri VIII, doit son nom aux quatre maisons de brique rouge, sur Maids of Honour Row, qui furent élevées par le futur George II en 1724. Ces bâtiments, en effet, devaient servir à abriter les dames d'honneur de la princesse de Galles. La recette de cette pâtisserie, qui s'accommode à merveille d'une tasse de thé, demeure secrète.

RICHMOND PARK ■ *24.* Richmond possède également un magnifique parc, qui s'étend à l'est de la ville. Autrefois réserve de chasse privée du roi, Richmond Park (ci-dessus) fut clôturé par Charles Ier. Il s'étend sur 951 ha, ce qui en fait le plus vaste parc du Grand Londres, et il est agrémenté de plusieurs lacs. Le paysage est jalonné de bosquets, de chênes centenaires et de larges étangs peuplés de cygnes et d'oiseaux aquatiques de toutes sortes. C'est le seul parc londonien où l'on trouve encore des cerfs, ainsi qu'une rare population de daims fauves et de daims rouges.

RICHMOND BRIDGE. Ce pont de pierre à cinq arches construit en 1777 est l'œuvre de James Paine. On y percevait un péage jusqu'en 1859. Élargi en 1937, Richmond Bridge n'a rien perdu de son caractère, et le site a charmé plus d'un peintre.

WHITE LODGE. Ce pavillon de chasse de style palladien, aujourd'hui le siège de la Royal Ballet School, fait partie des quelques habitations disséminées au milieu du parc. Il fut commencé vers 1729 pour le roi George II. C'est ici que la reine Marie, épouse de George V, donna naissance au duc de Windsor, en 1894.

RICHMOND HILL. Du haut de Richmond Hill, la vue sur la Tamise, qui serpente dans la vallée, est superbe. Les peintres britanniques le savaient, et ils furent nombreux à s'inspirer de ce magnifique paysage. Reynolds, célèbre portraitiste du XVIIIe siècle, vécut dans WICK HOUSE sur la colline. Un peu plus tard, au XIXe siècle, les peintres Turner ▲ *216* ou Constable ▲ *214*, tous deux reconnus comme de grands maîtres du paysage, en reproduisirent les couleurs et les courbes.

LE REFUGE DES ÉMIGRÉS FRANÇAIS
Durant la Révolution française et l'Empire, de nombreux aristocrates émigrés vinrent s'installer à Twickenham. Ce fut le cas de la famille d'Orléans, qui y trouva refuge de 1800 à 1807, puis de 1815 à 1817. Chateaubriand vint également.

RICHMOND
“Toute l'Angleterre peut être vue dans l'espace de quatre lieues, depuis Richmond, au-dessus de Londres, jusqu'à Greenwich et au-dessous.”
François-René de Chateaubriand, *Mémoires d'outre-tombe*.

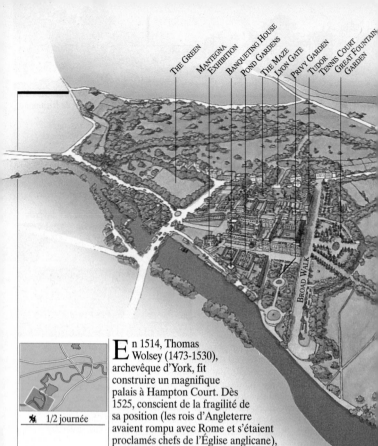

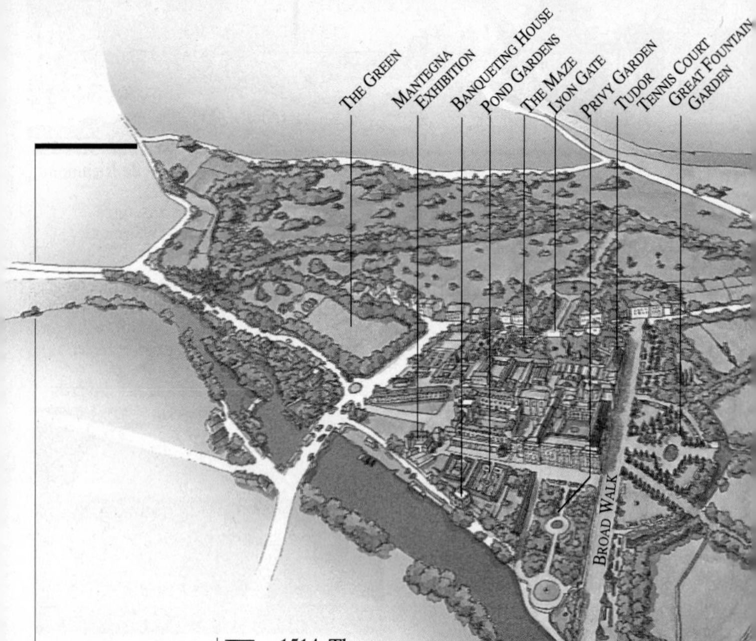

The Green
Mantegna Exhibition
Banqueting House
Pond Gardens
The Maze
Lyon Gate
Privy Garden
Tudor Tennis Court
Great Fountain Garden
Broad Walk

1/2 journée

Le séjour des rois Hampton Court se dresse au bord de la Tamise, en amont de Londres, à environ 25 km dans la direction du sud-ouest. Ce fut la résidence favorite des souverains du XVIe au XVIIIe siècle. La reine Victoria, qui lui préférait Windsor, l'ouvrit au public en 1838.

En 1514, Thomas Wolsey (1473-1530), archevêque d'York, fit construire un magnifique palais à Hampton Court. Dès 1525, conscient de la fragilité de sa position (les rois d'Angleterre avaient rompu avec Rome et s'étaient proclamés chefs de l'Église anglicane), Wolsey envisagea d'offrir Hampton Court à Henri VIII. Il était trop tard : en 1529, tous ses biens furent confisqués. Le cardinal n'y survécut pas.

Trois palais en un. Symbole de la Renaissance en Angleterre, Hampton Court fut construit, à l'origine, autour de deux cours principales : Base Court et Clock Court. À l'est fut ajoutée la cour de la cuisine Ronde. Ce palais de brique rouge, crénelé de blanc et surmonté de nombreuses tourelles coiffées de dômes de plomb, offrait une décoration intérieure somptueuse, comme en témoignent les plafonds du cabinet et des appartements de Wolsey. Henri VIII entreprit d'agrandir le palais. Entre 1532 et 1535, le hall de Wolsey fut reconstruit, la chapelle fut achevée, et une suite d'appartements royaux (dont il ne reste que la Great Watching Chamber) fut ajoutée. La présence de la cour imposa l'agrandissement des cuisines. Enfin le roi fit joindre à l'ouest une salle et un jeu de paume. En 1689, Guillaume d'Orange et la reine Marie chargèrent sir Christopher Wren ▲ *171, 174*, de transformer le palais. Les Anglais James Thornhill, Caius Cibber, Grinling Gibbons, William Emmett, le Français Louis Laguerre et le Napolitain Antonio Verrio furent chargés de la décoration. Après la destruction des appartements d'État

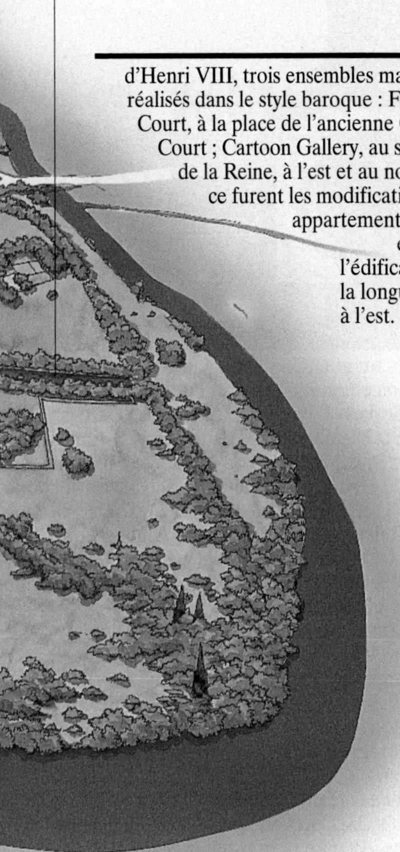

d'Henri VIII, trois ensembles majeurs furent réalisés dans le style baroque : Fountain Court, à la place de l'ancienne Green Court ; Cartoon Gallery, au sud, et l'aile de la Reine, à l'est et au nord ; puis ce furent les modifications des appartements du roi ; et, enfin, l'édification de la longue façade, à l'est.

❝Hampton Court est un grand jardin à la française, arrangé au temps de Guillaume III ; alors notre style régnait en Europe. Mais le goût anglais s'y retrouve ; on a peuplé les plates-bandes de rosiers qui montent serrés le long d'espaliers minces et font des colonnes de fleurs. Des canards, des cygnes nagent dans toutes les pièces d'eau ; des nénuphars y ouvrent leurs étoiles satinées. Les vieux arbres sont étançonnés avec des tiges de fer ; quand ils meurent pour ne pas les perdre tout entiers, on fait, avec le reste de leurs troncs, des sortes de grandes urnes. Visiblement on les respecte et on les aime.❞

Hippolyte Taine, *Notes sur l'Angleterre*

ROPHY GATES. Construite au milieu du XVIIIe siècle, : porte du Trophée est l'entrée principale du palais.

REAT GATE HOUSE. Ce majestueux pavillon de brique fut difié par Wolsey. Les deux ailes en tour, ajoutées par Henri VIII, datent de 536. Le bestiaire fantastique, qui borde : pont d'accès, est de 1950.

ASE COURT. Le palais actuel reflète : plan initial imposé par Wolsey. C'est : cas, à l'ouest, de la Première Cour aux urs crénelés qui comprenait les services u palais.

LOCK COURT. Bordée au nord par la rande Salle (Great Hall), la cour de l'Horloge tire son nom : l'horloge astronomique qui l'orne depuis 1542. a colonnade ionique, sur le côté sud, est due à Christopher Vren.

OUNTAIN COURT. Ses quatre étages, inspirés par le château : Versailles, furent élevés par Wren, qui associa la pierre : Portland et une brique orangé clair. Les oculi de la façade ud sont obstrués par des médaillons en grisaille de Laguerre lustrant les travaux d'Hercule.

OUR DE LA CUISINE RONDE ET COUR DE LA CHAPELLE. a première fut créée par Wolsey et la seconde, de Wren, fut odifiée au XVIIe et au XVIIIe siècle.

LA FAÇADE EST
C'est l'une des grandes transformations dues à sir Christopher Wren ● 68, ▲ 171, 349. Elle est articulée de part et d'autre d'un portique surmonté d'un fronton sculpté par Caius Cibber, en 1696, et ouvre sur les jardins.

L'HORLOGE ASTRONOMIQUE
Ornant la façade est de la porte d'Anne Boleyn (Anne Boleyn's Gateway), qui ouvre sur Clock Court , elle est l'œuvre du Français Nicolas Oursian. Elle indique l'heure, le jour, le mois, le nombre de jours écoulés depuis le début de l'année, les phases de la Lune, et même les heures de la marée haute à la hauteur de London Bridge. Construite avant Copernic et Galilée, elle montre le Soleil tournant autour de la Terre.

LES CHEMINÉES TUDOR
Le palais était surmonté de tourelles coiffées de coupoles de plomb ainsi que de cheminées ornementales en brique.

APPARTEMENTS DU ROI. On y entre par le côté sud de la cour de l'Horloge, on emprunte l'escalier du Roi (KING'S STAIRCASE, à droite) et on traverse la salle des Gardes. Le plafond de la chambre d'apparat du roi Guillaume III (WILLIAM III'S STATE BEDROOM) a été peinte par Verrio. Un escalier d'angle permet d'accéder du cabinet de travail du Ro à la galerie de la Reine. Le lien entre les appartements du Ro et ceux de la Reine est assuré, le long de Foutain Court, par la COMMUNICATION GALLERY, où sont exposés *Les Beautés de Windsor*, tableaux signés par Peter Lely, qui représentent onze dames de la cour de Charles II.

CARTOON GALLERY. La galerie des Cartons, située au sud et donnant sur Fountain Court, fut conçue par Wren pour recevoir les cartons de Raphaël (aujourd'hui au Victoria and Albert Museum), achetés en 1632 par Charles Ier.

AILE DE LA REINE. On accède à cet ensemble d'une vingtaine de pièces, décorées en partie au temps de la reine Anne (1702-1714), par un escalier (QUEEN'S STATE STAIRCASE), dont la rampe a été réalisée par Jean Tijou. La Galerie de la Reine (QUEEN'S GALLERY) est agrémentée d'une corniche signée Gibbons. Au nord se trouvent la chambre à coucher de la Reine (QUEEN'S BEDCHAMBER), au plafond décoré par James Thornhill en 1715, et le salon de la Reine (QUEEN'S DRAWING-ROOM), décoré par Verrio. Le salon donne, par une grande baie, sur le JARDIN DE LA GRANDE-FONTAINE.

WOLSEY'S CLOSET. Les plafonds du cabinet et des appartements de Wolsey, ornés de son blason, ainsi que les boiseries sculptées «en serviettes» témoignent du raffinement et de l'opulence de la décoration du palais dès son édification.

GREAT WATCHING CHAMBER. La grande salle des Gardes est située à l'entrée des appartements royaux d'Henri VIII, dont elle est le seul vestige. Son plafond cloisonné est agrémenté de pendants de chêne sculptés et des arme des Tudors en papier mâché.

GREAT HALL. La grande salle a été construit sous Henri VIII, qui la fit décorer d'un plafond en bois sculpté, de style anglais, œuvre de James Nedeham. En revanche, les époinçons et les pendants, ornés de candélabres et de feuilles d'acanthe, sculptés par R. Rydge, sont de style Renaissance italienne. Les murs sont tendus, comme au temps d'Henri VIII, de tapisseries qui illustrent l'histoire d'Abraham. Les vitraux sont l'œuvre de Thomas Willement (XIXe siècle).

La façade sud
Les façades étaient décorées des armes de Wolsey, que l'on peut voir encore au-dessus de la porte d'Anne Boleyn, dans Clock Court, et de médaillons en terre cuite, du Florentin Giovanni da Maiano, représentant les empereurs romains, premiers témoignages en Angleterre de la Renaissance italienne.

Tudor Kitchen. En 1529, Henri VIII fit ajouter à la cuisine construite par Wolsey une nouvelle salle avec trois cheminées et une autre pour cuire le poisson. Une maquette illuminée permet de suivre le parcours des mets depuis les salles où ils étaient préparés jusqu'à la Horn Room, où ils arrivaient, par un escalier de chêne, avant d'être servis dans Great Hall.

Jardins. Charles II, en 1660, et Guillaume III, en 1689, donnèrent aux jardins leur aspect actuel. Charles II fit aménager les jardins à la française, s'inspirant des jardins de Le Nôtre : une patte d'oie et un grand canal, devant la façade de Wren, rappellent Versailles. Guillaume III fit compléter le grand canal par un canal semi-circulaire. Le Jardin privé (Privy Garden) s'étend au sud du palais, près de la Tamise dont il est séparé par des grilles de fer forgé de Jean Tijou. À côté du Jardin privé, une serre abrite une treille (great wine) composée d'un seul pied de vigne planté en 1768.

Jeu de paume. Il se trouve au nord du palais, dans le prolongement de la façade de Wren. Construit pour Henri VIII, il a été restauré sous Charles II et Guillaume III.

Banqueting House et Orangery. Wren construisit une maison des Banquets, décorée par Verrio, et une orangerie, où sont exposées neuf toiles d'Andrea Mantegna réalisées en 1492 sur le thème du triomphe de César.

Gothic Hall
Cette galerie longeant les côtés est et nord de la cour de la cuisine Ronde, serait hantée par le fantôme de la cinquième femme de Henri VIII, Catherine Howard, décapitée en 1542.

The Chapel
En 1536, on ajouta à la chapelle de Wolsey un plafond sculpté à pendentifs. Les autres décorations ainsi que le mobilier sont de Wren, excepté le splendide retable, œuvre de Gibbons.

King's Staircase
Cette toile de W. H. Pyne (1819) montre les peintures réalisées par Antonio Verrio, qui glorifient Guillaume et Marie, et la rampe de Jean Tijou.

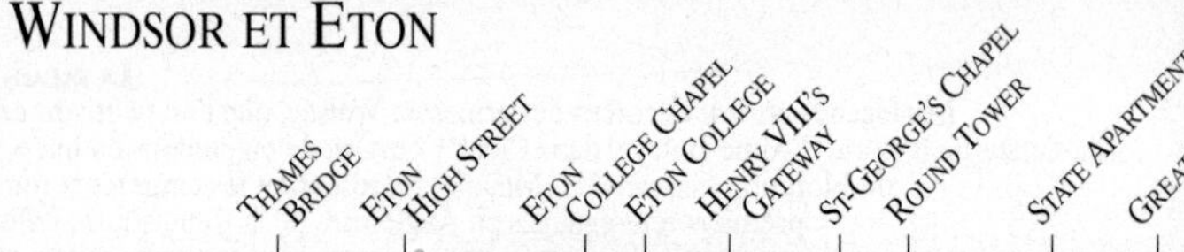

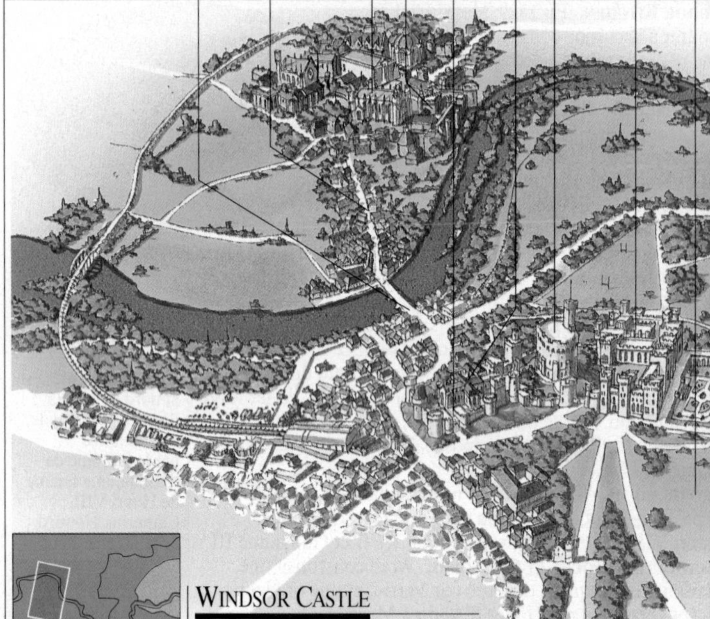

1 journée

LA RELÈVE DE LA GARDE
Plusieurs régiments dont celui des Grenadiers gardent le château et la reine Elizabeth II tout au long de l'année, comme le faisaient les Yeomen of the Guard pour Elizabeth Ire. Quand la reine est dans sa résidence d'été à Windsor, la cérémonie a lieu dans la cour, le Quadrangle. Durant les mois d'hiver, les soldats claquent des talons sur l'aire de parade, près de la porte Henri VIII.

WINDSOR CASTLE

En 1070, Guillaume le Conquérant fit édifier une forteresse en bois sur un promontoire surplombant un méandre de la Tamise, afin de protéger l'ouest de Londres. Du Moyen Âge, le château et son enceinte ont gardé la division en cour basse, cour moyenne et cour supérieure. L'extérieur du château n'a guère changé : Windsor doit ses façades d'aspect féodal tout à fait caractéristiques à George IV et à son architecte Jeffrey Wyatville, lequel, dans les années 1820, homogénéisa l'allure des murs d'enceinte qui mêlaient alors les styles médiéval, Tudor et Stuart.

ÉVOLUTION D'UN CHÂTEAU. L'architecture de Windsor porte l'empreinte successive des rois qui l'ont habité. La forteresse fut reconstruite en pierre sous le règne d'Henri II au XIIe siècle et cinq tours rondes, dont la CURFEW TOWER (TOUR DU COUVRE-FEU) dans la basse cour, furent ajoutées. Édouard III fit agrandir le château au XIVe siècle et l'espace réservé aux appartements royaux fut étendu à la cour supérieure. En 1475, Édouard IV fonda le collège Saint Georges, construisit la chapelle du même nom, puis le HORSESHOE CLOISTER, (CLOÎTRE EN FER À CHEVAL), pour y loger le clergé. Sous le règne d'Henri VIII, Windsor se dote de son entrée principale, HENRY VIII's

GATEWAY (PORTE HENRI VIII). De 1675 à 1683, Charles II fit refaire les appartements royaux de la cour supérieure de façon somptueuse. Puis le château fut totalement négligé pendant une longue période, avant d'être remis en état sous le règne de George III, de 1760 à 1820. Le souverain inaugura avec James Wyatt, son architecte, une phase de "gothicisation" intense queGeorge IV, avec l'aide du neveu de Wyatt, Jeffrey Wyatville, devait pousser assez loin dans la démesure.

LES TRÉSORS DE WINDSOR. Le château de Windsor recèle des trésors incomparables dont la majeure partie de la Collection royale comprenant la bibliothèque, la salle d'imprimerie, les Archives royales, ainsi que des peintures (Rubens, Canaletto, Van Dyck, Reynolds...), dessins (Holbein, Léonard de Vinci, Raphaël, Michel-Ange...), mobilier, armures et tentures d'une valeur inestimable.

L'INCENDIE DE NOVEMBRE 1992. Le château fut menacé de destruction avec toutes ses richesses en novembre 1992 lorsqu'un incendie se déclara dans la chapelle privée de la reine. Le feu se propagea rapidement à travers les appartements d'État et ne put être maîtrisé qu'au bout de 24 heures. La plupart des œuvres transportables furent mises en lieu sûr mais les dommages sont estimés à huit millions de livres.

VISITE DU CHÂTEAU

On pénètre dans la cour basse (Lower Ward) par la porte principale construite sous Henri VIII (HENRI VIII'S GATEWAY) face à la chapelle Saint-Georges.

ST-GEORGE'S CHAPEL. Lieu de sépulture de dix monarques et domicile spirituel des chevaliers de l'ordre de la Jarretière,

VUE DU CHÂTEAU DE WINDSOR DEPUIS LA RIVIÈRE
«Le château le plus romantique du monde» écrivait Samuel Pepys. Les aquarelles du XVIIIe siècle montrent la porte encombrée de charrettes à eau et de ramoneurs.

La tour Salisbury et la porte Henri VIII, principale entrée du château depuis le XVIe siècle.

Ce tableau de la terrasse est du château, peint par Joseph Nash vers 1840, dépeint l'atmosphère de détente victorienne qui régnait alors à Windsor.

Ci-dessus, la salle d'audience du roi et la vieille salle des gardes. Cette dernière abrite un superbe bouclier incrusté d'or et d'argent offert par François Ier à Henri VIII.

GEORGE III
On l'appelait le «Roi Fermier» à cause de sa passion pour l'agriculture. Ses écuyers rapportent qu'il pouvait parcourir trente miles à cheval par jour pour inspecter une province voisine du Berkshire.

c'est de cette chapelle qu'en juin, la reine et les autres membres de l'ordre, vêtus de l'uniforme de la Jarretière, partent pour leur service annuel. Édouard IV fonda la chapelle Saint-Georges en 1475, probablement par désir d'égaler la chapelle de l'université d'Eton, autre joyau du style «gothique perpendiculaire». Henri VII compléta la nef et ajouta la superbe voûte en pierre du plafond. Une plaque au sol commémore la découverte des tombes de Henri VIII, Jane Seymour et Charles Ier. Sous le chœur se trouve également une crypte abritant les cercueils de nombreux membres de la famille royale des Hanovre.

HORSESHOE CLOISTER. Ce cloître dit «en fer à cheval» fut construit entre 1478 et 1481 face à la porte ouest, pour y loger le clergé. Les appartements sont maintenant occupés par les membres de la chapelle Saint-Georges, y compris les membres du chœur. Les enfants de chœur viennent de l'école Saint-Georges, située en contrebas du mur du château.

ALBERT MEMORIAL CHAPEL. À la suite du décès du prince Albert ▲ *228* en 1861, la reine Victoria ordonna que l'on redécore la chapelle Saint-George alors désaffectée, afin que la tombe puisse y reposer temporairement (elle fut, par la suite, transférée au mausolée Frogmore). C'est Sir George

LA TERRASSE DE WINDSOR CASTLE

Gilbert Scott qui, entre 1863 et 1873, fut le maître d'œuvre de l'intérieur, assez excentrique, de la chapelle. Celle-ci abrite également la tombe du duc de Clarence, mort en 1892, réalisée par Alfred Gilbert. La chapelle est décorée de panneaux de marbre le long des murs et le plafond voûté est orné d'une mosaïque en verre de Venise. Autre témoignage du chagrin de la reine Victoria, les vitraux des fenêtres sud qui représentent des ancêtres du prince Albert.

ROUND TOWER OU NORMAN KEEP. C'est en haut de cette tour que flotte l'étendard royal lorsque la reine réside à Windsor, ou l'Union Jack qui indique son absence. Cette tour fut surélevée sous le règne de George IV par Wyatville lors de la restauration de l'ensemble de château. Elle abrite aujourd'hui les Archives royales et la Collection de photos royale. Sur ce même tertre, se dressait à l'origine la Tour ronde, en bois, bâtie par Guillaume le Conquérant. La butte en elle-même est le remblai formé lors du creusement des douves en 1070. À leur place se trouve maintenant le «jardin des Douves» (Moated Garden), œuvre d'un gouverneur du château dans les années 1910. Au-dessus de ce jardin, on aperçoit les deux seules fenêtres qui aient échappé à la «gothicisation» des Hanovre.

THE NORTH TERRACE. Aménagée par Henri VIII sur un promontoire, la terrasse nord offre de beaux points de vue sur la Tamise, la chapelle d'Eton et les collines de Chiltern. C'est sur cette terrasse que se trouve l'entrée aux appartements d'État et à la maison de poupée de la reine Mary.

STATE APARTMENTS. Destinés à recevoir les souverains étrangers en visite officielle, les appartements d'État sont situés dans l'aile nord du château réaménagée par Charles II dans les années 1670. Ce-dernier fit appel, pour l'embellissement des appartements, à l'architecte Hugh May, à Grinling Gibbons ▲ *173*, *329*, et à Antonio Verrio ▲ *198*, *348*.

KING'S DINING ROOM. La salle à manger du roi est le plus bel exemple du travail effectué par Gibbons et Verrio. On y accède par le Grand Escalier (Grand Staircase), qui fut reconstruit en 1866-1867 par l'architecte Anthony Salvin pour la reine Victoria. Sir Jeffrey Wyatville réalisa également de nombreuses modifications dans les appartements d'État, sous les règnes de George IV et Guillaume IV. Il convertit ainsi

Ci-dessus, la salle de bal et le salon du roi également appelé salle Rubens, où est exposé, entre autres, un bel autoportrait du peintre.

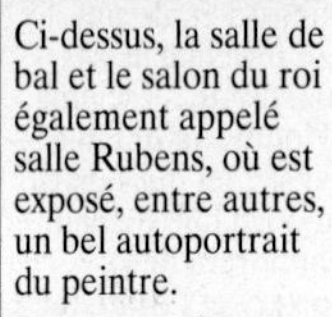

VUES DU CHÂTEAU
Ci-dessous à droite, l'entrée du château par la porte Henri VIII (1511). Les trous dans l'édifice permettaient de jeter de l'huile bouillante sur les assaillants.

INTÉRIEUR DU CHÂTEAU
Les cours, tours et terrasses logent la plupart des quelques trois cent cinquante personnes qui travaillent au château.

l'antichambre du roi Charles II (King's Charles II Presence Chamber) et une partie de sa salle d'audience (Audience Chamber) en salle de la Jarretière (Garter Throne Room) où la reine investit les nouveaux chevaliers de l'ordre. D'autre part,les goûts de la reine Victoria apparaissent nettement dans la décoration des appartements, car la reine aimait séjourner à Windsor et y organisa de nombreuses réceptions.

La Salle Waterloo ou Grande salle à manger. C'est dans cette salle, attenante à la salle de la Jarretière, que la reine déjeune en juin avec les chevaliers de l'ordre de la Jarretière. Sur les murs, on admire des portraits commandés par George IV à Sir Thomas Lawrence et représentant les souverains, hommes d'État et soldats qui contribuèrent à la victoire alliée sur Napoléon en 1815.

King's State Bedchamber. Les tentures du lit, dans la chambre d'État du roi, sont aux couleurs napoléoniennes, le vert et le violet, et brodées aux chiffres de Louis Napoléon et de l'impératrice Eugénie, en l'honneur de la visite d'État de ces derniers en 1855.

Queen's Mary Doll's House. Après avoir été exposée, la maison de poupée de la reine Mary, conçue par sir Edwin Lutyens à l'échelle 1/12, fut placée ici en 1925, dans une salle également conçue par Lutyens. La façade de ce palais miniature, de style "Wrenaissance", est soulevée par un système électrique, découvrant ainsi plus de quarante pièces réparties sur quatre étages, des ascenseurs qui fonctionnent, des toilettes munies de chasses d'eau, des conduites d'eau et les bijoux de la Couronne protégés par une grille. Mille cinq cents compagnies et particuliers ont contribué à faire de cette maison de poupée une démonstration en miniature de ce que le début du XXe siècle pouvait offrir en matière d'art, de fabrication et d'ingéniosité. La bibliothèque contient, outre une paire de carabines Purdey, une collection de minutieuses gravures et dessins, œuvres, entre autres, de Paul Nash et Mark Gertler, des histoires de Conan Doyle et des

Honni soit qui mal y pense
Un petit incident est à l'origine de la fondation de l'ordre le plus prestigieux d'Angleterre : au cours d'un bal donné à Windsor en 1348, la comtesse de Salisbury perdit sa jarretière. Le roi Édouard III, qui dansait avec elle, la ramassa et, devant l'air ironique de ses courtisans, s'exclama : «Honni soit qui mal y pense ; tel qui s'en rit aujourd'hui, demain s'honorera de la porter» et l'ordre de la Jarretière fut créé sur-le-champ.

Vue des remparts nord de Windsor
Au fond, on distingue la petite ville d'Eton et les collines de Chiltern.

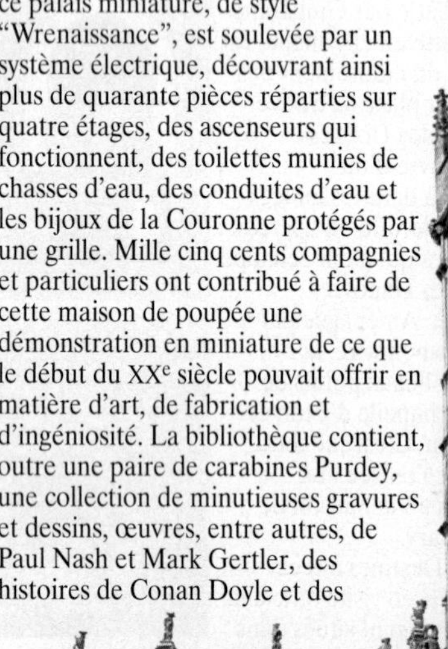

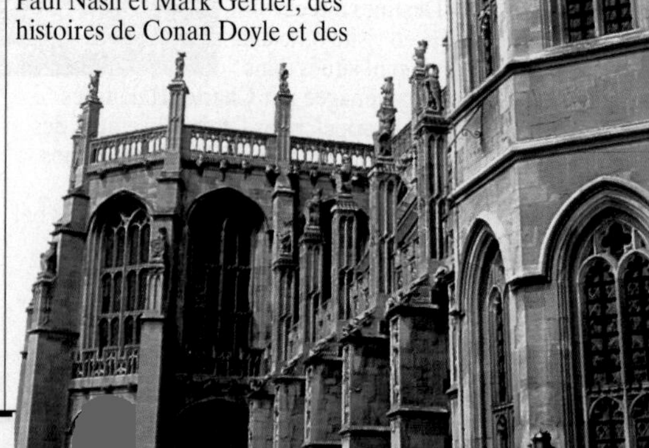

La chapelle Saint-Georges
La chapelle et les constructions associées à cette «curiosité royale» (ni les archevêques ni les évêques n'ont d'autorité à l'intérieur de cet édifice) sont riches en anecdotes historiques : la pièce *Les Veuves joyeuses* de Shakespeare fut donnée pour la première fois dans ce qui est à présent la bibliothèque du chapitre.

Sur les murs de Windsor, deux anges soutiennent les armoiries royales, frappées de la devise de l'ordre de la Jarretière.

poésies de Siegfried Sasson. Gertrude Jekyll réalisa le jardin, contenu dans un tiroir en dessous (où se trouve aussi le garage avec la Rolls Royce Silver Ghost), Broadwood le grand piano et Singer la minuscule machine à coudre de la lingerie.

St-George Hall. La salle Saint-Georges, située dans la cour supérieure, fut édifiée de 1362 à 1365 et agrandie par Wyatville dans les années 1820. Pour cela il fit alors démolir la chapelle du roi Charles II, très délabrée. C'est dans cette immense pièce (66 m de long, 10 m de large et 10 m de hauteur) que les chevaliers de l'ordre de la Jarretière se réunissent en juin pour une procession qui les mène jusqu'à la chapelle Saint-Georges, à l'occasion de leur service annuel. Sur les murs de la salle sont exposées les armoiries de tous les chevaliers de l'ordre depuis sa fondation, ainsi que des armures.

Match de cricket à Eton, au siècle dernier

“Une fois admis, il [l'élève] lui faudra choisir entre la rame et le cricket. Les études, les langues étrangères, les sociétés littéraires ou musicales, les premiers essais dans un des quatre journaux d'élèves, les assauts d'éloquence des *debates* presque parlementaires, (les Communes comptent soixante-dix Etonians) seront d'importance secondaire. *Swimming, boats, oars*, voilà les formules magiques. Qui joue bien au football, au cricket, jouera bien au jeu de la vie.”

Paul Morand, *Londres*

Eton

La petite ville d'Eton, qui abrite la plus célèbre des public school anglaises est située de l'autre côté de la Tamise. Pour la découvrir, il faut emprunter le pont de Windsor, piétonnier, puis passer le long des immeubles anciens qui bordent Eton High Street. Là, flânent les Étoniens – c'est ainsi que l'on appelle les étudiants– qui portent leur uniforme traditionnel (pantalon rayé et jaquette ou habit à queue-de-pie). Vingt-quatre membres d'une société très sélecte fondée en 1820 et appelée «Pop», sont habilités à porter des gilets fantaisie.

Eton College. La «reine des public schools» ne compte plus les hommes d'État et les poètes qu'elle donna à l'Angleterre. Henri VI n'avait que dix-huit ans lorsqu'il fonda le collège d'Eton par la charte de 1440. Le Fondateur, c'est ainsi qu'on le nomme encore de nos jours, s'inspira de très près du modèle du collège de Winchester, fondé par William de Wykeham en 1382, où il prit d'ailleurs ses premiers maîtres et écoliers. Avec son collège pour prêtres séculiers, son principal et ses professeurs, une école de charité et une Maison des Pauvres, Eton devait être le premier gage de la dévotion du roi Henri envers Dieu. Malheureusement, le roi fut détrôné pendant la guerre entre les Lancaster et les York en 1460, alors que la chapelle, superbe exemple de «gothique

Avirons sur la Tamise à Eton

“En regardant cinquante ans auparavant, voire même plus loin, je me demande s'il y eut jamais quelqu'un qui rendit tant de garçons – tant de vies – heureux, que le Roi Henry VI, notre fondateur.”

M.R. James, Directeur d'Eton en 1918

Chapelle d'Eton College
Bâtie en pierre de Caen, en chêne des forêts de Windsor, en briques de Slough, cette chapelle (ci-dessous à gauche) aurait été, sans la guerre des Deux-Roses, deux fois plus grande.

Cour du cloître d'Eton College
Le cloître de l'école (à droite) fut commencé en 1443 et achevé au XVIIIe siècle. Il est toujours le cœur de l'école.

perpendiculaire», était encore en cours de construction, laissant ainsi le sort d'Eton en suspens. Le successeur York d'Henri, Édouard IV, faillit même supprimer le collège d'Eton. Aujourd'hui, la statue du Fondateur se dresse dans la cour de l'École, encadrée par les bâtiments du premier cycle datant du XVe siècle. Les cloîtres, le réfectoire du collège avec sa cuisine octogonale, ainsi que d'autres édifices furent ajoutés au fur et à mesure des différents règnes. La tour Lupton est de style gothique Tudor ● *68*. En 1690, Sir Charles Wren adjoignit la cour à la partie ouest en construisant l'École d'enseignement supérieur, qui fut sérieusement endommagée au cours de la Seconde Guerre mondiale. Les soixante-dix écoliers prévus par la charte d'Henri VI ont maintenant dépassé la centaine d'«Oppidani» ou «Townsmen» («garçons de la cité», ainsi nommés parce qu'ils n'habitent pas à l'école même, mais à l'extérieur).

Windsor Great Park ■ *24*. Tandis que le Home Park, qui jouxte le château, est privé, de grandes étendues du Windsor Great Park sont accessibles au public. Peuplé de cerfs, ce parc s'étend sur une dizaine de kilomètres au sud de Windsor et de larges allées y ont été créées. Au sud du parc, William, duc de Cumberland, fils de George II, créa dans les années 1750 un lac artificiel appelé Virginia Water alors qu'il était garde-forestier du parc de Windsor.

The Long Walk. La Grande Promenade, aménagée par Charles II dans le parc, et prolongée par George IV jusqu'à la terrasse est de Windsor, est longue de 3 miles. On aperçoit à l'horizon la statue équestre de George III, réalisée par Westmacott en 1831, et connue sous le nom de «Copper Horse» (Cheval de Cuivre). Lors de la semaine d'Ascot, la reine et ses invités empruntent le Long Walk en carrosse pour se rendre aux courses.

Savill Garden. L'un des gardes forestiers suivants, Sir Eric Savill, fut responsable dans les années 1930 de la création du jardin qui porte son nom, puis, après la guerre, de celle des merveilleux Valley Gardens (jardins de la Vallée), comprenant entre autres le «Kurume Punch Bowl». En mai, rhododendrons et azalées envahissent le jardin de couleurs éclatantes. En automne, les fruits et feuillages ne sont pas moins spectaculaires. Savill déclara que ses créations n'étaient pas des jardins botaniques mais qu'elles devaient être considérées comme des jardins privés accessibles au public.

Frogmore. Ouverts périodiquement pendant l'été, la résidence de Frogmore et ses jardins, ainsi que le mausolée royal, valent le détour. Frogmore, manoir tentaculaire construit en 1680 et passablement modifié depuis, fut pour des générations de dames de la Couronne une retraite féminine informelle en marge des rigueurs de l'étiquette de la Cour. La pièce appelée «le Pavillon Vert» (Green Pavilion) fut restaurée du vivant de la reine Charlotte. Les tableaux floraux qu'elle avait commandés pour la salle Mary Moser y sont toujours, et la Cross Gallery fut peinte par celle de se filles qui montra le plus de talent artistique : la princesse Elisabeth. Le Musée noir de la reine Mary, femme de George V (Queen Mary's Black Museum), qui abrite sa collection d'objets en papier mâché et de perles de nacre, a été reconstitué d'après des photos provenant de la Collection royale.

Royal Mausoleum. L'architecte Grüner conçut ce mausolée proche de Frogmore House dont l'intérieur, italianisant, reflète la vénération du prince Albert pour le peintre Raphaël.

Le Petit Trianon de la reine Charlotte
Charlotte, femme de George III, fut la première à apprécier ce «Petit Trianon». Accompagnée de ses six filles, la reine y faisait de la botanique, lisait et se promenait avant de retourner à Windsor.

Bibliothèque d'Eton College
La bibliothèque d'Eton, construite en 1729, abrite des manuscrits du XVe siècle, une copie de la première Bible imprimée et des manuscrits de Shakespeare.

«Qu'est-ce qu'être etonian ? C'est pouvoir, en jugeant une action douteuse, la flétrir de ce simple mot : *It's unenglish*.»
Paul Morand, *Londres*

Ci-contre : *Saint Jean Baptiste dans la nature* (détail), par Guido Reni (1575-1642).

DULWICH ♥

Le village, plein de charme, s'est développé autour du manoir de Dulwich, propriété au Moyen Âge de l'abbaye de Bermondsey, qui fut détruit au XIXe siècle.

DULWICH COLLEGE. En 1619, le comédien Edward Alleyn fonda cette école pour les enfants de familles pauvres. Au milieu du XIXe siècle, le collège s'installa dans de nouveaux bâtiments, construits en 1841, par Charles Barry ▲ *128*, puis agrandis à la fin des années 1860 par Charles Barry fils.

DULWICH PICTURE GALLERY. En 1626, Edward Alleyn fit don de 39 toiles au collège, et il fallut attendre un second legs, 371 tableaux rassemblés pour la plupart par le marchand d'art Noël Desenfans (1745-1807), pour que naisse l'idée, en 1811, d'une galerie nationale anglaise. À l'origine, Desenfans avait été chargé par le roi de Pologne de constituer un fonds qui alimenterait une galerie de Varsovie. Ce projet de musée ayant avorté, Noël Desenfans se trouva être en possession d'un nombre important d'œuvres qu'il laissa à sa femme et à son ami, le peintre sir Francis Bourgeois (1756-1811). À la mort de ce dernier, Mme Desenfans légua la totalité des toiles à Dulwich College qui décida alors d'édifier un bâtiment, le premier dans le genre, qui serait consacré uniquement à l'exposition de tableaux. Sa construction fut confiée à John Soane ▲ *166*, qui conçut cinq galeries – trois carrées et deux ovales – autour d'un mausolée à la mémoire des trois premiers donateurs. La collection s'enrichit d'autres dons, notamment celui que fit Charles Fairfax Murray, entre 1911 et 1919, de 46 toiles représentatives de la peinture anglaise du XVIIe et du XVIIIe siècle.

La Dulwich Picture Gallery ouvrit ses portes en 1814, dix ans avant la National Gallery ▲ *290*. Jusqu'en 1858, les visites n'avaient lieu qu'un seul jour par semaine. Le bâtiment (ci-dessous), endommagé par les bombardements en 1944, fut fidèlement restauré entre 1947 et 1953.

UNE SÉRIE DE CHEFS-D'ŒUVRE
La collection de la Dulwich Picture Gallery est en grande partie constituée d'œuvres de maîtres tels Rembrandt, Rubens, Van Dyck, Murillo, Poussin (ci-contre, *Le Triomphe de David*), Véronèse et bien d'autres. Il s'agit de tableaux achetés aux nobles français exilés, par Desenfans et Bourgeois, lors de la Révolution française et pendant les guerres napoléoniennes . La collection comprend également des toiles de peintres anglais tels Hogarth et Gainsborough.

INFORMATIONS PRATIQUES

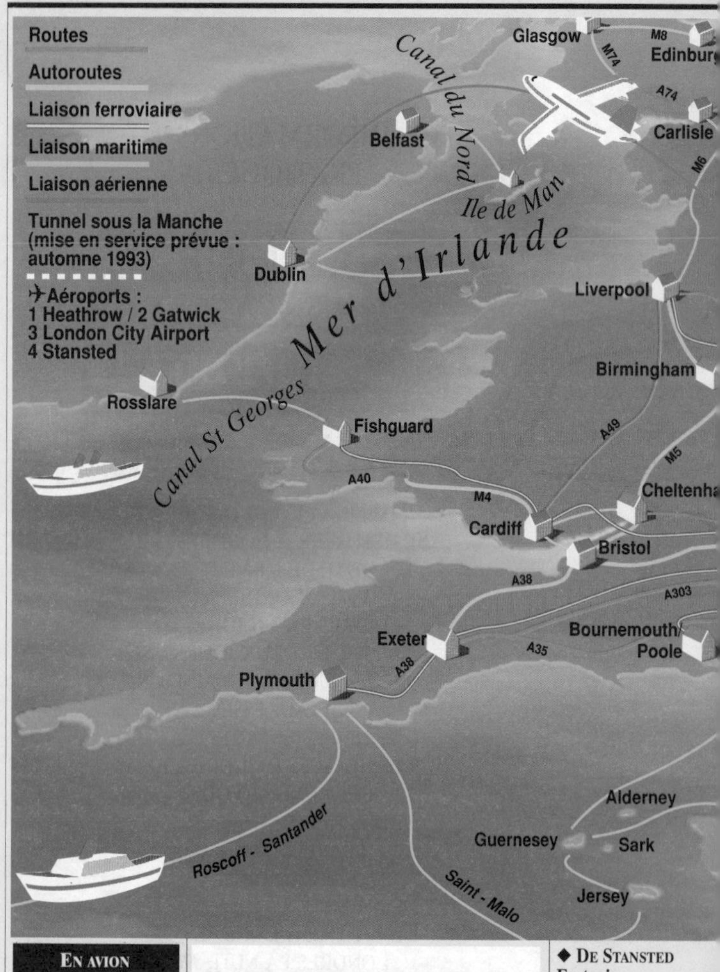

EN AVION

◆ De Paris et des principales grandes villes, liaisons régulières (60 par jour env.) avec Air France, British Airways, British Midland et R.U.K. Durée : env. 1 h.

◆ Aéroports Heathrow (24 km de Londres), Gatwick (46 km), Stansted (60 km) reliés entre eux par des navettes payantes et London City Airport (11 km).

GAGNER LA VILLE

◆ **DE HEATHROW**

En métro

Piccadilly Line.

Départ toutes les 5 min. £ 3,00 aller simple (AS), env. 45 min.

En autobus

– National Express £ 5,25 (£ 6,25 le vend.) trajet env. 1h, arrivée Victoria Station.

– Airbus A1 ou A2. £ 5, départ toutes les 20 à 30 min, trajet 1h, dessert Cromwell Road, Hyde Park Corner, Victoria Station.

En taxi

£ 35 pour aller au centre-ville, trajet env. 45 min. à 1 h.

◆ **DE GATWICK**

En train

Gatwick Express. £ 8,60 AS, départ toutes les 15 min. jusqu'à minuit et toutes les heures la nuit, trajet 30 min, arrivée Victoria Station.

En bus

Flightline 777. £ 7,50 AS, départ de 6 h 30 à 20 h, et toutes les heures de 20 h à 23 h, trajet 1 h 10. Arrivée à Victoria.

En taxi

£ 55-£ 60, 1 h30 de trajet env.

◆ **DE STANSTED**

En train

Stansted Express. £ 10 AS, départ de l'aéroport toutes les 30 min. Trajet 45 min arrivée Liverpool Street Station.

En autocar

National Express. £ 7 AS (£ 8,50 vend.), départ toutes les heures, trajet 1 h 30, arrivée Victoria Station.

En taxi

£ 55 - £ 60 env., trajet 1 h 15.

◆ **DE LONDON CITY AIRPORT**

EN BATEAU

Départ de Calais, Boulogne,

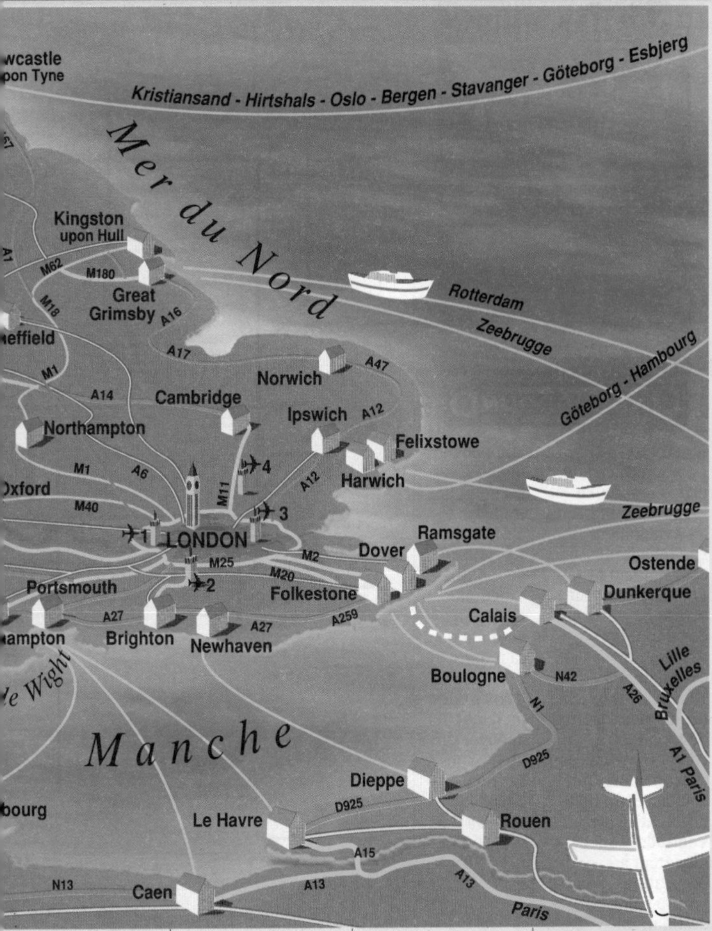

Dunkerque ou Ostende, arrivée à Douvres, Folkestone ou Ramsgate. Autres liaisons depuis Dieppe, Le Havre, Caen, Roscoff, vers Newhaven, Portsmouth, Southampton.

EN TRAIN ET BATEAU

– British Rail International, 3 possibilités : via Dieppe-Newhaven, à partir de 446 F A/R pour les moins de 26 ans avec séjour mini. de 5 jours, trajet 6 h ; via Calais, 436 F A/R pour les moins de 26 ans, validité 2 mois, trajet 4 h ; via Boulogne, voyage en catamaran, à partir de 426 F A/R.

EN CAR ET BATEAU OU AÉROGLISSEUR

– Eurolines, autocar et car-ferry, à partir de 510 F A/R pour les moins de 26 ans, transfert par Calais, trajet 8 h.

– Big Ben Tours (agence de P&O European Ferries), car-ferry, à partir de 1170 F A/R (prix variable en fonction de la période et du nombre de passagers).

EN VOITURE

De Paris, autoroutes A1 puis A26 vers Calais et Boulogne, bateau vers Douvres, Folkestone, Newhaven. À part Plymouth, tous les ports sont à égale distance de Londres (de 120 à 140 km). Env. 1 h 30 à 2 h pour rejoindre Londres.

EN TUNNEL

Inauguré en mai 1994, le Shuttle offre un service de transport par navettes pour les voitures, les motos, les autocars, qui fonctionne en boucle entre Calais et Folkestone, 24h / 24, tous les jours de l'année. Formalités de péage, de police et de douane à l'entrée. Traversée : 35 min. Achat des billets dans une agence de voyage ou sur place. Quatre départs par heure le jour, au moins un départ par heure de nuit.

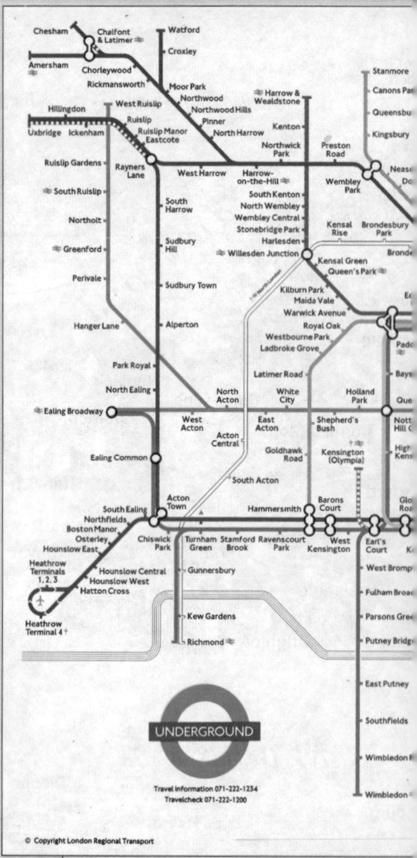

EN MÉTRO
Le nom officiel du métro londonien est l'Underground, mais les Londoniens l'appellent plus couramment le «Tube». Construit vers la fin du siècle dernier, il fut inauguré très exactement le 10 janvier 1863 : c'est le plus vieux métro du monde. Il comporte 9 lignes, chacune porte une couleur et un nom différents. Elles s'entrecroisent et s'arrêtent à 268 stations. Pour se rendre à une destination, relevez le nom des lignes et des stations de correspondance que vous devrez emprunter et suivez les indications des écriteaux. Attention, les correspondances se font parfois sur le même quai : dans ce cas, un panneau lumineux indique les noms des trains à venir. Les portes des voitures s'ouvrent de façon automatique, sauf dans certaines d'entre elles, où il faut appuyer sur un bouton. Le Tube circule de 5 h 30 à 0 h sauf le dim. (23 h 30). Heures de pointe : 8 h-9 h et 17 h-18 h 30. Chaque station affiche l'horaire du dernier départ. Certaines stations sont fermées le week-end ou aux heures de pointe : rens. 24 h / 24 h au (071) 222 12 34, aux différents bureaux du Travel British Centre ou encore au London Underground Ltd, 55 Broadway.

TITRES DE TRANSPORT
Le métro londonien est l'un des plus chers du monde. Vous pouvez vous procurer les tickets ou forfaits aux distributeurs automatiques ou aux guichets. En cas de fraude, les sanctions sont sévères : voyager sans ticket peut vous coûter jusqu'à £ 200, et £ 1000 si vous fumez.

◆ **Billet à l'unité**
90 p pour une zone.

◆ Visitor Travelcard
Cette carte inclut le transport entre l'aéroport de Heathrow et la ville. L'utilisation illimitée des trains, métros et autobus, ainsi que des bons de réduction pour

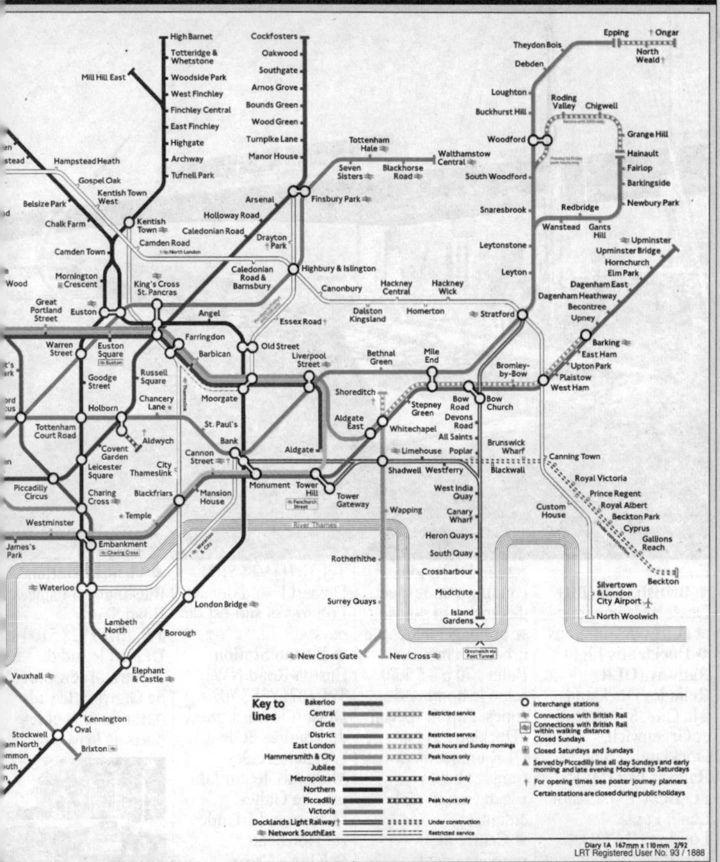

High Barnet
Totteridge & Whetstone
Woodside Park
West Finchley
Mill Hill East
Finchley Central
East Finchley
Highgate
Archway
Tufnell Park
Cockfosters
Oakwood
Southgate
Arnos Grove
Bounds Green
Wood Green
Turnpike Lane
Manor House
Arsenal
Holloway Road
Caledonian Road
Drayton Park
Caledonian Road & Barnsbury
Highbury & Islington
Finsbury Park
Tottenham Hale
Seven Sisters
Blackhorse Road
Walthamstow Central
Epping
Ongar
North Weald
Theydon Bois
Debden
Loughton
Buckhurst Hill
Roding Valley
Chigwell
Grange Hill
Hainault
Fairlop
Barkingside
Newbury Park
Woodford
South Woodford
Snaresbrook
Redbridge
Wanstead
Gants Hill
Leytonstone
Leyton
Upminster
Upminster Bridge
Hornchurch
Elm Park
Dagenham East
Dagenham Heathway
Becontree
Upney
Barking
East Ham
Upton Park
Plaistow
West Ham
Bromley-by-Bow
Stratford
Hampstead Heath
Gospel Oak
Kentish Town West
Kentish Town
Belsize Park
Chalk Farm
Camden Town
Camden Road
Mornington Crescent
King's Cross St. Pancras
Great Portland Street
Euston
Angel
Essex Road
Canonbury
Hackney Central
Hackney Wick
Dalston Kingsland
Homerton
Farringdon
Barbican
Old Street
Liverpool Street
Bethnal Green
Mile End
Warren Street
Euston Square
Goodge Street
Russell Square
Holborn
Chancery Lane
Moorgate
Shoreditch
Stepney Green
Bow Road
Bow Church
Devons Road
All Saints
Tottenham Court Road
Aldwych
St. Paul's
Aldgate East
Whitechapel
Covent Garden
Leicester Square
Bank
Cannon Street
City Thameslink
Aldgate
Limehouse
Poplar
Brunswick Wharf
Blackwall
Canning Town
Piccadilly Circus
Charing Cross
Blackfriars
Mansion House
Monument
Tower Hill
Tower Gateway
Shadwell
Westferry
West India Quay
Canary Wharf
Heron Quays
South Quay
Crossharbour
Mudchute
Island Gardens
Royal Victoria
Prince Regent
Royal Albert
Beckton Park
Cyprus
Gallions Reach
Beckton
Custom House
Silvertown & London City Airport
North Woolwich
Temple
Westminster
Embankment
Wapping
Rotherhithe
Surrey Quays
River Thames
James's Park
Waterloo
London Bridge
Lambeth North
Borough
Elephant & Castle
New Cross Gate
New Cross
Vauxhall
Kennington
Oval
Stockwell
Brixton

Key to lines
Bakerloo
Central — Restricted service
Circle
District — Restricted service
East London — Peak hours and Sunday mornings
Hammersmith & City — Peak hours only
Jubilee
Metropolitan — Peak hours only
Northern
Piccadilly — Peak hours only
Victoria
Docklands Light Railway — Under construction
Network SouthEast — Restricted service

Interchange stations
Connections with British Rail
Connections with British Rail within walking distance
Closed Sundays
Closed Saturdays and Sundays
Served by Piccadilly line all day Sundays and early morning and late evening Mondays to Saturdays
For opening times see poster journey planners
Certain stations are closed during public holidays

Diary 1A 167mm x 110mm 2/92
LRT Registered User No. 93 / 1888

certaines attractions. Prix de 120 F pour 3 jours, 150 F pour 4 jours et 260 F pour 7 jours. En vente à l'étranger seulement au :
British Rail International
57, rue Saint-Roch
75001 Paris
Tél. (1) 42 61 85 40
ou chez
Republic Tours
1, av. de la République
75011 Paris
Tél. (1) 43 55 39 30

◆ Travelcards
Forfait de transports (bus, métro), journalier ou hebdomadaire, pour 2, 4 ou 6 zones. En vente dans toutes les stations de métro et dans certains distributeurs automatiques. Une photo d'identité est nécessaire pour la carte.

EN TRAIN

◆ **British Rail (BR)**
Dessert les banlieues et autres destinations.

◆ **Docklands Light Railway (DLR)**
Relie les Docklands à la Cité, à Stratford et Greenwich.
Docklands Light Railway Ltd (DLR)
PO BOX 154, Castor Lane, Poplar
London E14 ODX.
Les trains fonctionnent de 5 h 30 du matin à 21 h 30 le soir, du lundi au vendredi. Trains toutes les 8 min entre 7 h et 20 h, toutes les 10 min en dehors de ces heures-là. Tickets, travelcards et passes vendus par DLR (guichets et distributeurs dans chaque station DLR), London Transport, London Underground et British Rail. Utilisables sur tout le réseau DLR, sous condition du respect des zones, et pouvant se prolonger au réseau urbain du métro.
Billet : 70 p à £ 1,70 selon le nombre de zones. Forfait spécial «Docklander»(sur DLR uniquement, trains et bus) ;
£ 2,20 : adulte, £ 1 : enfant.

◆ **Centre de renseignements : British Rail Travel Centre**
4-12, Regent Street SW14PQ
Tél. (071) 730 3400
Ouvert 9 h-18 h 30, sam. et dim., 10 h-16 h
Autres agences : 14, Kingsgate Parade et Victoria Station W1 ; 170 B, Strand WC2 ; 87, King William's Street EC4.

◆ **Charing Cross Station**
Strand WC 2
Tél. (071) 928 5100
Dessert le sud de Londres et sud-est du pays.

◆ **Euston Station**
Euston Road NW1
Tél. (071) 387 7070
Dessert le nord-ouest de Londres et de l'Angleterre, les Midlands, le nord du pays de Galles, l'Écosse et l'Irlande via Holyhead.

◆ **King's Cross Station**
Euston Road NW 1
Tél. (071) 278 2477
Dessert le nord-est de Londres, York, l'est et le nord-est de l'Angleterre, l'Écosse, Édimbourg et Aberdeen.

◆ **Liverpool Street Station**
Bishops Gate, EC 2
Tél. (071) 928 5100
Dessert l'est et le nord-est de Londres, l'Essex et l'East Anglia.

◆ **Paddington Station**
Praed Street, W 2
Tél. (071) 262 6767
Dessert l'ouest de Londres, Oxford, Bristol, Plymouth, l'ouest de l'Angleterre, le sud du pays de Galles, l'Irlande via Fishguard.

◆ **Victoria Station**
Buckingham Palace Road SW 1
Tél. (071) 928 5100
Dessert le sud de Londres, l'aéroport de Gatwick, le sud-ouest du pays et les ports de la Manche.

◆ **Waterloo Station**
Waterloo Road SE 1
Tél. (071) 928 5100
Dessert le sud de Londres et de l'Angleterre.

EN VOITURE

L'essence est généralement vendue au gallon (4,5 litres). Règles de circulation routière : circulation à gauche, vitesse max. 30 miles (48 km/h) en ville, 60 miles (97 km/h) sur les routes à voie unique et 70 miles (113 km/h) sur les autoroutes

et routes à 2 voies ; le port de la ceinture est obligatoire pour tous les passagers. Consulter le Highway Code, que l'on peut trouver dans les ports d'entrée en Grande-Bretagne, auprès de l'Automobile Association (AA) ou du Royal Automobile Club (RAC).

Location de voitures : Centre de réservation de la plupart des firmes de locations (présentes dans tous les aéroports)
– Avis Rent a Car Heathrow Airport Tél. (081) 897 9321
– Stansted Airport Tel. (0279) 603 0330
– Gatwick Airport Tel. (0293) 535353
– Centre de réservation de Londres Tel. (081) 848 87 33
– Hertz Rent a Car Tel. (081) 679 1799

En taxi

Les stations de taxi sont dans les gares, mais il est facile de trouver rapidement des taxis dans la rue. On les arrête lorsque le voyant «For Hire» ou «taxi» est allumé. En général, les taxis londoniens sont moins chers que sur le Continent et souvent plus confortables. Il faut compter environ £ 35 pour la course Heathrow Airport-Piccadilly Circus. Il est d'usage de laisser un pourboire de 10 à 15% du montant de la course. Essayez au moins une fois le célèbre taxi noir londonien.

Radio Taxicabs Tél. (071) 272 0272
Computer-cab Tél. (071) 286 0286

Pour connaître la station de "mini-cab" la plus proche, consultez les pages jaunes de l'annuaire (*Yellow Pages*).

Circuits touristiques

Lignes d'autobus desservant les principaux sites :

Oxford Circus : bus n°s 3, 6, 7, 8, 10, 12, 13, 15, 16A, 23, 25, 53, 55, 73, 88, 94, 98, 135, 137, 139, 159, C2.
Picadilly Circus : bus n°s 3, 6, 9, 12, 13, 14, 15, 19, 22, 23, 38, 53, 88, 94, 139, 159.

Saint Paul Cathedral : bus n°s 11, 15, 23, 26.
Tate Gallery : bus n°s 3, 77A, 159.
Tower Bridge : bus n°s 15, 25.
Trafalgar Square : bus n°s 3, 6, 9, 11, 12, 13, 15, 23, 24, 29, 53, 77A, 88, 91, 94, 139, 159.
Victoria, Westminter Cathedral : bus n°s 2, 8, 11, 16, 24, 36, 38, 52, 73, C1.
Westminster Abbey : bus n°s 3, 11, 12, 24, 53, 77A, 88, 159.

L'Official London Transport Sightseeing Tours

Il propose un circuit guidé de une heure en autobus rouge à impériale des principaux sites touristiques de Londres. Guide parlant français ou anglais.
Prix : £ 9.
Tel. (071) 828 7395.
Départ toutes les 30 min des arrêts situés un peu partout dans la ville.

01277 54 07:58 20DEC91
London Regional Transport London
NOT TRANSFERABLE
8630 003 £0 40 CHILD

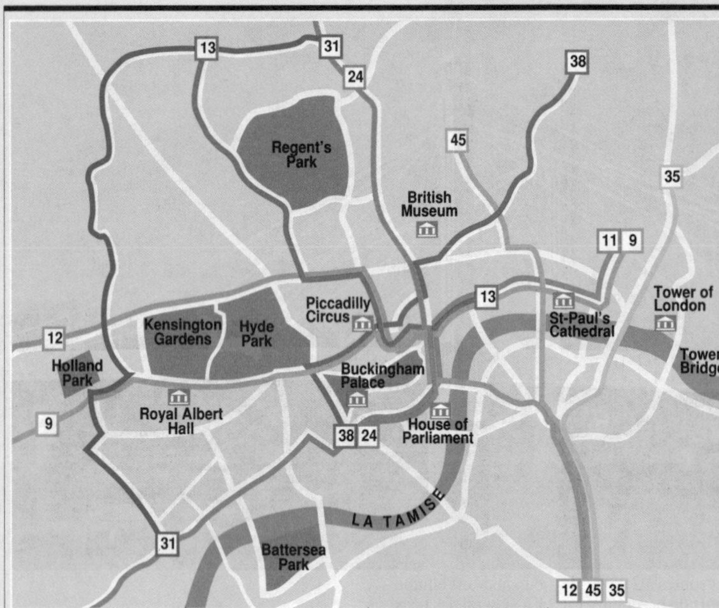

EN BUS
Circuler en autobus est donc l'un des moyens les plus agréables pour découvrir Londres. Plus pittoresques que le métro, les bus londoniens sont aussi moins chers mais plus lents et moins ponctuels.

Ne ratez pas l'occasion d'emprunter un de ces fameux bus rouges à impériale qui ont fait la réputation de Londres : ils se font de plus en plus rares. Les bus fonctionnent de 5 h à 23 h 30 et quelques-uns circulent la nuit.

◆ Prendre le bus
Attention, certains bus ne font pas toute la ligne, vérifiez bien leur destination finale, indiquée sur le fronton. Pour arrêter le bus, il faut actionner la sonnerie avant la station souhaitée. Vous pouvez vous procurer un plan complet des lignes aux guichets du métro, mais il est souvent plus facile de se repérer grâce aux affiches placées dans les arrêts de bus. Elles indiquent la liste des bus et les arrêts alentours. Il est autorisé de fumer au premier étage des bus.

◆ Les arrêts de bus
Il existe deux sortes d'arrêts : l'arrêt obligatoire, signalé

par un panneau à fond blanc, et l'arrêt où il faut faire signe au machiniste, signalé par un panneau à fond rouge.

◆ Les bus de nuit
Après la fermeture du métro, vous pourrez emprunter les "night bus" reconnaissables à la lettre N figurant sur le fronton. Ils desservent Londres et la banlieue jusqu'à 6 h du matin et s'arrêtent aux arrêts facultatifs. N'oubliez pas que la travelcard journalière (◆ *369*) et la LT card ne sont pas acceptées sur les autobus de nuit.

◆ Les titres de transport
Vous pouvez utiliser une travelcard ou

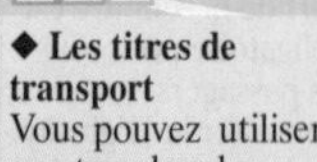

payer le montant de votre trajet, variable selon le nombre de zones traversées. Dans les nouveaux bus, vous payez directement au conducteur ; dans les anciens, un receveur viendra vous contrôler ou vous vendre un billet.

«LES ADRESSES DES AMIS LONDONIENS RACONTENT DÉJÀ LES REPLIS D'UNE VILLE, SES SURVIVANCES RURALES, SES CAPRICES, SES CHARMES.»

CLAUDE ROY

Gardens : à l'emplacement d'anciens jardins.

Fields : autrefois, des prés s'étendaient là.

Place : une place mais aussi une rue.

Crescent : rue en arc de cercle, en «croissant».

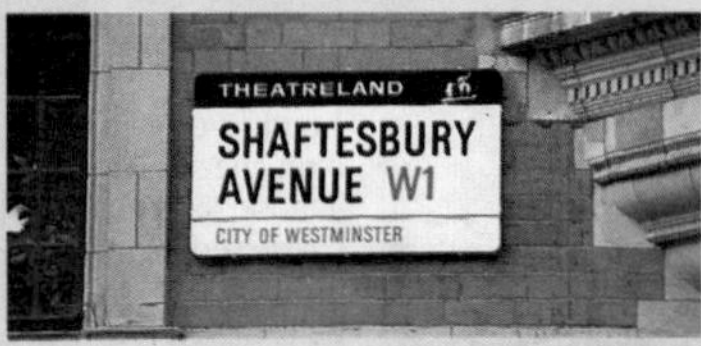

Avenue : large voie, boulevard.

Mews : anciennes écuries.

Lane : ancienne petite allée.

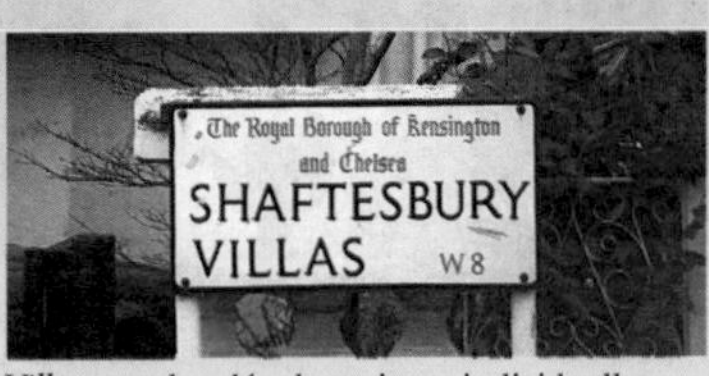

Villas : rue bordée de maisons individuelles.

Row : la route.

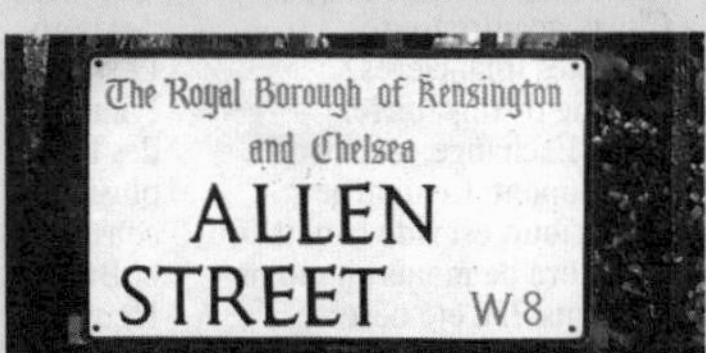

Street : la rue.

Walk : ancien chemin rural.

Gate : porte ou portail.

Gore : autrefois, parcelle de terrain triangulaire.

Terrace : rangée de maisons jointes.

Londres est la plus importante agglomération du Royaume-Uni, comprenant une superficie de 1 561 km² et une population de 6,7 millions d'habitants (le «Grand Londres», avec ses 32 faubourgs, dépasse les 10 millions d'habitants). Capitale de la Grande-Bretagne et de l'Irlande du Nord, elle rassemble les différents pouvoirs politiques : le Parlement, le gouvernement et la Couronne. D'autre part, la ville est encore la troisième place financière du monde après New York et Tokyo. Aéroports, gares et stations de télécommunication en font aussi le principal centre de communication du pays. Sa presse écrite, qui connaît les tirages les plus élevés d'Europe, lui vaut une réputation mondiale.

PAYSAGE URBAIN

LA CITY
Au nord du London Bridge, la City concentre toutes les activités financières : la Banque d'Angleterre, le Stock Exchange, la Lloyd's s'y regroupent. Ce quartier, animé le jour, est vide la nuit : on y dénombre de moins en moins d'habitants. Il a été déserté pour les quartiers du «Grand Londres».

LE WEST END
Quartier autour de Westminster, où se situent les grands parcs, mais aussi des théâtres , cinémas et boutiques, est relié à la City par le Strand.

Canary Wharf (ci-dessus, à gauche) St Katharine's Docks (ci-dessus, à droite).

L'EAST END
Quartier populaire situé près des ports.

LES VILLES NOUVELLES
Pour faire face à la migration des Londoniens vers les banlieues, plusieurs villes nouvelles ont été construites depuis 1946 : Crawley et Bracknell au sud de la Tamise, Hemel, Hempstead, Welwyn, Stevenage, Harlow au nord et Basildon à l'est. Aujourd'hui, c'est au-delà de 100 km à partir du centre de la ville que des villes nouvelles se créent.

UNE ÉCONOMIE EN DÉCLIN

Londres est née près d'un gué sur la Tamise, au cœur du bassin sédimentaire du sud-est de l'Angleterre. Son économie s'est donc naturellement développée autour de son port, qui s'étend aujourd'hui sur 40 km. L'Angleterre n'est plus une grande puissance économique. Les secteurs traditionnels de

l'industrie de la capitale, comme la sidérurgie, la chimie et l'automobile, sont en crise. L'électronique souffre de l'âpre concurrence japonaise, européenne et du sud-est asiatique. L'exploitation du pétrole de la mer du Nord a réduit le trafic pétrolier dans le port de Londres, qui n'assure plus que 1/5 du trafic national.

y tailor is rich

Les industries encore saines sont les industries de services de loisirs, du tourisme, et de la finance.

Londres, grande place financière

Londres est aujourd'hui encore la première place

boursière d'Europe, avec £ 609 milliards d'actions et £ 973 mds. d'obligations d'État.en 1990.

Royal Opera House, Covent Garden.

Londres, pôle culturel et médiatique mondial

Dynamisme culturel

Londres doit sa vitalité culturelle à l'assiduité de sa population dans les cinémas, les salles de concerts, les théâtres (plus de 300) ou les bibliothèques.

Les cinéastes anglais (Stephen Frears, Peter Greenaway) et les artistes de pop-music (Elton John, Sting, Rod Stewart, Paul Mc Cartney) ont une audience internationale.

La production artistique britannique est stimulée par l'immense marché de l'ancien Empire.

Le décor de la ville et les vestiges de son passé colonial en font la patrie des écrivains (William Boyd, Anthony Burgess, Peter Ackroyd, Patricia Highsmith).

THE BRITISH BROADCASTING CORPORATION

Savoir-Faire

Londres soutient une réputation de savoir-faire en matière de création culturelle (studios d'enregistrement professionnels, personnel formé dans les «drama schools» ou les «writing schools», etc.).

William Boyd

Anthony Burgess

Réservations spectacles

– Au guichet du théâtre, généralement ouvert jusqu'à 22 h. Le jour même : places non louées à prix réduit.

– Par téléphone pour les cartes de crédit (valable aussi pour les cinémas).

Centres de réservations

Attention, larges commissions.

Ouverts 24 h sur 24 h :

– First Call
Tél. (071) 240 7200

– Ticketmaster
Tél. (071) 379 4444

– Theatre Booking Agents
Tél. (071) 724 07 47

– Ticket World
Tél. (071) 702 98 78

– Half Price Ticket Booth à Leicester Square (12 h-14 h pour les matinées ; 14 h 30-16 h 30 pour le soir, sauf dim.) : billets à moitié prix pour des spectacles du jour (achat limité à 4 places par pers.). Règlement en espèces.

Le vrai Londonien

– Un vrai Londonien n'attendra jamais devant les grilles de Buckingham Palace dans l'espoir d'apercevoir la reine.

– Un vrai Londonien ne se fait jamais surprendre par la pluie.

– Un vrai Londonien ne sait pas cuisiner, mais, pour faire croire le contraire, il achète des plats préparés chez Marks et Spencer.

– Un vrai Londonien ne se rend jamais à Carnaby Street (le dernier y fut remarqué en 1967).

– Un vrai Londonien ne flâne jamais sur les marches d'Eros à Piccadilly Circus.

– Un vrai Londonien fait tout pour éviter le contact physique ou verbal avec qui que ce soit dans le bus ou dans le métro.

– Un vrai Londonien ne se rend jamais à Trafalgar Square, sauf entre deux soirées, au Nouvel An.

– Un vrai Londonien ne fréquente jamais les restaurants anglais.

MÉDIAS

◆ Presse
Quelques quotidiens : *The Times*, *The Independant*, *The Daily Telegraph*, *The Guardian*, *The Financial Times*. Un quotidien du soir : *The Evening Standard*. Ils sont généralement accompagnés d'un supplément hebdomadaire : *The Economist* ou *The Observer*. Londres abrite aussi la rédaction de *The European*, le premier journal «européen», fondé en 1991 par Robert Maxwell.

◆ Radio
BBC (4 chaînes principales et la World Service) est écoutée par 120 millions de personnes dans le monde et diffuse chaque semaine 735 heures d'émissions en 35 langues.

Ci-dessus, le siège de la BBC.

◆ Télévision
En Europe, c'est elle qui s'exporte le mieux, avec deux milliards de francs de documentaires et de dramatiques. Quatre chaînes – MTV, Sky Channel et deux stations financées par W. H. Smith – diffusent sur toute l'Europe.

SHOPPING

Les magasins sont ouverts de 9 h-9 h 30 à 17 h-18 h, certains tous les jours. Nocturnes : le mercredi à Knightsbridge et à Kensington High Street jusqu'à 19 h, et à Sloane Square jusqu'à 20 h ; le jeudi, à Oxford Street et à Regent Street jusqu'à 19 ou 20 h. Les soldes ont lieu en principe début janvier et début juillet.

ɪARCHÉS
.es marchés de ,ondres sont très ariés, on peut y faire e véritables rouvailles ou y écouvrir des lieux ittoresques.

ANTIQUITÉS, ɪROCANTE
Les marchés de 'etticoat Lane t de Brick Lane, itués dans l'East End, endaient au début u siècle des ntiquités et de la rocante. Aujourd'hui, n y trouve de tout, les vieux ordinateurs ux jouets anciens n passant par de la ripe des années 60.
- Le marché aux uces de Portobello Road, à l'ouest de ,ondres, chaque amedi, est assez emblable à celui de Brick Lane. La marchandise y est de neilleure qualité, nais plus chère.

– Camden Passage, à Islington, est l'endroit le plus réputé pour les antiquités.
– Camden Lock, est l'un des marchés les plus populaires de Londres, près de l'écluse d'un beau canal. Des centaines de petites échoppes vendent toutes sortes de choses : bijoux et vêtements neufs ou d'occasion, sculpture, peinture, artisanat, disques, cassettes… C'est bondé et assez cher, mais on peut y trouver des cadeaux originaux et le spectacle de la faune environnante vaut à lui seul le déplacement.

FLEURS
– Columbia Road, non loin de Brick Lane, marché aux fleurs et aux plantes que l'on peut visiter très tôt le dimanche matin.

LIVRES ANCIENS
– Paddington Road. Les amateurs de beaux livres pourront flâner sur le marché qui regroupe de nombreux bouquinistes.

HALLE AUX VIANDES
– Le marché de Smithfield : c'est ici que les bouchers de Londres achètent leur viande, et, si vous pouvez supporter l'odeur, allez-y entre 5 h et 8 h, sauf le dimanche.

HÉBERGEMENT

◆ Agences de réservation hôtels
- Bed and Breakfast PO Box 66, Henley on Thames, Oxon RG9 1XS
Tél. (0491) 578 803
Fax (0491) 410 806.
- British Hotel Reservation Centre Victoria Station (à la sortie du quai 8)
Tél. (071) 828 1027/ (071) 828 1849.
- Hotel Booking Service Ltd
13-14, Golden Square
W1R 3AG
Tél. (071) 437 5052
Fax (071) 734 2124.
– Hotel Finders
20, Bell Lane
NW4 2AD
Tél. (081) 202 7000
Fax (081) 202 3871
– Hotelguide
3, Crescent Stables
139, Upper Richmond Road
SW15 2TX
Tél. (081) 780 1066
Fax (081) 780 2352.
– Expotel
Kingsgate Place
NW6 4HG
Tél. (071) 328 1790
Fax. (071) 328 8021.
– London Accomodation Center
22 ,Wardour St
W1V 3HH
Tél. (071) 287 6315

◆ Auberges de jeunesse
– Youth Hostels Association
Trevelyan House
8 St Stephen's Hill
St Albans, Herts
AL1 2DY

◆ Camping
Motorhome Rentals (Europe) Ltd,
Lowood Garage
12, Kings Avenue
SW48BQ
Tél. (081) 720 6492.

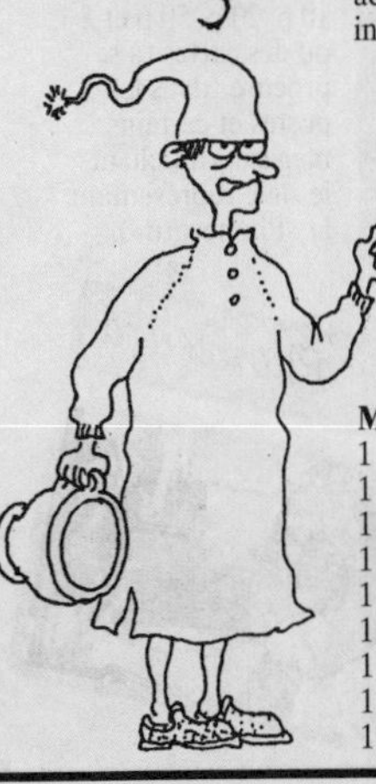

APPAREILS ÉLECTRIQUES
Le voltage le plus souvent utilisé en Grande-Bretagne est de 240 V, 50 Hz en courant alternatif, il faut se munir d'un adaptateur international pour utiliser des appareils français (rasoirs, sèche-cheveux…). Cet adaptateur est parfois fourni par les hôteliers.

MESURES ANGLAISES
1 inch (in) = 2,54 cm
1 foot (ft) = 30,48 cm
1 yard (yd) = 91,4 cm
1 quart (qt) = 1,13 l
1 mile (mi) = 1,61 km
1 pint (pt) = 0,57 l
1 gallon (gal) = 4,55 l
1 ounce (oz) = 28,35 g
1 pound (lb) = 453,6 g

Comme dans bien d'autres capitales européennes, les prix varient à Londres selon l'affluence touristique de certains quartiers et leur «standing» : un *fish and chips* peut ainsi passer du simple au double selon qu'il est dégusté à Spitalfields ou à Mayfair. Le problème majeur demeure celui du logement : au sein d'une gamme d'établissements assez large, les prix sont généralement élevés et les écarts assez considérables pour un même service.

Le prix d'un appel téléphonique

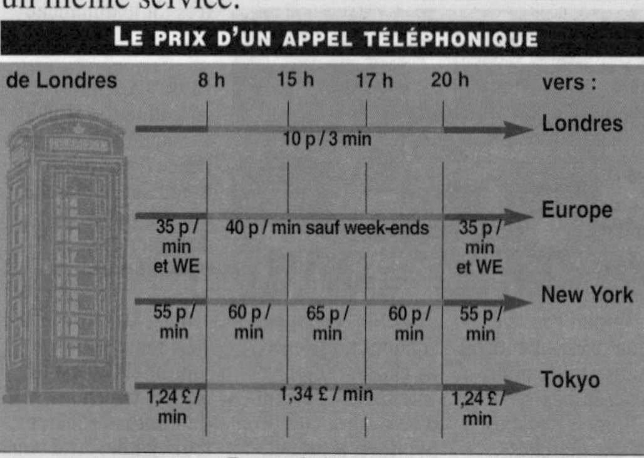

Téléphoner dans Londres
Londres se divise en deux zones d'indicatif : 071 pour l'intérieur de Londres et 081 pour la banlieue. Il faut donc composer cet indicatif pour téléphoner d'une zone à l'autre.
À l'intérieur d'une zone, composer seulement les sept chiffres du numéro.
Rens. inter. : 153.
Rens. nationaux : 192
Services d'urgence : 999
Opérateur : 100

Pour téléphoner
◆ De Londres en France, composer le 010 + 33 + le numéro du correspondant (pour Paris, composer le 010 + 33 + 1 + le numéro).
◆ De France à Londres, composer le 19 + indicatif de la zone + le numéro.

Fuseau horaire
La France a une heure d'avance sur la Grande Bretagne sauf en octobre où l'heure car les Anglais n'adoptent l'heure d'hiver que fin octobre (fin septembre en France).

Les cabines rouges sont presques toutes remplacées.

Cabines téléphoniques
Elles fonctionnent avec des pièces de 10 p, 20 p, 50 p et £ 1 ou des cartes (à se procurer dans les postes et certains magasins affichant le sigle représentant la «Phonecard»).

SHEPHERD PATENTEE
ST LONDON
GALVANO MAGNETIC CLOCK
This 24hour clock shows Greenwitch Mean Time (GMT) basis of the International Time Zone System
British Summer Time (BST) is one hour fast on GMT
O: Midnight VI: 6am XII: Noon XVIII: 6pm

La poste
Les postes sont généralement ouvertes de 9 h à 17 h 30 du lun. au ven. et de 9 h à 13 h le sam. La poste de William IV Street est ouverte le dim. de 10 h à 17 h.
Il existe deux tarifs postaux : le tarif 1re classe est légèrement plus cher que le 2e classe mais nettement plus fiable et plus rapide.

Change
Env. £ 1 = 8/9 F.
Change d'argent ou d'Eurochèques sur présentation d'une pièce d'identité dans toutes les banques (ouvertes du lun. au vend. de 9 h 30 à 15 h 30. Certaines le sont aussi le sam. matin de 10 h à 12 h 30.) Services de change dans certaines agences de voyages, grands hôtels, grands magasins, et 24 h/24 h dans les aéroports. Les bureaux ouverts tard le soir et de nuit pratiquent généralement des tarifs moins intéressants.

Monnaie
L'unité de monnaie est la livre sterling (£), qui se divise en 100 pences (p). Les billets en circulation sont : 5 £ , 10 £ , 20 £ , 50 £ .
Les pièces en circulation sont : 1 p, 2 p, 5 p, 10 p, 20 p, 50 p, 1 livre.

LE PRIX DES CHOSES

1 bière : entre £ 1,60 et £ 2

1 fish & chips : £ 1,80

1 thé avec scones et/ou sandwiches : £ 4 à £ 5

1 taxi : £ 4 pour 3 km

1 entrée au musée : £ 3 à £ 5

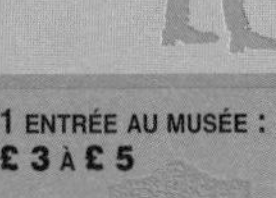

1 concert classique : £ 4 à £ 30
Opéra : £ 20 à £ 150

1 repas : £ 9 à £ 25

(beaucoup moins dans un restaurant indien ou chinois)

1 chambre double avec bain : £ 30 à £ 150 et plus...

Les Fêtes & Manifestations

	Janvier	Février	Mars	Avril	Mai	Juin	Juillet	Août	Septembre	Octobre	Novembre	Décembre
• Spectacle du nouvel an de Lord Mayor of Westminster												
• Nouvel an chinois (date variable)	•	•										
• Cérémonie druidique de l'équinoxe de printemps			20									
• Foire internationale du livre de Londres			21-23									
• Floralies de Chelsea					25-28							
• Parade de la garde pour l'anniversaire de la reine						12						
• Championnats de tennis sur gazon (Wimbledon)						21 -	4					
• Tournoi royal							20-31					
• Carnaval de Nottinghill								29-30				
• Carnaval de Guy Fawkes											5	
• Spectacle et défilé de Lord Mayor											14	

1er janvier, Vendredi saint (*Good Friday*), lundi de Pâques (*Easter Monday*), 1er lundi de mai (*Man Day Holiday*), lundi de Pentecôte (*Whit Monday-Spring Bank Holiday*), dernier lundi d'août (*Summer Bank Holiday*), Noël (*Christmas Day*), 26 décembre (*Boxing Day*).

Hygrométrie et pluviométrie

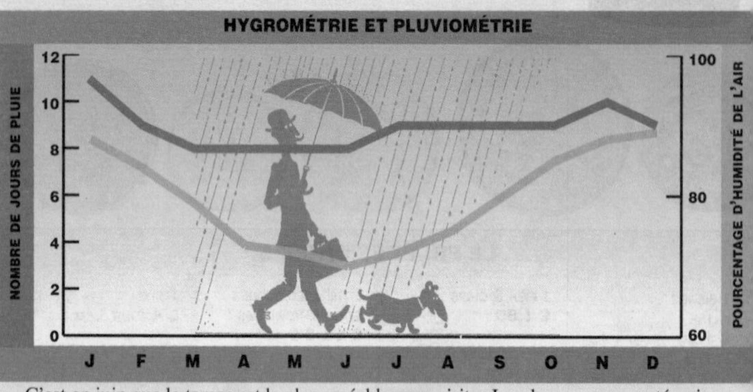

C'est en juin que le temps est le plus agréable pour visiter Londres, comme en témoigne d'ailleurs l'expression «Glorious June». Mai, septembre et octobre sont également des périodes favorables : les pluies deviennent rares et le climat n'est pas étouffant comme en été. De plus, les touristes n'ont pas encore envahi la ville.

Températures minimales et maximales

WESTMINSTER AND VICTORIA

CABINET WAR ROOMS
Clive Steps,
King Charles St, SW1
Tel: (071) 930 6961.
Ouvert tlj. 10 h-17 h 15

WESTMINSTER ABBEY
Parliament Square,
SW1
Tel: (071) 222 5152
Ouvert lun.-ven. 8 h-18 h, et sam. 8 h-14 h et 15 h 45–17 h
Ouvert dim.
entre les offices

INNS OF COURT

DR JOHNSON'S HOUSE
17 Gough Square, EC4
Tel: (071) 353 3745
Ouvert 11 h-17 h
Fermé dim. et j. fér.

HUNTERIAN MUSEUM
Lincoln's Inn Fields,
WC2
Tel: (071) 405 3474
Ouvert 10 h-17 h

PUBLIC RECORD OFFICE MUSEUM
Chancery Lane, WC2
Tel: (081) 876 3444
Ouvert lun.ven.
9 h 30-17 h

SIR JOHN SOANE'S MUSEUM
13 Lincoln's Inn Fields,
WC2
Tel: (071) 405 2107
Ouvert lun. ven.
10 h-17 h
Fermé j. fér.

CITY AND ST PAUL'S

BANK OF ENGLAND MUSEUM
Bartholomew Lane, EC2
Tel: (071) 601 5545
Ouvert lun.-ven.
10 h-17 h.
Ouvert dim et j. fér.
11 h-17 h l'été.

GUILDHALL
Off Gresham Street,
EC2
Tel: (071) 606 3030
Ouvert lun.-sam.
10 h-17 h

THE MONUMENT
Monument Street, EC3
Tel: (071) 626 2717
Ouvert 9 h-18 h
Ouvert sam.-dim..
14 h-18 h
Fermé 16 h et dim.,
oct.-mars

MUSEUM OF LONDON
150 London Wall, EC2
Tel: (071) 600 3699
Ouvert mar.-sam.
10 h-18 h
Ouvert dim.12 h-18 h.
Fermé à Noël

NATIONAL POSTAL MUSEUM
King Edward St,
EC1
Tel: (071) 239 5420
Ouvert lun.-ven. 9 h 30-16 h 30
Fermé j. fér.

THE TOWER

HMS BELFAST
Morgan's Lane,
Tooley Street, SE1
Tel: (071) 407 6434
Ouvert tlj. 10 h-18 h

TOWER BRIDGE
Southwark, SE1
Tel: (071) 407 0922
Ouvert 10 h-16 h, l'hiver
Ouvert 10 h-17 h 45, l'été

TOWER OF LONDON
Tower Hill, EC3
Tel: (071) 709 0765
Ouvert 9 h 30-18 h 30
et dim. 14 h-18 h 15,
mars-oct.
Ouvert 9 h 30-17 h
et dim. 10 h-17 h,
nov.-fév.

KENSINGTON

COMMONWEALTH INSTITUTE
230 Kensington High
Street, W8
Tel: (071) 603 4535
Ouvert 10 h-17 h
Ouvert dim. 14 h-17 h

NATURAL HISTORY MUSEUM
Cromwell Road
South Kensington,
SW7
Tel: (071) 938 9123
Ouvert 10 h-17 h 50
Ouvert dim.
11 h–17 h 50

SCIENCE MUSEUM
Exhibition Road,
SW7
Tel: (071) 938 8000
Ouvert 10 h-18 h
Ouvert dim. 11 h-18 h

VICTORIA & ALBERT MUSEUM
Cromwell Road
South Kensington, SW7
Tel: (071) 938 8500
Ouvert mar.-dim.
10 h-17 h 50
Ouvert lun. 12 h-17 h 50.

HAMPSTEAD

FREUD MUSEUM
20 Maresfield Gardens,
NW3.
Tel: (071) 435 2002
Ouvert mer.-dim.
12 h-17 h

MARYLEBONE

MADAME TUSSAUD'S
Marylebone Road, NW1
Tel: (071) 935 6861
Ouvert lun.-ven.
10 h-17 h 30, et sam.-dim. 9 h 30-17 h 30

SHERLOCK HOLMES' MUSEUM
221b Baker Street, NW1
Tel: (071) 935 8866
Ouvert 9 h 30-18 h

COVENT GARDEN

LONDON TRANSPORT MUSEUM
The Piazza
Covent Garden, WC2
Tel: (071) 379 6344
Ouvert 10 h-18 h

THEATRE MUSEUM
Covent Garden, WC2
Tel: (071) 836 7891
Ouvert mar.-dim.
11 h-19 h

SOHO

DESIGN CENTRE
Covent Garden, SW1
Tel: (071) 839 8000
Ouvert 10 h-18 h
Ouvert dim. 13 h-18 h

BLOOMSBURY

BRITISH MUSEUM
Great Russell St, WC1
Tel: (071) 636 1555
Ouvert 10 h-17 h
Ouvert dim 14 h 30-18 h

DICKENS' HOUSE
48 Doughty Street, WC1
Tel: (071) 405 2127
Ouvert lun.-sam.
10 h-16 h 30

SOUTH OF THE RIVER

DESIGN MUSEUM
Butler's Wharf
28 Shad Thames, SE1
Tel: (071) 403 6933
Ouvert 10 h 30-17 h 30

IMPERIAL WAR MUSEUM
Lambeth Road, SE1
Tel: (071) 416 5000.
Open 10am–6pm daily.

LAMBETH PALACE
Lambeth Palace Road,
SE1
Tel: (071) 928 8282.

LONDON DUNGEON
28 Tooley Street, SE1
Tel: (071) 403 0606
Ouvert tlj. 10 h-17 h 30
Fermé 16 h 30
oct-mars

MUSEUM OF THE MOVING IMAGE (MOMI)
South Bank
Waterloo, SE1
Tel: (071) 401 2636
Ouvert 10 h-18 h
Fermé à Noël

SHAKESPEARE GLOBE MUSEUM AND ROSE THEATRE EXHIBITION
Bear Gardens
Bankside, SE1
Tel: (071) 928 6342
Ouvert 10 h-17 h
Ouvert dim.
14 h-17 h 30
Fermé j. fér.

GREENWICH

CUTTY SARK & GIPSY MOTH IV
Greenwich Pier, SE10
Tel: (081) 858 3445
Ouvert 10 h-18 h
Ouvert dim. 12 h-18 h
Fermé 16 h 30 l'hiver

NATIONAL MARITIME MUSEUM GREENWICH, SE10
Tel: (081) 858 4422
Ouvert 10 h-18 h
Ouvert dim. 12 h-18 h
Ouvert lun-sam
10 h-17 h et dim.
14 h-17 h, oct.-mars

OLD ROYAL OBSERVATORY
Flamsteed House
Greenwich Park, SE10
Tel: (081) 858 1167
Ouvert 10 h-18 h
Fermé 17 h, l'hiver

WEST ALONG THE THAMES

CHISWICK HOUSE
Burlington Lane, W4
Tel: (081) 995 0508
Ouvert lun.-sam.
10 h-18 h
Ouvert dim. 12 h-18 h

SYON HOUSE
Park Road
Brentford, Middlesex
Tel: (081) 560 0881
Ouvert 12 h-16 h 15,
avr.-oct..

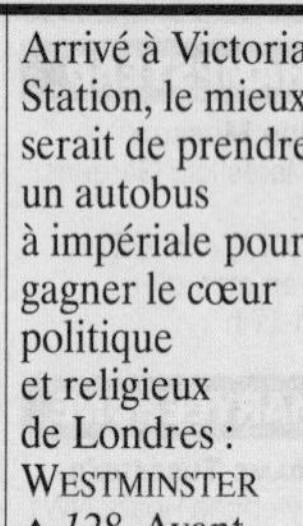

LA TOUR DE LONDRES
▲ *182*
Les quatre tours gothiques coiffées de dôme d'aspect byzantin, qui défendent la tour Blanche, d'époque normande, dominent les deux enceintes qui enclosent la Tour.

NATIONAL GALLERY
▲ *287*
Entre autres chefs-d'œuvre, vous y verrez les *Ambassadeurs* de Holbein, peintre favori d'Henri VIII.

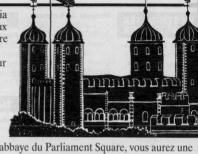

LE PARLEMENT
«On abandonna le Palladio des frères Adam pour l'ogive, le vitrail, le bahut, les rideaux de reps vert, les dagues niellées, les pinacles à crochets. Le style perpendiculaire, qu'on appelle aujourd'hui "à radiateurs", recouvrit un intérieur polychromé de missel.»
Paul Morand, *Londres*

Arrivé à Victoria Station, le mieux serait de prendre un autobus à impériale pour gagner le cœur politique et religieux de Londres : WESTMINSTER ▲ *128*. Avant d'entrer dans l'abbaye du Parliament Square, vous aurez une vue d'ensemble sur le PARLEMENT et BIG BEN, Sainte-Margaret et l'abbaye, puis du pont de Westminster, vous pourrez embrasser les façades néo-gothiques du Parlement et la perspective sur la Tamise. Dans l'abbaye de Westminster, panthéon et nécropole royale, vous imaginerez aisément les fastes des cérémonies de couronnement. Il ne faudra négliger ni la chapelle Henri-VII ni Chapter House. En autobus, vous gagnerez, par WHITEHALL, TRAFALGAR SQUARE ▲ *284*. Une visite à la NATIONAL GALLERY ▲ *287* s'impose avec, tout d'abord, les salles consacrées à l'école anglaise du XVIIIe et du XIXe siècle, sans négliger ni *Le Mariage à la mode*, de Hogarth, ni *Mr. et Mrs. Andrews*, de Gainsborough, ni les tableaux de Constable et de Turner. Après un rapide déjeuner pris dans la crypte de l'église voisine, ST MARTIN-IN-THE-FIELDS ▲ *286*, œuvre de James Gibbs, reprenez l'autobus pour vous rendre, par Fleet Street, à la ST PAUL'S CATHEDRAL ▲ *171*, chef-d'œuvre de Christopher Wren. De la coupole vous pourrez admirer l'intérieur du sanctuaire ainsi que, depuis la galerie d'Or, l'ensemble de la ville. Vous poursuivrez tantôt en autobus, tantôt à pied – pour mieux saisir l'atmosphère de la City –, jusqu'à la sévère forteresse de la TOUR DE LONDRES ▲ *182*, gardée par les fameux Beefeaters et hantée par le souvenir des personnalités qui y furent jadis exécutées. Après avoir franchi deux enceintes, vous pénétrerez dans la tour Blanche et la maison des Joyaux. Depuis la Tour, quelques pas vous conduiront au Tower Bridge, emblème de Londres. De la passerelle, vous aurez une superbe vue sur toute la ville. Enfin, quoi de plus agréable qu'un dîner dans l'un des restaurants qui, sur la rive sud, bordent le fleuve ?

PREMIÈRE JOURNÉE. Vous pouvez descendre dans l'un des hôtels de Russel Square, d'où il vous sera facile de rayonner sur la ville. La visite commencera par le BRITISH MUSEUM ▲ *300*. Dans la galerie Duveen, vous verrez les célèbres fragments de frises du Parthénon expédiés à Londres d'Athènes par lord Elgin. La salle des Manuscrits se trouve dans la British Library et expose des chroniques anglo-saxonnes, des chartes, des autographes, des partitions… Pour le déjeuner, vous pourrez commander un *ploughman* dans un pub de Bloomsbury. Puis, dans LINCOLN'S INN FIELD ▲ *165*, vous vous promènerez dans l'une des écoles de droit les plus célèbres et vous y admirerez les suprenantes collections amassées par le célèbre architecte John Soane. Vous prendrez la direction de la CITY ▲ *146* pour découvrir Cheapside, Poultry et Lombard Street. Là, il faut prendre le pouls de l'un des premiers centres financiers du monde, sorte de royaume de la fiction dans lequel on n'échange que des signes monétaires. Si vous aimez l'opéra, la soirée pourra commencer par un concert à COVENT GARDEN ▲ *272* et continuer par un dîner dans l'un des restaurants de ce quartier vivant.

SECONDE JOURNÉE. La matinée peut être entièrement consacrée à la découverte d'ALBERTOPOLIS ▲ *228*. Après quelques moments passés au musée des Sciences, remarquablement didactique, une visite au VICTORIA AND ALBERT MUSEUM s'impose. Pourquoi ne pas choisir les collections indiennes, les cartons de Raphaël, puis les peintures de Constable ? Il vous sera possible de déjeuner, agréablement d'ailleurs, au restaurant du musée. En sortant, vous gagnerez le ROYAL ALBERT HALL ▲ *236* et, après avoir fait le tour de l'Albert Memorial, vous traverserez HYDE PARK ▲ *245* – et entendrez peut-être ses fameux «prêcheurs» – pour rejoindre Oxford Street. L'autobus à impériale vous conduira à Tower Gateway, située à proximité de la TOUR DE LONDRES. De là, le Dockland Light Railway permet de survoler l'ensemble des Docklands. Depuis ISLAND GARDENS ▲ *339*, vous aurez une très belle vue sur Greenwich et le Royal Naval College. Une fois que vous aurez traversé le tunnel sous la Tamise, vous vous autoriserez une pause bien méritée à la *Trafalgar Tavern*. Ensuite, une vedette vous amènera au LONDON BRIDGE. Enfin, sur la rive sud, la *George Inn*, belle auberge du XVIIe siècle, vous accueillera.

VICTORIA AND ALBERT MUSEUM ▲ *229*
Le *V & A* (à gauche) fut construit à l'initiative du prince Albert, qui souhaitait perpétuer le souvenir de l'Exposition Universelle de 1851.

ST KATHARINE'S DOCKS ▲ *334*
Appontements (*Wharves*) et bassins (*docks*) alternent dans le port de Londres. Les St Katharine's Docks datent de 1928.

BLOOMSBURY ▲ *298*
Ce quartier résidentiel est connu pour sa forte tradition intellectuelle.

LE ROYAL NAVAL COLLEGE ▲ *327*

BLAKE ET MORTIMER
Dans *L'Affaire du collier*, les deux héros d'Edgar P. Jacobs arpentent Londres en tout sens.

WESTMINSTER CATHEDRAL ▲ *145*
(en haut à droite)

HAMPSTEAD ▲ *260*
Au XVIIIe siècle, ce village attira les Londoniens aisés ainsi que des écrivains et des artistes.

LA LUTINE BELL, MUSÉE DE LA LLOYD'S ▲ *153*
Grâce à cette cloche, prise en 1793 par les Anglais à la frégate française *La Lutine*, on annonçait les bonnes nouvelles en la frappant de deux coups et les mauvaises d'un coup.

LUNDI. Se loger pour un prix abordable n'est pas chose facile. Il faut choisir entre une *boarding house*, dans Chelsea ou Bloomsbury, et un *bed and breakfast*, dans une banlieue, à Ealing par exemple. Circulez à pied ou prenez l'autobus à impériale de Victoria Station à Victoria Street. Arrêtez-vous à WESTMINSTER CATHEDRAL ▲ *145*, la cathédrale catholique de Londres, de style italo-byzantin, puis faites quelques pas dans les ruelles alentour pour découvrir l'un des derniers quartiers victoriens intacts. Gagnez PARLIAMENT SQUARE et visitez l'ABBAYE DE WESTMINSTER, véritable musée de la sculpture anglaise. En sortant, n'oubliez pas ST MARGARET'S CHURCH. Puis allez à la TATE GALLERY ▲ *210* pour admirer les œuvres des peintres anglais du XVIe siècle à nos jours. Passez la fin de l'après-midi et la soirée dans CHELSEA ▲ *194* : vous y goûterez le calme de ses *squares* et *crescents* georgiens avant de plonger dans l'agitation de King's Road, où vous dînerez.

MARDI. L'autobus vous conduira à HAMPSTEAD. Vous pourrez passer la matinée à KENWOOD HOUSE ▲ *263*, charmant manoir dessiné par les frères Adam pour lord Mansfield. L'intérieur, très beau, abrite les collections de peintures léguées par le dernier propriétaire, E. C. Guiness, comte d'Iveagh. Après une promenade dans le parc et une collation prise sur place, dirigez-vous vers le village. Si vous aimez Keats, rendez-vous au pavillon dans lequel il vécut, de 1815 à 1820. Promenez-vous dans Church Row et, par Frognal, rejoignez Fenton House. Vous aurez peut-être la chance, durant la visite, d'être bercé par une sonate ou une danse interprétée au clavecin. En début de soirée, gagnez TRAFALGAR SQUARE, prenez une collation dans la crypte de ST MARTIN-IN-THE-FIELDS avant d'écouter, dans l'église, un beau concert baroque. Pour dîner, vous aurez le choix parmi les nombreux restaurants de Leicester Square.

MERCREDI. Vous pouvez consacrer la journée à la CITY. Le matin, en partant d'ALDWYCH, il faut parcourir le quartier des Inns of Court, le cœur du monde des plaideurs : le TEMPLE, sans négliger TEMPLE CHURCH ; LINCOLN'S INN, que vous atteindrez par Chancery Lane ; Lincoln's Inn Fields, où Soane construisit une demeure dans laquelle il accumula ses fabuleuses collections. Par Holborn, vous arriverez à Smithfield, au marché à la viande. Le quartier voisin de St Bartholomew est idéal pour qui aime muser ; vous y découvrirez son église St Bartholomew-the-great ▲ *176* et Cloth Fair. Celui de Barbican mérite aussi qu'on s'y attarde. Ensuite, vous atteindrez ST PAUL'S CATHEDRAL en empruntant St Martin's le Grand. Par Cheapside et Poultry, vous rejoindrez le cœur de la ville, que font battre la Banque d'Angleterre, le STOCK EXCHANGE et le ROYAL EXCHANGE ▲ *151* ainsi que la Lloyd's, installée aujourd'hui dans l'immeuble construit par Rogers. THREADNEEDLE, CORNHILL,

LOMBARD STREET, LEEDENHALL STREET et FENCHURCH STREET ▲ *156* sont agitées d'hommes et de femmes pressés qui vont et viennent, un dossier à la main : allez déjeuner parmi eux à Leadenhall Market ou aux alentours. En fin d'après-midi, vous pourrez traverser le fleuve sur le London Bridge, visiter Southwark Cathedral ▲ *323* et dîner à la *George Inn*, située dans Borough High Street.

JEUDI. Commencez la journée par une promenade dans BLOOMSBURY ▲ *298*, sur les pas de Virginia Woolf et de ses amis. Puis vous visiterez le British Museum et la British Library. Ne manquez pas les salles égyptiennes et grecques ainsi que la salle des Manuscrits. Partez ensuite à la découverte du Londres de Nash : depuis PICCADILLY CIRCUS ▲ *283*, remontez REGENT STREET ▲ *283* et PORTLAND PLACE jusqu'à REGENT'S PARK ▲ *257*. Longez les *terraces* par l'Outer Circle et promenez-vous dans Regent's Park. Si vous aimez les roses, ne manquez pas les jardins de la Reine-Marie. Le retour par Marylebone Road et Baker Street permet de découvrir l'un des plus beaux quartiers georgiens autour de Portman Square, où vous pourrez visiter Home House, bâtie par Robert Adam, et, cachée dans Manchester Square, Hertford House, qui abrite la Wallace Collection ▲ *254*.

VENDREDI. Consacrez votre matinée à la découverte de GREENWICH ▲ *325*, que vous gagnerez par le Dockland Light Railway et par le tunnel sous la Tamise. Après avoir visité le Royal Naval College et le National Maritime Museum, rendez-vous à l'Observatoire. Vous pourrez déjeuner à la *Trafalgar Tavern* puis remonter le fleuve à bord d'une vedette, jusqu'à Charing Cross. Entrez dans Somerset House pour voir, dans les salles de l'Académie royale, les collections du Courtauld Institute. Après un début de soirée théâtral ou musical passé à COVENT GARDEN, vous êtes attendu dans l'un des restaurants qui cernent l'ancien marché.

SAMEDI. La matinée sera consacrée à ALBERTOPOLIS : dans Exhibition Road et Queen's Gate, en faisant un détour par le VICTORIA AND ALBERT MUSEUM, où vous vous enthousiasmerez devant les collections de peinture anglaise. Une collation prise au restaurant du musée vous donnera l'énergie nécessaire à l'exploration de Kensington Gardens, de Paddington et de la Petite Venise. Un bateau vous mènera de Regent's Canal à CAMDEN LOCK ▲ *259.* Et après avoir flâné tout l'après-midi sur les marchés de Camden, vous pourrez passer la soirée dans SOHO ▲ *296*.

DIMANCHE. Le matin, rendez-vous à WHITEHALL ▲ *142*, où vous découvrirez le chef-d'œuvre d'Inigo Jones et ce qu'il reste de l'ancien palais : BANQUETING HOUSE ▲ *144*. Là, vous verrez, dans le Grand Hall, le plafond décoré par Rubens à la demande de Charles Ier. L'après-midi pourra être consacré à HAMPTON COURT ▲ *352*, que vous gagnerez en vedette, en remontant la Tamise à partir de Westminster. Après la visite du palais, attardez-vous dans les jardins à la française aménagés par Charles II en 1660 et par Guillaume III en 1689.

CUMBERLAND TERRACE, REGENT'S PARK ▲ *256* (ci-dessous à gauche) Elle est l'œuvre de John Nash.

«THE BLACKFRIARS», BLACKFRIARS BRIDGE ● *87.* Cette enseigne de pub montre un moine en bure noire, d'où le nom de «frère noir».

COVENT GARDEN ▲ *272* (à gauche).

BEEFEATER
Les hallebardiers de la Tour portent un uniforme datant de l'époque de Marie Tudor : bleu avec le monogramme du souverain, le même en rouge et or pour les cérémonies.

De Lewis Carroll, auteur d'*Alice au pays des merveilles*, à Mr. Hornby, père du Meccano, les Anglais n'ont jamais été avares d'inventions destinées aux enfants. Londres, outre l'un des plus beaux zoos du monde (Regent's Park ▲ *257*), offre un éventail de curiosités et d'attractions susceptible de ravir les jeunes.

SPECTACLES ET JOUETS

PUPPET THEATRE BARGE. Little Venice, Blomfield Road, W9. Tél. (071) 249 6876. Un théâtre de marionnettes de cinquante places destinées aux enfants à bord d'une péniche qui effectue des croisières sur le canal Grand Union en été. Ombres chinoises et marionnettes taillées à la main composent des spectacles pleins d'imagination et de poésie.

UNICORN THEATRE FOR CHILDREN. Great Newport Street, W2. Tél. (071) 836 3334. Le seul théâtre du West End réservé aux jeunes de un à treize ans. Il donne au moins quatre pièces par saison, chacune destinée à une tranche d'âge particulière, allant du guignol moderne, joué par de vrais acteurs, à des spectacles de mime et de théâtre traditionnel, le tout d'excellente qualité.

MUSEUM OF THE MOVING IMAGE. South Banks Arts Center, SE1. Tél. (071) 401 2636. Ouvert en 1988 et salué pour sa conception originale, le «Momi» retrace l'histoire du cinéma et de l'audiovisuel, de la lanterne magique aux dernières technologies des studios d'aujourd'hui. Des figures de cinéma, incarnées par des acteurs, guident les visiteurs (du mardi au dimanche, dę 10 h à 20 h).

BETHNAL GREEN MUSEUM OF CHILHOOD. Cambridge Heath Road, F2. Tél. (081) 980 2415. Des poupées en costume d'époque, du monde entier, et leurs maisons non moins merveilleuses, du château miniature au rustique cottage, y sont exposées. Lanternes magiques, trains et collection de soldats de plomb achèvent de garnir cette hotte du père Noël.

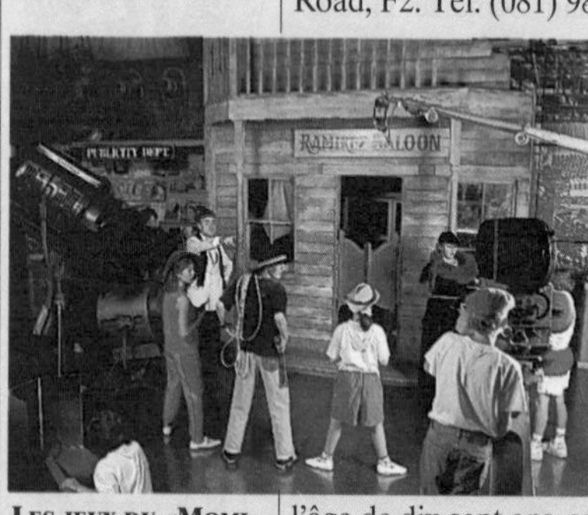

LES JEUX DU «MOMI»
Les enfants révéleront leurs talents d'acteurs en compagnie de professeurs de comédie ou réaliseront leurs propres dessins animés. Ils adoreront aussi les programmes interactifs comme le saloon tout droit sorti d'un western, ou Superman donnant l'illusion de voler.

MADAME TUSSAUD'S MUSEUM. Marylebone Road, NW1. Tél. (071) 935 6861 (relié au planétarium). Musée de cire, très populaire, fondé à Londres en 1835 par Mme Tussaud (1761-1850), qui réalisa à Paris, dès l'âge de dix-sept ans, ses premiers portraits de cire. Sont exposées et mises en scène, notamment, des personnalités de l'Ancien Régime et de la Révolution française.

HAMLEY'S. 188-196, Regent Street, W1. Tél. (071) 734 3161. C'est, sans conteste, le plus grand magasin de jouets de Londres. Il propose sur six étages un choix fantastique d'animaux en peluche, de poupées, de voitures, de modèles réduits, de jeux électroniques, de maquettes, de livres : une caverne d'Ali Baba pour enfants et parents.

HISTOIRES POUR LES ENFANTS

BUCKINGHAM PALACE. The Mall, SW1. London Tourist Board. Tél. (071) 730 3488. Chaque matin d'été, à 11 h 27,

un détachement des gardes de la reine quitte St James's Palace pour rejoindre le palais de Buckingham et prendre à 11 h 30 la relève des sentinelles en poste. Cette cérémonie repose sur une tradition séculaire et symbolique : la pérennité de la monarchie, St James's Palace étant la plus ancienne des résidences royales. La remise des clefs du palais et l'échange des sentinelles se déroulent en musique et avec force claquements de talons. Les gardes en tunique rouge, entraînés à ne pas bouger un muscle, conservent sous leurs bonnets à poil une impassibilité légendaire.

Her Majesty's Ship
Ce cuirassé de 200 m de long est une véritable ville flottante.

Les joyaux de la Couronne. Tower of London, Tower Hill, EC3. Tél. (071) 709 0765. Une aura inquiétante continue d'émaner de cet ensemble de tours et de remparts, dont la partie la plus ancienne remonte à Guillaume le Conquérant et qui servit, pendant des siècles, de forteresse et de prison politique. L'attraction principale des lieux est sans conteste la nouvelle Jewel House, où se trouvent les bijoux de la Couronne : le plus gros diamant taillé du monde, des épées et des couronnes étincelantes de pierreries, des coupes et un brûle-parfum en or massif, le tout placé sous une surveillance électronique des plus sophistiquées.

«H.M.S. Belfast». Morgan's lane, Tooley St, SE1. Ce cuirassé de la Seconde Guerre mondiale joua un rôle important dans le débarquement de Normandie. On le visite, de la passerelle de commandement jusqu'à la chambre des machines, en passant par la boulangerie et le théâtre du bord, tandis qu'un programme retrace l'histoire du *HMS Belfast* et l'évolution de la marine de guerre de 1914 à nos jours (tlj. de 10 h à 18 h).

London Dongeon. 34, Tooley Street, SE1. Tél. (071) 403 0606. Une exposition, installée sous les arches de la London Bridge Station, évoque, avec véracité (et non sans un certain plaisir sadique), les plus sombres images de l'histoire de l'Angleterre : le meurtre de Thomas Becket dans la cathédrale de Canterbury, les tortures et les exécutions de criminels, le Grand Incendie. Tout cela peut impressionner les enfants sensibles (tlj. de 10 h à 17 h 30, hiver 10 h-16 h 30).

London zoo
«Si j'avais suivi mon premier plan qui était de décrire Londres en fonction de ce qui tient le plus au cœur d'un Londonien, [...] j'aurais certainement donné une place d'honneur au zoo.»
Paul Morand, *Londres*

Univers des animaux

London Zoo. Regent's Park, NW1. Tél. (071) 722 3333. L'un des plus riches jardins zoologiques du monde avec ses huit mille animaux, parfois extrêmement rares, comme le couple de pandas géants Ching Ching et Chia Chia, d'incroyables araignées mangeuses d'oiseaux ou d'énormes lézards à tête de dragon. Surtout ne pas manquer le Twilight World, où un clair-obscur artificiel permet d'observer les kiwis rarissimes, et les chauves-souris géantes dans leurs ébats nocturnes (tlj., de 9 h à 18 h ; en hiver, de 10 h à 16 h).

Natural History museum. Cromwell Road, SW7. Tél. (071) 938 9123. Exposition de dinosaures dans le hall central.

❝Après être entrés dans trois ou quatre boutiques de revendeurs, nous nous trouvâmes propriétaires d'un rouleau de linoléum, d'un garde-manger, de deux chaises de bois, d'une petite table à café, et même de plusieurs oreillers, ainsi que de couvertures de l'armée.❞

Colin Wilson, *Soho, à la dérive*

Londres ne manque pas d'endroits où les fanatiques de brocante, les chasseurs d'éditions rares, les amoureux d'argenterie à vieux poinçon peuvent s'adonner à leur vice favori. A tout seigneur tout honneur, le parcours débute dans les boutiques huppées du West End pour s'achever sur les parkings où les vendeurs se contentent d'ouvrir à la clientèle le hayon de leurs véhicules.

CURIOSITÉS

LONDON SILVER VAULTS. 53, Chancery Lane, WC2. Tél. (071) 242 3844. Dans ces caves aussi bien défendues qu'une banque, trente-cinq petits stands vendent de l'argenterie, de la joaillerie et de la porcelaine. Il est possible de marchander.

ARTHUR MIDDLETON. 12, New Row, WC2. Tél. (071) 836 7042. Les amateurs d'instruments scientifiques anciens apprécieront cette boutique où l'on trouve aussi bien des instruments de navigation que d'astronomie ou de médecine : au choix, antiques astrolabes, télescopes de cuivre et modestes pinces de dentistes.

JEAN SEWELL. Antiques Ltd, 3, Campden Street, W8. Tél. (071) 727 3122. Porcelaines et faïences anglaises du XVIIIe et du XIXe siècle sont les spécialités de la maison. La vaisselle est choisie avec un goût exquis.

DAVID BLACK ORIENTAL CARPETS. 96, Portland Road, W11. Tél. (071) 727 2566. Le propriétaire est un connaisseur en matière de tapis d'Orient – il est l'auteur de plusieurs livres sur la question – et sa boutique foisonne de kilims anciens.

HENRY SOTHERAN. 2 à 5, Sackville Street, W1. Tél. (071) 439 6151.Charles Dickens et Winston Churchill ont honoré de leur confiance cette librairie de livres anciens, la plus ancienne de Londres (1761) et une des mieux fournies en livres rares, premières éditions, autographes et ouvrages de sciences naturelles, en particulier d'ornithologie. Le sous-sol offre un large choix de cartes et de gravures en couleurs, consacrées à la chasse à courre, à l'équitation…

VOIR ET VENDRE À SOTHEBY'S
Sans être un émir du pétrole ou un crésus texan, tout un chacun peut arpenter les salons d'exposition ou assister à une vente aux enchères *(auction)* : c'est gratuit.

LES SALLES DES VENTES

SOTHEBY'S. 34, New Bond Street, W1. Au royaume des ventes aux enchères, on ne présente plus cette institution dont la célébrité n'a d'égale que celle de Christies, 8, King Street, SW1. D'autres salles vendent des produits moins chers : Ronham's, Montpellier Street, SW7 ; Christies South Kensington, 85, Old Brompton Road, SW7 ; Phillips Son & Neale, 7, Blenheim Street, W1 ; Lots Road Galleries, 71, Lots Road, SW10.

«Les petits revendeurs ont plus d'imprévu, et même ceux des quartiers pauvres ou de la banlieue sont pleins de surprises.»

Paul Morand

Le tour des marchés

Portobello Road. Le chineur consciencieux ne manquera pas la visite de ce marché (ci-contre), désormais aussi célèbre que la Tour de Londres, ouvert tous les samedis. Des enseignes de bois aux couverts de Sheffield en passant par les vieux clubs de golf, Portobello offre à peu près tout, même si ce n'est pas là que vous ferez les meilleures affaires.
Alfies Antique Market. 13-25, Church Street, NW8. Tél. (071) 723 6066. On trouve de tout dans ce marché couvert, le plus grand d'Angleterre, où il ne faut pas hésiter à marchander. Plus de trois cents éventaires. Ouvert du mardi au samedi de 10 h à 18 h.
Camden Passage Antiques Market. Camden Passage, Islington, N1. Trois cent cinquante brocanteurs spécialisés y plantent leurs stands (ci-contre), tous les mercredis et les samedis (argenterie, bijoux, meubles) ainsi que les jeudis (livres, estampes et dessins).

Antiquarius. 131-141, King's Road, SW3. Tél. (071) 351 5353. Si ce marché est surtout réputé pour ses costumes d'époque, il propose aussi de la porcelaine très british, des bijoux des années folles, des articles de sport en cuir et toute une pacotille de moindre intérêt. Dans King's Road, au niveau des nos 181-183, Chenil Galleries est une mine de bibelots anciens, d'estampes, de bijoux et de vieux chapeaux. (Ouvert du lundi au samedi de 10 h à 18 h.)
Grays Antique Market. 58, Davies Street et 1-7, Davies Mews, W1. Ce sont deux marchés d'antiquités plus classiques où l'on poursuivra sa quête du Graal en bénéficiant, en cas de succès, d'une garantie d'authenticité, ce qui n'est pas à négliger (ouvert du lundi au vendredi).
Berdmonsey and New Caledonian Markets. À l'angle de Long Lane et Berdmonsey Street, SE1. Ces marchés aux antiquités (ci-contre), au sud de la Tamise, ouvrent leurs portes tous les vendredis à l'aube pour ne fermer qu'à 13 h. Sacrifiez votre grasse matinée : Pour bien faire, il faut être sur place, lampe-torche au poing, vers 5 h du matin, vous y dénicherez peut-être une gravure, un bibelot ou une pièce d'argenterieà un prix bien plus intéressant qu'à Portobello.

Les foires à la brocante

Une fois par mois, vous pourrez chiner de très beaux ustensiles de cuisine en bois ou d'anciennes théières dans la très belle salle des Horticultural Halls, sur Vincent Square, SW1. Une autre foire se tient quatre fois par an au Chelsea Town Hall (la chic mairie de Chelsea), sur King's Road, SW3. Certaines enfin n'ont lieu que les jours fériés. Il s'agit le plus souvent de *car boot sales* où les vendeurs garent leurs véhicules sur d'immenses parkings, comme celui de Wembley Stadium, et ouvrent leurs coffres. Pour connaître les dates exactes, consultez, comme tout bon Londonien qui se respecte, le magazine *Time Out*.

❝Du Londres que Martin avait aimé, tant de choses avaient disparu ! […] Parfois, il se promenait à Pimlico pour flairer les boutiques de revendeurs, et revenait vers le centre en passant par Kensington…❞

Michel Mohrt, *Un soir, à Londres*

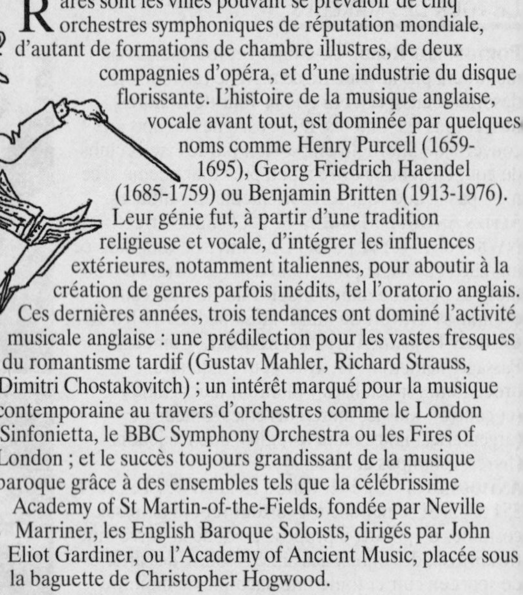

Rares sont les villes pouvant se prévaloir de cinq orchestres symphoniques de réputation mondiale, d'autant de formations de chambre illustres, de deux compagnies d'opéra, et d'une industrie du disque florissante. L'histoire de la musique anglaise, vocale avant tout, est dominée par quelques noms comme Henry Purcell (1659-1695), Georg Friedrich Haendel (1685-1759) ou Benjamin Britten (1913-1976). Leur génie fut, à partir d'une tradition religieuse et vocale, d'intégrer les influences extérieures, notamment italiennes, pour aboutir à la création de genres parfois inédits, tel l'oratorio anglais. Ces dernières années, trois tendances ont dominé l'activité musicale anglaise : une prédilection pour les vastes fresques du romantisme tardif (Gustav Mahler, Richard Strauss, Dimitri Chostakovitch) ; un intérêt marqué pour la musique contemporaine au travers d'orchestres comme le London Sinfonietta, le BBC Symphony Orchestra ou les Fires of London ; et le succès toujours grandissant de la musique baroque grâce à des ensembles tels que la célébrissime Academy of St Martin-of-the-Fields, fondée par Neville Marriner, les English Baroque Soloists, dirigés par John Eliot Gardiner, ou l'Academy of Ancient Music, placée sous la baguette de Christopher Hogwood.

LES GRANDES SCÈNES LONDONIENNES

ROYAL ALBERT HALL. Kensington Gore, SW7. Tél. (071) 859 3203. Location tous les jours, de 9 h à 21 h. Le Royal Philarmonia Orchestra joue toute l'année, mais les rendez-vous typiquement britanniques à ne pas manquer sont les *proms*, ces concerts-promenades de la BBC, de la mi-juillet à la mi-septembre. Le dernier soir de la saison, musiciens et public entonnent d'émouvants hymnes patriotiques.

ROYAL OPERA HOUSE (COVENT GARDEN). Bow Street, WC2. Tél. (071) 240 1066 (caisse) et (071) 240 1911 (cartes de crédit). Location du lundi au samedi de 10 h à 19 h. Ce théâtre, inauguré en 1858 avec *Les Huguenots*, de Giacomo Meyerbeer, reste la demeure des géants et le lieu consacré du répertoire traditionnel, de l'opéra en particulier. Le foyer du Royal Opera et du Royal Ballet, que tout le monde appelle Covent Garden, mérite sa réputation d'être l'une des plus grandes scènes internationales.

WIGMORE HALL. 36, Wigmore Street, W1. Tél. (071) 935 2141. Location tous les jours, sauf le dimanche, de 10 h à 19 h. Il fut ouvert en 1901 sous l'appellation de Bechstein Hall, du nom de son créateur, le célèbre fabricant de pianos. Beaucoup de jeunes artistes ont débuté dans cette salle ravissante, réputée pour son acoustique. Il est nécessaire de louer sa place de

ROYAL ALBERT HALL (ci-dessous) Les drapeaux indiquent que la saison des *proms* a commencé ▲ *236*.

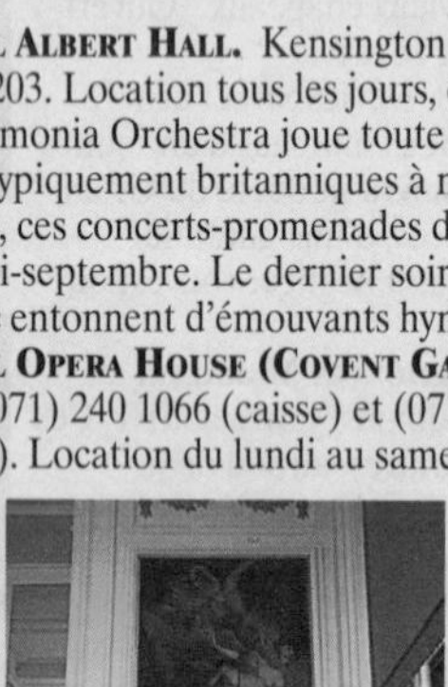

ROYAL OPERA HOUSE (ci-dessus, à droite) Détente dans les salons du Royal Opera ● *54, 55*.

«AVANT QUE LA COMÉDIE NE COMMENCE, POUR QUE LE PUBLIC NE SE FATIGUE PAS D'ATTENDRE, ON JOUE LES SYMPHONIES LES PLUS CHARMANTES.»

CÔME III, GRAND-DUC DE TOSCANE (EN VISITE EN ANGLETERRE EN 1669)

quatre à six semaines à l'avance pour assister aux récitals de chant, qui sont très recherchés.

SOUTH BANK ART CENTRE. South Bank, SE1. Tél. (071) 928 8800 (caisse) et (071) 928 3002 (renseignements). Location tous les jours de 10 h à 21 h. Ce centre culturel (1951) possède trois salles de concerts : le ROYAL FESTIVAL HALL (sa taille le prédispose à accueillir les orchestres symphoniques – le Royal Philarmonic y est d'ailleurs installé à demeure et son orgue est réputé pour la musique aussi bien baroque que romantique) ; le QUEEN ELIZABETH HALL (plus petit, utilisé surtout pour les concerts de musique de chambre) et la PURCELL ROOM (idéale pour les récitals), ces deux derniers ouverts en 1967.

BARBICAN, THE BARBICAN CENTRE. Silk Street, EC2. Tél. (071) 638 8891 (caisse) et (071) 628 2295 (renseignements). Location tous les jours de 9 h à 20 h. Ne pas se laisser démonter par l'aspect rébarbatif de l'architecture extérieure (les Londoniens assurent qu'il est plus facile de s'évader d'Alcatraz que de ce labyrinthe de béton) ; le Barbican Centre (1981), fief du London Symphony Orchestra et de l'English Chamber Orchestra, réserve d'excellentes surprises aux mélomanes.

LA TRADITION VOCALE

Si d'aventure, passant dans le quartier de Westminster Abbey à l'heure du déjeuner, vous entendez un chœur céleste s'échappant de la porte entrebâillée d'une église, vous touchez l'essence même de la musique anglaise. Dominique Fernandez évoque cette tradition originale : «L'Angleterre n'avait pas produit de castrats, mais elle possédait, depuis le XVe siècle au moins, une institution admirable, et conservée intacte, les maîtrises de "colleges" et de cathédrales, composées de mâles uniquement, *all male cast*, où les voix supérieures étaient confiées à des garçons de huit à quatorze ans, les voix d'altos à de jeunes adultes, à côté des ténors et des basses.» (*La Rose des Tudors*).

SAINT-JOHN'S. Smith Square, SW1. Tél. (071) 222 1061. Location du lundi au vendredi de 10 h à 17 h, et une heure avant le concert le samedi et le dimanche. On peut entendre, toujours à l'heure du déjeuner, chœurs ou musiques de chambre dans cette belle église du XVIIIe siècle, située en plein quartier de Westminster. Il existe des maîtrises dans toutes les villes d'Angleterre (à Londres, celle de Westminster Abbey est la plus célèbre) : The Friends of Cathedral Music publient la liste des cathédrales et des fondations collégiales (*colleges*) où se produit chaque maîtrise.

ST MARTIN-IN-THE-FIELDS. Trafalgar Square, WC2. Tél. (071) 930 0089. Cette église a donné son nom à l'Academy of St Martin-of-the-Fields, la grande figure contemporaine de la musique baroque anglaise. Excellents concerts les lundis, mardis et vendredis à 13 h 05, et en soirée.

LES VOIX DU CIEL
«Et l'après-midi du vendredi saint, j'assistai à un splendide concert : la Passion selon saint Matthieu, exécutée par la maîtrise de Saint-Paul, accompagnée par un grand orchestre et par un groupe supplémentaire de choristes.»
Jack Kerouac, *Le Vagabond solitaire*

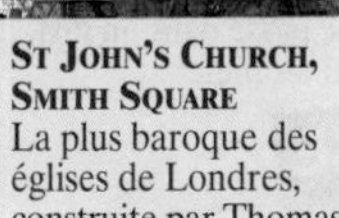

ST JOHN'S CHURCH, SMITH SQUARE
La plus baroque des églises de Londres, construite par Thomas Archer vers 1720.

«BLACKMAIL»
Chantage fut conçu et primitivement réalisé en version muette, mais la British Film Industry demanda que l'on refasse la dernière bobine seulement en version parlante. Or Hitchcock retravailla plus de scènes que ne l'attendait le producteur. Il y eut donc deux versions, dont l'une muette, avec cartons, pour les salles qui n'étaient pas encore équipées pour passer des films sonores.

Même si le premier travelling de l'histoire a été tourné à Piccadilly Circus (par Robert William Paul, en 1900), Londres semble moins courtisée par les cinéastes que naguère. La photogénie du Tower Bridge émergeant du brouillard et de Big Ben annonçant l'heure du crime devaient pourtant suffire à lui valoir tous les oscars du meilleur décor.

SÉRIES NOIRES LONDONIENNES

LE ROYAL ALBERT HALL ET «L'HOMME QUI EN SAVAIT TROP», D'ALFRED HITCHCOCK (1956). Au terme de multiples péripéties, la chanteuse américaine Jo Conway (Doris Day) arrive à l'Albert Hall le soir où doit y être assassiné le Premier ministre d'une nation étrangère en visite à Londres. Le tueur doit tirer à l'instant où la partition prévoit un coup de cymbales mais, juste avant le moment fatidique, Jo pousse un cri, le tueur rate son coup et meurt en sautant du balcon.
LE BRITISH MUSEUM ET «CHANTAGE», D'ALFRED HITCHCOCK (1929). Un maître chanteur, traqué par les hommes de Scotland Yard, traverse plusieurs salles et la bibliothèque du British Museum, escalade le toit du musée en forme de coupole et fait une chute mortelle. Le premier film parlant d'Hitchcock et du cinéma britannique.
SOHO ET «LES FORBANS DE LA NUIT», DE JULES DASSIN (1950). Les ruelles et les arrière-cours labyrinthiques de Soho servent de cadre aux entreprises de Fabian, voyou de troisième zone (Richard Widmark), qui gagne l'amitié d'un vieux lutteur grec pour mettre sur pied le combat du siècle entre le protégé du Grec et une brute nommée «l'Étrangleur». Le tout se termine tragiquement pour Fabian, le perdant, malgré la présence rayonnante de Gene Tierney.
HAMSTEAD ET «BLOW UP», DE MICHELANGELO ANTONIONI (1967). Dans le «swinging London» des années soixante, un photographe

«STAGEFRIGHT»
Ci-dessous, le tournage en Angleterre du film d'Alfred Hitchcock *Le Grand Alibi* (1950), dont l'une des plus belles scènes se passe dans un taxi londonien.

de mode (David Hemmings) prépare un reportage sur Londres. Mais l'agrandissement (*blow up*) d'une photographie prise dans le parc de Hamstead Heath lui permet de distinguer une main pointant un revolver ainsi qu'un corps. De retour sur les lieux, il trouve le cadavre. Pendant ce temps, son studio a été fouillé…

Whitechapel et «Sherlock Holmes contre Jack l'Éventreur», de James Hill (1965). Dans le quartier où l'assassin sans visage commit ses crimes abominables s'affrontent, sur fond de pavés luisants et de réverbères trouant le brouillard, deux mythes contradictoires de l'ère victorienne.

Londres et les comédies sentimentales

Covent Garden et «My Fair Lady», de George Cukor (1963). C'est sur les marches du Royal Opera House que fut tournée la rencontre du professeur Higgins (Rex Harrison) et de la marchande de fleurs *cockney* Eliza (Audrey Hepburn) qu'il a parié de faire passer pour une aristocrate après quelques leçons de diction et de maintien.

Belgravia et «Indiscret», de Stanley Donen (1958). Un diplomate américain (Cary Grant) en poste à Londres tombe amoureux d'une actrice (Ingrid Bergman). Une brillante comédie sentimentale du réalisateur de *Chantons sous la pluie* qui se déroule dans le quartier des ambassades.

Comédies d'humour anglais

Pimlico et «Passeport pour Pimlico», d'Henry Cornelius (1949). Ce classique de la comédie d'humour, tourné à Pimlico, raconte comment, à la suite d'une explosion, les habitants de ce faubourg populaire, résidentiel aujourd'hui, retrouvent un édit du XVe siècle prouvant leur appartenance au duché de Bourgogne et déclarent aussitôt leur indépendance vis-à-vis de la Couronne pour ne plus être soumis aux horaires des pubs et aux rationnements alimentaires de l'après-guerre.

Docklands et «Un poisson nommé Wanda», de John Cleese (1989). Les docks de Londres, alors qu'on commençait à les reconvertir en habitations de standing, servent de cadre à une séquence de cette comédie délirante, durant laquelle un timide avocat se trouve mêlé à une bande de gangsters dont fait partie l'accorte Jamie Lee Curtis.

Chroniques urbaines

Chelsea et «The Servant», de Joseph Losey (1963). Dans le quartier élégant de Chelsea, un gentleman désœuvré (James Fox) prend à son service un valet de chambre (Dirk Bogarde) qui ne tarde pas à le manipuler et à l'humilier dans un climat d'homosexualité latente et de lutte des classes.

La banlieue sud et «My Beautiful Launderette», de Stephen Frears (1985). Un jeune Pakistanais homosexuel, dont la famille a cruellement souffert du racisme, entreprend par tous les moyens de sortir de la pauvreté. Il y parvient en transformant une minable laverie automatique en affaire rentable. Traité avec humour, ce film noir aborde les problèmes que rencontre toute minorité.

«Indiscret»
Ingrid Bergman et Gary Grant dans une scène du film de Stanley Donen, *Indiscret,* comédie de mœurs qui se déroule dans la société de l'élégant West End.

Le lieu du meurtre
«La réputation de Londres comme capitale du crime est fermement établie dans le monde. Et pourtant, il s'y commet moins d'assassinats qu'à Paris, New York ou Chicago. Marseille même est bien plus dangereuse. Mais de son passé de forfaits et d'horreurs, Londres a gardé une ambiance qui donne le frisson ; est-ce cette nuit soudaine et opaque du brouillard qui appelle le meurtre en promettant l'impunité, ou ces légendes de malfaiteurs insaisissables, entretenues par toute une littérature policière et par des journalistes en quête de sensationnel ? Un halo de brouillard fait ressembler le plus paisible habitant de Londres à Mr. Hyde ou au chien des Baskerville, et replante, au XXe siècle, le décor du *Beggar's Opera*, conçu par John Gay, au XVIIIe.»
Paul Morand, *Londres*

221 BAKER STREET, LONDON.

L'OMBRE DE JACK L'ÉVENTREUR
«Si le fait que le meurtrier avait choisi son ciseau comme arme du crime inquiétait le jeune portier, celui-ci n'en laissa rien paraître.

[…] Il déclara qu'il avait vingt-sept ans et vivait à Pimlico, et confirma qu'il était employé par la clinique depuis deux ans à peine…»
P. D. James,
Une folie meurtrière

Sherlock Holmes traquait les criminels dans Londres à l'époque de la révolution industrielle. À notre tour, nous avons tenté de suivre la piste du plus connu des détectives : élémentaire, mon cher Watson !

BAKER STREET W1, DOMICILE DE SHERLOCK HOLMES. «Dehors le vent balayait Baker Street en hurlant, et la pluie battait furieusement nos fenêtres. C'était étrange qu'en plein centre de la capitale, avec quinze kilomètres d'œuvres humaines autour de nous, la poigne de fer de la nature se fît sentir comme si Londres n'était qu'une taupinière dans les champs.» (*Le Manoir de l'abbaye*). «Pendant la troisième semaine de novembre, un épais brouillard jaune s'établit sur Londres. […] "Regardez par la fenêtre, Watson ! Considérez comme les silhouettes émergent à peine de ce brouillard ! Un voleur ou un assassin, par un jour pareil, pourrait rôder dans Londres comme un tigre dans la jungle, et choisir sa proie sans être vu jusqu'à ce qu'il lui saute dessus."» (Arthur Conan Doyle, *Les Plans de Bruce-Partington*)

WESTMINSTER. «UN CRIME DANS WESTMINSTER» «Un crime d'un caractère monstrueux a été commis la nuit dernière au 16 de Godolphin Street, l'une des artères les plus anciennes et les plus retirées qui, avec leurs maisons du XVIIIe siècle, sont situées entre la Tamise et l'abbaye, presque à l'ombre de la grande tour du Parlement.» (Arthur Conan Doyle, *La Deuxième Tache*)

LA CITY. «C'était l'une des artères principales où se déversait le trafic de la City vers le nord et l'ouest. La chaussée était obstruée par l'énorme flot commercial qui s'écoulait en un double courant : l'un allant vers la City, l'autre venant de la City. Nous avions du mal à réaliser que d'aussi beaux magasins et d'aussi imposants bureaux s'adossaient à ce square minable et crasseux que nous venions de quitter.» (Arthur Conan Doyle, *La Ligue des rouquins*)

UPPER SWANDAN LANE. «La première étape se déroula sans grande difficulté. Upper Swandan Lane est une ruelle sordide, camouflée derrière les hauts wharfs qui longent le côté nord du fleuve vers l'est du pont de Londres. Entre une boutique où l'on vendait des frusques et un débit de boissons, je trouvai l'antre dont j'étais en quête (…).» (Arthur Conan Doyle, *L'Homme à la lèvre tordue*)

L'EAST END, DE WHITECHAPEL, E1, JUSQU'AUX DOCKS. Un important projet immobilier a modifié l'aspect de ce quartier qui fut l'un des plus misérables de Londres : «Nous traversâmes successivement le Londres de la mode, le Londres des hôtels, le Londres des théâtres, le Londres littéraire, le Londres commercial, et, finalement, le Londres maritime avant d'arriver à une ville au bord de l'eau, forte de cent mille âmes, où transpirent et puent dans des logements ouvriers tous les émigrés de l'Europe.» (Arthur Conan Doyle, *Les Six Napoléons*)

UN LABYRINTHE DE LA PEUR
«Holmes connaissait son Londres comme sa poche ; il n'y avait pas une ruelle qu'il ignorât. Ce soir-là, il me conduisit avec autant de célérité que d'assurance dans un dédale de passages dont je n'avais jamais soupçonné l'existence.»
Arthur Conan Doyle,
La Maison vide

Sur les huit millions d'habitants que compte Londres, plus d'un million est aujourd'hui originaire du Pakistan, du Bangladesh, des Caraïbes ou d'autres contrées lointaines. Les premiers immigrants, venus de Hong Kong, il y a un siècle, se firent embaucher comme dockers avant de se tourner vers la restauration avec succès.

VOYAGE À CHINATOWN

Au bas de Soho, dans le périmètre piétonnier de Gerrard Street, se trouve le bastion de la communauté chinoise, signalé par de hauts portiques en forme de pagodes et des cabines téléphoniques de style chinois.

DRAGON INN. 12, Gerrard Street, W1. Tél. (071) 494 0870. Spécialités cantonaises et excellents *dim sum* à déguster dans un cadre moderne et élégant.

LOON FUNG. 31, Gerrard Street. Tous les produits de Chine à découvrir dans cette boutique, y compris des fruits et des légumes frais.

SAVEURS INDIENNES

Si vous n'avez jamais goûté à l'agneau *masala*, au *bhuna ghost*, ou plus simplement au poulet *tandoori*, c'est l'occasion de le faire. Les restaurants indiens sont légion à Londres.

BOMBAY BRASSERIE. Courtfield Close, Courtfield Road, SW7. Tél (071) 370 4040. S'impose pour son cadre et l'excellent buffet servi au déjeuner.

KHAN'S. 13-15, Westbourne Grove, W2, tél. (071) 727 5420 Cadre banal mais on y mange bien. Copieux.

RAJDOOT. 49, Paddington St, W1, tél. (071) 486 2055. Offre une excellente cuisine dans un décor de gravure moghole.

STAR OF INDIA. 154, Old Brompton Road, W11. Tél. (071) 373 2901. Décor théâtral où l'on se restaure agréablement.

WHITTARDS. 81, Fulham Road, SW7. Tél. (071) 589 4261. À l'intérieur du magasin Conran, *Michelin House*. Rien de plus exotique qu'une boutique de thé où se mélangent les fragrances de plus de soixante variétés importées de Chine, de Ceylan ou des contreforts de l'Himalaya. La maison vend des tisanes et différentes sortes de cafés.

LA FIÈVRE DES ÎLES

LA FIÈVRE DE NOTTING HILL. Notting Hill Gate, W11. Notting Hill (en haut à gauche) est l'un des quartiers les plus en vogue de Londres. Galeries d'art d'avant-garde, fripiers, marchands de fripes hippies, bistros français, disquaires des Caraïbes pullulent autour de Portobello Road, connu pour sa brocante.

LE MARCHÉ DE SHEPPERD'S BUSH. À l'ouest de Holland Park Avenue, les marchés et les épiceries antillais proposent un formidable assortiment de fruits et de légumes frais, d'épices, de confiseries et de conserves, importés de la Jamaïque et de Trinidad.

"L'homme et son milieu m'accompagnaient depuis mon retour des mers d'Extrême-Orient, environ quatre ans avant le jour dont je parle. C'est dans le salon sur rue d'un meublé, dans un square de Pimlico, qu'ils s'étaient mis à revivre avec une intensité poignante, tout à fait étrangère aux rapports réels que nous avions eus auparavant. […] À l'insu de ma propriétaire – personne comme il faut –, j'avais coutume, aussitôt après mon petit déjeuner, de tenir des réceptions animées pour des Malais, des Arabes et des mulâtres."

Joseph Conrad, *Souvenirs personnels*

La cité qui régna sur un quart de la planète s'est transformée en creuset ethnique, où les parfums de curry se mêlent à l'odeur du canard laqué et les pulsations du reggae jamaïcain aux caresses du sitar.

C'est à Soho et à Covent Garden – où se concentrent cinémas, théâtres, cabarets et clubs de jazz – que débute la vie nocturne. Elle s'achèvera loin du centre, dans des night-clubs aux disc-jockeys renommés qui multiplient les soirées à thème sur des musiques allant de l'*acid jazz* au *raggamuffin* (*rap* version jamaïquaine). Liste et horaires des manifestations dans *Time out* ou *What's on*, magazines hebdomadaires.

La ronde de nuit

Academy Brixton. 211, Stockwell Road, SW9. Tél. (071) 924 9999. Brixton, sur la rive sud, est décidément le quartier en vogue, proposant boîtes, concerts et bars à volonté. C'est de musique qu'il s'agit ici : les concerts-événements de l'Academy font courir les foules.

Jazz cafe. 5, Parkway, NW1. Tél. (071) 916 6000. Petit club que fréquentent quelques grands noms du jazz.

Harry's. 19, Kinggly Street, W1. Tél. (071) 434 0309. Jusqu'à 6 h du matin. Une adresse bien utile pour calmer les fringales de l'aube en avalant un petit déjeuner à l'anglaise.

Limelight. 136, Shaftesbury Avenue, WC2. Tél. (071) 434 0572. Un décor superbe, très épuré, où l'on se trémousse chaque mercredi au son du rock et de la musique industrielle.

Hamstead Theatre. Swiss Cottage Centre, Avenue Road, NW3. Tél. (071) 722 9301. Il ne s'y joue que des oeuvres nouvelles écrites par des dramaturges célèbres.

Heaven. The Arches Villiers Street, WC2. Tél. (071) 839 3852. Jusqu'à 3 h 30. Soirée également à thèmes, dans ce club lanceur de modes où les disc-jockeys alternent avec les orchestres. Trois pistes de danse, un buffet et plusieurs bars.

Ministry of Sound. 103, Gaunt Street, SE1. Tél. (071) 378 6528. La meilleure sono de la capitale attire les disc-jockeys les plus fameux ainsi qu'une clientèle avide d'explorer les dernières variantes de la *house music.*

Marque. 105, Charing Cross Road, WC2. Tél. (071) 437 6601. Les orchestres et les pistes de danse permettront aux amateurs de s'élancer sur les rythmes de la *techno music.*

Ronnie Scott's. 47, Frith Street, W1. Tél. (071) 439 0747. Depuis trente ans, c'est La Mecque londonienne du jazz, où les plus grands noms des États-Unis viennent jouer.

The Camden Palace. 1a, Camden High Street, NW1. Tél. (071) 387 0428. Populaire, public jeune.

The Fridge. Town Hall Parade, Brixton hill, SW2. Tél. (071) 326 5100. Jusqu'à 2 h. À chaque soirée son style (le premier mercredi du mois est consacré aux femmes seules) dans ce club-locomotive qui peut accueillir 1 500 personnes et possède son propre restaurant.

The grand. Clapham junction, SW11. Tél. (071) 738 9000 Cartes de crédit : Tél. (071) 284 2200. Grande variété de concerts à partir de 23 h.

Turnmills. 65, Clerkenwell Road, EC1. Tél. (071) 250 3409. Boîte de nuit ouverte tard, parfois jusqu'au petit matin.

Rêverie romantique
«Certains sentiments toutefois, sans être plus profonds ou plus passionnés, sont plus attendrissants que les autres ; et souvent, lorsque je marche dans Oxford Street à la lueur, propice aux rêves, des réverbères, et que j'entends un orgue de Barbarie jouer ces airs qui, voici des années, nous consolaient, moi et ma chère compagne…»
Thomas De Quincey, *Les Confessions d'un mangeur*

Les clubs
«Les clubs de nuit de Londres datent de 1912 et de 1913. On allait à cette époque chez *Murray's* (où j'entendis dans le sous-sol le premier jazz) et dont les permissionnaires assurèrent la fortune pendant la guerre…»
Paul Morand, *Londres*

Probablement parce que les ombres de Shakespeare, de Dickens, de Samuel Pepys et de Wellington continuent d'y lever leurs pintes au bout du bar, les pubs de Londres – ils sont sept mille ! – ont un charme éternel. La plupart sont maintenant ouverts de 11 h à 22 h 30 (le dimanche de 12 h à 15 h et de 19 h à 22 h 30) et l'on peut y comparer tranquillement les mérites de la *pale ale*, de la *bitter* ou de la *stout* jusqu'à l'heure implacable de la fermeture. Les bars à vin sont une toute autre chose : popularisés par les yuppies au début des années soixante-dix, ils se sont multipliés dans le centre de Londres, attirant une clientèle de banquiers, de juristes et d'hommes d'affaires. De nombreux bars dans la City sont fermés le Week end.

Quelques pubs pittoresques

Angel. 101, Berdmondsey Wall East, SE16. Tél. (071) 237 3608. Cette ancienne taverne à matelots du XVe siècle fut fréquentée, entre autres, par le capitaine Cook et par l'omniprésent Samuel Pepys. De nombreux artistes ont posé leurs chevalets sur son balcon pour peindre le port de Londres. Très animé à l'heure des repas.

George Inn. 77, Borough High Street, SE1. Tél. (071) 407 2056. Sans doute Dickens venait-il, parfois, s'y délasser après ses heures d'écriture puisqu'il en évoque le décor d'ancien relais de poste à galeries dans son roman *La Petite Dorrit*. À voir aussi pour le pittoresque de l'enfilade des bars.

Guinea. 30, Bruton Place, W1. Tél. (071) 499 1210. Un des excellents pubs de Londres, camouflé au cœur de Mayfair et cependant presque toujours bondé, où l'on déguste la meilleure *bitter* qui soit, accompagnée de salades et de sandwichs à la viande grillée.

Ye Olde Cheshire Cheese. 145, Fleet Street, EC4. Tél. (071) 353 6170. Les journalistes du *Daily Telegraph* ou du *Daily Express* ont succédé à Samuel Johnson et Charles Dickens, en leur temps familiers de cette antique taverne.

Wine bars de la City

El Vino. 47, Fleet Street, EC4. Tél. (071) 353 6786. Fondé en 1879, il ne propose que du vin, et du meilleur – bordeaux, sherry, moselle, vieux porto –, à une clientèle de banquiers de la City et de journalistes portant cravate (elle est obligatoire) qui grignote entre deux verres un sandwich au saumon.

Olde Wine Shades. 6, Martin Lane, EC4. Tél. (071) 626 6876. Ce bar à vin de la City de 1663, a conservé ses caves voûtées, où l'on sert, en costume rayé, d'excellents vins et portos, au verre ou en bouteille, accompagnés de sandwichs.

La ville, labyrinthe de la mémoire

«Il ne franchissait le fleuve que pour aller au théâtre, voir une pièce de Shakespeare à l'Old Vic… Mais il avait vu disparaître Scott's à Piccadilly Circus ; un à un les chapeliers de Bond Street avaient fermé boutique : il n'y avait plus que Lock…
Il lui arrivait encore de se perdre du côté de Blackfriars et de boire un verre de bière brune sur la table de bois usée d'une taverne qui datait du temps de Pepys…»

Michel Mohrt, *Un soir, à Londres*

Chaleur et convivialité

«Passant ensuite devant un pub de Charing Cross Road, je décidai d'entrer boire quelque chose afin de secouer mon humeur maussade. Après mon petit repas, la bière ne me tentait guère, aussi commandai-je un whisky, et comme je n'avais pas l'habitude de l'alcool, je me sentis bientôt dans un état d'esprit charmant. Un jeune homme barbu entra peu après moi, escortant une fille du genre artiste qui portait d'épais bas rouges et un duffle-coat.»

Colin Wilson, *Soho, à la dérive*

Princess Louise
Détails d'une frise.

«LES *PUBS*, AVEC LEURS VITRES DÉPOLIES, LEURS HORAIRES INSOLITES, M'EFFAROUCHAIENT COMME DES MAISONS DE TOLÉRANCE : PAS UNE FOIS JE N'OSAI M'Y AVENTURER.» JULIEN GRACQ

CARNET D'ADRESSES

- PANORAMA
- CENTRE-VILLE
- ISOLÉ
- RESTAURANT DE LUXE
- RESTAURANT TYPIQUE
- RESTAURANT ÉCONOMIQUE
- HÔTEL DE LUXE
- HÔTEL TYPIQUE
- HÔTEL ÉCONOMIQUE
- PARKING
- GARAGE SURVEILLÉ
- TÉLÉVISION
- CALME
- PISCINE
- CARTES DE CRÉDIT
- PRIX ENFANTS
- ANIMAUX INTERDITS
- MUSIQUE
- ORCHESTRE

♦ < £12
♦♦ £12 à £20
♦♦♦ > £20

	Jardin, terrasse	Salon privé	Clientèle	Spécialités	Prix enfants	Cartes de crédit	Prix
WESTMINSTER AND VICTORIA							
Auberge de Provence			LTC	PR		●	♦♦♦
Tate Gallery Restaurant				NN	●	●	♦♦
INNS OF COURT							
Eagle Pub		●	J	I			♦
Quality Chop House			L	N	●		♦♦
CITY AND ST PAUL'S							
AA Tandoori			L	IN		●	♦
George and Vulture		●	L	N		●	♦♦
Lobster Trading Company		●	L	P		●	♦♦
Le Poulbot			L	PR		●	♦♦♦
Vic Naylor's		●	T	N		●	♦♦
THE TOWER							
Le Pont de la Tour	●	●	L			●	♦♦♦
KENSINGTON							
L'Accento italiano	●		L	IT		●	♦♦
The Ark	●	●	C			●	♦♦
The Belvedere	●	●	C		●	●	♦♦
Bibendum			L		●	●	♦♦♦
Boyd's			L			●	♦♦
Clarke's				N		●	♦♦♦
English House				N		●	♦♦♦
Geales Fish Restaurant	●	●		P		●	♦
Harvey's Café		●			●		♦♦
Ken Lo's Memories of China				C	●	●	♦♦♦
Kensington Place			C			●	♦♦♦
Launceston Place		●	L		●	●	♦♦♦
Leith's		●	C	N		●	♦♦♦
Restaurant 192		●	L			●	♦♦
St Quentin		●	L	PR		●	♦♦♦
Walton's				I		●	♦♦♦
Wodka		●		EE			
CHELSEA							
La Famiglia	●	●	I	IT	●	●	♦♦♦
Gavvers				PR	●	●	♦♦
La Tante Claire			TL	PR		●	♦♦♦
HYDE PARK							
Bombay Palace		●		IN		●	♦♦
Nico at Ninety		●		PR		●	♦♦♦
REGENT'S PARK							
Sea Shell Fish Restaurant			T	P	●	●	♦
Stephen Bull				I		●	♦♦♦
Villandry Dining Room		●		PR	●	●	♦♦
HAMPSTEAD							
Diwana		●	T	IN		●	♦
Jazz Café				I		●	♦♦

Spécialités
L : locales
N : nationales
: internationales
EE: Europe de l'Est
P : poisson
N : indiennes

FR: françaises
J : japonaises
IT : italiennes
C : chinoises
G : grecques
M : mexicaines
US: Nord-américaines

Clientèle
I : internationale
T : touristique
C : célébrités
J : jeune
L : locale

	Jardin, terrasse	Salon privé	Clientèle	Spécialités	Prix enfants	Cartes de crédit	Prix
Nontas	●			G		●	♦
Zen		●	LC	C		●	♦♦
COVENT GARDEN							
Ajimura Japanese				J		●	♦♦
Brown's	●		LT	L			♦
Food for Thought			LT				♦
Joe Allen			C	US			♦♦
Mon Plaisir				PR		●	♦♦
Orso				IT	●		♦♦♦
Simpson's		●	L	N	●	●	♦♦♦
ST JAMES'S AND MAYFAIR							
Le Caprice			C	I	●	●	♦♦♦
The Connaught		●	C	I		●	♦♦♦
Le Gavroche		●	CTI	PR		●	♦♦♦
The Greenhouse			L	N	●	●	♦♦♦
SOHO							
Alastair Little			L	N	●	●	♦♦♦
Chuen Cheng Ku		●	I	C		●	♦♦
Flanagan's			LT			●	♦♦
Gay Hussar		●	C	EE	●		♦♦♦
Gopal's			I	IN	●	●	♦♦♦
The Ivy			LC	N		●	♦♦♦
Melati			LTC			●	♦♦
BLOOMSBURY							
Chambali		●		IN		●	♦
The Hermitage	●	●		PR		●	♦
Museum Tavern				L		●	♦
Pied-à-Terre		●		PR		●	♦♦
Poons of Russell Square				C		●	♦♦
Wagamama			L	J			♦
EAST END							
Bloom's					●	●	♦
City Buttery			L	I			♦
Lahore Kebab House				IN		●	♦
SOUTH OF THE RIVER							
Cookes's Eel and Pie Shop			L	L			♦
Harvey's			C	I		●	♦♦♦
RSJ The Restaurant on the South Bank		●	LTC	PR		●	♦♦♦
GREENWICH							
Green Village Restaurant	●	●	T	L	●	●	♦
Mean Time Restaurant		●	T	L		●	♦
Plume of Feathers	●		L	L	●		♦
Royal Teas				N			♦
Spread Eagle		●	LTC	I	●	●	♦♦
WEST ALONG THE THAMES							
Osteria Antica Bologna			L	IT	●	●	♦♦
River Café	●		L	IT	●	●	♦♦♦

◆ Choisir un hôtel

♦ < £40
♦♦ £40 à £80
♦♦♦ > £80

	Jardin, terrasse	TV dans la chambre	Vue	Calme	Avec restaurant	Service 24 h / 24 h	Parking	Nombre de ch	Prix
Westminster and Victoria									
Corona Hotel		●						40	♦♦
Eccleston Chambers		●						17	♦♦
Elizabeth Hotel	●	●		●				40	♦♦
Goring Hotel	●	●		●		●	●	80	♦♦♦
Hanover Hotel		●						35	♦♦
Kerwin Hotel		●						20	♦
Romano's Hotel		●						14	♦
Scandic Crown Hotel		●	●		●	●	●	210	♦♦♦
Sidney Hotel		●						38	♦♦
Stakis St Ermin's London Hotel	●	●			●	●	●	290	♦♦♦
Windermere Hotel		●		●		●		23	♦♦
Inns of Court									
Howard Hotel	●	●	●	●		●	●	135	♦♦♦
City and St Paul's									
City of London Youth Hotel	●			●		●		46	♦
New Barbican Hotel	●	●		●	●	●		470	♦♦♦
The Tower									
Tower Thistle Hotel	●	●	●	●	●	●	●	826	♦♦♦
Kensington									
Alison House Hotel		●						11	♦♦
Arlanda Hotel	●	●		●				16	♦
Beaver Hotel		●						38	♦♦
The Berkeley	●	●	●	●	●	●	●	160	♦♦♦
Clearlake Hotel	●	●		●				17	♦
Coronet Hotel	●	●		●				23	♦♦
Ebury Court Hotel		●				●	●	45	♦♦♦
Fenja Hotel	●	●		●			●	13	♦♦♦
Gore Hotel	●	●		●		●	●	54	♦♦♦
Holland House YHA	●		●	●		●		15	♦
Hyatt Carlton Tower	●	●	●	●	●	●	●	224	♦♦♦
Kensington Palace Hotel		●	●		●	●	●	299	♦♦♦
Chelsea									
Blairhouse Hotel		●						17	♦♦
Leyward House Hotel		●						29	♦
Hyde Park									
Delmere Hotel		●				●		40	♦♦
Four Seasons Inn on the Park	●	●	●	●	●	●	●	227	♦♦♦
Grosvenor House		●	●		●	●	●	454	♦♦♦
Inter Continental Hotel		●	●		●	●	●	467	♦♦♦
Nayland Hotel	●	●	●	●		●	●	41	♦♦
Rhodes House Hotel	●	●		●				15	♦
White's Hotel		●	●		●	●	●	54	♦♦♦
Regent's Park									
Bentinck House Hotel	●	●		●		●		20	♦♦
Berners Park Plaza		●			●	●	●	229	♦♦♦
The Churchill		●	●		●	●	●	448	♦♦♦

	Jardin, terrasse	TV dans la chambre	Vue	Calme	Avec restaurant	Service 24 h / 24 h	Parking	Nombre de ch.	Prix
Edward Lear Hotel		●						31	◆◆
Hotel La Place	●	●		●		●	●	21	◆◆
International Students House					●	●		200	◆
Merryfield House	●	●		●				7	◆◆
HAMPSTEAD									
Buckland Hotel	●	●		●				16	◆◆
Charlotte Coffee Lounge	●	●		●		●		40	◆
Five Kings Guest House	●			●				16	◆
Forte Posthouse Hampstead		●				●		140	◆◆
Hampstead Heath Youth Hotel (YHA)	●		●	●		●		15	◆
Nontas		●				●		12	◆◆
Regent's Park Marriott Hotel	●	●	●	●	●	●	●	303	◆◆◆
Sandringham Hotel	●	●	●	●				19	◆◆
Swiss Cottage Hotel	●	●		●	●	●	●	81	◆◆
COVENT GARDEN									
The Fielding Hotel		●						26	◆◆
The Savoy		●	●		●	●	●	202	◆◆◆
Hotel Strand Continental						●	●	22	◆
Royal Adelphi Hotel		●						50	◆◆
ST JAMES'S AND MAYFAIR									
Claridge's	●	●		●	●	●	●	196	◆◆◆
The Ritz		●	●		●	●	●	129	◆◆◆
BLOOMSBURY									
Academy Hotel		●				●	●	35	◆◆◆
Arran House Hotel	●	●		●		●		28	◆◆
Central Club		●			●	●		178	◆◆
Crescent Hostel	●	●	●	●		●		28	◆◆
Gower House Hotel		●						16	◆◆
Harlingford Hotel	●	●	●	●				44	◆◆
John Adam's Hall	●			●	●	●		168	◆
Kingsley Hotel	●	●		●		●	●	144	◆◆◆
Langley Hotel		●						16	◆
Lonsdale Hotel	●	●		●				34	◆◆
Marlborough Hotel		●			●	●	●	169	◆◆◆
Ruskin Hotel								33	◆◆
Salters Hotel	●	●		●				60	◆
Thanet Hotel	●	●		●				12	◆◆
EAST END									
Great Eastern Hotel		●			●	●			◆◆◆
LAMBETH									
Driscoll House Hotel								200	◆
London Park Hotel		●			●			377	◆◆
GREENWICH									
Bardon Lodge Hotel		●				●		67	◆◆
Greenwich Hotel	●	●		●	●			33	◆
Stonehall House Hotel	●	●	●	●				27	◆

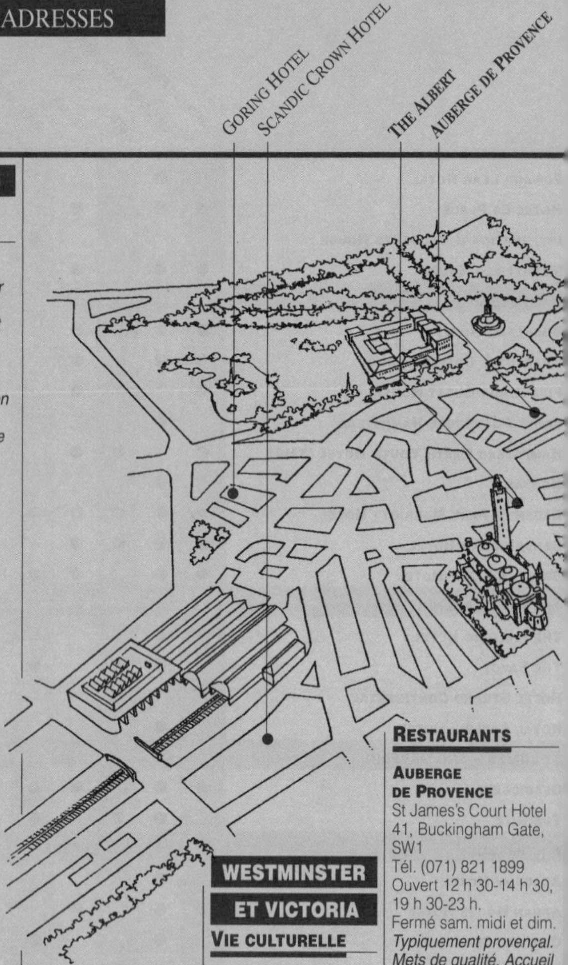

GORING HOTEL
SCANDIC CROWN HOTEL
THE ALBERT
AUBERGE DE PROVENCE

GÉNÉRALITÉS

FORMALITÉS DE DÉPART

POUR LES FRANÇAIS
Carte d'identité (séjour inférieur à 6 mois seulement), passeport en cours de validité. Pour les mineurs non accompagnés, prévoir une autorisation parentale établie au commissariat de police du lieu de résidence.

CONSULAT DE GRANDE-BRETAGNE
16, rue d'Anjou
75008 Paris
Tél. (1) 42 66 06 68
Ouvert 9 h-12 h.

LÉGISLATION SUR LES ANIMAUX
Afin de protéger le pays de la rage, tout animal pénétrant en Grande-Bretagne doit être soumis à une quarantaine de 6 mois.

RENSEIGNEMENTS TOURISTIQUES
Office britannique du tourisme (BTA)
63, rue Pierre-Charron
75008 Paris
Tél. (1) 42 89 11 11
Fax (1) 42 89 09 54
Minitel 3615 British.

VIE PRATIQUE

ALLO LONDRES
Tél. (071) 971 0026
Disque préenregistré donnant des informations sur les attractions touristiques à des tarifs intéressants. Appelez, ou consultez l'annuaire du téléphone pour de plus amples détails.

BUREAU DE POSTE
24-28, William IV Street
Trafalgar Square
WC2 N 4DL
Tél. (071) 930 9580.

HÔPITAUX
MIDDLESEX HOSPITAL
Mortimer Street W1
Tél. (071) 636 83 33.
ST MARY'S HOSPITAL
Praed Street W2
Tél. (071) 725 6666.
ST THOMAS HOSPITAL
Lambeth Palace Road
SE1
Tél. (071) 928 9292.

OBJETS PERDUS
LONDON TRANSPORT LOST PROPERTY OFFICE
200, Baker Street NW1
METROPOLITAN POLICE
Lost Property & Taxi Lost Property
15, Penton Street, N1
Tél. (071) 833 0996
Ouvert 9 h-16 h.

OFFICE DE TOURISME
LONDON TOURIST BOARD
26, Grosvenor Gardens
SW1 W ODU
Tél. (071) 730 3488
Ouvert 9 h-18 h
Fermé sam. et dim.

PHARMACIES
BLISS CHEMIST
5, Marble Arch W1
Tél. (071) 723 6116
Ouvert 9 h-24 h.
BOOTS
Piccadilly Circus, W1
Tél. (071) 734 6126
Ouvert 8 h 30-20 h
Dim. 12 h-18 h
Fermé à Noël.

WESTMINSTER ET VICTORIA

VIE CULTURELLE

HOUSE OF LORDS
Palace of Westminster
SW1
Tél. (071) 219 3107
Ouvert pendant les sessions seulement sur autorisation.
Faire la queue à l'entrée St Stephen's à partir de 14 h 30 lun., mar. et mer., de 15 h jeu. et de 11 h ven.

WESTMINSTER ABBEY
Parliament Square SW1
Tél. (071) 222 5152
Ouvert 8 h-18 h.
Dim. entre les offices.
Les rois d'Angleterre y sont couronnés depuis Guillaume le Conquérant. Pas de groupes.

WESTMINSTER CATHEDRAL
Victoria SW1
Ouvert 7 h-20 h.
D'avr. à oct., ouvert 10 h 30-17 h 30.
La plus grande église romane catholique d'Angleterre.

RESTAURANTS

AUBERGE DE PROVENCE
St James's Court Hotel
41, Buckingham Gate, SW1
Tél. (071) 821 1899
Ouvert 12 h 30-14 h 30, 19 h 30-23 h.
Fermé sam. midi et dim.
Typiquement provençal. Mets de qualité. Accueil sympathique. Pour les amoureux de la cuisine française. Spécialités : charlotte d'agneau, escalopes à l'orange, poulet fumé. £ 30-£ 40.

THE ALBERT
52, Victoria Street SW1
Tél. (071) 222 5577
Ouvert 12 h -21 h 30.
À 5 min de Victoria Station. English breakfast (£ 4,95-£ 6,95) lun.-ven. 7 h 45-10 h 30. Curiosité : galerie de portraits des «Prime Ministers». £ 13-£ 18.

HÉBERGEMENT

ECCLESTON CHAMBERS
30, Eccleston Square
SW1
Tél. (071) 828 7924
Fax (071) 828 7924.
À reçu en 1990 le prix du meilleur «Bed & Breakfast». Prix

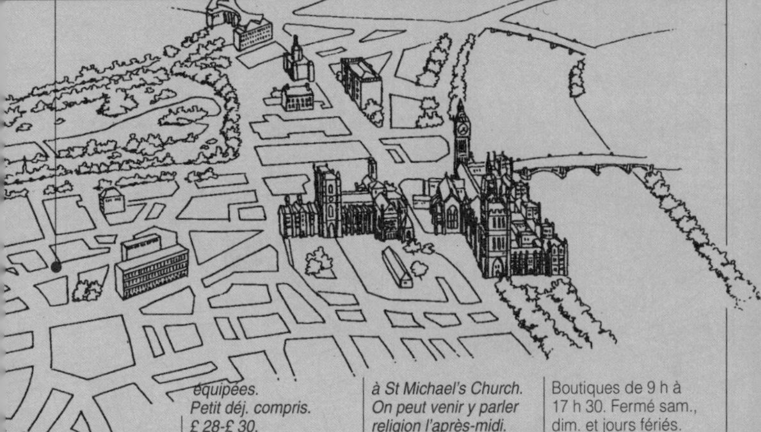

intéressants.
Petit déj. compris.
£ 45-£ 60.

ELIZABETH HOTEL
37, Eccleston Square
Victoria SW1
Tél. (071) 828 6812.
Un des meilleurs hôtels près de Victoria. Rénover récemment. Voir la galerie de gravures.
Petit déj. compris.
£ 77.

GORING HOTEL
Beeston Place
Grosvenor Gardens
SW1
Tél. (071) 396 9000
Fax (071) 834 4393.
Accueil très agréable. Chambres charmantes. Demander une chambre sur le jardin. Salles de bains en bois et marbre.
£ 170.

HANOVER HOTEL
30-32, St George's Drive
Victoria SW1
Tél. (071) 834 0134
Fax (071) 834 7878.
Situé face à un jardin dans deux maisons victoriennes bâties en 1859. Petit déj. compris.
£ 56.

KERWIN HOTEL
20, St George's Drive
SW1
Tél. (071) 834 1595.
Chambres bien équipées.
Petit déj. compris.
£ 28-£ 30.

SCANDIC CROWN HOTEL
2, Bridge Place SW1
Tél. (071) 834 8123
Fax (071) 828 1099.
Hôtel de congrès tout près de la gare Victoria. Chic, sans originalité particulière. Petit déj. non compris sauf tarifs de week-end.
£ 135.

STAKIS ST ERMIN'S LONDON HOTEL
Caxton Street SW1
Tél. (071) 222 7888
Fax (071) 222 6914.
Très bien situé. Accueil sympathique. Jolies chambres et salons somptueux. Petit déj. anglais au buffet en supplément.
£ 139-£ 169.

WINDERMERE HOTEL
142-144, Warwick Way
Victoria SW1
Tél. (071) 834 5163
Fax (071) 630 8831.
Très familial. Chambres agréables Petit déj. compris.
£ 59-£ 67.

VIE GOURMANDE

THE WELL
2, Eccleston Place SW1
Tél. (071) 730 7303
Ouvert 9 h-18 h,sam. 9 h-17 h. Fermé dim.
Salon de thé réputé pour ses prix modiques et ses gâteaux maison. Les fonds sont destinés à St Michael's Church. On peut venir y parler religion l'après-midi.

CITY

VIE CULTURELLE

BANK OF ENGLAND MUSEUM
Bartholomew Lane, EC2
Tél. (071) 601 5545
Ouvert 10 h-17 h
Dim. et jours fériés 11 h-17 h en été.
Installé dans le même bâtiment que la Banque d'Angleterre, dont il retrace l'histoire depuis sa fondation, en 1694.

GUILDHALL
Off Gresham Street EC2
Tél. (071) 606 3030
Ouvert 9 h 30-17 h
Fermé dim. et jours fériés.
Siège officiel de la «Corporation of the City of London», le centre d'administration de la ville depuis des siècles. Grand intérêt historique et architectural.

THE MONUMENT
Monument Street EC3
Tél. (071) 626 2717
Ouvert 9 h-18 h, sam. et dim. 14 h-18 h. D'oct. à mars 9 h-16 h, fermé dim.
Vue imprenable du haut des 311 marches. Wren y célèbre la renaissance de Londres après le Grand Incendie.

MARCHÉ

LEADENHALL MARKET
Entre Gracechurch St et l'immeuble de la Lloyd's, EC3
Stands ouverts 6 h-16 h
Boutiques de 9 h à 17 h 30. Fermé sam., dim. et jours fériés.
Joyau architectural au coeur de la City. Le terrain sur lequel il repose fût donné à la ville de Londres par son maire Richard Whittington en 1411 : volailles, gibiers, viandes, poissons, fruits et légumes, etc. Bons petits restaurants.

RESTAURANTS

LE POULBOT
45, Cheapside EC2
Tél. (071) 236 4379
Ouvert 12 h-14 h 30
Fermé sam., dim. et jours fériés.
Cadre typiquement français. Service rapide, d'où son succès dans la City. Réserver. Le pub est abordable. Spécialités : ballottine de foie gras, mousse de langoustine.
£ 31.

THE GEORGE AND VULTURE
3, Castle Court
Cornhill EC3
Tél. (071) 626 9710
Ouvert 12 h-14 h 45
Fermé sam., dim. et jours fériés.
Restaurant classique où se côtoient hommes d'affaires de la City et touristes. Voir les livres de Dickens à l'étage. Cuisine anglaise.
£ 12-£ 18.

ANTIQUITÉS

CAMDEN PASSAGE
Islington High Street N1
Ouvert sam. 8 h-17 h,

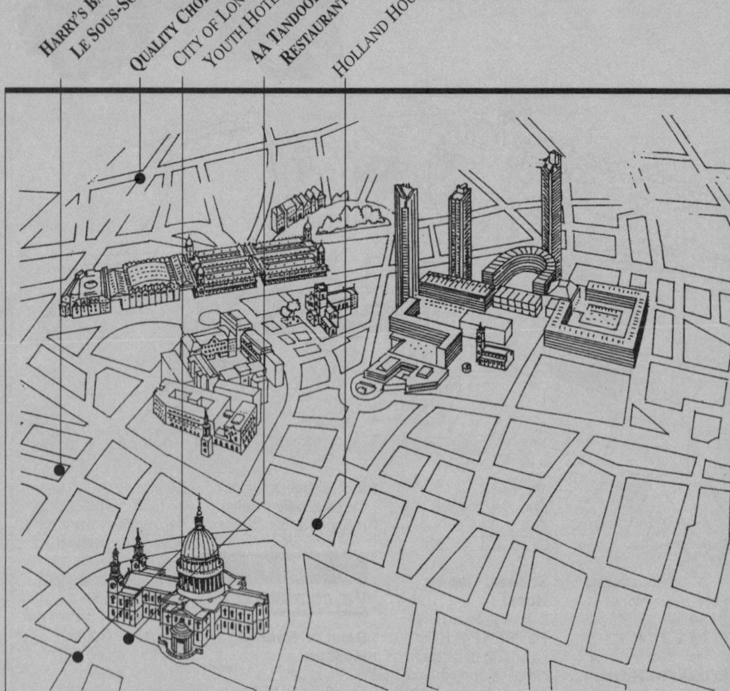

mer. 6 h 45-16 h,
jeu. 7 h-16 h.
Haut de gamme des marchés aux antiquités, livres, argenterie, etc.

AUTOUR DES LAW-COURTS

VIE CULTURELLE

DR JOHNSON'S HOUSE
17, Gough Square EC4
Tél. (071) 353 3745
Ouvert 11 h-17 h
Fermé dim. et jours fériés.
Demeure en briques du XVIIe siècle ayant appartenu à l'irascible Dr Samuel Johnson. Intérieur typique de l'Angleterre traditionnelle.

HUNTERIAN MUSEUM
Lincoln's Inn Fields WC2
Tél. (071) 405 3474
Ouvert 10 h-17 h
Fermé au public sauf autorisation.
Interdit aux moins de 16 ans.
Représentations physiologiques et anatomiques du chirurgien John Hunter (1728-1793).

GRAY'S INN
Gray's Inn Road
Holborn WC1
Tél. (071) 405 8164
Ouvert 10 h-16 h
Fermé sam., dim., jours fériés et sem. de Noël.
C'est l'un des quatre Inns of Court de Londres, école d'avocats depuis le XIVe siècle. Très beaux jardins.

INNER TEMPLE
Crown Office Row EC4
Tél. (071) 797 8250
Ouvert 10 h-16 h
Fermé sam., dim., jours fériés et sem. de Noël.
Eglise des Templiers rattachée au Temple. Porche du XVIIe siècle.

MIDDLE TEMPLE
Middle Temple Lane EC4
Tél. (071) 353 4355
Ouvert 10 h-16 h
Fermé sam., dim. et jours fériés.
Voir le hall du XVe siècle, notamment la charpente.

PUBLIC RECORD MUSEUM
Chancery Lane, WC2.
Tél. (081) 876 3444
Ouvert 9 h 30 à 17 h.
Fermé sam., dim. et jours fériés.
Documents relatant les épisodes marquants de l'Histoire de l'Angleterre jusqu'à nos jours.

SIR JOHN SOANE'S MUSEUM
13, Lincoln's Inn Fields WC2
Tél. (071) 405 2107
Ouvert 10 h-17 h
Fermé dim., lun. et jours fériés.
Collections de sir John Soane : tableaux de Hogarth, Turner et Watteau.

RESTAURANTS

EAGLE PUB
159, Farringdon Road EC1
Tél. (071) 837 1353
Ouvert 12 h 30-14 h, 18 h 30-22 h 30
Fermé sam., dim. et jours fériés.
Pub particulièrement chaleureux. Plats italiens variés et délicieux. Spécialité : crostini. £ 8-£ 15.

QUALITY CHOP HOUSE
94, Farringdon Road EC1
Tél. (071) 837 5093
Ouvert lun.au sam. de 12 h-15 h. dim.12 h-16 h, 17 h-23 h 30
Fermé sam. midi.
Le décor victorien de la salle du restaurant ajoute son cachet aux plats soigneusement présentés. Petit déj. en semaine 7 h-9 h 30. Réservation indispensable. Cuisine anglaise. £ 12-£ 20.

HÉBERGEMENT

HOWARD HOTEL
Temple Place
Strand WC2
Tél. (071) 836 3555
Fax (071) 379 4547.
Hôtel de luxe très «british». Vue magnifique sur les jardins. £ 226.

VIE NOCTURNE

BLACK FRIAR
174, Queen Victoria Street EC4
Tél. (071) 236 5650
Ouvert 11 h 30-22 h
Fermé sam., dim. et jours fériés.
Un pub renommé du XIXe siècle, en plein cœur de la City. Superbes mosaïques de style Art nouveau. Ambiance des plus agréable. Moment à partager entre amis.

DE SAINT PAUL A BARBICAN

VIE CULTURELLE

BARBICAN ART GALLERY
Barbican Centre, 8e ét.
Silk Street EC2
Tél. (071) 638 4141
Ouvert 10 h-18 h 45
Mar. 10 h-17 h 45
Dim. et jours fériés 12 h-18 h 45.
Nombreuses expositions de peinture. Renseignements et programme au (071) 588 9023.

BARBICAN CENTRE
Silk Street EC2
Tél. (071) 638 8891
Ouvert 9 h-20 h
Fermé à Noël.
Le plus grand centre culturel d'Europe. On y trouve salles de concerts et de conférences, théâtres, cinémas, galerie d'art, bibliothèque, restaurants, etc. Renseignements 24 /24h au (071) 628 2295/9760

MUSÉE DE LONDRES
150 London Wall EC2
Tél. (071) 600 3699
Ouvert 10 h-18 h
Dim. 12 h-18 h
Fermé lun. et à Noël.
Histoire de Londres et de ses habitants depuis l'Antiquité. Expositions, reconstitutions historiques.

NATIONAL POSTAL MUSEUM
King Edward Building
King Edward Street EC1
Tél. (071) 239 5420
Ouvert 9 h 30-16 h 30
Fermé sam., dim. et jours fériés.
Grande collection de timbres-poste, dont le «Penny Black», et de billets de banque.

ST PAUL'S CATHEDRAL
Ludgate Hill EC4
Ouvert 8 h-16 h 15
Fermé dim. Vue panoramique
Crypte et galeries : ouvert 9 h 45-16 h 15
Sam. 11 h-16 h 15.
Visites guidées à 11 h, 11 h 30, 13 h 30 et 14 h.
Cathédrale construite Christopher Wren.

RESTAURANTS

AA TANDOORI RESTAURANT
5-6, Deans Court EC4
Tél. (071) 489 1847
Ouvert 12 h-22 h 30
Fermé sam. et dim.
Restaurant indien de qualité au cœur de la City. Très joli cadre et salle lumineuse.
Plats à emporter.
£ 9-£ 15.

LOBSTER TRADING COMPANY
32, Old Bailey EC4
Tél. (071) 236 7931
Ouvert 12 h-15 h
Fermé sam., dim. et jours fériés.
Bar en étage ouvert de 11 h à 20 h lun.-vend, restaurant et brasserie en sous-sol ouverts de 12 h-15 h.

VIC NAYLOR'S
38-40, St John's Street EC1
Tél. (071) 608 2181
Ouvert 12 h-1 h
Fermé sam. midi, dim. et jours fériés.
Brasserie populaire de la City.
Décor tout en bois sombre. Grande variété de plats.
Vins et bières réputés.
Spécialités : monks mysterioso, poissons.
£ 12-£ 15.

HÉBERGEMENT

CITY OF LONDON YOUTH HOTEL
36, Carter Lane EC4
Tél. (071) 236 4965
Fax (071) 236 7681.
Auberge de jeunesse bien située. Accueil sympathique. Petit déj. anglais copieux compris. Réservation des chambres entre 7 h et 23 h.
£ 20.

NEW BARBICAN HOTEL
120, Central Street
Clerkenwell EC1
Tél. (071) 2 51 15 65
Fax (071) 2 53 10 05.
Grand hôtel de la City. Tarifs de week-end. Passer par une agence pour avoir de meilleurs tarifs (NF, Wagons-Lits, Transchannel).
£ 85.

VIE NOCTURNE

YE OLDE WATLING
29, Watling Street EC4
Tél. (071) 248 6252
Ouvert 11 h-21 h
Fermé sam., dim. et jours fériés.
Tout près de St Paul. Vieux pub tout en bois reconstruit par Christopher Wren après le Grand Incendie de 1666. Aujourd'hui, on y boit et mange dans un cadre chaleureux.

LA TOUR DE LONDRES ET TOWER BRIDGE

VIE CULTURELLE

TOWER BRIDGE
Southwark SE1
Tél. (071) 403 3761
Ouvert 10 h-17 h 45, en hiver jusqu'à 16 h.
Vue extraordinaire depuis le haut du pont. Voir aussi l'«Engine Room Museum» et ses machines à vapeur qui actionnent le pont depuis 1894.

TOWER HILL PAGENT
1, Tower Hill Terrace EC3
Tél. (071) 709 0081
Ouvert 9 h 30-17 h 30
De nov. à mars, ouvert 9 h 30-16 h 30.
Fermé à Noël.
Des voitures automatisées conduisent les visiteurs dans le Londres reconstitué des deux derniers siècles.

◆ NEW BARBICAN HOTEL ◆
Hôtel situé dans le quartier récent de Barbican, le plus grand centre culturel européen, considéré par certains comme un univers de béton froid.

TOWER OF LONDON
Tower Hill EC3
Tél. (071) 709 0765
De mars à oct : ouvert 9 h 30-18 h 30, dim. 14 h-16 h 15
De nov. à fev. : 9 h 30-17 h , dim.10 h-17 h.
Ancienne résidence royale, la Tour est un des grands monuments historiques de l'Angleterre. Ne ratez pas les joyaux de la Couronne.

RESTAURANTS

LE PONT DE LA TOUR
Butler's Warf Building
36d Shad Thames
Butler's Warf, SE1
Tél. (071) 403 8403 restaurant, tél. (071) 403 9303 bar et grill.
Ouvert 12 h-15 h tlj, 18 h-24 h lun.-sam. ;18 h-23 h dim.
Cadre 1930 avec vue sur la rivière.
£ 40-£ 50.

HÉBERGEMENT

TOWER THISTLE HOTEL
St Katharine's Way E1
Tél. (071) 481 2575
Fax (071) 488 4106.
Hôtel immense avec restaurant et discothèque. Vue sur la Tamise. Tarifs réduits par l'agence High Life Value Breaks : téléphoner, en France, au 05 32 43 91 11 (numéro vert).
£ 135.

CHELSEA

VIE CULTURELLE

CHELSEA PHYSIC GARDEN
66, Royal Hospital Road SW3
Tél. (071) 352 5646
Ouvert 14 h-17 h mer. et 14 h-18 h dim. seulement.
Fermé de nov. à mars.
Un des plus vieux jardins botaniques d'Europe (1772). Histoire des plantes rares et médicinales.

NATIONAL ARMY MUSEUM
Royal Hospital Road
Chelsea SW3
Tél. (071) 730 0717
Ouvert 10 h-17 h 30
Fermé jours fériés de déc. à mai.
Retrace l'histoire de l'armée britannique depuis 1845.

ROYAL HOSPITAL CHELSEA
Royal Hospital Road SW3
Tél. (071) 730 0161
Ouvert 10 h-12 h, 14 h-16 h
Fermé dim. matin et jours fériés.
Jardins avec vue sur la Tamise, le vestibule de Wren et la chapelle. Petit musée racontant l'histoire de l'hôpital. Service religieux à 11 h dim.

RESTAURANTS

GAVVERS
61-63, Lower Sloane Street SW1
Tél. (071) 730 5983
Ouvert 12 h-14 h 30, 18 h 30-23 h
Fermé sam. midi et dim.
Ambiance feutrée à la française. Accueil agréable. Cuisine d'excellente qualité. Réservation conseillée. Spécialités : escargots sautés, foie gras, lièvre au chocolat.
£ 12-£ 25.

LA FAMIGLIA
5-7, Langton Street, SW10
Tél. (071) 351 0761
Ouvert tlj. de 12 h à 15 h et de 19 h à 24 h.
Salle bruyante et bondée. Excellents plats toscans. On mange dehors par beau temps.

LA TANTE CLAIRE
68-69, Royal Hospital Road SW3
Tél. (071) 352 60 45
Ouvert 12 h 30-14 h, 19 h-23 h
Fermé sam., dim., jours fériés et à Noël.
Restaurant français chic de Londres. Cuisine délicieuse et cadre moderne. Réservation indispensable. Enfants au-dessus de 5 ans seulement.
Pieds de cochon, venaisons, tarte Tatin.
£ 25-£ 55.

HÉBERGEMENT

BLAIRHOUSE HOTEL
34, Draycott Place SW3
Tél. (071) 581 2323
Fax. (071) 823 7752
Bien situé, ambiance agréable. 17 chambres, restaurant et bar. Petit déjeuner compris.
£ 77.

CHINER

ANTIQUARIUS MARKET
131-141, King's Road SW3
Ouvert 10 h-18 h
Fermé dim. et jours fériés.
Spécialisé dans les vêtements anciens. Voir notamment les dentelles, mais aussi jouets anciens, bijoux victoriens, Art nouveau et Arts déco. Charmant.

◆ FENJA HOTEL ◆

Bel hôtel de brique rouge qui avoisine les *terraces* cossues du riche quartier de Kensington.

MILLBANK ET TATE GALLERY

VIE CULTURELLE

TATE GALLERY
Millbank SW1
Tél. (071) 821 1313
Ouvert 10 h-17 h 50
Dim. 14 h-17 h 50.
Peintres britanniques, sculptures et peintures du XXe siècle. Voir l'exposition William Turner de la Clore Gallery. Renseignements au (071) 821 7128.

RESTAURANTS

POMEGRANATES
94, Grosvenor Road SW1
Tél. (071) 828 6560
Ouvert 12 h 30-14 h 15, 19 h 30-23 h 15
Fermé sam. midi, dim.
Ce restaurant de plus en plus coté propose une cuisine internationale dans un cadre très intime. La clientèle est chic, les plats originaux. Spécialités : burak, makkani. £ 15-£ 27.

TATE GALLERY RESTAURANT
Tate Gallery Millbank SW1
Tél. (071) 834 6754
Ouvert 12 h-15 h
Fermé dim. et jours fériés.
Un cadre superbe, une cuisine anglaise raffinée et bien présentée. On regrettera cependant que le service n'y soit pas de meilleure qualité. Réserver deux jours à l'avance. Spécialités : traditionnelles, anglaises
£ 15-£ 25.

HÉBERGEMENT

CORONA HOTEL
87-89, Belgrave Road SW1

Tél. (071) 828 9279
Fax (071) 931 8576.
Bien situé (10 min à pied de Victoria Station et 2 min de Pimlico). «Bed & Breakfast» de 40 chambres, la plupart avec tout le confort. Bon rapport qualité-prix. Petit déj. compris.
£ 52-£ 58.

ROMANO'S HOTEL
31, Charlwood Street
SW1
Tél. (071) 834 3542.
En cours de modernisation. Propriétaires sympathiques. Chambres à plusieurs lits très économiques. Tarifs négociables. Petit déj. compris.
£ 30-£ 45.

SIDNEY HOTEL
74-76, Belgrave Road
SW1
Tél. (071) 834 2738
Fax (071) 630 0973.
«Bed & Breakfast» de qualité. Une quarantaine de chambres très bien équipées et avec tout le confort. Quelques chambres familiales de 3, 4, 5 et même 6 lits. Accueil sympathique. Petit déj. compris.
£ 49-£ 58.

BELGRAVIA
KENSINGTON
ALBERTOPOLIS

VIE CULTURELLE

BROMPTON ORATORY
Brompton Road SW7
Tél. (071) 589 4811
Ouvert 6 h 30-20 h
Fermé à 16 h les jours fériés.
Église catholique de style Renaissance italienne, réputée pour son orgue. Horaires des offices au (071) 589 4811. Messe en latin dim. à 8 h et 11 h.

COMMONWEALTH INSTITUTE
230, Kensington High Street W8
Tél. (071) 603 45 35
Ouvert 10 h-17 h
Dim. 14 h-17 h.
Entrée libre.
Pour tout savoir sur l'histoire, les paysages, la faune et les arts des pays du Commonwealth.

HOLLAND PARK
Off Kensington High Street W8
Ferme à la tombée de la nuit.
Sans doute le parc le plus agréable de Londres. Voir le jardin japonais, les expositions de l'Orangerie et de la Maison de glace.

LORD'S CRICKET GROUND
St John's Wood NW8
Tél. (071) 289 1611.
C'est ici que se disputent tous les trophées d'Angleterre et d'Australie. Réserver pour les visites guidées du terrain de cricket.

NATURAL HISTORY MUSEUM
Cromwell Road
South Kensington SW7
Tél. (071) 938 9123
Ouvert 10 h-17 h 30
Dim. 11 h-17 h 30
Fermé à Noël et au nouvel an.
Fossiles, minéraux, animaux... Expositions sur la biologie humaine, l'écologie. Simulateur de tremblements de terre.

SAATCHI GALLERY
98 A Boundary Road
St John's Wood NW8
Tél. (071) 624 8299
Ouvert 12 h-18 h
ven. Entrée libre sam. et dim. seulement.
La collection des frères Saatchi est surtout composée d'œuvres modernes britanniques : pop art, nouveaux expressionnistes...

SERPENTINE GALLERY
Kensington Gardens
W2
Tél. (071) 402 6075
Ouvert 10 h-18 h
Fermé jours fériés.
Expositions d'art moderne et contemporain. Renseignements enregistrés au (071) 723 9072.

SCIENCE MUSEUM
Exhibition Road SW7
Tél. (071) 938 8111
Ouvert 10 h-18 h
Dim. 11 h-18 h.
Histoire et évolution de la science et de l'industrie. Voir la galerie interactive pour les enfants et la rampe de lancement (Launch Pad).

VICTORIA & ALBERT MUSEUM
Cromwell Road
South Kensington SW7
Tél. (071) 938 8441
Ouvert 10 h-17 h 50
Dim. 14 h 30-17 h 50
Fermé à Noël.
Remarquable musée d'art de tous les pays, de toutes les époques et de tous les styles. Bibliothèque nationale d'art.

RESTAURANTS

THE BELVEDERE
Holland House
Off Abbotsbury Road
W8
Tél. (071) 602 1238
Ouvert 12 h-15 h, 18 h-23 h (été) ; 19 h-23 h (hiver). Dim. 12 h-16 h.
Fermé à Noël.
Un cadre élégant au cœur de Holland Park. Cuisine «modern british» d'excellente qualité. Magnifique terrasse. Réserver. Spécialités : françaises, anglaises. £ 16-£ 25.

BIBENDUM
Michelin Builing,
81, Fulharm Road, SW3
Tél. (071) 581 5817
Ouvert lun.-vend.
12 h 30-14 h 30, sam.-dim.12 h 30-15 h et en soirées 19 h-23 h.
Bar a huitres ouvert de 12 h a 23 h tlj. (pas d'alcool de servi le dim. après midi). Café français traditionnel. Réserver 15 jours a l'avance. Dégustation au bar a huitres comprise dans le menu poisson.
£ 40-£ 50.

BOYD'S
135, Kensington Church Street W8
Tél. (071) 727 5452
Ouvert 12 h 30-14 h 30, 19 h-23 h
Fermé dim. et jours fériés.
Un cadre romantique pour une cuisine «modern british» d'excellente qualité. Clientèle d'habitués. Réserver. Spécialités : darne de saumon, bœuf écossais. £ 12-£ 25.

CLARKE'S
124, Kensington Church Street W8
Tél. (071) 221 9225
Ouvert 12 h 30-14 h, 19 h-22 h
Fermé sam., dim. et jours fériés.
Ici le client n'a pas le choix : un menu unique

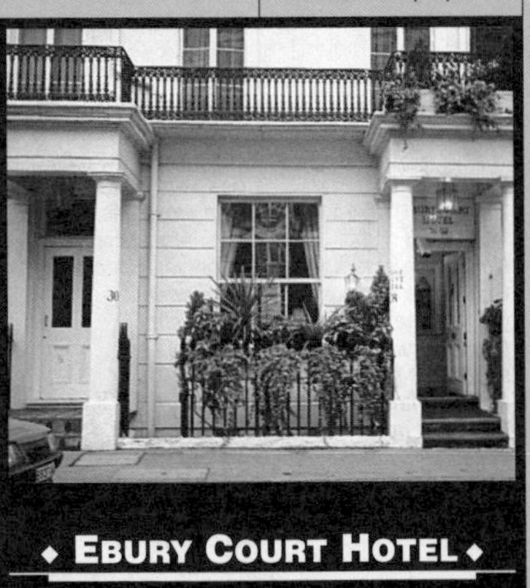

◆ EBURY COURT HOTEL ◆

Cet hôtel à perron et colonnades rappelle les demeures néo-classiques du quartier de Belgravia

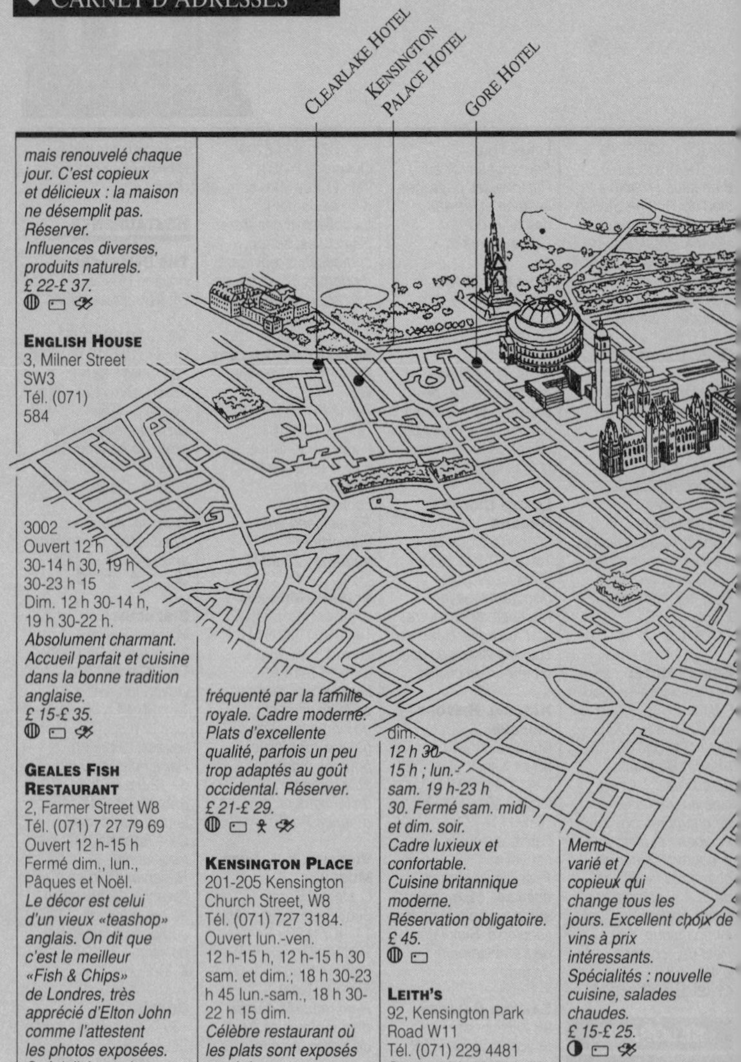

mais renouvelé chaque jour. C'est copieux et délicieux : la maison ne désemplit pas. Réserver. Influences diverses, produits naturels.
£ 22-£ 37.

English House
3, Milner Street SW3
Tél. (071) 584 3002
Ouvert 12 h 30-14 h 30, 19 h 30-23 h 15
Dim. 12 h 30-14 h, 19 h 30-22 h.
Absolument charmant. Accueil parfait et cuisine dans la bonne tradition anglaise.
£ 15-£ 35.

Geales Fish Restaurant
2, Farmer Street W8
Tél. (071) 7 27 79 69
Ouvert 12 h-15 h
Fermé dim., lun., Pâques et Noël.
Le décor est celui d'un vieux «teashop» anglais. On dit que c'est le meilleur «Fish & Chips» de Londres, très apprécié d'Elton John comme l'attestent les photos exposées. Spécialités : poissons, apple crumble.
£ 8-£ 12.

Harvey's café
358 Fulham Road, SW10
Tél. (071) 352 0625.
Ouvert de 12 h 30-15 h, 19 h 30-23 h. Fermé dim. soir et lun.
Café qui surplombe un pub. Cadre simple rempli de fleurs.
£ 10-£ 15.

Ken Lo's Memories of China
67-69, Ebury Street SW1
Tél. (071) 730 7734
Ouvert du lun. au sam. 12 h-15 h, 19 h-23 h 15 dim. 19 h-22 h 30
Fermé jours fériés.
Très grand chinois, fréquenté par la famille royale. Cadre moderne. Plats d'excellente qualité, parfois un peu trop adaptés au goût occidental. Réserver.
£ 21-£ 29.

Kensington Place
201-205 Kensington Church Street, W8
Tél. (071) 727 3184.
Ouvert lun.-ven. 12 h-15 h, 12 h-15 h 30 sam. et dim.; 18 h 30-23 h 45 lun.-sam., 18 h 30-22 h 15 dim.
Célèbre restaurant où les plats sont exposés en vitrine.
£ 42-£ 47.

L'Accento Italiano
16, Garway Road, W2
Tél. (071) 243 2201.
Ouvert 12 h 30-14 h 30, 18 h 30-23 h 30.
Nouveau restaurant. Cuisine italienne raffinée : sardines farcies, tagliatelles à la sauce aux noix, gnocchi et courgettes au safran, feuillades de calamars et d'aubergines. Vins italiens. Réservation conseillée.
£ 20-£ 30.

Launceston Place
1a Launceston Place, W8
Tél. (071) 937 6912
Ouvert lun.-vend. et *dim. 12 h 30-15 h ; lun.-sam. 19 h-23 h 30. Fermé sam. midi et dim. soir. Cadre luxieux et confortable. Cuisine britannique moderne. Réservation obligatoire.*
£ 45.

Leith's
92, Kensington Park Road W11
Tél. (071) 229 4481
Ouvert 19 h 30-23 h 30
Fermé 28-29 août et à Noël.
Un service professionnel, des prix élevés mais des plats délicieux, bien présentés, originaux et copieux. Réserver. Spécialités : végétariennes, monkfish.
£ 42-£ 47.

Restaurant 192
192, Kensington Park Road W11
Tél. (071) 229 0482
Ouvert lun.-vend. 12 h 30-15 h, sam. et dim. 12 h 30-15 h 30, lun.-sam. 17 h 30-23 h 30, dim.17 h 30-22 h.
Précurseur des salades chaudes, toujours aussi délicieuses. Menu varié et copieux qui change tous les jours. Excellent choix de vins à prix intéressants. Spécialités : nouvelle cuisine, salades chaudes.
£ 15-£ 25.

St Quentin
243, Brompton Road, SW3
Tél. (071) 589 8005.
Ouvert lun.-sam. 12 h-15 h et 19 h-23 h ; *dim. 12 h-15 h30, 18 h30-23 h. Décor de brasserie parisienne. Cuisine française classique dans un cadre typiquement français.*
£ 20-£ 30.

The Ark
122, Palace Gardens Terrace W8
Tél. (071) 229 4024
Ouvert 12 h-15 h, 18 h 30-23 h
Fermé dim. midi et jours fériés.
Derrière sa façade en bois, cet établissement

Clearlake Hotel
Kensington Palace Hotel
Gore Hotel

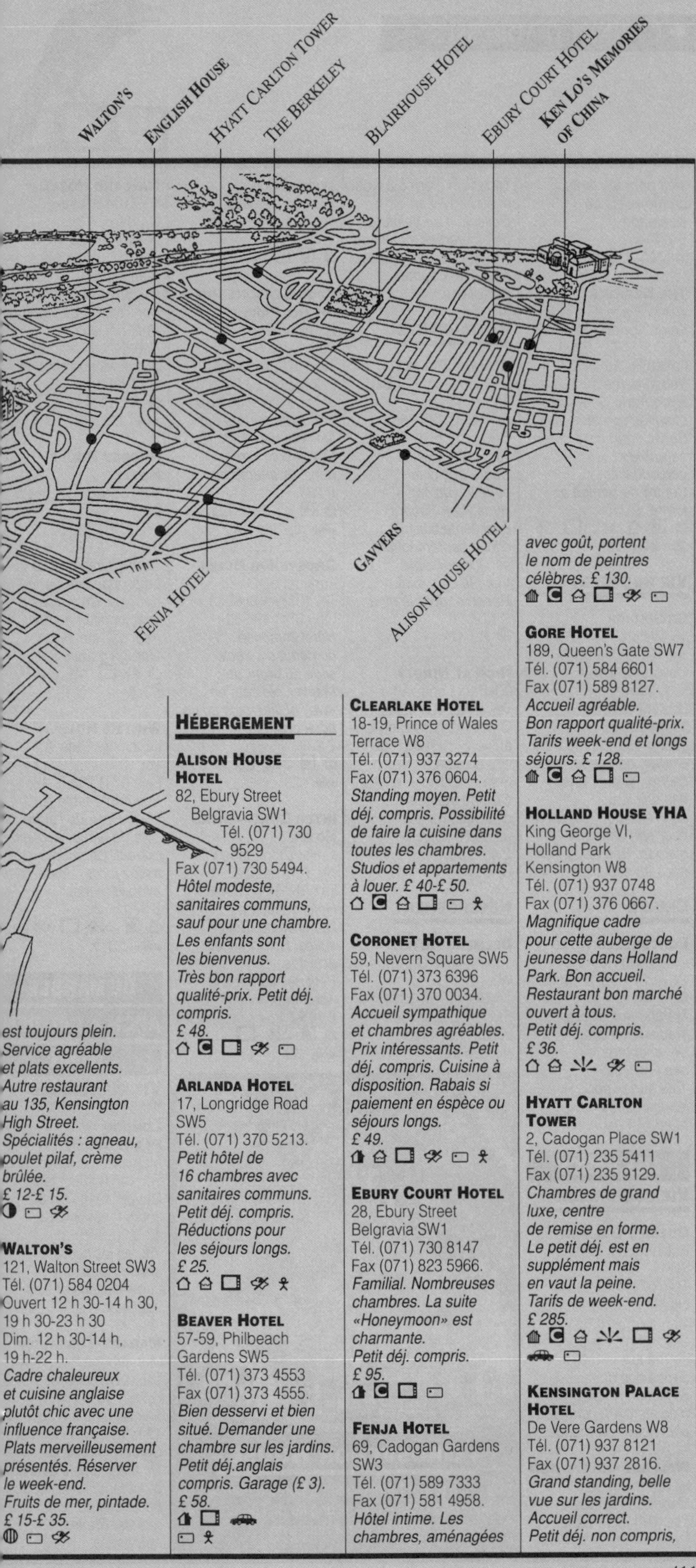

est toujours plein. Service agréable et plats excellents. Autre restaurant au 135, Kensington High Street. Spécialités : agneau, poulet pilaf, crème brûlée.
£ 12-£ 15.

Walton's
121, Walton Street SW3
Tél. (071) 584 0204
Ouvert 12 h 30-14 h 30, 19 h 30-23 h 30
Dim. 12 h 30-14 h, 19 h-22 h.
Cadre chaleureux et cuisine anglaise plutôt chic avec une influence française. Plats merveilleusement présentés. Réserver le week-end. Fruits de mer, pintade. £ 15-£ 35.

Hébergement

Alison House Hotel
82, Ebury Street
Belgravia SW1
Tél. (071) 730 9529
Fax (071) 730 5494.
Hôtel modeste, sanitaires communs, sauf pour une chambre. Les enfants sont les bienvenus. Très bon rapport qualité-prix. Petit déj. compris. £ 48.

Arlanda Hotel
17, Longridge Road SW5
Tél. (071) 370 5213.
Petit hôtel de 16 chambres avec sanitaires communs. Petit déj. compris. Réductions pour les séjours longs. £ 25.

Beaver Hotel
57-59, Philbeach Gardens SW5
Tél. (071) 373 4553
Fax (071) 373 4555.
Bien desservi et bien situé. Demander une chambre sur les jardins. Petit déj.anglais compris. Garage (£ 3). £ 58.

Clearlake Hotel
18-19, Prince of Wales Terrace W8
Tél. (071) 937 3274
Fax (071) 376 0604.
Standing moyen. Petit déj. compris. Possibilité de faire la cuisine dans toutes les chambres. Studios et appartements à louer. £ 40-£ 50.

Coronet Hotel
59, Nevern Square SW5
Tél. (071) 373 6396
Fax (071) 370 0034.
Accueil sympathique et chambres agréables. Prix intéressants. Petit déj. compris. Cuisine à disposition. Rabais si paiement en éspèce ou séjours longs. £ 49.

Ebury Court Hotel
28, Ebury Street
Belgravia SW1
Tél. (071) 730 8147
Fax (071) 823 5966.
Familial. Nombreuses chambres. La suite «Honeymoon» est charmante. Petit déj. compris. £ 95.

Fenja Hotel
69, Cadogan Gardens SW3
Tél. (071) 589 7333
Fax (071) 581 4958.
Hôtel intime. Les chambres, aménagées avec goût, portent le nom de peintres célèbres. £ 130.

Gore Hotel
189, Queen's Gate SW7
Tél. (071) 584 6601
Fax (071) 589 8127.
Accueil agréable. Bon rapport qualité-prix. Tarifs week-end et longs séjours. £ 128.

Holland House YHA
King George VI, Holland Park
Kensington W8
Tél. (071) 937 0748
Fax (071) 376 0667.
Magnifique cadre pour cette auberge de jeunesse dans Holland Park. Bon accueil. Restaurant bon marché ouvert à tous. Petit déj. compris. £ 36.

Hyatt Carlton Tower
2, Cadogan Place SW1
Tél. (071) 235 5411
Fax (071) 235 9129.
Chambres de grand luxe, centre de remise en forme. Le petit déj. est en supplément mais en vaut la peine. Tarifs de week-end. £ 285.

Kensington Palace Hotel
De Vere Gardens W8
Tél. (071) 937 8121
Fax (071) 937 2816.
Grand standing, belle vue sur les jardins. Accueil correct. Petit déj. non compris,

sauf pour les tarifs préférentiels de week-end.
£ 110.

THE BERKELEY
Wilton Place
Knightsbridge SW1
Tél. (071) 235 6000
Fax (071) 235 4330.
Vue superbe sur Hyde Park. Chambres et suites somptueuses. Service particulièrement agréable et personnalisé. Centre de remise en forme. £ 250.

VIE NOCTURNE

GRENADIER
18, Wilton Row SW1
Tél. (071) 235 3074
Ouvert 12 h-15 h, 17 h-23 h
Dim. 12 h-15 h, 19 h-22 h 30.
Tout près de Hyde Park Corner, dans une ruelle calme, ce pub, prisé des officiers de Wellington, est à voir pour son étonnant plafond. Bon restaurant mais un peu cher.

CHINER

PORTOBELLO ROAD
Portobello Road W11
Ouvert 7 h-17 h sam., 8 h-17 h ven.
Marché aux puces. Traditionnel lieu de rencontre des Français. Très surfait pour les antiquités (sam. 7-17h).

LES PARCS

VIE CULTURELLE

QUEEN'S GALLERY
Buckingham Palace SW1
Tél. (071) 799 2331
Ouvert mi mars-fin dec. 10 h-17 h,
Dim. 14 h-16 h 30.
Fermé lun.
Exposition de la collection royale d'objets d'art, l'une des plus riches du monde.

WALLACE COLLECTION
Hertford House
Manchester Square, W1
Tél. (071) 935 0687.
Ouvert 10 h-17 h, dim. 14 h-17 h. Fermé à Noël et au nouvel an.
Collection de peintures de différentes écoles du XVIIe et du XVIIIe siècle, miniatures, armes porcelaine.

RESTAURANTS

BOMBAY PALACE
50, Connaught Street W2
Tél. (071) 723 8855
Ouvert 12 h 30-14 h 45, 18 h-23 h 15.
Cadre très chic et belle vue sur Hyde Park Square. Excellente cuisine d'Inde septentrionale, service agréable. Venir le dim. midi. Réserver pour le dîner.
£ 13-£ 20.

NICO AT NINETY
90, Park Lane, W1
Tél. (071) 409 1290.
Ouvert 12 h-14 h du lun. au ven., 19 h-23 h du lun. au sam.
Fermé le dim.
Cuisine française classique dans un cadre luxueux.
£ 40-£ 50.

HÉBERGEMENT

DELMERE HOTEL
130, Sussex Gardens W2
Tél. (071) 706 3344
Fax (071) 262 1863.
Jolies chambres. Accueil très sympathique. Petit déj. anglais. Tarifs de week-end.
£ 72-£ 91.

FOUR SEASONS INN ON THE PARK
Hamilton Place
Park Lane W1
Tél. (071) 499 0888
Fax (071) 493 6629.
Très bel hôtel de luxe fréquenté surtout par les hommes d'affaires. Fax et coffre-fort dans les chambres.
£ 288.

GROSVENOR HOUSE
Park Lane W1
Tél. (071) 499 6363
Fax (071) 493 3341.
Hôtel immense, du début du siècle, situé au cœur de Mayfair. Se veut un «way of life» plus qu'un hôtel ordinaire.
£ 229.

INTER CONTINENTAL HOTEL
1, Hamilton Place W1
Tél. (071) 409 3131
Fax (071) 730 5494.
Hôtel de luxe à l'américaine. Belles suites. Nombreuses activités. Petit déj. compris le week-end.
£ 145-£ 284.

◆ GROSVENOR HOUSE ◆
Ce grand hôtel moderne porte le nom de la famille Grosvenor, à l'origine de l'urbanisation du quartier de Belgravia.

NAYLAND HOTEL
132-134 Sussex Gardens W2
Tél. (071) 723 4615
Fax (071) 402 3292.
Bien situé. De belles chambres. Bon rapport qualité-prix. Petit déj. compris. Clientèle d'hommes d'affaires en semaine.
£ 44-£ 58.

RHODES HOUSE HOTEL
195, Sussex Gardens W2
Tél. (071) 262 5617
Fax (071) 723 4054.
Cadre sympathique. Le propriétaire parle français. Chambres avec douche ou bain. Petit déj. compris. Garage gratuit. £ 40.

WHITE'S HOTEL
Lancaster Gate W2
Tél. (071) 262 2711
Fax (071) 262 2147.
Vue imprenable sur Hyde Park, de l'autre côté de la rue. Accueil correct. Chambres assez jolies. Restaurant avec véranda.
£ 170.

DE MARBLE ARCH À CAMDEN TOWN

VIE CULTURELLE

LONDON PLANETARIUM
Marylebone Road NW1
Tél. (071) 486 1121
Ouvert 10 h-17 h 30
Jours fériés 9 h 30-17 h 30.
Toutes les heures, sons et lumières, constellations et vols spatiaux.

MADAME TUSSAUD'S
Marylebone Road NW1
Tél. (071) 935 6861
Ouvert 10 h-17 h 30, Sam.et dim. 9 h 30-17 h 30. Fermé à Noël.
Célèbre musée de cire. Un billet jumelé avec le planétarium permet de bénéficier de tarifs réduits. Photos autorisées.

London Zoo
Regent's Park NW1
Tél. (071) 722 3333
Ouvert 10 h-16 h
Fermé à Noël.
Un des plus grands zoos du monde. On peut nourrir les animaux. Spectacles en été.

Restaurants

Sea Shell Fish Restaurant
49-51, Lisson Grove NW1
Tél. (071) 723 8703
Ouvert 12 h-14 h, 17 h 15-22 h 30
Sam. 12 h-22 h 30
Fermé dim.
Établissement réputé pour ses spécialités de poissons. Plats à emporter. Spécialité : «Fish & Chips».
£ 9-£ 12.

Stephen Bull
5-7 Blandford Street, W1
Tél. (071) 486 9696.
Ouvert 12 h 30-14 h30, 18 h 30-22 h 30. Fermé sam., dim.
Cadre austère et fonctionnel mais la nourriture est excellente,en particulier les plats de poissons (morue salée maison accompagnée de palourdes) et de délicieux desserts. Environ 90 sortes de vins différents à moins de 20 la bouteille.
£ 25-£ 30.

Villandry Dining Room
89, Marylebone High Street, W1.
Tél. (071) 224 3799.
Ouvert 12 h 30-14 h 30 dulun. au sam.
Fermé le dim.
Dîner servi une fois par mois ou pour des fêtes de 15 et plus. Nourriture excellente et prix compétitif.
£ 17.

Hébergement

Bentinck House Hotel
20, Bentinck Street W1
Tél. (071) 935 9141
Fax (071) 224 5903.
Hôtel correct tout près de Hyde Park. Petit déj. compris. Tarifs de week-end intéressants.
£ 65.

Berners Park Plaza
10, Berners Street W1
Tél. (071) 636 1629
Fax (071) 580 3972.
Hôtel bien situé. Très jolies chambres. Tarifs de week-end intéressants.
£ 130.

Churchill Hotel
Portman Square W1
Tél. (071) 486 5800
Fax (071) 486 1255.
Bien situé et chic. Accueil sympathique. Belles chambres. Vue sur la place. Tennis. Tarifs de week-end.
£ 185.

Edward Lear Hotel
28-30, Seymour Street W1
Tél. (071) 402 5401
Fax (071) 706 3766.
Une maison georgienne agréable et décorée par les illustrations de The Book of Nonsense *(Chansons ineptes, 1848) d'Edward Lear. Jolies chambres. Petit déj. compris. £ 62.*

Hotel La Place
17, Nottingham Place W1
Tél. (071) 486 2323
Fax (071) 486 4335.
Bien situé, près d'Oxford Street. Tout confort. Petit déj. compris.
£ 70.

International Student House
229, Great Portland Street W1
Tél. (071) 631 3223
Fax (071) 636 5565.
Immense auberge de jeunesse (restaurant, bar, discothèque, salle de gymnastique...). Petit déj. compris. Réductions pour longs séjours.
£ 38-£ 46.

Merryfield House
42, York Street W1
Tél. (071) 935 8326.
Tout petit hôtel, au cœur du West End. Accueil familial.. Petit déj. compris, servi dans la chambre.
£ 47.

Marché

Alfies Market
13-25, Church Street NW8
Ouvert 10 h-18 h
Fermé dim. et lun.
Charmant marché très animé. On y trouve dentelles et appareils photo.

Vie gourmande

Ambala Sweet Centre
112, Drummond Street NW1
Tél. (071) 387 3521
Ouvert 10 h-20 h 30.
Fermé à Noël.
Pâtisserie très populaire. On y trouve de délicieux gâteaux indiens (£ 25 la livre). Spécialités : rusmali, habshihalvwe. £ 2-£ 3.

De Hampstead à Highgate

Vie culturelle

Fenton House
Hampstead Grove NW3
Tél. (071) 435 3471
Ouvert 13 h-17 h 30
Sam. et dim. 11 h-17 h 30
Fermé jeu., ven. et en hiver.
Maison du XVIIe siècle. Superbe collection de porcelaines et d'instruments de musique.

Freud Museum
20, Maresfield Gardens NW3
Tél. (071) 435 2002
Ouvert 12 h-17 h
Fermé lun., mar., Noël et au nouvel an.
Maison où vécut Sigmund Freud jusqu'à sa mort, en 1939. On y découvre son cadre de travail, notamment son célèbre divan, r amené de Vienne en 1938.

Highgate Cemetery
Swains Lane N6
Tél. (081) 340 1834
Ouvert 10 h-17 h
Sam. et dim. 11 h-17 h
Fermé à 16 h en hiver.
Les visites de la face ouest s'effectuent uniquement avec un guide. Visite libre de la face est s'il n'y a pas d'enterrement.

Keat's Memorial House
Wentworth Place
Keats Grove NW3
Tél. (071) 435 2062
Ouvert 10 h-13 h, 14 h-18 h
Sam. 10 h-13 h, 14 h-17 h
Fermé dim. matin et jours fériés
De nov. à mars., fermé le matin sauf sam.
Le poète John Keats vécut dans ce double pavillon de 1818 à 1820. Voir la bibliothèque.

Kenwood House
Hampstead Lane NW3
Tél. (081) 348 1286
Ouvert 10 h-16 h
Fermé à Noël.
Manoir du XVIIIe siècle construit par Adam. Tableaux de Vermeer, Rembrandt, Turner, Gainsborough... Grand parc. Entrée libre.

Restaurants

Diwana
121, Drummond Street NW1
Tél. (071) 387 5556
Ouvert 12 h-24 h
Fermé à Noël.
Ce restaurant tout en bois est à la hauteur de sa réputation. On ne peut pas réserver. Spécialités : indiennes végétariennes.
£ 7-£ 10.

Jazz Café
5-7, Park Way NW1
Tél. (071)916 6000
Ouvert 12 h-15 h, 19 h-24 h.
Très populaire. Restaurant de qualité, prix raisonnables. Envoyer une enveloppe timbrée pour recevoir le programme mensuel. Réserver pour dîner.
£ 8-£ 15.

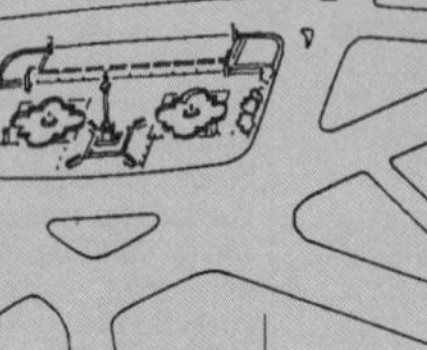

N.B.
17, Princess Road
Camden Town, NW1
Tél. (071) 722 9665.
Ouvert 12 h-14 h 30 du lun. au ven., 19 h-22 h 30 du lun. au sam.
Patio pitoresque.

NONTAS
14-16, Camden High Street NW1
Tél. (071) 387 4579
Ouvert 12 h-14 h 45, 18 h-23 h 30
Fermé dim. et jours fériés.
Restaurant grec très réputé. Accueil sympathique. Plats peu copieux. Réserver des places dans le jardin lorsqu'il fait beau.
£ 8-£ 12.

ZEN
83, Hampstead High Street NW3
Tél. (071) 794 7863
Ouvert 12 h-23 h 30
Fermé à Noël.
Très grand choix de spécialités chinoises dans cet établissement de la chaîne Now and Zen. Décor moderne. Accueil sympathique.
£ 18-£ 30.

HÉBERGEMENT

BUCKLAND HOTEL
6, Buckland Crescent NW3
Tél. (071) 722 5574
Fax (071) 722 5594.
Atmosphère familiale. Chambres spacieuses. Petit déj. compris.
£ 45-£ 50.

CHARLOTTE COFFEE LOUNGE
221, West End Lane NW6
Tél. (071) 794 6476
Fax (071) 431 3584.
Bien desservi par les transports en commun et situé à 10 min de Piccadilly. Certaines chambres possèdent une cuisine. Petit déj. compris. S'adresser au restaurant.
£ 35-£ 40.

FIVE KINGS GUEST HOUSE
59, Anson Road N7
Tél. (071) 607 3996.
«Bed & Breakfast» très familial. Accueil agréable. Sanitaires communs. Parking.
£ 30-£ 32.

FORTE POSTHOUSE HAMPSTEAD
215, Haverstock Hill NW3
Tél. (071) 794 8121
Fax (071) 435 5586.
Chambres jolies et confortables. Excellent rapport qualité-prix. Petit déj. £ 6. Fait aussi restaurant (£ 8).
£ 39-£ 53.

HAMPSTEAD HEATH YOUTH HOTEL (YHA)
4, Wellgarth Road NW11
Tél. (081) 458 9054
Fax (081) 209 0546.
Très belle auberge de jeunesse. 14 chambres doubles. On peut y manger à bon prix. Petit déj. £ 2.30.
£ 28.

NONTAS
14-16, Camden High Street NW1
Tél. (071) 387 1380
Fax (071) 383 0335.
Hôtel bien situé. Chambres coquettes. Restaurant grec réputé. Bar avec cheminée. Petit déj. continental compris.
£ 47-£ 51.

REGENTS PARK MARRIOTT HOTEL
128, King Henry's Road NW3
Tél. (071) 722 7711
Fax (071) 586 5822.
Grand hôtel de luxe traditionnel, bien situé, près de Regent's Park, avec piscine, sauna, coiffeur, etc.
£ 128-£ 154.

SANDRINGHAM HOTEL
3, Holford Road NW3
Tél. (071) 435 1569
Fax (071) 431 5932.
Cadre très agréable. Un bon hôtel fréquenté par de nombreux habitués (congressistes entre autres). «English breakfast» gargantuesque.
£ 61.

SWISS COTTAGE HOTEL
4, Adamson Road NW3
Tél. (071) 722 2281
Fax (071) 483 4588.
Grande maison victorienne luxueuse. Accueil chaleureux. Belles chambres aux meubles d'origine, toutes personnalisées. Petit déj. anglais compris.
£ 75-£ 85.

VIE NOCTURNE

JACK STRAWS CASTLE
North End Way
Hampstead NW3
Tél. (071) 435 8885
Ouvert 11 h-23 h.
La construction de ce pub date de la première «poll tax» de 1660 (impôt municipal sur les habitations). Superbe vue sur Londres.

OLD BULL AND BUSH
North End Way
Hampstead NW3
Tél. (081) 455 3686
Ouvert 11 h-23 h,
Dim. 12 h-15 h,
19 h-22 h 30.
Immortalisé par Florie Forde, ce pub qui vend de la bière depuis 1721 fut le lieu de prédilection de Hogarth, Dickens... Voir le magnifique jardin qui lui fait face.

THE FLASK
Flask Walk NW3
Tél. (071) 435 4580
Ouvert 11 h-23 h
Dim. 12 h-15 h,
19 h-22 h 30.
Pub traditionnel anglais (fléchettes et «real ale»). Fait également bar à vin. Orchestre les jeu. soir.

CHINER

CAMDEN LOCK
Chalk Farm Road, NW1
Ouvert 9 h-18 h sam. et dim. seulement.
Marché se tenant le long d'un canal, sur une écluse. Clientèle très hétéroclite. Objets artisanaux, brocante, vêtements, produits biologiques et antiquités.

AUTOUR DE COVENT GARDEN

VIE CULTURELLE

COURTAULD INSTITUTE GALLERIES
Somerset House
Strand WC2
Tél. (071) 873 2526
Ouvert 10 h-18 h
Dim. 14 h-18 h
Fermé à Noël et au nouvel an.
Galerie de tableaux impressionnistes et post-impressionnistes, œuvres d'art de la Renaissance, du baroque et du XXe siècle.

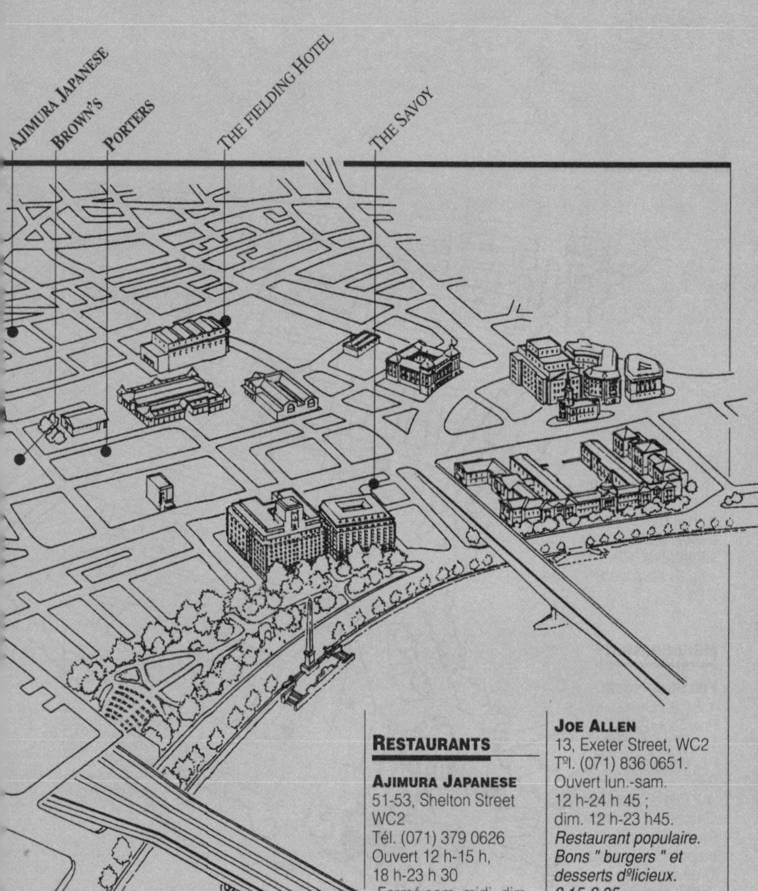

London Transport Museum
38, Wellington Street
Covent Garden WC2
Tél. (071) 379 6344
Ouvert 10 h-18 h
Fermé jours fériés.
Évolution des différents moyens de transports londoniens depuis deux siècles.

National Gallery
Trafalgar Square WC2
Tél. (071) 839 3321
Ouvert 10 h-18 h
Dim. 14 h-18 h
Fermé jours fériés.
Fabuleuse collection de peintures du XIIIe au XXe siècle. Accès libre à la galerie. Renseignements. enregistrés au (071) 839 3526.

National Portrait Gallery
2, St Martin's Place WC2
Tél. (071) 306 0055
Ouvert 10 h-17 h
Sam. 10 h-18 h
Dim. 14 h-18 h
Fermé jours fériés.
Portraits des hommes et femmes célèbres de Grande-Bretagne de l'époque des Tudors à nos jours. Entrée libre.

National Theatre Museum
Russell Street WC2
Tél. (071) 836 7891
Ouvert 11 h-19 h
Fermé lun.
Dans l'ancien marché aux fleurs de Covent Garden. Collections nationales relatives au théâtre (depuis Shakespeare), à l'opéra et à la pantomime.

St Martin-in-the Fields Church
Trafalgar Square WC2
Tél. (071) 839 1930
Ouvert 10 h-21 h
Dim. 12 h-18 h.
Café, librairie et centre de frottis de pierre tombale dans la crypte. Office à 7 h 30 et 19 h 30.

Restaurants

Ajimura Japanese
51-53, Shelton Street WC2
Tél. (071) 379 0626
Ouvert 12 h-15 h, 18 h-23 h 30
Fermé sam. midi, dim. et jours fériés.
Restaurant japonais des années 1970 au décor intact. Accueil agréable. Réserver. £ 10-£ 25.
◑ ▭ ✗

Brown's
32, Bedford Street WC2
Tél. (071) 836 7486
Ouvert 7 h 30-23 h
Fermé dim. et à Noël.
Cadre agréable. «English breakfast». Excellent rapport qualité-prix. £ 4.
○ ✗

Food For Thought
31, Neal Street WC2
Tél. (071) 836 0239
Ouvert 12 h-20 h
Dim. 12 h-16 h 30.
Une adresse qu'on échange volontiers. Accueil souriant. Spécialités : plats végétariens variés aux belles couleurs et aux odeurs alléchantes. À consommer sur place ou à emporter. £ 3-£ 5.
○

Joe Allen
13, Exeter Street, WC2
T°l. (071) 836 0651.
Ouvert lun.-sam. 12 h-24 h 45 ; dim. 12 h-23 h45.
Restaurant populaire. Bons " burgers " et desserts d°licieux. £ 15-£ 25

Mon Plaisir
21, Monmouth Street WC2
Tél. (071) 836 7243
Ouvert 12 h-14 h 15, 18 h-23 h 15
Fermé sam. et dim. midi.
Restaurant français (il en existe toute une chaîne à Londres). Intéressant pour ses horaires pré-théâtres (18 h-19 h 15). Spécialités : steak tartare, coq au vin. £ 14-£ 30.
◑ ▭ ✗

Orso
27, Wellington Street WC2
Tél. (071) 240 5269
Ouvert 12 h-24 h tlj.
Un cadre sympathique élégant et à la mode pour dîner avant ou après des soirées théâtre. £ 20-£ 30.
▭ 🯅

Simpson's-in-the Strand
100, Strand, WC2
Tél. (071) 836 9112.

Ouvert 12 h-15 h, et 18 h-23 h du lun. au sam. ; 12 h-14 h, 18 h-21 h le dim.
Décor "Edwardien" somptueux. Plats anglais traditionnels. £ 25.

HÉBERGEMENT

FIELDING HOTEL
4, Broad Court
Bow Street WC2
Tél. (071) 836 8305
Fax (071) 497 0064.
À 2 min de Covent Garden, une adresse tranquille. Jadis, on pouvait y croiser Graham Greene. Jolies chambres spacieuses. Réserver. £ 67.

HOTEL STRAND CONTINENTAL
143, Strand WC2
Tél. (071) 836 4880.
Bien situé (à côté des théâtres) et simple. La chambre familiale coûte seulement £ 36. Restaurant indien. Bar Petit déj. compris. £ 31.

ROYAL ADELPHI HOTEL
21, Villiers Street WC2
Tél. (071) 930 8764
Fax (071) 930 8735.
Très bien situé. Accueil sympathique. Jolies chambres où les animaux sont acceptés, ce qui est peu fréquent à Londres. Petit déj. compris. £ 59.

SAVOY
Strand WC2
Tél. (071) 836 4343
Fax (071) 240 6040.
Cet hôtel de la fin du XIXe siècle est aussi spacieux que luxueux. Le must des hôtels chics de Londres. Tarifs de week-end intéressants avec petit déj. compris. £ 210.
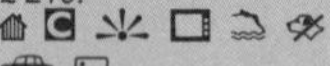

CHINER

COVENT GARDEN
Southampton Street WC2
Ouvert tous les jours.
Marché aux puces célèbre. Un peu cher, mais on peut voir de nombreux spectacles de rues.

ST JAMES ET MAYFAIR

VIE CULTURELLE

APSLEY HOUSE
149, Piccadilly W1
Tél. (071) 499 5676
Ouvert 10 h-17 h
Fermé jusqu'en 1994.
Maison du duc de Wellington construite par Adam puis transformée par Wyatt. Intérêt architectural, historique mais aussi artistique (galerie de tableaux au 1er étage).

ROYAL ACADEMY OF ARTS
Burlington House
Piccadilly W1
Tél. (071) 439 7438
Ouvert 10 h-18 h
Fermé à Noël.
Remarquables expositions temporaires.

RESTAURANTS

LE CAPRICE
Arlinton House
Arlington Square
St James, SW1
Tél. (071) 629 2239.
Ouvert 12 h-15 h, 18 h-24 h tlj.
Restaurant chic au service impeccable souvent mal connu. £ 25-£ 40.

THE CONNAUGHT
Carlos Place, N1Y
Tél. (071) 499 7070.
ouvert 12 h30-14 h, 18 h 30-22 h 15 tlj.
Compositions savantes de plats français classiques et de cuisine anglaise traditionnelle. £ 50-£ 60.

LE GAVROCHE
43, Upper Brook Street W1
Tél. (071) 408 0881
Ouvert 12 h-14 h, 19 h-23 h
Fermé sam., dim., jours fériés et sem. de Noël.
Un sous-sol aménagé. Excellente cuisine française. Service à la hauteur de sa réputation. Réserver à l'avance. Spécialités : soufflé à la suissesse, assiette du boucher, omelette Rothschild. £ 36-£ 80.

QUAGLINO
16, Bury Street, Sw1
T°l. (071) 930 6767.
Nightclub dans les années1950, ce

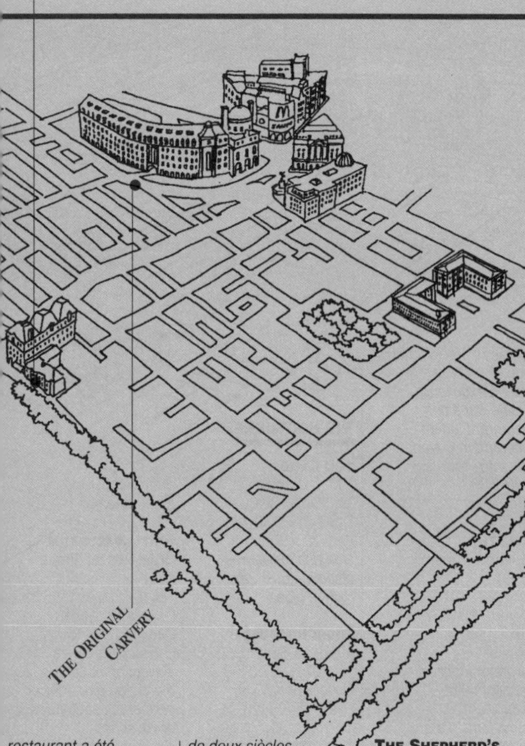

restaurant a été reconstruit par Terence Conran. Aujourd'hui très populaire. Réserver 2 mois à l'avance. Architecture impressionnante et excellente nourriture.

THE GREENHOUSE
27 A, Hay's Mews W1
Tél. (071) 499 3331
Ouvert 12 h-14 h 30, 19 h-23 h
Fermé sam. midi, dim. soir et jours fériés.
Cadre agréable. Cuisine anglaise fine aux accents français et italiens. Réservation indispensable. Spécialités : carpaccio, veau au bacon, confit de canard.
£ 20-£ 30.

HÉBERGEMENT

CLARIDGE'S
Brook Street W1
Tél. (071) 629 8860
Fax (071) 499 2210.
Hôtel aussi charmant que luxueux dont on apprécie l'atmosphère suranné. Reçoit depuis près de deux siècles têtes couronnées, hommes d'Etat et diplomates en visite à Londres. Accueil parfait. £ 255.

THE RITZ
Piccadilly W1
Tél. (071) 493 8181
Fax (071) 493 2687.
Très bien situé, ce Ritz ressemble fort à son homologue parisien : il fut construit par les mêmes artisans. Réserver à l'avance pour le fameux thé.
£ 220.

VIE NOCTURNE

THE RED LION PUB
2, Duke of York Street
St James' Square SW1
Tél. (071) 930 2030
Ouvert 11 h 30-23 h
Fermé dim. et à Noël.
Ce petit pub au plafond et aux miroirs d'origine connaît une clientèle d'artistes et de sportifs (Bob Wallis). Accueil vraiment chaleureux. Le soir, on boit de la «real ale» à l'extérieur.

THE SHEPHERD'S TAVERN
50, Hertford Street
Shepherd's Market W1
Tél. (071) 499 3017
Ouvert 11 h-23 h
Sam. et dim. 11 h-15 h, 18 h-23 h
Fermé à 19 h les jours fériés.
Ce pub du XVIIIe siècle était un magasin avant de devenir le lieu de prédilection des pilotes de la R.A.F. pendant la Seconde Guerre mondiale. Voir la «Sedan chair».

WALKERS OF ST JAMES
32 A, Duke Street
St James SW1
Tél. (071) 930 0278
Ouvert 11 h 30-22 h
Sam. 12 h-15 h
Fermé dim. et jours fériés.
Ce pub est installé en sous-sol près de Piccadilly. Il ne manque pas de pittoresque avec ses boiseries. Très apprécié des businessmen. Grand choix de vins et de bières, snacks jusqu'à 15 h.

CHINER

GRAY'S MEW'S ANTIQUE MARKET
1-7, Davies Street W1
Ouvert 10 h-18 h
Fermé sam. et dim.
300 stands regroupés dans une usine désaffectée, antiquités, art moderne et art déco.

DE TRAFALGAR A OXFORD ST

VIE CULTURELLE

DESIGN CENTRE
28, Haymarket SW1
Tél. (071) 839 8000
Ouvert 10 h-18 h
Dim. 13 h-18 h
Fermé jours fériés.
Une présentation sur trois étages de 1 000 objets utilitaires choisis pour leur haut niveau technique et l'harmonie de leur forme.

NATIONAL GALLERY
Trafalgar Square WC2
Tél. (071) 839 3321
Ouvert 10 h-18 h
Dim. 14 h-18 h
Fermé jours fériés.
Immense et fabuleuse collection de peintures du XIIIe au XXe siècle. Entrée libre pour la galerie. Renseignements enregistrés au (071) 839 3526.

RESTAURANTS

ALISTAIR LITTLE
49, Frith Street, W1
Tél. (071) 734 5183
Ouvert 12 h-30-14 h 30, 19 h 30- 23 h 30. Fermé sam. midi et dim.
Cuisine anglaise moderne, sans prétention mais d'excellente qualité et

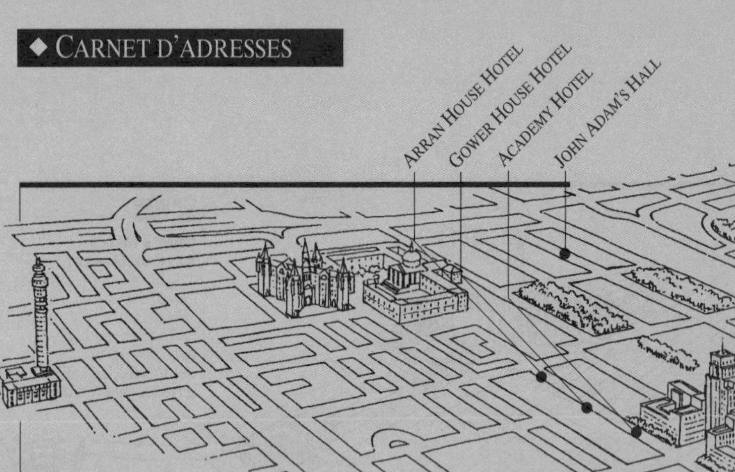

innovatrice. Accepte les cartes de crédit.
£ 30-£ 40.

Chuen Cheng Ku
17, Wardour Street, W1V
Tél. (071) 437 1398.
ouvert lun.-sam. 11 h-24 h, dim. 11 h-23 h 15.
Spécialités cantonaises dans un quartier animé de Chinatown.
£ 13.

Flanagan's
14, Rupert Street W1
Tél. (071) 434 9201
Ouvert 12 h-14 h 30, 17 h 30-23 h
Dim. 12 h-14 h 30, 17 h 30-22 h.
À côté de Piccadilly Circus. Décor original. Bonne cuisine et accueil chaleureux. Pianiste talentueux. À retenir. Spécialités : irlandaises.
£ 10-£ 16.

Gay Hussar
2, Greek Sreet, W1
Tél. (071) 437 0973.
Ouvert lun.-sam. 12 h 30-14 h 30, 17 h 30-23 h.
Fermé dim.
Restaurant hongrois où se réunit le cercle littéraire de Soho. Très accueillant et chaleureux. Vous pouvez y goûter d'excellents plats de viande d'Europe centrale.
£20-£ 30.

Gopal's of Soho
12,Bateman Street, W1
Tél. (071) 434 1621.
Ouvert 12 h-15 h tlj, lun.-sam. 18 h-23 h30, dim. 18 h-23 h.
Plats d'excellente qualité dans ce restaurant indien récemment ouvert. Prix intºressants.
£ 20-£ 30.

Melati
21, Great Windmill Street W1
Tél. (071) 437 2745
Ouvert 12 h-23 h 30
Ven. et sam. horaires réduits.
Le décor indonésien est original et accueillant. Succulents plats végétariens à la mode indonésienne. Réserver pour le soir. Spécialités : acar Melati, mee goreng, sago.
£ 12-£ 15.

The Ivy
West Street WC2
Tél. (071) 836 4751
Ouvert 12 h-15 h, 17 h 30-24 h.
Des fenêtres de vitrail créent un décor traditionnel et agréable. Cuisine anglaise fine. Réservation indispensable. Spécialités : poulet bang bang, salade César.
£ 20-£ 30.

Wong Kei
41-43, Wardour Street W1
Tél. (071) 437 8408
Ouvert 12 h-23 h 30.
Service un peu fruste mais repas très économique. Règlement en liquide. Spécialités : chinoises.
£ 5-£ 10.

Vie nocturne

100 Club
100, Oxford Street W1
Tél. (071) 636 0933
Ouvert 19 h 30-1 h
Ven. 20 h 30-3 h.
Une des meilleures discothèques : jazz, rock et blues.

French House
49, Dean Street SW1
Tél. (071) 437 2799
Ouvert 12 h-23 h
Dim. 12 h-15 h, 19 h-22 h 30.
Très fréquenté par les résistants français pendant la Seconde Guerre mondiale. Aujourd'hui, c'est un joli piano-bar. Vin français et champagne. On y croise des artistes et des acteurs.

Ronnie Scott's
47, Frith Street W1
Tél. (071) 439 0747
Ouvert 20 h 30-3 h
Fermé dim. et Noël.
Célèbre club de jazz de Soho depuis 33 ans. Bonne qualité.

Bloomsbury

Vie culturelle

British Library
British Museum
Great Russell Street WC1
Tél. (071) 323 7111
Ouvert 10 h-17 h
Dim. 14 h 30-18 h (galerie des Expositions seulement)
Fermé jours fériés.
Bibliothèque nationale. Manuscrits et livres rares (bible de Gutenberg, premier ouvrage de Shakespeare).

British Museum
Great Russel Street WC1
Tél. (071) 636 1555
Ouvert 10 h-17 h
Dim. 14 h 30-18 h
Fermé jours fériés.
Collection nationale d'archéologie, art grec et oriental, sculptures égyptiennes. Expositions temporaires. Renseignements au (071) 580 1788.

Crafts Council Gallery
44 A, Pentonville Road Islington N19BY
Tél. (071) 278 7700
Ouvert 12 h-18 h
Dim. 14 h-18 h
Fermé lun. et ven.
Artisanat contemporain et ancien. Bibliothèque de référence et informations concernant l'artisanat.

Thomas Coram Foundation
40, Brunswick Square WC1
Tél. (071) 278 2424
Ouvert 9 h 30-16 h
Fermé sam., dim., jours fériés et la sem. de Noël.
Bureaux de la Fondation pour enfants trouvés. Exposition d'œuvres d'artistes (Reynolds, Gainsborough...) pour recueillir des fonds.

Dickens' House
48, Doughty Street WC1
Tél. (071) 405 2127
Ouvert 10 h-16 h 30
Fermé dim., jours fériés

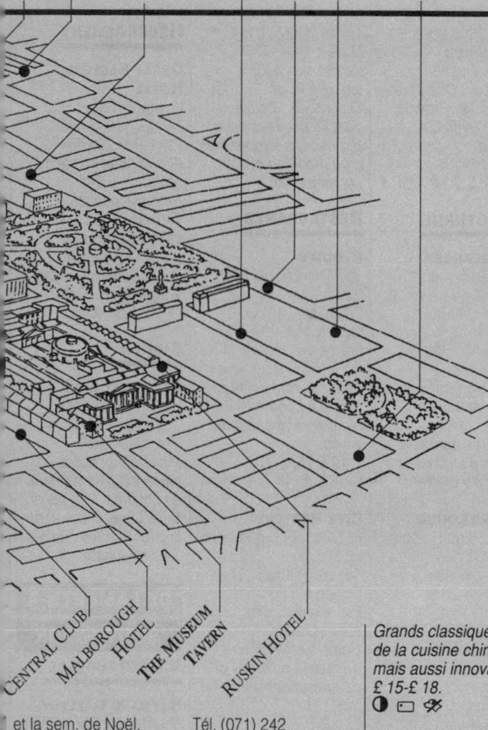

et la sem. de Noël. *Dickens y vécut entre 1837 et 1839 et y écrivit plusieurs romans. Portraits, lettres et manuscrits.*

RESTAURANTS

CHAMBELLI
146, Southampton Row WC1
Tél. (071) 837 3925
Ouvert 12 h-15 h, 18 h-24 h.
Restaurant indien très fréquenté. Accueil sympathique. Couverts magnifiques. Cuisine excellente.
£ 10-£ 15.

HERMITAGE
19, Leigh Street WC1
Tél. (071) 387 8034
Ouvert 10 h-22 h 30.
On se sent à l'aise dans ce cadre un peu «bohème». Excellents sandwichs. Réserver. Spécialités : françaises.
£ 8-£ 15.

MUSEUM TAVERN
49, Great Russell Street WC1
Tél. (071) 242 8987
Ouvert 11 h-22 h.
Accueil très sympathique dans ce pub situé en face du British Museum. De véritables snacks anglais à peu de frais.
£ 5-£ 8.

PIED-À-TERRE
34, Charlotte Street, W1
Tél. (071) 636 1178
Ouvert 12 h 15-14 h 15, 19 h 15-22 h 30. Fermé sam. midi et dim.
Restaurant français impressionnant dans un cadre agréable. Service très amical. Amuses-gueule généralement offert pendant que vous attendez vos plats.
£ 17,50-£ 36.

POONS OF RUSSELL SQUARE
50 Woburn Place WC1
Tél. (071) 580 1188
Ouvert 12 h-15 h, 17 h 30-23 h 30
Fermé à Noël.
Gigantesque et élégant restaurant chinois, malgré tout accueillant. Grands classiques de la cuisine chinoise, mais aussi innovations.
£ 15-£ 18.

WAGAMAMA
4, Streatham Street
Off Coptic ST, WC1
Tél. (071) 323 9223.
Ouvert 12 h-23 h tlj.
Très populaire dans le cercle des étudiants, ce bar japonais sert des nouilles et autres plats. Portions généreuses. Très fréquenté en soirée. Non fumeur.
£ 6-£ 10.

HÉBERGEMENT

ACADEMY HOTEL
17-21, Gower Street WC1
Tél. (071) 631 4115
Fax (071) 636 3442.
Trois maisons georgiennes très bien situées. Chambres confortables. Petit déjeuner : £7
£ 85.

ARRAN HOUSE HOTEL
77-79, Gower Street WC1
Tél. (071) 636 2186
Fax (071) 436 5328.
Familial. Garage £ 5 la journée (réserver). On y parle français. Petit déj. compris.
£ 52.

CENTRAL CLUB
16-22, Great Russell Street WC1
Tél. (071) 636 7512
Fax (071) 636 5278.
Très bien situé. Piscine gratuite pour les membres, coiffeur, «coffee shop». Prix avantageux pour séjours longs, chambres à plusieurs, groupes.
£ 55.

CRESCENT HOSTEL
49-50, Cartwright Gardens WC1
Tél. (071) 387 1515
Fax (071) 383 2054.
Typiquement anglais. Accueil sympathique. Chambres charmantes, sur le jardin. Petit déj. compris. £ 55.

GOWER HOUSE HOTEL
57, Gower Street WC1
Tél. (071) 636 4685.
«Bed & Breakfast» très familial. Accueil chaleureux. Le propriétaire parle le français. Petit déj. compris. Une bonne adresse.
£ 50-£ 55.

HARLINGFORD HOTEL
61-63, Cartwright Gardens WC1
Tél. (071) 387 1551
Fax (071) 387 4616.
Typiquement anglais et charmant. Accueil très agréable. Le petit déj. se prend dans une jolie salle à manger avec vue sur les jardins.
£ 57.

JOHN ADAM'S HALL
15-23, Endsleigh Street WC1
Tél. (071) 387 4086
Fax (071) 383 0164.
Cette résidence d'étudiants peut loger des touristes, surtout en été. Réserver longtemps à l'avance. Contacter Sue Waller, «Deputy Hall Manager». Petit déj. compris.
£ 33-£ 37.

KINGSLEY HOTEL
Bloomsbury Way WC1
Tél. (071) 242 5881
Fax (071) 8 31 025.
Style très anglais, accueil agréable. Tarifs de week-end. £ 110.

LANGLEY HOTEL
18, Argyle Square
King's Cross WC1
Tél. (071) 837 5816
Fax (071) 837 7028.
Accueil correct sans être chaleureux. Chambres équipées de douches individuelles. Petit déj. anglais compris. £ 25.

MALBOROUGH HOTEL
Bloomsbury Street WC1
Tél. (071) 636 5601
Fax (071) 636 0532.
Bien situé près du British Museum. Style édouardien. Accueil agréable et chaleureux. Jolies chambres. £ 167.

RUSKIN HOTEL
23-24, Montague Street WC1
Tél. (071) 636 7388
Fax (071) 323 1662.
En face du British Museum. Accueil agréable. Belles chambres. Petit déj. compris. £ 60.

SALTERS HOTEL
3-4, Crestfield Street
King's Cross WC1
Tél. (071) 837 3817.
Petit hôtel vraiment très agréable, accueillant. Bon rapport qualité-prix. Chambres avec douche. Petit déj. compris. £ 35-£ 40.

THANET HOTEL
8, Bedford Place
Russell Square WC1
Tél. (071) 636 2869
Fax (071) 323 6676.
Tout près du British Museum. Les chambres de l'hôtel viennent d'être refaites. Petit déj. compris. £ 55.

THE LONSDALE HOTEL
9-10, Bedford Place
Bloomsbury WC1
Tél. (071) 636 1812
Fax (071) 580 9902.
Près du British Museum. Calme. Bon accueil. Chambres sans douche. Petit déj. compris. Tarifs de week-end. £ 56-£ 61.

VIE NOCTURNE

CAFÉ DELANCEY
32, Procter Street
Red Lion Square WC1
Tél. (071) 242 6691
Ouvert 8 h-23 h
Fermé sam., dim. et jours fériés.
Un café bien français où l'on joue Aznavour et Piaf. Accueil très agréable. Hommes d'affaires et touristes s'y côtoient.

PRINCESS LOUISE
208-209, High Holborn Street WC1
Tél. (071) 405 8816
Ouvert 11 h-23 h
Sam. 15 h-18 h
Dim. 14 h-19 h.
Décoré par Arthur Chitty, ce pub vaut le détour. Sandwichs. Musique le sam.

A TRAVERS L'EAST END

VIE CULTURELLE

WHITECHAPEL ART GALLERY
80, Whitechapel High Street E1
Tél. (071) 377 0107
Ouvert 11 h-17 h
Fermé mer. à 20 h, lun. et à Noël.
Galerie «Art nouveau» conçue par Townsend. Expositions temporaires d'art moderne et d'art contemporain.

RESTAURANTS

BLOOM'S
90, Whitechapel High Street E1
Tél. (071) 247 6001
Ouvert 11 h-21 h 30
Fermé ven. après 14 h 30, sam. et fêtes juives.
Le restaurant juif le plus connu à Londres. Nourriture abondante. À voir. £ 10-£ 15.

CITY BUTTERY
85, Aldgate High Street EC3
Tél. (071) 480 7287
Ouvert 6 h 30-15 h
Fermé sam., dim. et jours fériés.
Cafétéria. Nourriture de qualité pour des prix très raisonnables. £ 9-£ 11.

LAHORE KEBAB HOUSE
2 Umberston Street EC1
Tél. (071) 481 9737.
Ouvert 12 h-24 h tlj.
Cuisine indienne authentique. Bon rapport qualité prix. £ 8.

HÉBERGEMENT

GREAT EASTERN HOTEL
Liverpool Street EC2
Tél. (071) 283 4363
Fax (071) 283 4897.
Grand hôtel en plein cœur de la City. Petit déj. compris. Tarifs de week-end intéressants et tarifs réduits en passant par la Sealink ou les Wagons-Lits. £ 102.

CHINER

PETTICOAT LANE
Middlesex Street E1
Ouvert 9 h-14 h
dim. seulement.
Marché aux puces parmi les plus célèbres de Londres. Voir aussi Brick Lane, également le dim. Bonnes affaires. Très fréquenté.

◆ **GREAT EASTERN HOTEL** ◆
Situé au cœur du cœur de Londres, puisque la ville se résuma longtemps à la City.

DE LAMBETH A SOUTHWARK

VIE CULTURELLE

HAYWARD GALLERY
South Bank Centre SE1
Tél. (071) 928 3144
Ouvert 10 h-18 h
Ouvert mar., mer. jusqu'à 20 h.
Expositions artistiques contemporaines et historiques. Renseignements enregistrés au (071) 261 0127.

LAMBETH PALACE
Lambeth Palace Road SE1
Tél. (071) 928 8282.
Un des derniers palais seigneuriaux du bord de la Tamise. Propriété des archevêques de Canterbury. Voir le corps de garde et la tour. Ouvert aux groupes seulement.

LONDON DUNGEON
28-34, Tooley Street SE1
Tél. (071) 403 7221
Ouvert 10 h-17 h 30
Fermé à 16 h 30 d'oct. à mars.
Musée des horreurs (instruments de torture) et spectacles, dont la reconstitution du Grand Incendie. Théâtre de la guillotine.

Museum of the Moving Image (MOMI)
South Bank
Waterloo SE1
Tél. (071) 401 2636
Ouvert 10 h-18 h
Fermé à Noël.
Musée du cinéma et de la télévision. On peut y devenir star, présentateur... Ou simplement revoir de vieux films.

Shakespeare Globe Museum and Rose Theatre Exhibition
Bear Gardens
Bankside SE1
Tél. (071) 928 6342
Ouvert 10 h-17 h
Dim. 14 h-17 h
Fermé jours fériés.
Sur le site d'une arène du XVe siècle. Exposition permanente sur le théâtre de Shakespeare et son histoire.

Southwark Cathedral
Borough High Street
London Bridge SE1
Tél. (071) 407 2939
Ouvert 8 h 30-17 h 30
Jours fériés 9 h-16 h.
Églises Saint-Sauveur et Sainte-Marie. Cathédrale de la rive sud. Style gothique primitif, réaménagé au XIXe siècle.

Restaurants

Cookes's Eel and Pie Shop
84, The Cut SE1
Tél. (071) 928 5931
Ouvert 10 h 30-14 h 30
Fermé dim. et lun.
Excellent «Pie & Mash» dans la vieille tradition londonienne. Boissons non alcoolisées uniquement. Pour un déjeuner rapide. £2-£4.

RSJ (Restaurant on the South Bank)
13 A, Coin Street SE1
Tél. (071) 928 4554
Ouvert 12 h-14 h, 18 h-23 h
Fermé sam. midi et dim.
Restaurant réputé pour sa carte des vins de Loire, mais aussi pour sa cuisine française originale. Horaires pré-théâtres. Réserver. £ 16-£ 30.

Hébergement

Driscoll House Hotel
172-180, New Kent Road SE1
Tél. (071) 703 4175
Fax (071) 703 8013.
Cette pension a 80 ans. Accueil chaleureux. Chambres simples, douches communes. Petit déj. compris. Pension complète intéressante (£ 130 par semaine). Réservé aux plus de 18 ans. £ 50.

London Park Hotel
Brook Drive
Elephant and Castle SE11
Tél. (071) 735 9191
Fax (071) 582 7688.
Tous les avantages d'un grand hôtel (restaurant, bar...). Tout près du métro. Petit déj. compris. £ 70.

Vie nocturne

George Inn
77, Borough High Street SE1
Tél. (071) 407 2056
Ouvert 11 h-23 h
Sam. 15 h-18 h
Dim. 15 h-19 h.
Un havre de paix très réputé. Plusieurs salles tout en bois où les gens prennent le temps de vivre. Parfois, l'été, on y joue encore du Shakespeare. Restaurant assez cher.

Goose and Firkin
47-48, Borough Road SE1
Tél. (071) 403 3590
Lun.-ven. 12 h-23 h
Dim. 12 h-15 h., 19 h-22 h 30.
On croise dans ce pub aussi bien des hommes d'affaires que des footballeurs. Ce fut le premier établissement à faire sa bière lui-même.

Chiner

Bermondsey Market
Bermondsey Street SE1
Ouvert 4 h-14 h
ven. seulement.
Vieux objets, vêtements, mais aussi antiquités.

Greenwich

Vie culturelle

Cutty Sark & Gipsy Moth IV
Greenwich Pier SE10
Tél. (081) 858 3445
Ouvert 10 h-18 h
Dim. 12 h-18 h
Fermé à 17 h en hiver.
Musée naval. Le Cutty Sark *fut le dernier clipper à thé, et le plus célèbre.*

National Maritime Museum
Greenwich SE10
Tél. (081) 858 4422
Ouvert 10 h-18 h
Dim. 12 h-18 h
D'oct. à mars ouvert 10 h-17 h, dim. 14 h-17 h.
Musée naval contenant les plus belles pièces du monde : péniches et voiliers royaux, maquettes et autres objets de la marine.

Old Royal Observatory
Flamsteed House
Greenwich Park SE10
Tél. (081) 858 1167
Ouvert 10 h-18 h
Fermé à 17 h en hiver.
Ancien observatoire du roi Charles II. Il abrite la plus longue lunette du Royaume-Uni, une collection d'instruments astronomiques et de montres.

Queen's House
Greenwich SE10
Tél. (081) 858 4422
Ouvert 10 h-18 h
Dim. 12 h-18 h en été.
Œuvre de l'architecte Inigo Jones. Cette maison rappelle les villas vénitiennes. Voir en particulier l'escalier en porte à faux et la loggia. Abrite également le National Maritime Museum.

Royal Naval College
King William Walk
Greenwich SE10
Tél. (081) 858 2154
Ouvert 14 h 30-16 h 45
Fermé jeu.
Ancien hôpital naval conçu par sir Christopher Wren. Ne pas manquer la salle peinte et la chapelle dans laquelle sont donnés de nombreux concerts. Entrée libre.

Restaurants

Green Village Restaurant
11-13, Greenwich Church Street SE10
Tél. (081) 858 2348
Ouvert 11 h-24 h.
De nombreux habitants de Greenwich viennent se restaurer dans ce restaurant joliment décoré. Cuisine anglaise. £ 7-£ 12.

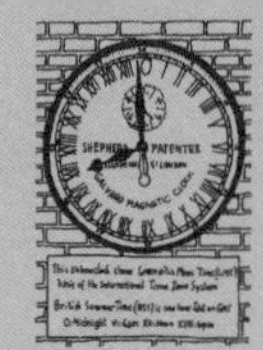

MEAN TIME RESTAURANT
47-49, Greenwich Church Street SE10
Tél. (081) 858 8705
Ouvert 12 h-14 h 30, 18 h 30-22 h
Fermé dim. soir et lun.
Propriétaire accueillante, atmosphère chaleureuse dans un style très «british». Gâteaux délicieux. Salon de thé (10 h-17 h). Spécialité : «jacket potatoes».
£ 3-£ 15.

PLUME OF FEATHERS
19, Park Vista
Greenwich SE10
Tél. (081) 858 1661
Ouvert 11 h-23 h, dim.12 h-14 h 30, 19 h-22 h 30
Fermé dim. soir.
Pub vieux de 300 ans (l'historique est affiché au fond de la salle). Clientèle de quartier. Vue sur GreenwichPark. Plats anglais. Spécialité de barbecue.
£ 5-£ 8.

ROYAL TEAS
76, Royal Hill
Greenwich SE10
Tél. (081) 691 7240
Ouvert 10 h-18 h 30.
Ce minuscule restaurant-bar très sympathique sert une quantité incroyable de thés et de cafés, ainsi que des repas et des gâteaux faits maison. Spécialités : végétariennes, thé et café.
£ 5-£ 7.

SPREAD EAGLE
1-2, Stockwell Street SE10
Tél. (081) 853 2333
Ouvert 12 h-15 h, 18 h 30-22 h 30
Fermé à Noël.
Le menu, composé essentiellement de plats français, change tous les mois. Cadre et service chaleureux. Horaires pré-théâtres. Réserver. Spécialités : «grouse» écossaise, marquise au chocolat.
£ 13-£ 20.

HÉBERGEMENT

BARDON LODGE HOTEL
15-17, Stratheden Road
Blackheath SE3
Tél. (081) 853 4051
Fax (081) 858 7387.
Grande maison victorienne avec jardin et bar. Cadre très agréable. Accueil sympathique. Chambres confortables. Petit déj. compris. Restaurant le soir.
£ 65.

GREENWICH HOTEL
2, Tunnel Avenue
Greenwich SE10
Tél. (081) 293 5566
Fax (081) 293 5566.
Charmant hôtel à l'architecture typique des maisons de Greenwich. Petit déj. compris.
£ 39.

STONEHALL HOUSE HOTEL
35-37, Westcombe Park Road SE3
Tél. (081) 858 8706
Fax (089) 525 1948.
Familial. Accueil particulièrement agréable. Jardin à l'anglaise, plein de charme. Chambres charmantes avec petit déj. compris. £ 37.

VIE NOCTURNE

CUTTY SARK
Lassell Street
Tél. (081) 858 3146
Ouvert 11 h-23 h
Sam. et dim. 12 h-15 h, 19 h-22 h 30.
Le plus vieux pub de Greenwich. Vue sur la Tamise. Accueil agréable. Orchestre de jazz.

CHINER

GREENWICH ANTIQUES MARKET
Greenwich High Road SE10
Ouvert 8 h-16 h sam. et dim. seulement.
Antiquités.

GREENWICH ARTS AND CRAFTS COVERED MARKET
Nelson Road SE10
Ouvert 9 h-17 h sam. et dim.
Art et artisanat.

LES DOCKLANDS

VIE CULTURELLE

THAMES BARRIER VISITOR'S CENTRE
Unity Way
Woolwich SE18
Tél. (081) 854 1373
Ouvert 10 h-17 h
Sam. et dim. 10 h 30-17 h 30
Fermé à Noël.
Expositions sur le barrage conçu pour protéger Londres des inondations.

◆ BARDON LODGE HOTEL ◆

Célèbre pour son méridien et son ensemble architectural monumental, Greenwich est aussi un charmant village aux ruelles calmes.

VIE NOCTURNE

MAYFLOWER
117, Rotherhithe Street SE16
Tél. (071) 237 4088
Ouvert 12 h-15 h, 18 h-23 h
Sam. 18 h 30-23 h
Dim. 19 h-22 h 30.
Cette auberge Tudor a changé de nom lorsque les «Pilgrim Fathers» embarquèrent pour le Nouveau Monde. On peut s'y restaurer.

PROSPECT OF WHITBY
57, Wapping Wall E1
Tél. (071) 481 1095
Ouvert 11 h 30-15 h, 17 h-23 h.
Le plus ancien pub des docks (XVIe siècle) avec vue sur la Tamise. Orchestre ven. soir et dim.

TOWN OF RAMSGATE
62, Wapping High Street E1
Tél. (071) 488 2685
Ouvert 11 h 30-23 h.
Juste à côté des escaliers de Wapping, pub d'un haut intérêt historique.

DE PUTNEY A RICHMOND UPON-THE-THAMES

VIE CULTURELLE

CHISWICK HOUSE
Burlington Lane W4
Tél. (081) 995 0508
Ouvert 10 h-13 h, 14 h-16 h
Fermé à Noël.
Au milieu d'un jardin aux monuments classiques, somptueux hôtel particulier acheté par le comte de Burlington en 1725. Intérieur conçu par William Kent.

SYON HOUSE
Park Road
Brentford, Middlesex
Tél. (081) 560 0881
Ouvert 12 h-16 h 15, d'avr. à oct. seulement.
Demeure meublée du XVIe siècle, redécorée en 1762 par R. Adam.

ANNEXES

◆ Généralités ◆

◆ Allessandrini (M.et P., dirigé par) : *Londres, cent ans de retard, dix ans d'avance*, Autrement (Série Monde, H.S. n° 6, Mars 1984).
◆ Allessandrini (M.) : *Londres, capitale des styles à la recherche d'une âme*, Autrement, Paris, 1986.
◆ Barker (F.) : *London : 2 000 Years of a City and its People*, Macmillan, London, 1984.
◆ Barker (M. J.) : *Les Dessous de Buckingham* (trad. de l'anglais par J. Martenache), Presses de la Cité, Paris, 1991.
◆ Bédollire (E. de La) : *Londres et les Anglais*, illustré par Gavarni, Gustave Barba, 1862.
◆ Betjeman (J.) : *Victorian and Edouardian London from Old Photographs*, B.T. Batsford, 1975.
◆ Bush (G.), Dixen (H.), Bool (A.), Bool (J.) : *Old London*, Academy Ed., 1975.
◆ Cameron (R.), Cooke (A.) : *Au-dessus de Londres*, Robert Laffont, Paris, 1989.
◆ Chaline (C.) : *Londres*, Armand Colin (U2), Paris, 1968.
◆ Chastenet (J.) : *L'Angleterre aujourd'hui*, Calmann-Lévy, Paris, 1965.
◆ Chattard (J.-O.) : *Voir Londres*, Hachette, Paris, 1975.
◆ Clayton (R.) : *Portrait of London*, R. Hale (Portrait Books), London, 1980.
◆ Cullen (C.) : *Londres*, Seuil (Point Planète), Paris, 1989.
◆ Dauphin-Meunier (A.) : *La Cité de Londres*, Nouvelles Éditions latines, Paris, 1954.
◆ Delvaille (B.) : *Londres*, Champ Vallon, 1983.
◆ Enault (L.) et Doré (G.) : *Londres*, 1876 ; rééd. Paris, Michel de L'Ormeraie, Paris, 1973.
◆ Friedman (J.), photographe : Aphrahamian (P.) : *Londres imprévu* (trad. de l'anglais par O. Laversanne), Flammarion, Paris, 1989.
◆ Gentleman (D.) : *Londres* (trad. de l'anglais par A. Krief), Gallimard, Paris, 1986.
◆ Green (Benny) : *Londres. Portrait d'une métropole* (trad. de l'anglais par A. Blot), Soline, Courbevoie, 1992.
◆ Manferto de Fabianis (V.), photographes : Bertinetti (M.), White Bertinetti (A.) : *Londres*, Image/Magie (Les Grandes Villes du monde), Suresnes, 1988.
◆ Mercier (L.- S.) : *Parallèle de Paris et de Londres*, Didier Érudition, Paris, 1982.
◆ Palis (L.M.) : *The Blue Plagues of London*, Équation, 1989.
◆ Pevsner (N.) : *London*, Penguin Books, 1973.
◆ Tarchetti (S.) : *Les Jours et les Nuits de Londres* (trad. de l'italien par N. Brissaud), Nathan, Paris, 1991.
◆ Weinreb (B.), Hibbert (C.) : *The London Encyclopaedia*, The Dictionary of London Ldt, London, 1983.
◆ Witchouse (R.) : *A London Album : Early Photographs Recording the History of the City and its People from 1840 to 1915*, Secker & Warburg, 1980.
◆ Wittich (J.) : *London Villages*, Shire Publication, Princes Risborough, rééd. 1992.

◆ Urbanisme ◆

◆ Betjeman (J.) : *London's Historic Railway Stations*, J. Murray, 1978.
◆ Bignell (J.) : *Chealsea Seen from its Earliest Days*, Robert Hale Limited, 2e éd., London, 1987.
◆ Blot (J.) : *Bloomsbury*, André Balland, Paris, 1992.
◆ Day (J.R.) : *The Story of London's Underground*, London Transport Executive, 1974.
◆ Drogheda (C.G.P.M.) : *The Covent Garden Album : 250 Years of Theatre, Opera and Ballet*, Routledge & K. Paul, 1981.
◆ Dyos (H.J.), Wolff (M.) : *The Victorian City : Images and Realities*, 2 vol., Routledge & Kegan Paul, 1973.
◆ Harrison (M.) : *The London that was Rome. The Imperial City Recreated by the New Archeology : the Remapping of Londinium Augusta, Capital of Maxima Caesariensis, Chief of the Four Provinces of Britain*, Allen & Urwin, London, 1971.
◆ Lobel (M. D.) : *The City of London from Prehistoric Times to c.1520*, Oxford U. P., 1989.
◆ *London 1500-1700 : the Making of the Metropolis*, (dirigé par A. L Barir, R. Finlay) Longman, New York, London, 1986.
◆ *Making of Modern London, (The)*, 4 vol. : *1815-1914*, by G. Weightman and S. Humphries ; *1914-1939*, by G. Weightman and S. Humphries ; *1939-1945*, by G. Weighthman and J. Taylor ; *1945-1985*, by J. Mack and S. Humphries, Sidgwick & Jackson, 1984-1986.
◆ Marsden (P.) : *Roman London*, Thames & Hudson, 1986.
◆ Mears (K. J.) : *The Tower of London : 900 Years of English History*, Phaidon, 1988.
◆ Olsen (D. J.) : *Town Planning in London : the 18th and 19th Centuries*, Yale U. P., 1964.
◆ Olsen (D. J.) : *The Growth of Victorian London*, Batsford, 1976.
◆ Remy (P.-J.) : *Covent Garden ; Royal Opera House*, Sand, Paris, 1989.
◆ Rose (M.) : *The East End of London*, C. Chivers, 1973.
◆ Stamp (G.) : *The Changing Metropolis : Earliest Photographs of London*, 1839-1879, Viking, 1984.
◆ Thompson (F.M.L.) : *The Rise of Suburbia*, Leicester U. P., 1982.
◆ Trent (C.) : *Greater London : its Growth and Development Through Two Thousand Years*, Phoenix House, 1965.
◆ Young (K.), Garside (P.L.) : *Metropolitan London : Politics and Urban Change, 1837-1981*, Edward Arnold, 1982.

◆ Histoire ◆

◆ Accoce (P.) : *Les Français à Londres (1940-1941)*, André Balland, Paris, 1989.
◆ Barker (T.C.), Robbins (M.) : *A History of London Transport*, 2 vol., G. Allen & Urwin, 1963, 1974.
◆ Barker (F.), Jackson (P.) : *The History of London in Maps*, Barrie & Jenkins Ldt, London, 1990.
◆ Bushell (P.) : *Histoire insolite de Londres*, France-Empire, 1984.
◆ *Cambridge Historical Encyclopaedia of Great Britain and Northern Ireland (The)*, (dirigé par C. Haigh), Cambridge U. P., 1985.
◆ Charlot (M.) : *Victoria : le pouvoir partagé*, Flammarion, Paris, 1989.
◆ Charlot (M.) : *Le Système politique britannique*, Armand Colin (U), 3e éd., Paris, 1982.
◆ Churchill (Winston) : *Histoire des peuples de langue anglaise*, Plon, Paris.
◆ Clément (C.) : *Gandhi, athlète de la liberté*, Gallimard (Découvertes n° 50), Paris, 1989.
◆ Davis (J.) : *Reforming London : the London Government Problem 1855-1900*, Clarendon Press, 1990.
◆ Hibbert (C.) : *London, the Biography of a City*, Longmans, 1969.
◆ Margetson (S.) : *Regency London*, Cassell, 1971.
◆ Marx (R :) : *L'Angleterre de 1945 à nos jours*, Armand Colin (Cursus), Paris, 1991.
◆ Marx (R.) : *La Révolution industrielle en Angleterre*, Armand Colin, Paris, 1992.
◆ Marx (R.) : *Histoire de la Grande-Bretagne du Ve siècle à nos jours*, Armand Colin (U), Paris, 1983.
◆ Matrat (J.) : *Histoire de Londres*, Éd. du Scorpion, 1959.
◆ Maurois (A.) : *Histoire de l'Angleterre*, Fayard, Paris, 1978.
◆ Mosley (L.) : *London under Fire : 1939-1945*, Pan Books, 1971.
◆ Morris (P.) : *Histoire du Royaume-Uni*, Hatier, Paris, 1992.
◆ *Oxford History of Britain (The)*, (dirigé par K. O. Morgan), Oxford U. P., 1988.
◆ Rudé (G.) : *Manoverian London 1714-1080*, Secker et Warburg, Londres, 1971.
◆ Thompson (E.P.) : *La Formation de la classe ouvrière anglaise*, Gallimard, Paris, 1988.
◆ Trench (R.) : *London under London*, J. Murray, 1984.
◆ White (H.P.) : *London*

Railways History, David & Charles, 1971.

◆ GÉOGRAPHIE ◆

◆ *Atlas of London and the Region*, (dirigé par E. Jones & D.J. Sinclair), Pergamon Press, Oxford/London, 1969.
◆ DYOS (H.J.) : *Collin's Illustrated Atlas of London*, Leicester U. P., 1973.
◆ *Geography of Greater London (The)*, (dirigé par R. Clayton), G. Philip & Son, London, 1964.
◆ HOWGEGO (J.) : *Printed Maps of London Circa 1553-1850*, Dawson & Son, Folkestone, 1978.
◆ RAYNS (A.W.) : *The London Region*, G. Bell, 1971.

◆ NATURE ◆

◆ CROWE (A.) : *The Parks and Woodlands of London*, Fourth Estate, 1987.
◆ FITTER (R.S.R) : *London's Natural History*, Collins 1945 ; Bloomsbury, 1990.
◆ MCLEOD (D.) : *The Gardener's London : Four Centuries of Gardening, Gardeners and Garden Usage*, Duckworth, 1972.

◆ TRADITIONS ◆

◆ COLLOWAY (S.) : *Le Style Liberty. Un siècle d'histoire d'un grand magasin londonien* (trad. de l'anglais par D.-A. Canal), Armand Colin, Paris, 1992.
◆ *Criers and Hawkers of London (The)* ; gravures et dessins de M. Laroon ; dirigé par S. Shesgreen, Stanford U. P., 1990.
◆ FRANKLYN (J.) : *The Cockney. A survey of London Life and Language*, A. Deutsch, London, 1953.

◆ SOCIÉTÉ ◆

◆ ALDERMAN (G.) : *London Jewry and London Politics : 1889-1986*, Routledge, 1989.
◆ ANDREW (D.T.) : *Philanthropy and Police : London Charity in the 18th Century*, Princeton U. P., 1989.
◆ ARCHER (I.W.) : *The Pursuit of Stability : Social Relation in Elizabethan London*, Cambridge U. P., 1991.
◆ *"The Artist's progress" : art, littérature et société en Grande-Bretagne* ; J. Carré, D. Ferrer, M.-C. Hamard, G. Lehmann, Les Belles Lettres, Paris, 1977.
◆ BARRET-DUCROCQ (F.) : *L'Amour sous Victoria. Sexualité et classes populaires à Londres au XIXe siècle*, Plon, Paris, 1989.
◆ BARRET-DUCROCQ (F.) : *Pauvreté, charité et morale à Londres au XIXe siècle : une sainte violence*, PUF, Paris, 1991.
◆ BÉDARIDA (F.) : *La Société anglaise du milieu du XIXe siècle à nos jours*, Seuil (Point Histoire), Paris, 1990.
◆ BISHOP (J.) : *Social History of the First World War*, Angus & Robertson, 1982.
◆ BRANDT (B.) : *London in the Thirties*, Gordon Fraser, 1983.
◆ CASSIS (Y.) : *La City de Londres* (1870-1914), Belin, Paris, 1987.
◆ CHARLOT (M.), MARX (R.) : *La Société victorienne*, Armand Colin (U-Prisme), Paris, 1991.
◆ CHASTENET (J.) : *La Vie quotidienne en Angleterre au début du règne de Victoria (1837-1851)*, Hachette (coll. La Vie quotidienne), Paris.
◆ CHESNEY (K.) : *Les Bas-fonds victoriens*, Robert Laffont, 1981.
◆ *Civilisation britannique (La)*, F. Costa, C.- O. Charbonell, S. Halemi, J.-C. Redonnet, PUF, Paris, 1980.
◆ CRUICKSHANK (D.) : *Life in the Georgian City*, Viking, 1990.
◆ DEKREY (G.S.) : *A Fractured Society : the Politics of London in the First Age of Party 1688-1715*, Clarendon Press, 1985.
◆ *Development of English Society* ; 4 vol., dirigé par D. Marshall, Ch. Scribner's sons cop., New York, 1973-1979.
◆ *Guide de civilisation britannique* ; éd. par M. Charlot, G. Héry, R. Palacin, Armand Colin (U2), Paris, 1973.
◆ HARRIS (T.) : *London Crowds in the Reign of Charles II : Propaganda and politics from the Restauration until the Exclusion*, Cambridge U. P., 1987.
◆ *History of British society 1832-1939 (The)*, 7 vol. ; ed. by E.J. Hobsbawm, Weidenfeld & Nicolson, London, 1971.
◆ JONES (G.S.) : *Outcast London*, Penguin Books, 1976.
◆ JORDAN (W.K.) : *The Charities of London 1480-1660. The Aspirations and the Achievements of the Urban Society*, G. Allen & Urwin, London, 1960.
◆ KRONENBERG (L.) : *Rois et Aventuriers : la vie à Londres au XVIIIe siècle*, R. Julliard, 1951.
◆ LEES LYNN (H.) : *Exiles of Erin : Irish Migrants in Victorian London*, Manchester U. P., 1979.
◆ LEJEUNE (A.) : *The Gentlemen's Clubs of London*, Mayflower Books, 1979.
◆ *Londres, 1851-1901 : l'ère victorienne ou le triomphe des inégalités* (dirigé par M. Charlot et R. Marx), Autrement (Série Mémoire), Paris, 1992.
◆ MARX (R.) : *1888, Jack l'Éventreur et les fantasmes victoriens : du monde du crime aux abysses des passions victoriennes*, Complexe, Bruxelles, 1987.
◆ MARX (R.), *La Vie quotidienne en Angleterre au temps de l'expérience socialiste (1945-1951)*, Hachette (coll. La Vie quotidienne), Paris, 1983.
◆ MARX (R.) : *La Société britannique de 1660 à nos jours*, PUF, Paris, 1981.
◆ MARWICK (A.) : *The Explosion of British Society, 1914-1970*, Macmillan, London, 1971.
◆ MEYER (B.) : *La Vie quotidienne à Buckingham Palace de Victoria à Élisabeth II*, Hachette (coll. La Vie quotidienne), Paris, 1991.
◆ MITCHELL (R.J.) : *A History of London Life*, Penguin Books, 1969.
◆ NEEDHAM (L.W.) : *Fifty Years of Fleet Street*, M. Joseph, 1973.
◆ PARREAUX (A.) : *La Société anglaise de 1760 à 1810 : introduction à une étude de la civilisation anglaise au temps de George III*, PUF, Paris, 1966.
◆ PASTOURNEAU (M.) : *La Vie quotidienne en Angleterre au temps des chevaliers de la Table ronde*, Hachette (coll. La Vie quotidienne), Paris, 1976.
◆ PEILLARD (L.) : *La Vie quotidienne à Londres au temps de Nelson et de Wellington, 1774-1852*, Hachette (coll. La Vie quotidienne), Paris, 1968.
◆ PERKIN (H.) : *The Origins of Modern English Society, 1780-1880*, Routledge & K. Paul, London, 1969.
◆ PERKIN (H.) : *The Rise of Professional Society. England since 1880*, Routledge and K. Paul, London, 1989.
◆ PORTER (R.) : *English Society in the 18th Century*, Penguin Books, 1984.
◆ SEAMAN (L.C.B.) : *Life in the Victorian London*, B.T. Batsford, 1973.
◆ SHEPERD (J.) : *A Social Atlas of London*, Clarendon Press, 1974.
◆ SMITH (C.M.) : *Curiosity of London Life or Phases, Physiological and Social, of the Great Metropolis*, F. Cass, 1972.
◆ *Society and Industry in the 19th Century : a Documentary Approach*, 6 vol. ; ed. by K. Dawson and P. Wall, Oxford U. P., 1968- 1970.
◆ STEDMAN (J.) : *Outcast London : a Study in Relationship between Classes in Victorian Society*, Oxford U. P., 1971.
◆ THOMPSON (F.M.L.) : *The Cambridge Social History of Britain*, Cambridge U. P., 1990.
◆ WALKOWITZ (J.R.) : *City of Dreadful Delight : Narrative of Sexual Danger in the Late Victorian London*, Virago, London, 1992.
◆ WHITE (J.) : *The Worst Street in North London, Campbell Bunk, Islington between the Wars*, Routledge & K. Paul, 1986.
◆ WILKES (J.) : *The London Police in the 19th Century*, Cambridge U. P., 1977.
◆ WILSON (F. P.) : *La Peste à Londres au temps de Shakespeare*, Payot, Paris, 1987.
◆ WRIGHTSON (K.) : *English Society 1580-1680*, Hutchinson, London, 1983.
◆ YOUNG (M.), WILLMOTT (P.) : *Family and Kinship*

in East London, Routledge, 1957.
◆ YOUNG (M.), WILLMOTT (P.) : *Family and Clan in a London Suburb*, Routledge, 1960.

◆ RELIGION ◆

◆ BARRIÉ-CURIEN (V.) : *Clergé et Pastorale en Angleterre au XVIIIe siècle. Le diocèse de Londres*, Éd. du CNRS, Paris, 1992.
◆ BOOTH (C.) : *Life and Labour of the People in London : 3rd Serie : Religious Influence*, 7 vol., Macmillan, 1902-1904, puis Ams Press, New York, 1970.
◆ COBB (G.) : *London City Churches*, B.T. Batsford, 1977.
◆ GAY (J.D.) : *The Geography of Religion in Britain*, Duckworth, London, 1971.
◆ HARVEY (B.) : *Westminster Abbey and its Estate in the Middle Age*, Oxford U. P., 1977.
◆ HIBBERT (C.) : *London's Churches*, Queen Anne Press, 1988.
◆ LAMONT (W.N.) : *Godly Rules : Politics and Religion 1603-1660*, Macmillan, London, 1969.
◆ LIU (T.) : *Puritan London : a Study of Religion and Society in the City Parishes*, University of Delaware Press, Associated Uni Cop., 1986.
◆ MARX (R.) : *Religion et Société en Angleterre : de la Réforme à nos jours*, P.U.F. (L'Historien), Paris, 1978.
◆ PETTEGREE (A.) : *Foreign Protestant Communities in 16th Century London*, Clarendon Press, 1986.
◆ *Radical Religion in the English Revolution* ; ed. by J.F. McGregor and B. Reay, Oxford U. P., 1986.
◆ REARDON (B.M.G.) : *From Coleridge to Gore. A Century of Religious Thoughts in Britain*, Longman, London, 1971.
◆ YOUNG (E.) : *Old London Churches*, Faber & Faber, 1956.

◆ ARTS ET ARCHITECTURE ◆

◆ ASTAIRE (L.), photographe : BOYS (M.) : *Londres avec vue. Aspects de la décoration anglaise* (trad. de l'anglais par B. Turle), Thames & Hudson, 1990.
◆ BAKER (M.) : *London Statues and Monuments*, Shire Publications, Princes Risborough, rééd. 1992.
◆ BURKHARD (W.) : *A Guide to the Architecture of London*, Weidenfeld & Nicolson, 1983.
◆ BYRON (A.) : *London Statues : a Guide to London's Outdoor Statues and Sculptures*, Constable, 1981.
◆ CAMPBELL (K.) : *Home Sweet Home : Housing Designed by the London County Concil and Greater London Council Architects : 1888-1975*, Academy Ed., 1976.
◆ CROOK (J.M.) : *The British Museum : a Case-study in Architectural Politics*, Penguin Books, 1972.
◆ CRUICKSHANK (D.) : *London : the Art of Georgian Building*, Architectural Press, 1975.
◆ GIROUARD (M.) : *Victorian Pubs*, Yale U. P., 1984.
◆ HEAL (A.) : *The London Furniture Makers from the Restauration to the Victorian Era : 1660-1840*, Dover, 1972.
◆ MORDAUNT COOK (J.) : *Victorian Architecture : a Visual Anthology*, Johnson Reprint Corp., New York, 1971.
◆ NELLIST (J.B.) : *British Architecture and its Background*, Macmillan, London, St Martin's Press, New York, 1967.
◆ OLSEN (D.J.) : *The City as a Work of Art : London, Paris, Vienna*, Yale U. P., 1986.
◆ PARREAUX (A.) : *L'Architecture en Grande-Bretagne*, Armand Colin (U2), Paris, 1969.
◆ PEARCE (D.) : *London's Mansions : the Palatial Houses of the Nobility*, B.T. Batsford, 1986.
◆ PEVSNER (N.), CHERRY (B.) : *The Buildings of England : London*, vol. 1 : *The Cities of London and Westminster*, vol. 2 : *South*, vol. 3 : *North West*, Penguin Books, 1973, 1983, 1991.
◆ PORT (M.H.) : *The House of Parliament*, Yale U. P., 1976.
◆ RASMUSSEN (S. E.) : *Londres* (trad. de X. Malverti), Picard, Paris, 1990.
◆ ROSENEAU (H.) : *Social Purpose in Architecture. Paris & London 1760-1800*, Studio Vista, London, 1970.
◆ SAUNDERS (A.) : *The Art and Architecture of London : an Illustrated Guide*, Phaidon, 1984.
◆ SCHOFIELD (J.) : *The Building of London from the Conquest to the Great Fire*, British Museum Publications, 1984.
◆ SERVICE (A.) : *The Architects of London and their Buildings : from 1066 to the Present Days*, The Architectural Press, 1979.
◆ SERVICE (A.) : *London : 1900*, Granada, 1979.
◆ SUMMERSON (J.N.) : *The London Building World of the Eighteen-sixties*, Thames & Hudson, 1973.
◆ SUMMERSON (J.N.) : *The Architecture of Victorian London*, U. P. of Virginia, 1976.
◆ SUMMERSON (J.N.) : *Architecture in Britain : 1530 to 1830*, Penguin Books, 1977.
◆ SUMMERSON (J.N.) : *Georgian London*, Penguin Books, 1978.
◆ SUMMERSON (J.N.) : *The Life and Works of John Nash, Architect*, Allen and Unwin, London, 1981.
◆ THACKRAH (J.R.) : *The Royal Albert Hall*, T. Dalton, 1983.

◆ LITTÉRATURE ◆

ÉCRIVAINS

◆ ACKROYD (P.) : *L'Architecte assassin* (trad. de l'anglais par B. Turle), Le Promeneur, Paris, 1990.
◆ CONAN DOYLE (A.) : *Sherlock Holmes* (trad. de l'anglais), 2 vol., Robert Laffont (Bouquins), Paris, 1979.
◆ CONRAD (J) : *L'Agent secret, Œuvres*, t.III, Gallimard (La Pléiade), Paris, 1987.
◆ DICKENS (C) : *Les Aventures d'Olivier Twist* (trad. de l'anglais par F. Ledoux), Gallimard (Folio), Paris, 1973 (rééd. 1992).
◆ DICKENS (C.) : *Un conte de deux villes* (trad. de l'anglais par J. Métifeu-Béjeau), Gallimard (Folio), Paris, 1989.
◆ DICKENS (C.) : *Le Magasin d'antiquités*, Gallimard, Paris, 1962.
◆ FORSTER (E.M.) : *Howard's End* (trad. de l'anglais par C. Mauron), Plon, Paris, 1950.
◆ JAMES (H.) : *Une vie à Londres* (trad. de l'anglais par F. Rosso), La Différence, Paris, 1986.
◆ Kerouac (J.) : *Le Vagabond solitaire* (trad. de l'anglais par J. Autret), Gallimard, Paris, 1969.
◆ STEEMAN (S.A.) : *L'Assassin habite au 21*, LGF (Le Livre de Poche policier), 1986.
◆ STEVENSON (R.L) : *L'Étrange Cas du Dr. Jekyll et de Mr. Hyde* (trad. de l'anglais par C.A. Reichen), Gallimard (Folio Junior), Paris, 1991.
◆ TOWNSEND WARNER (S.) : *Laura Willowes* (trad. de l'anglais par F. Lévy), Gallimard (Folio), Paris, 1991.
◆ UPDIKE (J.) : *Bech Voyage* (trad. de l'anglais par G. Magnane), Gallimard, Paris, 1972.
◆ WILDE (O.) : *Le Portrait de Dorian Gray* (trad. de l'anglais par J. Gattégno), Gallimard (Folio), Paris, 1991 (rééd. 1992).

TÉMOINS

◆ HEINE (H.) : *Tableaux de voyage*, L'Instant, Paris, 1989.
◆ MONNIER (A.) : *Souvenirs de Londres. Petite suite anglaise avec une lettre de M. Leiris*, Mercure de France, Paris, 1957.
◆ MORAND (P.) : *Le Nouveau Londres*, suivi de : *Londres 1933*, Plon, Paris, 1962.
◆ TRISTAN (F.) : *Promenades dans Londres ou l'Aristocratie et les Prolétaires anglais*, Maspéro, Paris, 1978.
◆ VALLÈS (J.) : *La Rue à Londres, Œuvres*, t. II, Gallimard (La Pléiade), Paris, 1989.

CRITIQUES

◆ BAER (M.) : *Theatre and Disorder in late Geogian London*, Clarendon Press, 1992.
◆ BRADBROOK (M.C.) : *The Living Monument : Shakespeare and the Theatre of his Time*, Cambridge U. P., 1977.
◆ BYRD (M.) : *London Transformed : Images*

of the City in the 18th Century, Yale U. P., 1978.
◆ GARDNER (J.) : *Yeats and the Rhymer's Club : a Nineties' Perspective*, P. Lang, 1989.
◆ HARRISON (M.) : *The London of Sherlock Holmes*, David & Charles, 1972.
◆ HEWISON (R.) : *Under Siege : LIterary Life in London : 1939-1945*, Weidenfeld & Nicolson, 1977.
◆ HODGES (W.C.) : *Shakespeare's Second Globe : the Missing Monument*, Oxford U. P., 1973.
◆ KIMMEY (J.L) : *Henry James and London : the City in his Fiction*, P. Lang, 1991.
◆ LAROQUE (F.) : *Shakespeare, comme il vous plaira*, Gallimard (Découvertes n° 126), Paris, 1991.
◆ *Literature and the Social Order in 18th Century England* ; ed. by S. Copley, Croom Helm, London, 1984.
◆ MEISEL (P.), KENDRICK (W.) : *Bloomsbury : Freud, James et Alaix Strachey. Correspondance (1924-1925)*, PUF, Paris, 1990.
◆ PARREAUX (A.) : *Smolett's London*, Nizet, Paris, 1965.
◆ WILLUMSEN (D.) : *Marie, la vie romancée de Mme Tussaud* (trad. du danois par J. Renaud), Gallimard, Paris, 1989.
◆ WILSON (C.) : *Soho à la dérive* (trad. de l'anglais par O. de Lalain), Gallimard (Folio), Paris, 1981.

◆ MUSIQUE ◆

◆ COOPER (M.) : *Les Musiciens anglais d'aujourd'hui* (trad. de l'anglais par F. Durif), Plon, Paris, 1952.
◆ LEBRECHT (N.) : *Londres. Histoire musicale* (trad. de l'anglais par M. Masson), Bernard Coutaz, Arles, 1991.
◆ MACKERNESS (E.D.) : *A Social History of English Music*, Routledge & K.Paul, London, 1964.
◆ MICHEN (J.), Maillard (J.) : *La Musique anglaise*, Armand Colin (U2), Paris, 1970.
◆ MILLIGAN (T.B.) : *The Concerto and London's Musical Culture in the Late 18th Century*, UMI Research Press, 1983.
◆ ORGA (A.) : *The Proms*, David & Charles, 1974.
◆ POHL (C.F.) : *Mozart und Haydn in London*, Da Capo Press, 1970 ; en allemand.
◆ ROUVILLE (H. de) : *La Musique anglaise*, PUF (Que sais-je ?), Paris, 1986.
◆ WEBER (W.) : *Music and the Middle-class : the Social Structure of Concert Life in London Paris and Vienna*, 1975.

◆ PEINTURE ◆

◆ ACKERMANN (G.M.) : *Les Orientalistes de l'école britannique*, ACR, Courbevoie, 1991.
◆ ARCHER (M.) : *Indian Painting for the British : 1770-1880*, Oxford U. P., 1955.
◆ BLAYNEY BROWN (D.) : *The Art of J.M.W. Turner*, Headline Book Publishing, London, 1990.
◆ BREUILLE (J.-Ph.) : *Dictionnaire de la peinture anglaise et américaine*, Larousse, Paris, 1991.
◆ BRUGIÈRE (B., dirigé par) : *Les Figures du corps dans la littérature et la peinture anglaise et américaine de la Renaissance à nos jours*, Éd. de la Sorbonne, Paris, 1991.
◆ CENDRE (A.) : *Les Peintres de Londres*, Conti, Paris, 1990.
◆ COSTA DE BEAUREGARD (R.) : *Nicholas Hilliard et l'imaginaire élisabéthain (1547-1619)*, Éd. du CNRS, Paris, 1991.
◆ DIGEON (A.) : *L'École anglaise de peinture. Précédé de la "Manière anglaise" en peinture* par H. Lemaître, P. Tisné, Paris, 1955.
◆ DE MARÉ (E.) : *The London Doré Saw : a Victorian Evocation*, Saint Martin's press, 1973.
◆ *"Lift not the Painted Veil..." : recherche sur la peinture anglaise et américaine*, D. Brukmuller-Genlot, J. Carré, D. Ferrer, M.-C. Hamard, Les Belles Lettres, Paris, 1982.
◆ MAYOUX (J.-J.) : *La Peinture anglaise*, Armand Colin (U2), Paris, 1969.
◆ MAYOUX (J.-J.) : *La Peinture anglaise de Hogarth aux préraphaélites*, Skira, Genève, 1988.
◆ MEYER (L.) : *Les Maîtres du paysage anglais de la Renaissance à nos jours*, Pierre Terrail, Paris, 1992.
◆ PIPER (D.) : *The Genius of British Painting*, Weidenfeld & Nicolson, 1975.
◆ PRESTON (H.) : *London and the Thames : Paintings of Three Centuries*, catalogue de l'exposition, National Maritime Museum, s.d.
◆ SHONE (R.) : *Bloomsbury Portraits : Vanessa Bell, Ducan Grant and their Circle*, Phaidon, London, 1976.
◆ SUNDERLAND (J.) : *Painting in Britain : 1525-1975*, Phaidon Press, 1976.
◆ WATERHOUSE (E.) : *Painting in Britain 1530 to 1790*, Harmondsworth (Middlesex), Penguin Books, 1954.

◆ GUIDES ◆

◆ *À Londres*, Hachette (Guides Visa), Paris, 1992.
◆ BAILEY (C.) : *Harrap's Guide to Famous London Graves*, Harraps, 1975.
◆ BARKER (F.), SILVESTER CARR (D.) : *The Black Plague Guide to London*, Constable, 1987.
◆ BLACKWOOD (A.) : *London : a Times Bartholomew Guide*, Times Books, 1987.
◆ DAVIES (A.), HAZELTON (F.) : *Walk London : 40 Selected Walks in Central London*, John Bartholomew & Son (A Bartholomew Map & Guide), Edinburgh, 1988.
◆ DOWNIE (R.A.) : *Murder in London : a Topological Guide to Famous Crimes*, A. Barker, 1973.
◆ DUNCAN (F.), GLASS (L.), SHARPE (C.) : *London up Close*, Passport Books, Lincolnwood (Chicago), 1992.
◆ GIBSON (P.) : *The Capital Companion : a Street-by-street Guide to London and its Inhabitants*, Webb & Bowwer, 1985.
◆ *Grand Guide de la Grande-Bretagne (Le)* (trad. de l'anglais par A. Galmot et F. Ballarin), Gallimard, Paris, 1989.
◆ *Grand Guide de Londres (Le)* (trad. de l'anglais par D. Saran et F. Ballarin), Gallimard, Paris, 1989.
◆ GROSSMAN (S.) : *Voyage à Londres*, Arthaud, 1990.
◆ *Guide du routard. Grande-Bretagne (Le)*, Hachette, Paris, 1992/93.
◆ JACKSON (M.) : *Londres* (trad. de l'anglais par M.-A. Berton), Gallimard (Carnets du voyageur), Paris, 1985.
◆ LANE (E.) : *A Guide to Literary London*, Hippocrene Books, s.d.
◆ *Londres*, Michelin (Guide), Clermont-Ferrand, 1990.
◆ *Londres*, Hachette (Guides bleus), Paris, 1990.
◆ *Londres* (trad. de l'allemand par M.-J. Dubourg), Arthaud (Guide Arthaud), Paris, 1990.
◆ *Londres pour une heure ou pour y vivre*, Hachette, 1990.
◆ ROY (C.) : *Londres, un guide intime*, Autrement (coll. L'Europe des villes rêvées), Paris, 1987.
◆ WILLIAMS (G.) : *Guide to Literary London*, Batsford, 1973.
◆ WITTICH (J.) : *Discovering London Street Names*, Shire Publications, Princes Risborough, rééd. 1990.

◆ MUSÉES ◆

◆ DANTO (E.) : *Undiscovered Museums of London*, Surrey Books, Chicago, 1991.
◆ FARR (D.), BRADFORD (W.), BRAHAM (H.) : *Les Galeries du Courtland Institute*, Scala (Les Grands Musées. Musées étrangers), Paris, 1990.
◆ *Guide to London Museums and Galleries*, Her Majesty's Stationery Office, 1974.
◆ INGAMELLS (J.) : *La Wallace collection*, Scala (Les Grands Musées. Musées étrangers), Paris, 1990.
◆ *Le Victoria & Albert Museum*, Scala (Les Grands Musées. Musées étrangers), Paris, 1992.
◆ *Tate Gallery (The) : an Illustrated Companion to the National Collections of British and Foreign Modern Art*, The Tate Gallery, 1979.

Couverture : Tower Bridge. Coll. Peter Jackson. Affiche publicitaire pour la Southern Railway. Reproduit avec l'aimable autorisation du National Railway Museum, York. Couronne de saint Édouard. Controller of Her Majesty's Stationery Office (Crown Copyright). Cabine téléphonique, cl. Suzanne Bosman. Endsleigh Street, cl. *idem.* Dickens House, Doughty Street. Passereau, dessin de Jean Chevallier.
Dos : Couronne royale. Controller of Her Majesty's Stationery Office (Crown Copyright). L'entrée des *Bains de Gallipoli. Coldstream Guard.*
Quatrième plat : Thames barge 1805 Coll. Peter Jackson. Carte de Jean-Yves Duhoo. Plaque de rue, cl. Suzanne Bosman. Le Royal Albert Hall. *Mr Hughes' Ball*, dessin de Richard Doughty. Coll. Peter Jackson. Enseigne de pub, Kennington, cl. Geoff Howard/Collections.
1 Trams souterrains dans Southampton Row, carte postale ancienne. Coll. Peter Jackson.
2 Gamins se baignant dans les docks, photo vers 1910. Coll. Peter Jackson.
2/3 La Tamise devant Billingsgate avec Tower Bridge dans le fond, photo. Museum in Docklands Project, Londres.
4/5 Chapelier, photo, vers 1910. Coll. Peter Jackson.
6/7 Barges devant Greenwich, photo. Museum in Docklands Project, Londres. Le *Mauritania* en 1939. *Idem.*
16 Thames Barrier, cl. Anthony Kersting.La Tamise © London Ecology Unit,
17 La Tamise, cl. Skyscan Balloon Photography Copyright.
19 Regent's canal © London Ecology Unit,.
20 Bois © London Ecology Unit,
21 Blaireau d'Europe © Jacana.
22 Cimetière, cl. David Beevan, © London Ecology Unit,
23 Cimetière (deux illustrations), © *idem.*
24 Green park, cl. Suzanne Bosman.
25 Pélican, St James's Park, cl. *idem.*
26 Étang dans un jardin, © London Ecology Unit.
27 Rouge-Gorge © *idem,*
28 *Captive Countryside* © *idem,*
30 Terrain vague © *idem*
31 Renard © *idem* Friche (deux illustrations) © *idem*
33 *Lord Mayor's Barge*, David Roberts, aquarelle, 1830. Guildhall Art Library, Corporation of London, cl. Bridgeman Art Library.
34 Monnaie de la fin du IIIe représentant l'empereur Constantin, électrotype. Museum of London. Mosaïque romaine découverte dans un sous-sol de la City. Charles d'Orléans à la Tour de Londres, manuscrit vers 1500. British Library.
35 Henri VI et saint Edmund, peinture/bois, vers 1500. Église Sainte-Catherine, Ludham, Norfolk, cl. Angelo Hornak Library. Effigie de Richard II, Westminster Abbey, avec l'aimable autorisation du Dean and Chapter of Westminster Abbey, cl. Angelo Hornak Library. *Vieux pont de Londres avant 1760*, d'après Samuel Scott, huile/toile. Guildhall Art Gallery, Corporation of London, cl. Bridgeman Art Library.
36 *ÉLisabeth Ire*. Huile/panneau, 1585, attribuée à William Segar. Reproduit avec autorisation du marquis de Salisbury, Hatfield House. *La Cathédrale de Southwark*, gravure de W. Hollar, 1647. Coll. Peter Jackson. *L'incendie de Londres*, école flamande, huile/toile, 1666. Museum of London.
37 *Procession du couronnement de George IV, 1821*, W. Heath, aquatinte couleur. Coll. Peter Jackson. *Le Prince régent*, gravure aquarellée, 1815. Coll. Peter Jackson. *L'Ouverture du Tower Bridge, 1894*, William Lionel Wyllie, huile/toile, 1894-1895. Guildhall Art Gallery, Corporation of London, cl. Bridgeman Art Library
38 *Le Couronnement de la reine Victoria*, artiste anonyme, huile/toile, 1838. Bradford Art Galleries and Museums, cl. Bridgeman Art Library. *Le Crystal Palace en 1851*, lithographie. Coll. Peter Jackson. *La Gare de Saint-Pancras après 1869*, lithographie aquarellée. *Idem.* Harrods, ancienne carte postale. *Idem.*
39 Fleet Street, photo vers 1930, cl. Hulton Picture Company. Churchill dans les décombres du Blitz, cl. Popperfoto. Immeuble de la Lloyds, cl. Suzanne Bosman.
40/41 *L'Incendie de Londres*, 1666, peinture anonyme, huile/toile. Worshipful Company of Goldsmiths. *L'Incendie de Londres*, Griffier l'Ancien, huile/toile. Museum of London. *L'Incendie de Londres*, d'après Waggoner, huile/toile. Guildhall Art Gallery, Corporation of London, cl. Bridgeman Art Library.
42 La cathédrale Saint-Paul pendant le Blitz, cl. Popperfoto. Pompiers dans les ruines, cl. Hulton Picture Company.
43 Pompiers, cl. Popperfoto. Ludgate Hill en mai 1941, cl. Hulton Picture Company. Scène de rue, cl. *idem.*
44 *Colleurs d'affiches près de Charing Cross*, gravure aquarellée. Coll. Peter Jackson. Femmes discutant dans la rue, photo. *idem.*
45 Gamins jouant aux cartes, photo. *idem.*
46 Personnages londoniens, gravure de Gustave Doré, *in* Louis Enault, *Londres*, 1876.
47 Devanture de magasin, photo vers 1910. Coll. Peter Jackson.
48 L'orbe, fabriqué pour le couronnement de Charles II, Crown Copyright, cl. A. C. Cooper. Procession dans Westminster Abbey, avant le couronnement de la reine Élisabeth II, photo *in The Queen Elizabeth Coronation Souvenir*, 1953. La reine Élisabeth dans son carrosse, cl. Hulton Picture Company.
48/49 *Le roi George V et la reine Marie à un Thanksgiving Service à Westminster Abbey*, 1935, Frank Salisbury, huile/toile, 1935-1936. Guildhall Art Gallery, Corporation of London, cl. Bridgeman Art Library.
49 La reine Élisabeth et sa famille au balcon de Buckingham Palace après le couronnement, cl. Hulton Picture Company. La reine Victoria et son majordome Abdul Karim, photo Hill & Saunders, 1893. National Portrait Gallery, Londres. Henri II en prière devant le tombeau de Thomas Becket, vitrail, Canterbury Cathedral, cl. Angelo Hornak Library. Le Sceptre contenant le Cullinan Diamond. Crown Copyright, cl. A. C. Cooper.
50 Affiche de recrutement des *Welsh Guards*, 1915. Guards Museum, Londres. *La Bataille d'Alma* (détail), huile/toile, 1854. Reproduit avec l'aimable autorisation du Regimental Lieutenant Colonel Scots Guards. *Blues and Royals* (1), *Life Guards* (2), *Grenadier Guard* (3), dessins de Jonathan Shock.
51 Étendard des Welsh Guards. Reproduit avec l'aimable autorisation des *Welsh Guards.* Étendard des *Life Guards*, Household Cavalry Museum, Windsor. *Coldstream Guard* (4), *Welsh Guard* (6) et *Scots Guard*, dessins de Jonathan Shock. *Irish Guard* (5). Reproduit avec l'aimable autorisation des *Irish Guards.*
52 Trompette à l'élection du Lord-maire, cl. Brian Shuel/

Collections. Beating the Bounds, cl. *idem.* *Pearly Queen*, cl. *idem*
52/53 *Trooping the Colour*, cl. Headquarters London District Public Information.
53 *Lord Mayor's Barge*, David Roberts, aquarelle, 1830. Guildhall Art Library, Corporation of London, cl. Bridgeman Art Library. Le carrosse du Lord-maire, cl. Suzanne Bosman.
54 Palace Theatre, cl. Jeremy Cockaigne/Arcaid. *Palace Theatre*, aquarelle, *in* David Gentleman, *Londres*, Gallimard 1986. © David Gentleman.
54/55 *The Old Bedford*, Walter Sickert, huile/toile, vers 1895. Walker Art Gallery, Liverpool, avec l'aimable autorisation du Board and Trustees of the National Museums and Galleries on Merseyside.
55 Shaftesbury Avenue la nuit, cl. Geoff Howard/Collections. Albery Theatre, Royal Opera House, Covent Garden, Theatre Royal, Drury Lane, cl. Suzanne Bosman. National Theatre, cl. Richard Einzig/Arcaid.
56/57 Affiche, 1854. Coll. Peter Jackson. *Match de cricket*, d'après Louis Philippe Boitard, huile/toile, vers 1760. Tate Gallery. Photos de cricket aujourd'hui, cl. Geoff Howard/Collections.
58 Enseigne de pub, cl. Suzanne Bosman. La princesse Louise, cl. Clémence Jacquinet. la reine Victoria, cl. Lucinda Lambton/Arcaid.
58/59 *Behind the Bar*, John Henry Henshall, aquarelle, 1882. Museum of London.
59 Enseignes de pubs, cl. Suzanne Bosman. *Le Daffy Club au Castle Tavern, Holborn*, George Cruickshank, aquatinte couleur, 1824. Coll. Peter Jackson. *The Black Lion, Church Street, Chelsea*, aquarelle. *Idem.* Pub dans Tooley Street, cl. Charles Lane. The Widow's Son, Bow, cl. Geoff Howard/Collections.
60 Dames victoriennes prenant le thé, photo, cl. Hulton Picture Company.
60/61 *Le Pique-nique*, James Tissot, huile/toile, vers 1876. Tate Gallery, cl. Bridgeman Art Library.
61 Théière en Adams *jasper ware*, vers 1790. Twining Teapot Gallery, Norfolk Museums, cl. HMSO. Théière en porcelaine Minton, vers 1814. *Idem.* Théière en *pearlware*, vers 1800. *Idem. Servante descendant les escaliers*, Albert Goodwin, aquarelle, 1873. Museum of London. Nature morte, photo, cl. R.Twining & Co Ltd.
95 *Une arche du vieux pont de Westminster* , Samuel Scott, huile/toile, vers 1750. Tate Gallery.
96/97 *La Tamise sous Westminster*, Claude Monet, huile/toile, 1871. National Gallery. *La Tamise et la Ville de Londres depuis Richmond House*, Canaletto, huile/toile, vers 1747. Goodwood House, reproduit avec l'aimable autorisation des Trustees, Goodwood Estates.
98 *La Tamise à Greenwich*, Henry Pether, huile/toile, vers 1865. National Maritime Museum.
98/99 *St Pancras Hotel and Station from Pentonville Road : Sunset*, John O'Connor, huile/toile, 1884. Museum of London.
99 *Greenwich: Half Tide*, Atkinson Grimshaw, huile/toile, 1884. Shipley Art Gallery, Gateshead. (Tyne and Wear Museums). *Southwark Bridge*, Atkinson Grimshaw, huile/toile, 1884. Guildhall Art Gallery, Corporation of London, cl. Bridgeman Art Library.
100 *Hammersmith Bridge on Boat Race Day*, Walter Greaves, huile/toile, vers 1862. Tate Gallery. *St James's Park*, Malcolm Drummond, huile/toile, 1912. Southampton City Art Gallery.
101 *The Strand by Night*, Christopher Nevinson, huile/toile. Bradford City Art Gallery, cl. Bridgeman Art Library. *Piccadilly Circus*, Charles Ginner, huile/toile, 1912. Tate Gallery.
102/103 *The Quiet River: The Thames at Chiswick*, Victor Pasmore, huile/toile, 1943-1944. *Idem. The White House near Chelsea*, Thomas Girtin, aquarelle, 1800. *Idem. The Burning of the Houses of Parliament*, Joseph Mallord William Turner, aquarelle, 1834. Turner Collection, Tate Gallery, cl. Bridgeman Art Library.
104 *Nocturne en bleu et or : vieux pont de Battersea*, James Abbott McNeill Whistler, huile/toile, 1872. Tate Gallery.
105. Bus londonien, photo. London Transport Museum.
106 *Dickens*, Samuel Laurence, craie, 1838. National Portrait Gallery. Enfants de l'East End, photo. Coll. Peter Jackson.
107 Une rue dans l'East End, photo. Coll. Peter Jackson.
108 Jules Vallès, gravure d'après un dessin de H. Meyer, cl. Coll. Viollet.
108/109 Scènes londoniennes, gravures de Gustave Doré, *in* Louis Enault, *Londres*, 1876.
109 Henri Heine, lithographie d'après Moritz Oppenheim, vers 1831, cl. Harlingue-Viollet.
110 Paul Morand, photo, cl. Roger-Viollet. Fleet Street en 1954, cl. Hulton Picture Company.
111 Cireur de chaussures, photo. Coll. Peter Jackson. Jack Kerouac en 1952, cl. Carolyn Cassady.
112 E.M. Forster, photo, cl. Coll. Roger Viollet. Gare, cl. London Transport Museum.
113 *Chateaubriand*, gravure, 1834. Bibliothèque nationale, Paris. Les tombeaux à Westminster, gravure de Gustave Doré, *in* Louis Enault, *Londres*, 1876.
114 Virginia Woolf, photo de Charles Beresford, 1902. National Portrait Gallery. Piccadilly vu de Green Park, photo. Coll. Peter Jackson.
115 Une queue dans la rue. London Transport Museum. Oscar Wilde, photo de Napoleon Sarony 1882. National Portrait Gallery. Un Londonien, photo. Coll. Peter Jackson.
116 Vendeuse de fleurs, photo. Coll. Peter Jackson. Joseph Conrad, photo, 1873, cl. Collection Viollet. *Paul Verlaine*, Péaron, dessin, 1869, cl. Coll. Viollet.
117 Valéry Larbaud, photo, cl. Harlingue-Viollet. Scène de marché, photo. Coll. Peter Jackson.
118 Gamin jouant au cricket dans le East End, photo. Coll. Peter Jackson. Joseph Brodsky, photo de V. Schiltz.
119 Waterloo Bridge, photo. Coll. Peter Jackson. Jacques Prévert en 1954, cl. Coll. Lipnitzki-Viollet. Westminster, cl. Antony Kersting.
120 Chelsea, photos anciennes.
121 *Westminster et la Tamise*, Frank, H. Mason, affiche de la Great Western Railway, vers 1935. Reproduit avec l'aimable autorisation du National Railway Museum, York.
122 La Tamise entre London Bridge et Tower Bridge, cl. Skyscan Balloon Photography Copyright. Regent Street avec les illuminations de Noël, cl. Kim Christensen/Tony Stone Worldwide. Canary Wharf et Isle of Dogs, cl. Skyscan Balloon Photography Copyright.
123 Hampstead Heath au crépuscule, cl. Doug Armand/Tony Stone Worldwide. La Cité de Londres, cl. *idem.* Greenwich vu de Island Gardens, cl. Ed Pritchard/Tony Stone Worldwide
124 Trooping the Colour. Un guard donnant les ordres, cl. Julian Calder/Tony Stone Worldwide. Horseguards dans le

Bank, cl. Geoff Howard/Collections. La tour de la National Westminster Bank, cl. Charles Lane. *The City of London*, aquarelle, *in* David Gentleman, *Londres*, Gallimard 1986. © David Gentleman.
153 Enseignes dans la City, cl. Suzanne Bosman. Immeuble de la Lloyd's, cl. Antony Kersting. Plaque, cl. Suzanne Bosman.
154 Le marché de Leadenhall, cl. Suzanne Bosman. *Le Marché de Leadenhall*, aquarelle, *in* David Gentleman, *Londres*, Gallimard 1986. © David Gentleman. Porteur au marché de Billingsgate, photo vers 1920. Coll. Peter Jackson.
155 Cheapside, ancienne carte postale. Coll. Peter Jackson. *Alexander Pope*, William Hoare, pastel. National Portrait Gallery. Cheapside, photo vers 1900. Coll. Peter Jackson.
156 *Le 157-159 Fenchurch Street*, architecte Leo Sylvester Sullivan, dessin de L. D. Coombs, 1911. *Le Marché de Billingsgate*, Thomas Rowlandson, aquatinte couleur. Coll. Peter Jackson. *Le Monument et Fish Street Hill*, d'après Canaletto, huile/toile, vers 1750. Guildhall Art Gallery, Corporation of London, cl. Bridgeman Art Library.
157 *Le Vieux Pont de Londres au XVIIe siècle*, Claude de Jongh, huile/toile. Iveagh Bequest, Kenwood House, cl. Bridgeman Art Library. St Mary le Bow, cl. Clémence Jacquinet.
158 *L'Embouchure de Fleet River*, Samuel Scott, huile/toile, vers 1750. Guildhall Art Gallery, Corporation of London, cl. Bridgeman Art Library.
159 Fleet Street, photo 1921, cl. Hulton Picture Company.
160 L'église St Clement Danes, intérieur de St Clement Danes, cl. Suzanne Bosman. *Mail Guard passing through Temple Bar*, d'après J. L. Agasse, aquatinte couleur, 1825. Coll. Peter Jackson. Temple Bar Monument et Fleet Street, cl. Antony Kersting.
161 *Les Paperbuildings d'Inner Temple*, artiste anonyme, aquarelle. Coll. Peter Jackson. *Samuel Johnson*, sir Joshua Reynolds, huile/toile, vers 1756. National Portrait Gallery. L'intérieur de Temple Church, cl. Antony Kersting. Pierre tombale, Temple Church, cl. Suzanne Bosman.
162 Temple Church, carte postale ancienne. Coll. Peter Jackson. Temple Church aujourd'hui, cl. Suzanne Bosman. Law Courts, cl. Emily Lane.
162/163 Law Courts, carte postale ancienne. Coll. Peter Jackson.
163 *Wig and gown* d'un avocat, reproduit avec l'aimable autorisation de Miss Barbara Rich, cl. Suzanne Bosman. Wildy & Sons, librairie de droit, Ede and Ravenscroft, cl. Suzanne Bosman.
164/165 *Lincoln's Inn Fields*, Samuel Scott, huile/toile, vers 1750. Wilton House, cl. Bridgeman Art Library. Staple Inn, Lincoln's Inn, cl. Suzanne Bosman.
165 Barrister à Lincoln's Inn, cl. *idem*.
166 *Un étudiant mesurant les ordres du temple de Castor et Pollux à Rome*, Henry Parke, aquarelle utilisée dans les cours d'architecture de John Soane, 1819. Reproduit avec l'aimable autorisation du Sir John Soane's Museum. *La Bibliothèque de la maison de John Soane en 1822*, Joseph Michael Gandy, aquarelle, 1822. *Idem*. Vue du musée actuel. *Idem*. *Sir John Soane*, Thomas Lawrence, huile/toile, 1829. *Idem*.
167 *La Colonnade, maison de sir John Soane*, Joseph Michael Gandy, aquarelle, 1822. *Idem*. *Coupe du dôme en 1810*, George Bailey, aquarelle, 1810. *Idem*. *Vue imaginaire des modèles des bâtiments publics et privés de sir John Soane*, Joseph Michael Gandy, aquarelle, 1818. *Idem*.
168 Gray's Inn, cl. Antony Kersting. *Les Jardins de Gray's Inn*, gravure, 1804. Coll. Peter Jackson.
169 *La Tour de Londres*, lithographie aquarellée. *Idem*.
170 *Projet pour une boîte aux lettres*, T. M. Baynes, aquarelle, 1857. Post Office Archives.
171 Le Penny Black, 6 mai 1840. *Idem*. *Sir Christopher Wren*, Godfrey Kneller, huile/toile, 1711. National Portrait Gallery.
172 *Saint-Paul*, James Bateman, affiche pour le London North Eastern Railway. Reproduit avec l'aimable autorisation du National Railway Museum, York. Le dôme de la cathédrale saint-Paul, cl. Emily Lane.
172/173 *Vue de Saint-Paul depuis la Tamise*, eau-forte aquarellée anonyme. Coll. Peter Jackson.
173 *La Morning Chapel*, gravure aquarellée. *Idem*. L'intérieur de la cathédrale saint-Paul, cl. Antony Kersting. La façade de la cathédrale saint-Paul, carte postale ancienne vers 1925. Coll. Peter Jackson.
174 *Plan général de Saint-Paul*, aquarelle et lavis d'encre. St Paul's Cathedral Collection, on deposit at the Guildhall Library, Corporation of London.
174/175 *Coupe en longueur de Saint-Paul*, gravure. *Idem*.
175 *Projet pour le dôme*, aquarelle et encre. *Idem*. *Étude pour le péristyle*, encre. *Idem*. *Étude pour la façade ouest*, lavis. *Idem*.
176 St Bartholomew the Great, cl. Suzanne Bosman.
177 *Smithfield Market*, aquarelle, *in* David Gentleman, *Londres*, Gallimard 1986. © David Gentleman. Smithfield Porter, photo. Coll. Peter Jackson. *Smithfield Club Show*, Compton Bennett, affiche, 1928. London Transport Museum. *Old Smithfield Market*, Thomas Sydney Cooper, huile/toile, 1887. Coll. part., cl. Bridgeman Art Library.
178 Mur romain près de la Tour de Londres, cl. Charles Lane. Tête de Mithras, pierre, IIe-IIIe. Museum of London. Panneau de bois sculpté, vers 1400. *Idem*.
179 *La fête de St Bartholemew*, dessin pour éventail, 1728-30. *Idem*. Broche anglo-saxonne. *Idem*. Vase XIIIe-XIVe, d'origine venitienne. *Idem*. Assiette, 1602. *Idem*.
180 Barbican, cl. Charles Lane.
180/181 *Finsbury Circus*, artiste anonyme, huile/toile, vers 1820. Guildhall Art Gallery, Corporation of London, cl. Bridgeman Art Library.
181 *St Botolph's and Postman's Park*, aquarelle, vers 1950. Guildhall Library, Corporation of London, cl. Museum of London. Wesley Chapel, City Road, cl. Antony Kersting
182 La Tour de Londres, cl. *idem*.
183 *Beefeater à la Tour de Londres*, gravure aquarellée, 1805. Coll. Peter Jackson. *La Tour de Londres*, gravure aquarellée, 1772. *Idem*.
185 *La Tour de Londres*, aquatinte couleur. *Idem*. Beefeaters à la Tour, cl. Brian Shuel/Collections.
186 La reine Élisabeth, photo de Cecil Beaton, cl. Camera Press.
186/187 Joyaux de la Couronne. Controller of Her Majesty's Stationery Office (Crown Copyright).
188 Carton d'invitation, 1886. Coll. Peter Jackson. Beefeaters à la Tour de Londres, cl. Brian Shuel/Collections.
188/189 Tower Bridge en construction, photo 1892. London Transport Museum.
189 La Tamise entre London Bridge et Tower Bridge, carte postale ancienne. Coll. Peter Jackson. Tower Bridge, détail, cl. Emily Lane.
190/191 Projets pour Tower Bridge.

Museum, Alfred Waterhouse, aquarelle, vers 1870. Victoria and Albert Museum, cl. Bridgeman Art Library.
235 Natural History Museum, carte postale ancienne. Coll. Peter Jackson.
236 L'amphithéâtre de l'Albert Hall, photo vers 1900. Coll. Peter Jackson. Albert Memorial, cl. Antony Kersting. *Brompton Oratory*, Herbert A. Gribble, aquarelle, vers 1870. Fathers of the London Oratory, cl. Bridgeman Art Library.
237 *Personnages dans Hyde Park*, Charles James Conder, huile/toile. Coll. part., cl. Bridgeman Art Library.
238 Chaises longues, St James's Park, cl. Suzanne Bosman. *St James's Park*, Benjamin Read, aquatinte couleur, vers 1838. Guildhall Library, Corporation of London, cl. Bridgeman Art Library.
239 *St James's Park*, Chatelain, gravure aquarellée, XVIIIe. Coll. Peter Jackson.
240 *German Chapel, St James's*, gravure aquarellée *in* W. H. Pyne, *Royal Residences*, 1819. Coll. Peter Jackson. *Intérieur de St James's Palace. Idem. Extérieur de St James's Palace. Idem* .
241 *St James's Palace*, Christopher Clark, affiche. Reproduit avec l'aimable autorisation du National Railway Museum, York. Buckingham Palace vu de St James's Park, carte postale ancienne. Coll. Peter Jackson.
242 The Picture Gallery, Buckingham Palace. © H. M. the Queen. The Green Drawing Room, Buckingham Palace. © H. M. the Queen. The Music Room, Buckingham Palace. © H. M. the Queen.
243 *Buckingham Palace*, Joseph Nash, aquarelle, 1846. © H. M. the Queen. Buckingham Palace, carte postale ancienne. Coll. Peter Jackson. Programme de concert à Buckingham Palace, 13 juin 1890. *Idem*. La foule à l'extérieur de Buckingham Palace pendant la maladie d'Édouard VII, gouache, 1902. *Idem*.
244 Queen's Walk, Green Park, cl. Suzanne Bosman. Bandstand à Green Park, carte postale ancienne. Coll. Peter Jackson.
244/245 *Summer Day in Hyde Park*, John Ritchie, huile/toile, 1858. Museum of London, cl. Bridgeman Art Library.
245 *Fly to Britain by BOAC*, Clive Uppton, affiche. British Airways' Museum Collection.
246 *Hyde Park, Rotten Row*, aquarelle, *in* David Gentleman, *Londres*, Gallimard 1986. © David Gentleman. *Le Duc de Wellington*, Goya, huile/toile, vers 1812. National Gallery. Hyde Park Corner, carte postale ancienne. Coll. Peter Jackson.
247 Cavaliers dans Rotten Row, Hyde Park, carte postale ancienne. *Idem. The Crinoline Equestrian*, gravure. *Idem*. Crystal Palace, Sydenham, carte postale ancienne. *Idem*.
248 *Kensington Palace*, aquarelle, *in* David Gentleman, *Londres*, Gallimard 1986. © David Gentleman.
248/249 *Autumn in Kensington Gardens*, James Wallace, huile/toile, vers 1900. Coll. part., cl. Bridgeman Art Library.
249 *La Chambre de la reine, Kensington Palace*, gravure aquarellée *in* W. H. Pyne, *Royal Residences.*, 1819. Coll. Peter Jackson.
250 Holland House. Cl. Antony Kersting. *My Lady's Garden*, John Young Hunter, huile/toile, 1899. Tate Gallery.
250/251 *Kensington Gardens*, aquarelle, *in* David Gentleman, *Londres*, Gallimard 1986. © David Gentleman.
251 Détente dans Holland Park, cl. Geoff Howard/Collections. *Holland House*, gravure. Coll. Peter Jackson.
252 *Marble Arch*, S. Groom, lithographie aquarellée. *Idem*.
253 Regent's Park, cl. Suzanne Bosman. *Marylebone New Church*, gravure, 1817. Coll. Peter Jackson.
254 *Maiolica Dish*, Francesco Xanto Avelli, Urbino, 1533. Reproduit avec l'aimable autorisation de la Wallace Collection. Horloge astronomique de Michel Stollewerck. *Idem. Cavalier*, Frans Hals, huile/toile, 1624. *Idem*.
255 *Madame de Pompadour*, François Boucher, huile/toile, 1759. *Idem*. Gorget milanais, vers 1610. *Idem*.
256 Cumberland Place, cl. Antony Kersting. Planétarium et Madame Tussaud's, cl. Geoff Howard/Collections.
256/257 *Regent's Park*, John Knox, huile/toile, 1832. Coll. part., cl. Bridgeman Art Library.
257 St John's Lodge, Regent's Park, cl. Emily Lane. Les *terraces* de Regent's Park, cl. Suzanne Bosman.
258 London Mosque, Regent's Park, cl. Antony Kersting. London Zoo, photo vers 1880. Coll. Peter Jackson. *Regent Canal*, Thomas Hosmer Shepherd, aquatinte couleur. *Idem*.
259 *London Zoo*, George Scharf, lithographie aquarellée. *Idem. For the Zoo*, Charles Paine, affiche, 1930. London Transport Museum. Camden Lock, Camden Lock Market, cl. Geoff Howard/Collections.
260 Hampstead, vu de Parliament Hill, carte postale ancienne. Coll. Peter Jackson. Bathing Pond, Hampstead, carte postale ancienne. *Idem*.
261 *Maison de Downshire Hill*, aquarelle, *in* David Gentleman, *Londres*, Gallimard 1986. © David Gentleman.
262 *La Maison de l'amiral, Hampstead*, John Constable, huile/toile, vers 1820-1825. Tate Gallery. *John Keats*, William Hilton d'après le tableau de 1819 de Joseph Severn, huile/toile. National Portrait Gallery. Maisons à Hampstead, cl. Suzanne Bosman.
263 Kenwood, cl. Antony Kersting. La Bibliothèque, Kenwood, cl. *Idem*. *Kenwood*, gravure aquarellée, 1793. Coll. Peter Jackson.
264 Highgate Cemetery, the Circle, the Egyptian Gates, cl. Clémence Jacquinet. La tombe de Philip Astley, cl. Emily Lane. Cromwell House, Highgate, cl. Antony Kersting. Freud Museum, cl. Suzanne Bosman
265 *Edwardian London*, Eugène Joseph McSwiney, huile/toile, 1901. Coll. part., cl. Bridgeman Art Library.
266 *St Mary-le-Strand*, George Sidney Shepherd, aquarelle. Coll. part., cl. Bridgeman Art Library.
267 Adam Street, cl. Suzanne Bosman.
268 Cleopatra's Needle dans le port d'Alexandrie avant d'être transportée en Angleterre, photo. Coll. Peter Jackson. Cleopatra's Needle mise en place, photo. *Idem*. Cleopatra's Needle, carte postale ancienne. *Idem*.
269 Somerset House, cl. Antony Kersting. Shell-Mex Building, Savoy Hotel, cl. Suzanne Bosman. *Somerset House*, Thomas Sandby, aquarelle, vers 1780. Victoria and Albert Museum, cl. Bridgeman Art Library.
270 *Bar aux Folies-Bergère*, Édouard Manet, huile/toile, 1881-1882. Courtauld Institute Galleries. *A Quack at a Fair*, Rembrandt, encre sur papier, vers 1640. *Idem*. *Adam et Ève*, Cranach, huile/bois, 1526. *Idem*.
271 *La conversion de saint Paul*, Rubens, huile/bois, vers 1610-1612. *Idem. Montagne Sainte-Victoire*, Paul Cézanne, huile/toile, vers 1886-88. *Idem*.

Guildhall Library. La Tamise vue de Richmond Hill, cl. *idem*. Riverside, Richmond cl. *idem*,
352 Hampton Court, cl. Skyscan Balloon Photography Copyright.
353 *Hampton Court*, gravure aquarellée, *in* W. H. Pyne, *Royal Residences*, 1819. Coll. Peter Jackson.
354 L'Horloge, Hampton Court, cl. Antony Kersting. Les cheminées Tudor, cl. *idem*.
355 Hampton Court, face sud, cl. *idem*. *Le grand escalier*, gravure aquarellée, *in* W. H. Pyne, *Royal Residences*, 1819. *La chapelle, idem*.
356 Guards devant St George's Chapel, Windsor, cl. Suzanne Bosman.
357 *Windsor*, gravure aquarellée, *in* W. H. Pyne, *Royal Residences*, 1819. Windsor, cl. Suzanne Bosman. Le château de Winsor, vue de l'est, aquatinte couleur *in* Joseph Nash, *Views of Windsor Castle* 1848, cl. E.T. Archive
358 Windsor, *the King's Audience Chamber*, gravure aquarellée, *in* W. H. Pyne, *Royal Residences*, 1819. *Old Guard Chamber*, idem. *George III*, école de Allan Ramsay, huile/toile, vers 1767. National Portrait Gallery. *Windsor Castle, la terrace*, Paul Sandby, huile/toile. Victoria and Albert Museum, cl. E.T. Archive.
359 Windsor, *Ball Room*, gravure aquarellée *in* W. H. Pyne, *Royal Residences*, 1819. Windsor, *King's Drawing Room, idem*. Vues de Windsor, cl. Suzanne Bosman.
360 Vue de Windsor, cl. Suzanne Bosman.
361 *Cricket on the Green at Eton*, William Evans, huile/toile, vers 1843. Eton College, cl. E.T. Archive.Illustration *in* J. Ryman, *A Few Recollections of Eton*, 1840, cl. E.T. Archive
362-363 *Frogmore*, gravure aquarellée, *in* W. H. Pyne, *Royal Residences*, 1819.
362 La chapelle d'Eton College, cl. Suzanne Bosman. Cloister court, Eton College, cl. idem. Illustration *in* J. Ryman, *A Few Recollections of Eton*, 1840, cl. E.T. Archive.
363 La bibliothèque d'Eton College, cl. Suzanne Bosman.
364 *Saint Jean Baptiste*, Guido Reni, huile/toile, 1640-1642. Dulwich Picture Gallery. Extérieur de Dulwich Picture Gallery, cl. Antony Kersting. *Le Triomphe de David*, Nicolas Poussin, huile/toile, 1628-1631. Dulwich Picture Gallery.
366 Cl. Air France.
367 Victoria Station (trois illustrations), cl. Suzanne Bosman. Cl. Brittany Ferries.
368 Knighsbridge Tube Station, cl. Geoff Howard/Collections. *Do not get lost*, détail d'une affiche, 1925. London Transport Museum.
369 *Keep Warm*, détail d'une affiche, 1925. *Idem. Avoid Delay*, affiche, 1910. London Transport Museum. Park Royal Station, affiche, 1935. Welch & Lander Architects. *Underground*, London Transport Museum.
370 *Docklands Light Railway with Boat in foreground*, cl. Ed. Pritchard. Tony Stone Worldwide. Taxis, cl. Suzanne Bosman. Docklands Light Railway, cl Sarah Gentleman.
371 River Bus (trois illustrations), cl. Suzanne Bosman. Albert Bridge, cl. Hideo Kurihara. Tony Stone Worldwide.
372 Arrêt d'autobus, cl. Sarah Gentleman. Conducteur d'autobus, cl *idem*. Autobus à impériale (trois illustrations), cl. *idem*.
373 Plaques de rues, cl. Suzanne Bosman.
374 Canary Wharf, cl. Suzanne Bosman. St Katharine's Docks, cl. *idem*. Dock's, cl. Geoff Howard/Collections
375 Plaque de la B. B. C., cl. Suzanne Bosman. William Boyd D. R. Anthony Burgess D. R. Dealing Room, Montagues Bank London, cl. Geoff Howard/Collections. Royal Opera House, cl. Suzanne Bosman.
376 Broadcasting House, cl. Suzanne Bosman. Vendeuse de journaux, cl. *idem*. Leicester Square, cl. Sarah Gentleman. Kiosque à journaux, cl *idem*. *Harrods*, cl. Brian Shuel/Collections.
377 Berwick Street Market (deux illustrations), cl. Suzanne Bosman.
378 Cabines de téléphone Mercury cl. Sarah Gentleman. Cabine de téléphone British Telecom cl. Suzanne Bosman.
379 Bureau de change, cl. Suzanne Bosman. Boîte aux lettres, cl. *idem*.
382 Trafalgar Square, cl. Suzanne Bosman. Le palais de Westminster, cl. Antony Kersting.
383 Victoria and Albert Museum, cl. Suzanne Bosman. St Katharine's Docks, cl. *idem*. Bedford Square, cl. *idem*. Vue de Greenwich depuis Island Gardens, cl. *idem*.
384 La cathédrale de Westminster, cl. Suzanne Bosman. Maison de Highgate, cl. *idem*. Chelsea, cl. *idem*.
385 Cumberland Terrace, cl. Suzanne Bosman. Covent Garden, cl. Antony Kersting.
386 Cl. Museum of the Moving Image.
387 *H. M. S. Belfast*, Imperial War Museum. *A Summer Holiday*, *in The Graphic*, 1883. Coll. Peter Jackson.
388 *Sotheby's, New Bond Street*, aquarelle, *in* David Gentleman, Londres, Gallimard 1986. © David Gentleman.
389 Portobello Road Market, cl. Geoff Howard/Collections. Camden Passage, Antique Market Stall, Islington, cl. *idem*. New Caledonian Market, Berdmonsey, cl. *idem*.
390 Albert Hall, cl. Suzanne Bosman. Royal Opera House, cl. Geoff Howard/Collections.
391 St John's Church, Smith Square, cl. Antony Kersting.
392 *Stagefright*. Warner/Alfred Hitchcock, 1950. British Film Institute, Stills, Posters and Designs.
393 *Indiscreet*, Grandon/Stanley Donen, 1958. British Film Institute, Stills, Posters and Designs.
394 Trafalgar Square. Coll. Peter Jackson.
395 Le carnaval de Notting Hill, cl. Brian Shuel/Collections.
396 *The Adverts*, cl. Geoff Howard/Collections. *Hippodrome*, cl. *idem*.
398 Enseignes de pubs, cl. Suzanne Bosman.
407 New Barbican Hotel. D. R.
408 Fenja Hotel. D. R.
409 Ebury Court Hotel. D. R.
412 Grosvenor House, cl. Forte Hotels.
420 Great Eastern Hotel. Cl. Lucinda Lambton/Arcaid.
421 Sous bock. D. R.
422 Bardon Lodge Hotel. D. R.

Illustrateurs :
16/17 Gilbert Houbre, Jean Chevallier, François Desbordes, William Donohoe, Claire Felloni, Pascal Robin.
18/19 François Desbordes, Jean Chevallier, Claire Felloni, Pascal Robin.
20/21 Jean Chevallier, François Desbordes, Claire Felloni, Catherine Lachaux, Guy Michel.
22/23 Jean Chevallier, Claire Felloni, Catherine Lachaux, Guy Michel.
24/25 Jean Chevallier, Claire Felloni, Catherine Lachaux.
26/27 Jean Chevallier, Richard Coombes, Claire Felloni.
28/29 Jean Chevallier, François Desbordes, Claire Felloni, Guy Michel, John Wilkinson.
30/31 Jean Chevallier, François Desbordes, Claire Felloni, Guy Michel, François Crozat.
32 Jean Chevallier, François Desbordes, Claire Felloni, Guy Michel, John Wilkinson.

Illustrateur pour les informations pratiques (370/385) : Maurice Pommier.

Infographie :
Paul Coulbois et Danièle Guitton.Enfin, nous avons vainement recherché les héritiers ou éditeurs de certains documents. Un compte leur est ouvert à nos éditions.

Index

◆A◆

◆B◆

◆C◆

◆D◆

◆E◆

◆F◆

◆G◆

◆T◆

◆U◆

◆V◆

◆W◆

◆ Y ◆

◆ Musées ◆

◆ Églises ◆

◆ Palais ◆

◆ Parcs et jardins ◆

LONDRES 1:50.000 (1cm = 500 m)
0 500 1000 m
Cricklewood Station
Finchley Road
Hampstead
Rosslyn Hill
Mansfield Rd.
Shoot-Up Hill
West Hampstead
Haverstoch Hill
Malden Road
Kentish T
Brondesbury
Swiss Cottage
South Hampstead
West End Lane
Willesden Lane
Kilburn High Road
Chalk Farm Road
Adelaide Road
Abbey Road
Finchley Road
Avenue Road
Primrose Hill
Salisbury Road
Kilburn
Hill
Acacia Road
Albert Road
Queen's Park Rise
Carlton Hill
Outer Circle
Zoological Gardens
Maida Vale
Wellington Road
Grove End Road
Prince Albert Road
Albany Street
Carlton Vale
Cambridge Road
Randolph
Regent's Park
West Kilburn
Maida Vale
Hall Rd.
Wood Rd.
Park Road
Outer Circle
Harrow Road
Elgin Avenue
Walterton Rd.
St. John's
Lisson Grove
Ladbroke Grove
Grand Canal
Sutherland Avenue
Warwick Avenue
Marylebone Station
Gloucester Place
Baker Street
Marylebone Road
Westbourne Green
Harrow
Union Canal
Kensal Town
Paddington
Edgware Rd.
Portland Pl.
Great
Portobello
Westway
Road
St. Marylebone
Marylebone Rd.
Seymour Place
New Cavendish Str
Wallace Collection
A 40 (M)
Westbourne Park Road
Paddington Station
Praed Street
Bishop's Bridge Rd.
Westbourne Ter.
Gloucester Terrace
Sussex Gds.
Edgware Road
Portman Square
Wigmore St.
Chepstow Road
Grove
Queensway
Westbourne Grove
Seymour St.
Oxford Street
Oxf Circ
New Bond
Notting Hill
Pembridge Road
Bayswater Road
Marble Arch
Grosvenor Square
Park Street
Burl
Mayfair
Berkeley Square
Notting Hill Gate
Bayswater
Park Lane
South Audley St.
Hyde Park
Holland Park Avenue
Kensington Gardens
The
Campden Hill Road
Kensington Church Street
Kensington Palace Gardens
Orangerie
Kensington Palace
Serpentine
Picca
Gre Pa
Holland Park
Hyde Park Corner
Kensington Road
Knightsbridge
Buckingham Palace
Grosvenor Pl.
Commonwealth Inst.
Kensington High Street
Kensington
Royal Albert Hall
Exhibition Road
Belgravia
Gloucester Road
Queen's Gate
Science Museum
Victoria and Albert Museum
Sloane Street
Belgrave Square
Brompton Road
Olympia
Holland Road
Marloes Rd.
Earl's Court Road
Natural History Museum
Brompton Oratory
Pont Street
Eaton Square
Eccleston
Palace Rd.
Hammersmith Rd.
Warwick Road
Cromwell Road
Brompton
Sloane Square
Talgarth Rd.
South Kensington
Onslow Gardens
Sloane Av.
Pimlico Rd.
Buckingham Palace Rd.
Be
Earl's Court
Earl's Court Exhibition Hall
Redcliffe Gardens
Brompton Road
Drayton Gds.
Cranley Gds.
Sydney St.
Ebury Br.
Sutherland St.
Pi
Finborough Road
Fulham Road
Old Church St.
Chelsea
King's Road
Royal Hospital Rd.
Chelsea Bridge Rd.
Royal Hospital
Lillie Road
North End Rd.
Beaufort Street
Oakley St.
Chelsea Physic Garden
Chelsea Embankment
Chelsea Br.
Gros
Batte Pow Static
Lillie
Edith Grove
Carlyle's House
Chelsea Old Church
Albert Br.
Festival Pleasure Gardens
Queenstown Rd.
Dawes Road
Fulham Road
Crosby Hall
Cheyne Walk
Battersea Br.
Battersea Park
King's Road
Battersea Bridge Road
Fulham
Fulham Palace Road
Sands End
Battersea
Park Road
Parson Green
King's Road
Wandsworth Bridge Road
Fulham
New King's Road
Battersea Park Road
Queenstown Rd.
Fulham Palace
Hurlingham Park
York Road
A
B
C
D
E
F
1
2
3